Kırmızı Kedi Yayınevi 581

Kırmızı Kedi Yayınevi: 581
İnceleme: 53

galat-ı meşhur
Doğru Bildiğiniz Yanlışlar
Soner Yalçın

Yayın Yönetmeni: İlknur Özdemir

Son Okuma: Füsun Güler
Kapak Tasarımı: Füsun Turcan Elmasoğlu
Grafik: Yeşim Ercan Aydın

Birinci Basım: Nisan 2016, İstanbul
ISBN: 978-605-9658-27-0
Kırmızı Kedi Sertifika No: 13252

Baskı: Pasifik Ofset
Cihangir Mah. Güvercin Cad. No: 3/1 Baha İş Merkezi A Blok Kat: 2
34310 Haramidere/İSTANBUL
Tel: 0212 412 17 77 Sertifika No: 12027

Kırmızı Kedi Yayınevi
kirmizikedi@kirmizikedikitap.com / www.kirmizikedikitap.com
www.facebook.com / kirmizikedikitap / twitter.com / krmzkedikitap
kirmizikediedebiyat.blogspot.com.tr
Ömer Avni M. Emektar S. No: 18 Gümüşsuyu 34427 İSTANBUL
T: 0212 244 89 82 F: 0212 244 09 48

Soner Yalçın

galat-ı meşhur

DOĞRU BİLDİĞİNİZ YANLIŞLAR

Patrick Kamenka, Arne König, Renate Schroeder, Patrick Le Hyaric, Jim Boumelha, Jacqueline Park, Gabriel Baglo, Celso Schröder, Stephen Pearse, Marc Gruber, Gustavo Granero, Christopher Warren, Franz C. Bauer, Fritz Wendl, Celso Augusto Schröder, Alexandre Niyungeko, Andrus Klikunou, Jean-François Dumont, Pol Detour, Brice Houssou, Snezhana Todorova, Edouard Adzotsa, Anton Filic, Jasmina Popovic, Zdenko Duka, Antonis Makrides, Ivo Kostiha, Mogens Blicher Bjerregård, Stanis Nkundiye, Olivo De León, Helle Tiikmaa, Jógvan Hugo Gardar, Arto Nieminen, Juha Rekola, Emmanuel Vire, Patrick Kamenka, Marc Norguez, Anthony Bellanger, Zviad Pochkhua, Ulrich Janben, Cornelia Habt, Michael Klehm, Michelle Stanistreet, Dimitris Trimis, Acsay Judit, Jenni Campbell, Hjálmar Jónsson, S. N. Sinha, Danny Zaken, Franco Siddi, Jared Obuya, Roger Infalt, Felile Moholi, Tamara Chausidis, Younes Mjahed, Hella Liefting, Thomas Bruning, Jahn-Arne Olsen, Elin Floberghagen, Muhammet Amin Yousuf, Zuliana Lainez, Agnieszka Romaszewska-Guzy, Jerzy Domanski, Andrzej Maslankiewicz, Andrzej Bilik, Anabela Fino, Cristi Godinac, Tim Shafir, Vukasin Obradovic, Ljiljana Smajlovic, Petar Jeremic, Peter Kubinyi, Matija Stepišnik, Omar Faruk, Tuwani Gumani, Felile Moholi, Jessica Pintor Barran, Dharmasiri Lankapeli, Anita Vahlberg, Samson Kamalamo, Dennis Engbarth, Chen Hsiao, Crédo Adjé K. Tetteh, Luis Curbelo, Larry Goldbetter, Bernie Lunzer, Munyaradzi Makombe, Jacques Massey, Christine Boos, Stéphane Takacs, Patrick Masson, Isabelle Gautier, Éliane Gueylard, André Borrelli, Valérie Gios, Noëlle Cousinié, Jean-Pierre Frappier, Nicola Edge, Anne-Marie Joannes François Boissarie, Joseph Badaoui, Alain Girard, Philippe Thebault, Marc Dubois, Vincent Lanier, Alain Apvrille, Danielle Darras, Françoise Vlaemÿnck, Thérèse Jauffret, Jógvan Hugo Gardar, Djamal Benmerad, Michel Diard, Jean Crozier, Celine Llambrich, Marie Vincent, Mathorel Christian, Jean-François Tealdi, Stéphane Blondet, Francis Gerardin, Maria Carmona, Etienne Vuillaume, Gérald Rossi, Jean-Louis Lagarde, Jacques Kmieciak Pascal Laurent, Laurent Miguet, Philippe Donnaes, Michelle Demessine, Philippe Morel, Claude Pascal, Benoît-Pierre Morin, Pailla Daniel, Jürgen Ellasser, Nina Ognianova, Isabelle Réghi...

Sessizliğe mahkûm edildiğim Silivri zindanındaki
çığlığımı duyarak,
"Soner Yalçın Bırakılsın"
bildirisine imza atan,
dünyanın dört yanındaki gazetecilere
ithaf olunur...

İÇİNDEKİLER

GİRİŞ

Yıllar önce o resmi gördüğümde kitabın adına karar vermiştim...

Elinizdeki kitabın kapağında gördüğünüz kişi, Şeyhülislam Cemalettin Efendi'nin eşi Fatma Zehra Hanım'dır. Resim, 1902 yılına aittir. Elbisesinin önünde, 1878 yılında II. Abdülhamit tarafından hayır ve yardım işlerinde başarılı olan kadınlara verilen "Şefkat Nişanı" taşımaktadır. Herhalde bu nedenle poz vermişti.

Ve... Görüldüğü gibi başı açıktır!

II. Abdülhamit dönemiyle özdeşleşen Cemalettin Efendi, toplam 18 yıl şeyhülislamlık yaptı. İttihatçıların Almanlara yakınlaşmasına karşı çıktığı için 1913'te Mısır'a sürüldü. Peki...

Şeyhülislam deyince aklınıza ne geliyor? Tahmin ediyorum...

Demek... Osmanlı döneminde "gerici" bilinen" II. Abdülhamit'e yakın ve "ilerici" bilinen İttihatçılara karşı bir şeyhülislamın eşi başı açık poz veriyordu!

Demek... Tarihimizde doğru sandığımız ama yanlış bildiğimiz konular var...

Önyargıları yıkmak zorundayız...

Yanlış, hatalı olanı cesurca dile getirmeliyiz.

Örneğin...

"Gel ne olursan ol yine gel..."

Bu söz kime ait?

"Mevlânâ" dediğinizi duyar gibiyim!

Ancak... 1368 yılına ait en eski Mevlânâ'nın Divan-ı Kebir'inde bahsi geçen rubai yok! İlerleyen yıllarda bu sözler, rubai sıralamasının en sonuna ekleniverdi!

Sözün; Mevlânâ'dan 200 yıl önce Horasan'da yaşamış Ebu Said-i Ebu'l Hayr'a veya Efdalüddin-i Kâşani'ye ait olduğu iddia ediliyor...

Bu bir galat-ı meşhur mu? Peki...

Hani bildiğiniz meşhur bir Mevlânâ portresi var; dışı yeşil cüppeli, içi kahverengi abalı, kahverengi külah üzerine sarılmış beyaz sarıklı, boynu mütevazılıktan öne eğik, elinde doksan dokuzluk beyaz tespihiyle orta boylarda ak sakallı olan.

Her fırsatta her yerde kullanılan figür. Tanıdınız. Peki...

Sahiden Mevlânâ o resimde tasvir edildiği gibi mi? Resimdeki Mevlânâ mı? Hayır!

1960'lı yıllar... Tahran Üniversitesi'nde, Mevlânâ konulu minyatür ve resim yarışması yapıldı. Birinci gelen resim; bizim bildiğimiz işte o resimdi...

Mevlânâ Müzesi Müdürü Mehmet Önder bu resmi beğenip Konya'ya getirip kartpostal olarak bastırdı ve kısa sürede tüm yurtta en çok kullanılan Mevlânâ resmi oldu!

Kuşkusuz Mevlânâ'yı şişmanca ve orta boylu gösteren bu resim, Mevlânâ'nın gerçek fiziksel özelliklerini taşımıyordu! 14. yüzyılda yaşamış tarihçi Ahmet Eflaki Dede'nin *Menakıbü'l Arifin* adlı kitabında, Mevlânâ'nın boyu yaklaşık 1,80'di ve çok zayıftı. Uzun sakallı değil –uzun sakal bırakmak kişide gururlanmaya neden olacağından– kısa sakala sahipti!

Bugün gerçek bir Mevlânâ resminin var olup olmadığı bilinmiyor... Tarihte örnekleri çok...

Yavuz Sultan Selim sanılıp okul kitaplarına bile giren meşhur küpeli resimdeki kişi, Şah İsmail'dir!..

İstanbul surlarına ilk Türk bayrağını diken ve hakkında kahramanlık marşları yazılan "Ulubatlı (Lopadionlu) Hasan" diye biri yoktur! Fetihten 150 yıl sonra 16. yüzyılda "Sahte Francis" adıyla anılan Melissinos'un uydurmasıdır bu!.. Cumhuriyet dönemi kitaplarında Ulubatlı Hasan'ın adı 1947 yılına kadar hiçbir şekilde geçmezken, 1947'de tarihçi İsmail Hakkı Uzunçarşılı, "Sahte Francis" adıyla bilinen Melissinos'un kitabında yer alan bilgiyi aynen kullanarak, "Ulubatlı Hasan" adını mitsel bir kahramana dönüştürdü.

Bitmez bu yanlışlıklar...

"Kömürü ilk bulan kahraman" diye ders kitaplarına konan "Uzun Mehmet" de efsanedir; öyle bir kişi ve olay yoktur!

Hezarfen Ahmet Çelebi gibi "uçuyoruz!" Bu olayı yazan Evliya Çelebi'ye inanıyorsanız; Erzurum'da damdan dama atlarken havada donan kediye; bulutların donup hareket etmediğine ve cadıların gökyüzünde kavga ettiğine tanık olduğuna da inanmanız gerekir! Şaka gibi...

Bilinir ki...

Kanuni Sultan Süleyman sağlığa çok önem verirdi; bu nedenle şu şiiri yazdı:

"Halk içinde muteber bir nesne yok devlet gibi,

Olmaya devlet cihanda bir nefes sıhhat gibi."

Böyle bilindiği için MHP lideri Devlet Bahçeli ameliyat masasından kalktıktan sonra katıldığı partisinin meclis grup toplantısına bu sözlerle başladı. (9 Şubat 2016)

Oysa doğrusu şu...

"Devlet" sözcüğü Arapça'dan gelir ve 19'uncu yüzyıla kadar bugünkü anlamda kullanılmazdı. Arapçada "devlet", feleğin çarkının dönüşünün bazı kişileri "talihli" kılması demekti. "Sıhhat" sağlık değil, doğruluk demekti.

Yani... Kanuni diyordu ki:

"Hayatta en değerli şey mutluluktur

Mutlulukların en yücesi bir solunum doğruluktur."

Zaten... Osmanlı'da asıl önemli olan devlet değil, hükümdardı!

İşte bu, galat-ı meşhur'dur!..

Hadi... Kanuni'den bir örnek daha vereyim:

Bilinir ki; "Kızıl Elma" kimi Turancı milliyetçilerin hayali; gerçekleştirmek istedikleri Kafkasya-Orta Asya Türkleriyle birleşme stratejisi.[1]

Doğrusu şaşırtıcıdır...

Kanuni Sultan Süleyman, Yeniçeri Ocağı'na kendini 1 numara olarak yazdırdı. Ulufe dağıtılacağı zamanlarda sanki kendisi de maaşını alıyormuş gibi ulufe kesesini alırdı. Üstelik bir de dokunaklı konuşma yapardı:

"Kızıl Elma'da buluşalım..."

Vatikan'daki San Pietro Bazilikası'nın tepesindeki kırmızı elmayı andıran küçük kubbesinden dolayı, Osmanlı'da "Kızıl Elma" Papa'nın simgesiydi... Kanuni'nin "Kızıl Elma'da buluşalım" dediği Vatikan'ın alınma hedefine işaret ediyordu!

Ezberleri bozmamız gerekiyor...

1990'lı yıllarda, siyasette sarışın güzel ekonomi profesörü Tansu Çiller'in rüzgârı esiyordu.

Başbakan olduğunda sık sık Türkiye için "son komünist ülke" benzetmesi yapıyordu. "Piyasayı devlet belirleyemez," diyordu.

"Devlet çarşıda satılan malın fiyatının ne olacağına karar veremez" diyordu...

Ah bu Cumhuriyet! Halkına ne "kötülükler" yapmıştı! İşte Çiller "son komünist ülke Türkiye"yi yıkacaktı!

---

1 Ergenekon Davası sürecinde, sözde "örgütün" amacının; "Kızıl Elma" olduğu iddia edildi.

Cumhuriyet'e vurup Osmanlı'yı yüceltme dönemiydi. Ama...

Kimsenin aklına gelmiyordu ki piyasaya müdahale etmek komünistlik ise, Osmanlı da komünist sayılmaz mıydı? Osmanlı'da fiyat kontrolü yani narh usulü vardı. Devletin verdiği fiyatların kontrolü sadece kadı ve güvenlik görevlilerine (muhtesiplere) bırakılmaz, bazen bizzat sadrazamlar bile nezaret ederdi. Çiller ile eşdeğer makamda oturan sadrazamların en önemli görevlerinden biri; soğan-sarmısak fiyatını belirlemekti. Padişahların tebdil kıyafet giyerek çarşıda pazarda niçin dolaştığını sanıyorsunuz; fiyat kontrolü içindi!

Özellikle sikke ve fiyat bunalımları dönemlerinde sadrazamların maiyetleriyle birlikte Unkapanı'na kadar gelip, pişirilen ekmek çeşitlerini tartıp fiyat tespit ettiği biliniyor.

Devletin verdiği fiyat üzerinde mal satanlara falaka cezası verilirdi. Bazı padişahlar esnafı denize atardı. İdam edilen bile oldu...

Ekonomi profesörü Çiller ülkesinin tarihini bilmiyordu! Ve demek Osmanlı da komünistti!..

Şaka bir yana...

Tarihi bilmek, kavramak için olaylara iktisat perspektifinden bakmak gerekir.

Bizim kaderimiz: Ekonomistler tarih bilmez. Tarihçilerimiz ekonomi bilmez!.. Bu nedenle...

Derler ki... "Osmanlı'da çok içki yasağı oldu, ama halk tarafından kabul görmediği için hep kaldırıldı!"

İşte bu iktisat temelli düşünemeyen tarihçilerin uydurmasıdır! İçki yasağının kalkmasının sebebi, "zecriye" adı verilen gelir vergisidir. Osmanlı devleti din ile para arasında sıkışıp kaldı hep. Ekonomisi bozulup vergilere ihtiyaç duyduğundan içki yasağını kaldırdı. Tıpkı bugün AKP'nin içkiden çok vergi aldığı için içki konusunda yasakçı davranamaması gibi...

Tüm yasakların Şeriat'tan kaynaklandığını düşünmek de yanlıştır.

Mesela denir ki, "Matbaa'nın gelişini şeriat engelledi!"

Doğrusu; bunun dinle pek ilgisi yoktu; direnci gösteren lonca sistemiydi. Yani... Karşı koyan –elyazmasından para kazanan– hattatlardı! Matbaacılık, elyazılarıyla geçimini sağlayan esnafın ticaretini tehdit ediyordu. Bu yüzden matbaa büyük bir dirençle karşılaştı ve hatta ayaklanmalar bile oldu; "Allah'ın sözleri nasıl makinede basılır?" Sanmayın ki din sadece siyasete malzeme edilir; işte böyle ticarete de mal edilir!..

Devletin matbaaya soğuk bakmasının bir diğer yanı ise, matbaayla çoğalan kitaplar sayesinde Avrupa'da Musevi ve Hıristiyanlar arasında din tartışmaları çıkmıştı; bu tür isyanların Osmanlı tebaası içindeki gayrimüslimleri de etkileyeceğini düşünüyordu.

Bu korku o derece güçlüydü ki; tarihçi F. Babinger'e göre, elyazması Kuran-ı Kerim'in İstanbul'da çok pahalı olduğunu gören bir İngiliz, Londra'da matbaada bastırdığı Kuran'ı İstanbul'a getirdi. Fakat bunu öğrenen padişah tüm Kuran'ı denize attırdı!..

Madem konu yazıdan kitaptan açıldı; doğru bilinen bir yanlışa daha dikkatinizi çekeyim...

Diyorlar ki: "Cumhuriyet'in ilk yıllarında az kitap yayımlanmasının sebebi Latin harflerine geçilmesidir."

Sanki, Osmanlı döneminde çok mu kitap yayımlanıyordu? 1550'lerde sadece Kanuni hakkında Avrupa'da yüzlerce kitap yayımlanırken bize geç gelen matbaanın ardından 100 yılda bile toplam 50 kadar kitap yayımlandı. Aynı 100 yılda Japonya'da 10 bin kadar kitap basıldığı biliniyor.[2]

Okumayı-yazmayı ve kitap yayımcılığını Latin harflerine bağlamak, meselenin yine iktisadi yönünü kavrayamamaktan ileri geliyor! Gerçekte kitap üretimi ve onunla ilgili basın yayın faaliyetleri kapitalist işletme şeklini alınca; kültür, kitlesel boyut kazandı ve "kitapçılık" kârlı bir üretim dalı haline geldi. Batı'da matbaa 15. yüzyılda icat edilmekle birlikte, yayıncılıkta kitle üretimine geçilmesi çok sonradır. 16. yüzyıldan 18. yüzyıla kadar bir kitabın tirajı bini geçmiyordu. Aydınlanma yüzyılında patlama oldu diyebiliriz. Voltaire'in "Örf ve Âdetler Üzerine Deneme"si rekor kırarak 7 bin basıldı.[3]

Evet... Matbaa, Avrupa'da yeni tip aydın yarattı. Daha önce kiliseye, senyöre, öğrenciye muhtaç olan aydın, matbaa sayesinde kitap çıkardı ve gelir sahibi olmaya başladı. 16. yüzyılda Erasmus, yayınlarıyla hayatını kazanan dünyada ilk aydın oldu. Aydın artık gerçeğe karşı sorumlu oldu...

Osmanlı toplumunda bu ortamı yaratacak sosyo-ekonomik evrim gerçekleşmediği için kitabın yaygınlaşması ve dolayısıyla aydının çıkması çok zor oldu. Düşünün: Osmanlı'da üniversite (Darülfünun) 1870 yılında açıldı. Uzun ömürlü olamadı ve 1900 yılında yeniden açıldı!

---

2 Bugün bir Japon senede ortalama altı kitap okurken, bizde altı Türk yılda bir kitap okumaz! Hep bu Latin harfleri yüzünden!..

3 Voltaire bir kitabında şu acı tespiti yapıyor: "İstanbul'da bir yılda yazılanlar, Paris'te bir günde yazılanlardan azdır!"

"Osmanlı... Osmanlı" diyenler bugün daha İstanbul'da Osmanlı dönemi binalarını bile kayıt altına almadılar!

Amacım tek tek bunları yazmak değil...

– Galileo Galilei aslında hiç hapis yatmamıştır. Zaten, Güneş'in Dünya çevresinde değil Dünya'nın Güneş'in çevresinde döndüğünü söylemiştir. Keza, teleskopu da o icat etmemiştir! Ve son yıllarda kör de olmamıştır!..

– Özellikle mühendislik ve fen fakültesi öğrencilerine, ilk senede öğretilen "calculus matematiğini" fizikçi Isaac Newton icat etmemiş, Gottfried Leibniz'den çalmıştır!..

– ABD Başkanı Ronald Reagan'dan ABD başkan adayı Al Gore'a kadar Amerikalı siyasetçiler yıllarca Abraham Lincoln'den alıntı yaptı: "Küçük adama yardım edeceğim diye büyük adamı deviremezsin; zenginleri yok ederek fakirlere yardım edemezsin!" Oysa, Lincoln'ün böyle bir sözü yoktu!.. Şöyle bir sözü vardı: "Bildiklerimiz değil, doğru zannettiklerimiz başımızı belaya sokar."

– Yahudi liderlerin dünya düzenini bozarak hâkimiyeti ele geçirmek üzerine yaptıkları toplantının tutanakları denen "Siyon Liderlerinin Protokolleri" koca bir yalandı ve Rus gizli servisi Ohranka adına çalışan Mathieu Golovinski tarafından kaleme alınmıştı!..

Ya da şunları mı yazmamı beklersiniz...

– Dünyamıza gelen uzaylıları yazdığı *Tanrıların Arabaları* gibi kitaplarıyla dünyanın en çok satan kitaplar listesine giren ve –çocukluğumda ben dahil– milyonlarca kişiyi kandıran Erich von Daniken aslında yazdıklarını *Planete* adlı bilimkurgu dergisinde kaleme alınan kurgulardan kopyalamıştı! Zaten daha önce zimmetine para geçirmekten birkaç kez ceza almıştı...

– Boney M.'den Spice Girls'e, The Monkees'ten Milli Vanilli'ye kadar albüm kapaklarında fotoğraflarını gördüğünüz, ekranda seyrettiğiniz dünyaca ünlü pop şarkıcıları; aslında "perde arkasında" şarkı söyleyenlerin yüzü olup sadece dudaklarını oynatıp dans ettiler...

– Şampanya Fransızların değil İngilizlerin icadıdır...

– Develer hörgüçlerinde su değil yağ taşırlar; anavatanı Afrika değil Kuzey Amerika kıtasıdır...

– Boğalar renkkörüdür; boğayı sinirlendiren matadorun elindeki kırmızı pelerin değil, pelerinin hareketidir...

Sanırım bunları yazacağımı beklemiyorsunuz.

Başka bir şey anlatmak istiyorum. Şu...

Elinizdeki kitapta galat-ı meşhur deyimini farklı ele alacağım.[4]

Siyasi-ekonomik-kültürel anlamda doğru bilinen yanlışlar üzerinde duracağım. İzah edeyim:

– Napoléon Mısır'ı işgal ettiğinde Fransızlar, "Gizlice Müslüman oldu; gerçek adı Ali Bonapart'tır" diye halkı kandırdı.

– Almanlar İkinci Dünya Savaşı'nda Müslümanları yanlarına çekmek için şu yalanı ortaya attı:

"Hitler gizlice Müslüman oldu; adı, Haydar'dır!"

– İtalyanlar boş durur mu; "Mussolini gizlice İslam'ı seçti; adı-soyadı Musa Nili," dediler.

– İngilizler baktılar... Kıbrıslı Türkler kendilerine ateş püskürüyor; Prens Charles'ı Müslüman yaptılar; adı, "Hüseyin" idi!

– En renklisini rahmetli Kaddafi söyledi; "Shakespeare Müslüman idi ve adı Şeyh Pir"di!..

Erdoğan, Kaddafi'yi geçti; "Amerika kıtasını Kristof Kolomb'dan önce 1178'de Müslümanlar keşfetti," dedi. Erdoğan'ın sözüyle dünya dalgasını geçti. Ama...

Meseleye bambaşka açıdan bakmak gerekir: Mesele Amerika kıtasını kimin bulduğu değildir. Kıtaya adı verilen Amerigo Vespucci'nin bu topraklara gidip gitmediği bile kesin değildir!

Keza: Kolomb'dan çok önce, Fenikelilerin, Jomon Çağı Japonların, Çin gezginlerin (Hoe-Sien), Galyalıların, Vikinglerin ve hatta Mısırlıların Amerika'ya gittiği biliniyor... Onlardan önce Amerika'ya ilk gidenlerin MÖ 40 bin ile 30 bin arasında Bering Boğazı'ndan geçenler olduğu tahmin ediliyor. Tartışmalar sürüyor.

---

4 Galat-ı meşhur; kelime veya deyimlerin yaygın olarak yanlış bir biçimde kullanılması sonucu, doğrusunun yerini alma halidir. Kimi örnekler vereyim: Arapçada "mektep", büro-yazıhane anlamlarına gelirken, dilimizde sadece "okul" manasında kullanılıyor. İspanyolcadaki "baraka" balıkçı kulübesi anlamında kullanılırken, bizde "eğreti yapı" anlamında kullanılıyor. Farsçada "rüzgâr", zaman, vakit anlamındayken bizde "yel" anlamında kullanılıyor. Ve... Türkçeye Arapçadan geçen ve aslında çoğul isim olan; evrak (tekil: varak), evlat (tekil: velet), eşkıya (tekil: şaki) gibi sözcüklere yine çoğul eki getirmek de kabul gören yanlışlardan. Yani, "tüccar" zaten çoğul anlamındayken biz "tüccarlar" diyoruz! Deyimler de var: "Ana gibi yar, Bağdat gibi diyar olmaz" atasözünde geçen "ana" kelimesinin aslı "ane" ve o dönem Bağdat yakınlarındaki ünlü uçurumun adıdır. "Göz var, nizam var" deyiminin doğrusunun "Göz var, izan var" şeklinde olması gerekir. "İzan", anlama yeteneği anlamında kullanılıyor. Keza...
Hayal kırıklığına uğramak anlamında kullanılan "sükût-i hayale uğramak" deyiminde "sükût" sözcüğü yerine doğru sözcük; kırılmak, parçalanmak manasındaki "sukut"tur. vs.

Erdoğan'ın "Amerika'yı ilk Müslümanlar keşfetti" asparagası, "Kolomb'un anılarında cami gördüğü" iddiasına dayandırılıyor. Bunu yazan kişi; ABD'de yaşayan İslamcı As-Sunnah Vakfı'ndan Dr. Youssef Mroueh idi. Yıl, 1996 idi...

Kolomb anılarında, 21 Ekim 1492'te Gibara'da "güzel bir dağın üzerinde cami gördüğünü" yazdı. Yalandı. Kolomb anılarında, dağlardan birinin zirvesinde zarif bir camiye benzeyen tepecikten söz ediyordu!

Dr. Mroueh'in yalanının gizli amacı vardı; Berlin Duvarı yıkılıp Soğuk Savaş bittikten sonra ABD, Müslüman ülkelerde neoliberalizm / vahşi kapitalizm ürünü "Ilımlı İslam Projesi"ni hayata geçirdi.

Böylece... Dün nasıl Napoléon, Hitler ve Mussolini "Müslüman" yapılmışsa, 1990'larda "Ilımlı İslam Projesi" de Amerika kıtasını Müslümanlara keşfettirdi! Erdoğan "Ilımlı İslam Projesi"nin diliyle konuşuyordu!

Aslanlar kendi tarihlerini yazmadıkça, tarihi avcılar yazmaya devam eder!..

Yapmak istediğim; "galat-ı meşhur" deyimini, dil yanlışlığı tanımından çıkarıp genişleterek, politik hayatta doğru bilinen yanlışlar üzerine yazmak...

Bilirim ki... Okşamayla elde edilmiş büyük çaplı doğru yoktur...

Birinci Bölüm
ERDOĞAN'IN KAYIP İKİZLERİ

Soruyorlar:

Recep Tayyip Erdoğan başımızdan ne zaman gidecek?

İki rekât namaz kılıp istihareye mi yatayım?

Diyelim rüyayı gördük... Tabirciyi nereden bulacağız? Ara ki "Şıkk" ya da "Satıh" gibi bir Arap kâhin bulalım!

Gerçi bazı yorumlar yapabilirim. Mesela:

– Yumurta görmek iffete, güzelliğe, iyiliğe işaret...

– Kedi, hırsızlığa yorumlanıyor...

– Saç dökülmesi, ar damarının çatlaması...

Siyasi liderler "güneş"le özdeşleştirilir. Rüyada güneş kararırsa, zorbalık demektir; ardından mutlaka çöküş geliyor! Güneş batarsa ölüm yakın...

Okuyucu sorusuna istihareye yatıp rüya görerek yanıt bulmak zor.

Peki... Ruh çağırabilir miyiz?..

İspritizma; ruhun ölmediğine inanan, gereğinde ölülerin ruhlarıyla ilişki kurulabileceğini ileri süren inanış yani, ruh çağırma!

Erdoğan'a benziyor; çağırıp II. Abdülhamit'e sorabilir miyiz?

Atatürk ve arkadaşlarının II. Abdülhamit'in ruhunu çağırdığını bilir misiniz? Ali Fuat Cebesoy'un "Siyasi Hatıraları" ikinci cildinde yazıyor.

Ankara'da bir gün...

Kâzım Karabekir, Fevzi Çakmak ve Cevat Çobanlı paşalar ispritizma üzerinde tartışırlar. Mustafa Kemal ve Ali Fuat Cebesoy bu hararetli tartışmaları sessizce dinlemektedir.

Fevzi Paşa, ispritizmayı hiç ciddiye almadığını; Cevat Paşa ise ancak gözleriyle görürse inanacağını ileri sürmektedir. Ruh çağırmaya inanan Kâzım Paşa hemen masa etrafında bir celse düzenlemeye davet eder.

Fevzi Paşa "Ben sadece seyrederim," diyerek masadan uzaklaşır.

Cevat Paşa, Mustafa Kemal'in bir göz işaretiyle masanın başına geçer.

Hazırlık tamamlandıktan sonra Kâzım Karabekir, II. Abdülhamit'in ruhunu çağırmaya başlar.

Az süre sonra Kazım Paşa "geldiğini" söyler ve, Cevat Paşa'nın arzusu üzerine II. Abdülhamit'e şimdi ne yaptığını sorar. II. Abdülhamit güya dünyada çok kötülük yaptığı için azap çektiğini söyler! Bundan pek tatmin olmayan Cevat Paşa, Fevzi Paşa'nın cüzdanında kaç lira bulunduğunun sorulmasını ister. İşin tuhafı, verilen cevap doğrudur! Fevzi Paşa inanmaz; "Bu alelade bir tesadüften başka bir şey değildir!"

Daha sonra iş şakaya vurulur, bir hayli gülüşürler. Yani...

Biz de masa etrafında toplanıp II. Abdülhamit'in ruhunu çağırıp Erdoğan'ın geleceğini sorabilir miyiz?

Ne derdi acaba?.. Tahmin ediyorum...

"Ben ne yaptım ise o da onu yapıyor."

Ne yapmıştı ki II. Abdülhamit?

Bir önemli yönü hiç anlatılmıyor. Şu...

II. Abdülhamit'i Yazıyorum Erdoğan Anlasın

Kimilerine göre II. Abdülhamit "Ulu Hakan"...

Bu çevreler olayları idealleştirip hayallerinin istediği oranında tarihe nitelik veriyor.

Bilimsel çaba içinde değiller.

Doğrusu; tarihi kendi gelişim dönemlerine göre görmek ve ekonomi biliminin verilerine göre yorumlamaktır.

Kendi tarihimizi ekonomik yönden değil, sadece siyasal olaylar üzerinden tartışıyoruz.

II. Abdülhamit iyi bir örnek...

II. Abdülhamit hayranları önceleri "II. Abdülhamit hiç toprak kaybetmedi," iddiasında bulundu. Olmadı... Çünkü... Neleri kaybetmedik ki; Mısır, Girit, Tunus, Sudan, Teselya, Niş, Habeşistan, Kıbrıs, Romanya, Karadağ, Bulgaristan, Bosna-Hersek, Artvin, Kars, Ardahan, Van'ın bir bölümü...

Sadece toprak kaybı değil...

II. Abdülhamit, özellikle Kafkasya ve Balkanlarda uygulanan sistemli yok etme politikası karşısında, buralardaki Müslüman halkını koruyamadı ve göç taleplerini kabul etmek zorunda kaldı. Osmanlı muhacir resmi belgelerine göre, bu dönemde katliam, açlık ve hastalıktan yaklaşık 500 bin kişi hayatını kaybederken, kurtulan yaklaşık 2 milyonu aşkın kişi Anadolu'ya göç etmek zorunda kaldı. Sadece Balkanlar da değil...

'93 Harbi sonucunda, resmi istatistiklere göre, Rumeli'den 767.339; Batum ve Kars havalisinden yaklaşık 300 bin kişi Anadolu'ya göç etti.

Üzerinde pek durulmayan önemli bir kayıp daha var:

Osmanlı'yı yarı sömürge ülke haline getiren ekonomik anlaşmaların altında II. Abdülhamit'in imzası var!

Bizim resmi tarihimiz, "toprak alma" – "toprak kaybetme" üzerine inşa edilmiştir. Meselelerimizi hiç ekonomik temelli tartışmayız. Bu ise tarihi gerçekleri görmemizi engeller.

II. Abdülhamit'in siyasetinin ekonomisine bakmak gerekiyor ki, gerçekler tam olarak anlaşılabilsin...

Ama II. Abdülhamit'e gelmeden önce bazı notlar aktarmalıyım: (Ki Türkiye'nin de nasıl esir alındığını anlayınız.)

Borç istemenin onur kırıcı olduğunu düşünen Osmanlı, Kırım Savaşı'nın getirdiği maliyetin altından kalkamayınca, –zaten bozuk olan maliyesini düzeltebilmek için– tarihinde ilk kez dış borç almak zorunda kaldı.

Müttefiklerimiz İngiltere ve Fransa da dış borçlanmayı teşvik etti.

Bunun üzerine Osmanlı, Londra'da Palmer, Paris'te Goldschmidt kurumlarından 24 Ağustos 1854'te, (Mısır'dan gelecek vergi karşılık gösterilerek) 3 milyon İngiliz lirası borç aldı.[5]

Bu ilk borçtan sonra alınan borçların ardı arkası kesilmedi...

– 1854-1875 döneminde 15 sözleşmeyle toplam borcunu 239 milyon liraya çıkardı. Borçların verimli kullanılamaması sonucu; değil borçları, faizleri bile ödeyemez hale geldi.

– 1874'te devlet mali iflasın eşiğine geldi; çünkü dış borç anapara ve faiz ödemeleri bütçe gelirinin yüzde 73'üne ulaştı.

– 1876'da moratoryum ilan etti. Osmanlı'dan alacaklı sarraflar, bankerler ayaklandı. Avrupalı alacaklıları ise Londra ve Paris'te miting yaptı.

Ve... Sultan Abdülaziz askeri darbeyle tahttan indirildi...

V. Murat'ın üç aylık padişahlığından sonra tahta II. Abdülhamit oturdu...

---

5 Erdoğan'ın Ankara'daki Ak Saray'ı gibi, borcun bir bölümü Dolmabahçe Sarayı'nın yapımına harcandı!

II. Abdülhamit, hemen borç alınan İstanbul'daki finans kurumlarıyla anlaştı; 10 Kasım 1879'da "rüsumu sitte" sözleşmesi yaptı. "Ulu Hakan", 10 yıllık süreyle Osmanlı hazinesinin gelirlerinde; tuz, ispirto, tütün, damga resmi, alkol, bazı belirli bölgelerdeki balıkçılık ve ipekböceği kozasından alınan vergi kazançlarını alacaklı Galata bankerleri ile İngiliz-Fransız ortaklı Osmanlı Bankası'nın eline verdi.

Yetmedi... 20 Aralık 1881'de Muharrem Kararnamesi ile Osmanlı maliyesini uluslararası mali denetime açtı. Yani, ilk kez devletin iktisadi faaliyetlerinin yönetimi yabancıların kontrolünde olacaktı!

Böylece... İç alacaklılara Osmanlı tahvilatı verildi. (Ki bu çevreler, "Avrupa sermayesi gelsin ve tahvillerimizin değeri artsın" diye seslerini çıkarmadı.)

Yabancı şirketlere büyük imtiyazlar verildi.

II. Abdülhamit'in marifetleri bitmedi... Osmanlı'nın borç ödemelerini güvence altına almak; vergilerini toplamak ve mali denetimini yapmak amacıyla, İngiliz ve Fransızların himayesinde "Düyun-u Umumiye" kurulmasını onayladı!

Sonuçta... Osmanlı mali bakımdan battıkça battı. Bunun yansımaları büyük olacaktı.

Örneğin... Bugün hâlâ Kıbrıs sorununu konuşuruz. II. Abdülhamit, Kıbrıs'ı İngilizlere 98 bin altına kiraladı ve sattı da diyebiliriz çünkü Kıbrıs'ın elimizden çıkışı böyle oldu!

II. Abdülhamit borç almayı hep sürdürdü; 1886, 1888, 1890, 1891, 1893, 1894, 1896, 1902, 1903, 1904, 1905'te borç anlaşmaları imzaladı.[6]

II. Abdülhamit'in bu borçlarını Atatürk Cumhuriyeti ödedi!

Kuşkusuz... Osmanlı'nın boynuna geçirilen ekonomik boyunduruk II. Abdülhamit ile başlamadı.. Kırım Savaşı sonrası ilk borcu aldık.

Peki... Erdoğan'ın da bugün takip ettiği bu borç tuzağını kimler nasıl planladı?..

---

6 Devlet hazinesini pek dolduramayan II. Abdülhamit kişisel hazinesini çok doldurdu; hayli zengindi. Renkli bir padişahtı. Londra Büyükelçiliği'nin baş kâtibi olarak görev yaptığı dönemde büyük şair Abdülhak Hamit'e Hazine-i Hassa'dan para gönderdi ve isteğini iletti: 1888'de Londra'nın gecekondu semti Whitechapel'de fahişeleri vahşice öldüren Karındeşen Jack'ın kim olduğunu ortaya çıkarın!.. II. Abdülhamit cinayet romanlarını çok severdi!

İngiliz Casusların Faaliyetleri

Günümüzün "yandaş medyasını" bilmekle olmaz...

Tarihimizde özel teşebbüs tarafından çıkarılan ilk gazete olan *Ceride-i Havadis*'i de bilmeniz şarttır...

Basında ne tür "casusluklar" oluyor anlamanız için bu tarihi iyi öğrenmeniz gerekir...

Bizim tarihimizde, "David Urquhart" adına pek rastlamıyoruz. Nerede var biliyor musunuz; Karl Marks'ta var! Şaşırmayınız...

Marks, 1853'ten sonra Osmanlı sistemi üzerine ciddi olarak eğilmeye başladı. New York *Daily Tribune* gazetesine on yıl boyunca Doğu Sorunu'yla ilgili yazdı.

Osmanlı uleması "kurtuluş reçetesini" dinde ararken; Marks, kapitalizmin Avrupa haritasını altüst edeceğini ve eski tip imparatorluk olan Türklerin, devrimci tavır almazsa yani, uluslaşma sürecini tamamlayamazsa yenilip parçalanarak küçük Anadolu'ya döneceği öngörüsünde bulundu.

Ki bu tarihte bırakın ulemayı Osmanlı münevverleri bile Avrupa'nın en tanınmış filozofu Marks'ın adını bile bilmiyordu!

Marks'ın, Osmanlı'yı irdeleyen makalelerinde ve yazdığı *Kapital* kitabında David Urquhart adına rastlıyoruz.

Marks o yıllarda nasıl Osmanlı sistemi üzerine düşünüyorsa, David Urquhart da düşünüyordu! Ancak iki zıt kutuptular; Urquhart kapitalizmin elçisiydi...

Kimdi David Urquhart?..

İskoçyalıydı. 1805'te doğdu. (1877'de öldü.)

Babasının erken ölümü üzerine annesi tarafından İsviçre'ye götürüldü. Cenevre'de Fransız askeri okulunda ve İngiltere'de Woolwich Kraliyet Topçu Kışlası'nda eğitim gördü.

Oxford'da okurken, Avrupa'da estirilen romantik Yunan ayaklanmasından etkilendi. Kendisi gibi İskoç kökenli, şair George Gordon Byron gibi, Osmanlı'ya karşı savaşmak için Yunanistan'a gitti. Şöhretli şair Lord Byron savaşamadan öldü. Urquhart savaştı ve ağır yaralandı.

Yediği mermi Osmanlı'ya karşı olan duygu ve düşüncelerinin değişmesine neden oldu! Şaka bir yana, fikrini değiştiren Stratford Canning (1786-1880) oldu.

Canning, 1820-1824 ve 1825-1828 arasında İngilizlerin İstanbul büyükelçisiydi. O tarihte parlamentoda görevliydi. (1841'de yeniden İstanbul büyükelçiliği görevine gelecek ve 17 yıl bu görevde kalacaktı.)

Canning; Yunan bağımsızlığının Ortodoks Rusya'nın işine yarayacağına ve bunun İngiliz ekonomisinin çıkarlarını tehdit edeceğine Urquhart'ı inandırdı. Rus Çarı I. Nikolay, "hasta adam" dediği Osmanlı topraklarını ele geçirirse bu İngiliz çıkarlarının tamamen yok olacağı anlamına geliyordu. Osmanlı, ideal bir pazardı ve gözden çıkarılamazdı.

Ne yapılmalıydı?.. Mevzubahis olan İngiliz çıkarlarıydı...

David Urquhart İstanbul'a gönderildi...

İngiliz Büyükelçisi John Ponsonby (1770-1855) İstanbul'da göreve henüz başlamıştı. Hemen arkasından gönderilen yeni "ticaret ataşesi" Urquhart'tan rahatsız oldu. Bu nedenle Urquhart'ın getirdiği Stratford Canning selamını soğuk karşıladı. Çünkü amcası; İngilizlerin efsanevi diplomatı ve Başbakanı George Canning'le (1770-1827) pek geçinemezdi. (Bu çekişme hep sürdü ve Urquhart'ın, elçi Ponsonby'nin Osmanlı'daki faaliyetlerini eleştirmesini kimileri "Türk dostluğu"yla açıkladı!)

Fakat şimdi önemli olan İngiliz ticaret çıkarlarıydı. Osmanlı kapalı piyasası İngiliz mallarına sınırsız şekilde açılmalıydı. Bu sebeple...

Elçi Ponsonby, "kanuni casusun" her türlü faaliyeti için ekonomik katkılarda bulunacağını söyledi.[7] Urquhart'ı, öncelikle Sultan II. Mahmut'u etkileyen İstanbul'daki önemli isimlerle tanıştıracaktı. Bunlardan biri gazeteciydi...

Alexandre Blacque (1792-1836) Osmanlı'ya gelince namı diğer "Blak Bey" oldu.

Paris'te hukuk öğrenimi görmüştü; 1820'de İzmir'e yerleşmiş, hem avukatlık hem de ticaret yapıyordu. Fakat –Urquhart gibi– kaderini Yunan isyanı değiştirdi; bu ülkeye yaptığı ticari faaliyetleri baltalanınca gazeteciliğe yöneldi. *Le Spectateur Oriental* ve *Le Courrier de Smyrne* adlı yayın organlarında Avrupalı tüccarların sözcülüğünü yaptı. Fransız kolonisinin temsilcisi seçildi.

1831'de İstanbul'da, Osmanlı Devleti'nin ilk resmi gazetesi *Takvim-i Vekayi*'nin çıkarılma hazırlıkları başladı. Blak Bey'den akıl alındı.

II. Mahmut, tanıştığı Blak Bey'den etkilendi; onun Avrupa-

---

7 Ataşelerin görevli bulundukları yabancı devletin durumunu rapor etmesine ve faaliyette bulunmasına "kanuni casusluk" deniyor.

lılarla ilişkisinden yararlanmak için *Takvim-i Vekayi*'nin ayrıca Fransızca da yayımlanmasını istedi. *Moniteur Ottoman* böyle doğdu ve başına da Blak Bey getirildi.[8]

David Urquhart, Blak Bey'le tanıştı. Kaynaştılar. Amaçları aynıydı. Urquhart, *Moniteur Ottoman*'da, ekonomi düşünürü-yazarı olmadığı halde iktisat yazıları kaleme almaya başladı.

Bugün bu makalelere baktığınızda ne kadar ilkel olduğunu görürsünüz; ama o tarihte Osmanlı Sarayı bu iktisat yazarını pek beğendi! Yetmezmiş gibi...

II. Mahmut yazılarını okuyup sonra tanıştığı bu "ekonomik beyinden" etkilendi. Osmanlı Sarayı oltaya geliyordu. Urquhart sadece makaleyle yetinir mi; 1833'te Osmanlı Devleti'nin ekonomik yapısını incelediği, *Türkiye ve Kaynakları* kitabını yayımladı. Bazı sayfalar Türkçeye çevrilerek II. Mahmut'a sunuldu.

Osmanlı düşünce hayatı böyle oluşturulmaya başlandı. Sandılar ki, Osmanlı bu ekonomik modelle kurtulur! Neydi göklere çıkarılan bu ekonomik sistem?..

İngiliz Urquhart'ın, *Moniteur Ottoman*'daki yazılarının özü şuydu: Osmanlı Devleti eski ekonomi ve maliye uygulamalarını tarihin çöp sepetine atmalı; özellikle ticaret tekellerini ve iç gümrükleri kaldırmalı; buna karşılık dış ticareti hemen serbest bırakmalı ve tabii gümrükleri çok düşük tutmalıydı.

Yani... Osmanlı pazarı kayıtsız şartsız İngilizlere açılmalıydı. Osmanlı hazinesi ancak bu şartlarda dış borç bularak kendini toparlayabilirdi!

Ayrıca... Yeni ekonomik anlaşma yapılırsa İngiltere, Rusya ve Kavalalı Mehmet Ali Paşa karşısında güçsüz duruma düşen Osmanlı'ya yardım edeceklerdi!

O günlerde...

Urquhart, salt ekonomi yazılarıyla etkili olamayacağını biliyordu; İslamiyet'i yücelten makaleler de yazmaya başladı. Örneğin...

1833'te "İslam As a Political System" başlıklı makalesinde, Hıristiyanlığın sadece ruhani olduğunu, dünya işleriyle ilgisi bulunmadığını ve fakat "İslam'ın hem ruhani hem cismani olduğunu, ahiret hayatıyla beraber aynı zamanda insanların dünyevi hayatını da her kademede düzenleyen bir siyasi sisteme sahip olduğunu" yazdı.

---

8 Oğlu Edouard Blacque, 1867'de ilk kez açılan Washington'daki elçilikte Osmanlı elçisi olacaktı.

Bu tür övgü yazıları Müslümanları mest etmeye yetti. Hele...
Urquhart'ın Rusya düşmanlığı İstanbul'da herkesin gönlüne taht kurdu.[9]

Yani... Marks, Osmanlı'nın seküler/laik bir reformla kurtulacağını yazarken, Urquhart "Aman laiklikten uzak durun!" diyordu! (Tayyipgillerin kandığı Ilımlı İslam'ın ilk versiyonu!..)

Engels, Marks'a yazdığı mektupta "Türk dostu" geçinen Urquhart'ı "budala, adi, geveze" olarak nitelendirdi. İngiltere'nin, Osmanlı'yı imalatçı haline getirerek sömüreceğini öngörüyordu. Ve öyle de oldu...

Osmanlı, İngiltere ile 1838'de Ticaret Antlaşması'na imza koydu. 45 yıl sonra bu antlaşmanın sonuçlarını vakanüvis Ahmet Lütfi Efendi şöyle yazacaktı:

> Ol muahede (1838 Ticaret Antlaşması) ile yed-i vahid (tekel) usulü kalktı ise de yerine ecnebi inhisarı (yabancı tekeli) geldi ki. Memalik-i Mahrusa'da (Osmanlı Devleti'nde) hurdefuruşluğa (en küçük ticarete) kadar ecnebiler iştirak eyledi. Sanayii dahiliye bütün bütün mahv-ü muattal oldu (çöktü) ve emtiayı efrenciye (yabancı mallar) revaç bularak nükud-u mevcudumuz (mevcut paramız) Avrupa'ya çekilip gitmeye başladı.[10]

Osmanlı'nın sömürülmesinin miadı olan 1838'deki ticaret antlaşmasına giden süreçte basın da önemli "rol" üstlendi. İmzalar atılınca da "görevi" bitmedi. İngilizler aracılığıyla, sarayı ve kamuoyunu etkilemeye devam ettiler. Fakat Fransızlarla çıkar çekişmeleri gazeteye de yansıdı. İngilizlerin yeni gazeteye ihtiyaçları oldu. İngiliz gölgesindeki *Ceride-i Havadis* bu amaçla hayata geçirildi...

Adı; William N. Churchill (1796-1846).

Londra doğumluydu. Yolu İzmir'e sonra İstanbul'a düşenlerden. Fransız levanten ailenin kızı Beatrice Belhomme ile evlendi.

1780'de yayın hayatına başlayan İngiliz *Morning Herald* gazetesinin Türkiye temsilcisiydi.

1836'da bir gün... Kadıköy'de avlanırken yanlışlıkla Defterdar kâtiplerinden Necati Efendi'nin oğlunu yaraladı. Yakalanıp Üsküdar Muhafızlığı'na götürüldü. Tutuklandı.

---

9 İngilizlerin o dönem "Yeşil Kuşak Projesi" olan Çerkesleri Rusya'ya karşı kullanma stratejisini uygulayanlardan biri de Urquhart'tı. Çerkes bayrağını bile Urquhart tasarladı. "Yeni" Osmanlı inşa ediliyordu!..

10 *Tarih-i Devlet-i Aliyye-i Osmaniyye*, c: 5 s: 112.

İngiliz Büyükelçisi John Ponsonby çok tepki gösterdi ve hemen olaya el koydu; "Bir İngiliz gazeteci nasıl tutuklanabilir?"di.

O günler İngiliz-Fransız elçilerinin Osmanlı yönetiminde ağırlıklarını koyduğu dönemdi.

Churchill serbest bırakılmakla kalmadı, hediyelere boğuldu.

Asıl bomba sonra patladı; 11 Mart 1836'ta daha yeni kurulan Umur-ı Hariciye Nezareti'nin (Dışişleri) başına getirilen Akif Paşa bu olay nedeniyle görevden alındı.

İyi de Akif Paşa'nın bu olayla ne ilgisi olabilirdi? Eğer biri görevden alınacaksa Umur-ı Mülkiye Nezareti (İçişleri) koltuğunda oturan Pertev Paşa alınmalıydı.

Hayır, İngilizler Akif Paşa'nın kellesini istemişlerdi. Niye?

Akif Paşa bu olayın perde arkasını yedi yıl sonra yayınmlanacak *Tabsıra* adlı yapıtında açıkladı. Döneminde beş baskı yapan kitabında, Pertev Paşa'yı İngiliz siyasetinin savunucusu olarak gösterirken, kendini dışa bağımlı siyasetin karşısında konumlandırdı.

Osmanlı Devleti'nin dış borçlanmasıyla ilgili görevlendirildiğini söyleyen David Urquhart da, sık görüştüğü Akif Paşa'yı doğruluyor: "Osmanlı Devleti'nin (Rusya'ya) büyük bir tazminat ödemek zorunda kaldığını ve kendilerine dış borç vermek istediğimizi söyledim. Akif Paşa, 'Ben, böyle tarihi ve milli bir felaket karşısında, sizin uzattığınız borcu almayacağım. Ben, halkıma müracaat edeceğim, halkımdan fedakârlık isteyeceğim; ama size borçlanmayacağım. Ben, halkımın etiyle, dişiyle, tırnağıyla kazandığı paraları size faiz olarak ödeyemem' dedi ve kesin bir dille reddetti."

Anlaşılıyor ki; Akif Paşa bu nedenle koltuğundan edilmişti. Osmanlı yönetiminde artık "milli devlet adamı" dönemi kapanıyordu. Kısa bir süre sonra da Osmanlı dış borçlanmaya başlayacaktı...

Bunda William N. Churchill gibi gazeteci kimlikli casusların payı çoktu!

Ne "şaşırtıcı"; Osmanlı tarafından "mağdur edilen" Churchill İstanbul'u terk etmedi! Aksine, gazete patronu olmak için kolları sıvadı; biliyordu ki, "ihtiyaç" vardı! Çünkü...

Osmanlı düşünce hayatında iki iktisadi görüş çarpışıyordu:

1) "Himaye usulü"...

2) "Serbesti usulü"...

Serbest piyasayı/kapitalizmi savunan *Ceride-i Havadis*, 3 Temmuz 1840'ta doğdu.[11] *Ceride-i Havadis*'in sürekli yazdığı ekonomideki yeni düşün ve fikirler; sadece sömürülecek pazar yaratmak içindi. Bu sömürge pazarı kendilerine gazeteci-yazar diyen casuslar aracılığıyla oluşturulacak ve yıkım gelecekti...[12]

Biz bu tarihimizden hiç ders çıkardık mı? Hayır...

Çünkü "birileri", aynı oyunları oynamaya devam ediyor...

Evet. Artık yakın tarihe gelebiliriz...

Kirli Asalet: Kraliçe'nin Ailesi

"Mayor and Commonalty and Citizens of the City of London" nedir; bilir misiniz? Kısaltılarak; "London City"... "The City"... Küçük bir alanı kapladığı için, "The Square Mile" de denir.

Londra'da 2,90 metrekarelik alanı kaplayan, dünyanın en eski ve halen devam eden yerel hükümetidir!

Bayrağı ve kendi "anayasası" vardır; İngiliz kanunlarından muaftır. Evet... Burası İngiltere'nin bir parçası değil; egemen bir finans devletidir! Yani... Vatikan nasıl Katolik dininin merkezi ise, burası da "para"nın merkezidir.

Bankaların çokluğu nedeniyle dünyanın en zengin alanı kabul edilir. Örneğin...

ABD'nin 500 büyük şirketinin dörtte üçünün ve tüm büyük bankalarının burada şubesi bulunmaktadır.[13]

Bu minik alanda; uluslararası hisse ticaretinin yüzde 51'i; uluslararası vadeli işlemlerin yüzde 45'i; uluslararası euro-tahvil değişimlerinin yüzde 70'i; uluslararası döviz ticaretinin yüzde 35'i; ve uluslararası ihraç edilmiş menkul kıymetlerin halka satışının yüzde 55'i gerçekleşir...

Dünyada günlük faiz oranını burası belirler. Bitmedi...

---

11 Neoliberalizmi ve itibarıyla Turgut Özal'ı desteklemek için Dinç Bilgin ve eski solcular tarafından 22 Nisan 1985'te çıkarılan *Sabah* gazetesine olan benzerliğine dikkatinizi çekerim.

12 Bizim tarihimizde kimi casuslardan hep "Türk dostu" diye bahsedilir. Böyle yazanlardan biri de AKP'li Hüseyin Çelik'tir. *İngiliz Dış İşler Komiteleri* adlı kitabında, David Urquhart'a ve onun kurduğu Foreign Affairs Committee'ye övgüler dizdi. Bu casus İngiliz'in Osmanlı yanlısı olduğunu yazdı. Yakışır. Oysa o dönemde; Nakşibendi Gümüşhanevi Dergâhı'nın kurucusu Ahmed Ziyaüddin Efendi, Osmanlı pazarının yabancı sermaye eline geçişini engellemek ve küçük Müslüman işletmeleri korumak için yardım sandıkları kurdu.
AKP, casus Urquhart'ın açtığı yolda yürümeyi sürdürüyor.

13 1980'lerde Araplar; 1990'larda Japonlar ve petrol zengini Afrikalılar ve sonunda Rus zenginleri London City'nin yolunu tuttu.

Burası, küresel off shore finans merkezidir. Cayman Adaları gibi İngiltere tarafından kontrol edilen 14 deniz aşırı bölge bu iş için kullanılır!

İşin dış halkasında ise, Hong Kong, Singapur, Bahama Adaları, Dubai, İrlanda vardır.

İç halkada kraliyet kolonileri, Jersey, Guernsey, Isle of Man bulunur...

Buralarda gizlilik içinde; vergi kaçırılır; kara para aklanır ve varlıklar için depolama yapılır.

Araya girip sorayım:

Dünyanın en büyük 100 şirketinin sektörel dağılımı nedir?

İlk 100 şirket içinde 14'ü petrol-gaz; 12'si teknolojidir. Ve 12'si de sağlık sektörüdür ki, bu konuya ileri sayfalarda değineceğim...

Birincilik... 22 şirketle finans şirketlerinindir!

Yani... En büyük 100 şirketinin neredeyse dörtte biri üretim yapmadan, paradan para kazanan şirketlerdir. Bunlar dünyada günde 2 trilyon dolar işlem gerçekleştirmektedir.

Kazananlar "kirli asalet" adı verilen hanedan ailelerdir. Bunlar; dünyanın en büyük banka ve şirketlerinin sahibidir. İngiltere'de Welf ve Windsor hanedanlığı buna örnektir...

Sadece... London City'de; başında İngiliz Kraliyet ailesinin/ Windsor hanedanlığının bulunduğu –hakkında pek bilgi bulamayacağınız– Club of the Isles (Adalar Kulübü) 10 trilyon dolarlık parayı kontrol eder.

Dünyanın çeşitli yerlerindeki ekonomi tetikçileri bu ailelerin ücretli profesyonelleridir ve medyayı bile bunlar yönlendirir!

Yeri gelir suikast için tetikçi de tutarlar. Şaşırmayınız... Dolara dayalı kendi ulusal para programını hayata geçirmek isteyen ABD Başkanı Abraham Lincoln, Konfederasyon Hazinesi Başkanı Judah Benjamin'in –İngiltere Başbakanı Benjamin Disraeli'nin desteğiyle– tuttuğu tetikçi tarafından öldürüldü!

Keza... ABD Başkanı John F. Kennedy, ABD Merkez Bankası'nı kaldırmaya teşebbüs ettiği için öldürülmedi mi?

Kafanız karışmasın!.. 1928 yılından, öldüğü 1963'e kadar İngiliz Merkez Bankası'nın müdürlüğünü yapan Sir Charles J. Hambro –savaş sonrası CIA'nın tüm lider kadrosunu eğiten– İngiliz İstihbaratı Özel Harekât Yönetimi'nin de başındaydı!

MOSSAD'ı; İngiltere kraliçesinin sağ kolu Sir William Stephenson kurmadı mı?

Siz ne sanıyorsunuz... Bugün "küresel güvenlik" dedikleri, sadece "para"nın güvenliği/finansın iktidarıdır ve bu hanedan aileler "Chatham House", "Mont Pelerin" gibi enstitülerde yuvarlak masa etrafında toplanıp bunların kararlarını alırlar. Yani dünyayı yönetirler!

Hırsızlar rejiminin koruyucusu bu utanmaz asilzade aileler, 2008 küresel krizinde 60 trilyon dolar hortumladı! Dünyada ortalama işçi ücretleri günde 2 dolardır!..

Evet... İktisat temelli düşünmeden ne tarihi ne siyaseti kavrayabilirsiniz.

Meseleyi kavramanız için size basit bir matematik sorusu sorayım...

En Çok Saklanan Sırlar

Bir döner-ayran 5,50 liradır.

Döner, ayrandan 5 lira daha pahalıdır.

Ayranın fiyatı nedir?

Soruya; içlerinde Harvard, Yale, Oxford gibi üniversite öğrencilerinin bulunduğu grubun çoğunluğu 0,50 lira yanıtını verdi!

Algı yanıltıcıdır... Yanıta döneceğim. Önce yazacaklarım var...

Küresel sermaye, gerçeklerin üzerini –medyayı kullanarak– algı operasyonlarıyla/manipülasyonla kapatıyor; yalan üzerine bilinç yaratıyor.

Sizler!.. Yaşanılan küresel krizin temelinde, finansal kapitalizmin işleyiş mekanizmasının temelini oluşturan –Londra'dan Zürih'e uzanan– "vergi cennetleri"/ off shore merkezleri olduğuna dair bir tek haber okudunuz mu?

Okuyamazsınız!.. Göremezsiniz!.. Duyamazsınız!..

Yıllarca istihbarat örgütlerine ilişkin haberler, kitaplar yazdım. Gördüm ki...

Dünyanın en iyi saklanan sırları; "vergi cennetlerinde" bulunan servet tutarlarıdır!

Meselenin önemini, sanırım rakamlar vererek izah edebilirim. Örneğin...

İsviçre'de bulunan yabancılara ait servet miktarı; 1 trilyon 800 milyar euro'dur![14] Sadece Zürih-Bern değil...

---

14 Bunun 60 milyar euro'su Yunanlılara aittir. Parayı getirip ulusal bankalarına koysalar Yunanistan'ın finans krizi aşılır. Ama... Kapitalizmin dini-ulusu paradır, getirmezler!

2013 yılında tüm "vergi cennetlerinde" tutulan özel kişilere ait servet tutarı 5 trilyon 800 milyar euro'dur.

Bir başka hesapla 7 trilyon 500 milyar dolardır![15]

Bakınız... Bu paralar bankalarda uyumuyor, büyük çoğunluğu uluslararası finans piyasalarını istediği gibi yönlendiriyor! ABD'deki 100 dolarlık banknotların yaklaşık yüzde 70'i ülke sınırları dışında bulunuyor!

Küresel krizden bahsedenlerin, siz hiç "vergi cennetlerini" dize getirmekten söz ettiğini duydunuz mu? Oysa... Aşırı zenginlerin kaçırdıkları vergiler her yıl devletlere 130 milyar euro'ya mal olmaktadır!

Bu korkunç gerçekleri sizlerden saklarlar. Her seferinde sizlerden kemer sıkmanızı isterler. "Hele sabredin düzelecek," derler! Ekonomik krizin asıl sahiplerini algı operasyonlarıyla saklarlar.

Örneğin... Lüksemburg denince aklınıza ne geliyor?

Denize çıkışı olmayan, Nassau hanedanlığıyla yönetilen, 500 bin nüfusu ve 900 kişilik ordusu bulunan AB kurucusu Avrupa'nın en küçük devleti mi?

Hepsi doğru. Ama pek yazılmaz, dile getirilmez...

Bu küçük Avrupa devleti, uluslararası servet yönetimi çarkının en önemli merkezlerinden biridir. Yani... Avrupa'daki vergi kaçakçılığının kalbinde yer almaktadır.

Dünya üzerinde işlem gören Lüksemburg menşeli yatırım fonlarının toplam miktarı –2013 yılı başı itibarıyla– 2 trilyon 200 milyar euro'dur! Türkiye'nin 2016 yılı Merkezi Bütçe Kanunu'na göre, devletin toplam gelirinin 581 milyar 927 milyon TL olması öngörülüyor! Geçelim...

Sizleri bu rakamlarla veya dünyanın dört bir yanında faaliyet gösteren çokuluslu şirketlere ne gibi haklar verdiğiyle meşgul etmek istemiyorum. (Her gün Fransa, Almanya ve Belçika'dan finans şirketlerinde çalışan 150 bin kişi Lüksemburg'a sabah gidip akşam döner!)

Avrupa'nın göbeğinde vergi cennetleri harıl harıl vergi kaçırır; AB seyreder. (Sonra da gelip bizim kokoreçimize laf ederler!)

Bu ekonomi çarkı sürer gider. Bu arada...

Dünya üretiminin merkezi Çin kötülenirken, Lüksemburg dükalığının büyük hırsızlığını kimse görmez/göstermez. Ve

---

15 James Henry'ye göre bu para, 21 ile 32 trilyon dolardır! Ki bu küresel finans servet tutarının yarısına eşittir. Bu karışıklığın nedeni, off shore hesaplardaki servetlerin yüzde 80'inin beyan edilmemesidir.

hep... NTV ya da CNN Türk'teki haber spikeri üzüntülü yüz ifadesiyle söyler durur:

– Borsa erozyona uğradı...

– Doların ateşi çıktı...

– Euro dalgalı...

– Türk lirası çakıldı...

Sonuçta... Borsa-döviz tapılacak putlara dönüştürülür.

Piyasalar "Kâbe" muamelesi görür.

Oysa... Bunlar sadece kâğıttır.

Sizleri uykunuzdan eden bu "kâğıtlar" üzerinden neler yapıldığına örnek vermeliyim.

Petrol fiyatlarının bu kâğıtlarla ilgisi nedir?..

Kâğıt Oyunları

Adı, Johan Rudolf Kjellen (1864-1922)...

İsveçli siyasetbilimci, Nazileri etkilemesi yanında ilk kez "jeopolitik" kavramını kullandı:

"Jeopolitik, devletin coğrafyasıyla ilişkisini inceleyen bir disiplindir."

Politik, askeri, ekonomik, kültürel faktörler; jeopolitik disiplin içinde yer alır.

Jeopolitik kavramla yan yana gelen diğer kuramsal tanım, jeostratejik'tir.

Jeostrateji, jeopolitik hedeflere ulaşmak için hangi stratejilerin uygulanması gerektiğini belirlemektir. Meselenin özü şudur:

"Gideceğiniz yeri bilmiyorsanız vardığınız yerin önemi yoktur!"

Sahi... Suriye'de Esad yenilseydi; Erdoğan, Emevi Camii'nde namaz kılma dışında Şam'da başka ne yapacaktı? Hiç!

Oysa, savaştan önce Suriye ile ekonomik ilişkiler inanılmaz hızla büyüyordu. Evet... Vizyon, görünmez şeyleri görme sanatıdır...

Bu girişi yapmamın nedeni Erdoğan'ın vizyonsuzluğunu yazmak değil. Salt Suriye politikasına bakıp bunu görmeyen kaldı mı?

Nereye gideceğini bilmeyen bir gemi için, hiçbir rüzgârın fayda olmayacağı hâlâ anlaşılamadı mı?

Jeostratejikti... Jeopolitikti...

Bu kavramları anımsatmamın amacı şu:

Moskova'da Esad ile Putin'i yan yana getiren nedir?..
Meselenin jeostratejik yönü var.
Meselenin jeopolitik yönü var.
Rusya'nın Suriye'deki ulusal çıkarlarının ne olduğu bilindik sözler dışına çıkmadan tartışılıyor! Esad'ın Moskova'ya gidip Putin'le tokalaşmasıyla, petrolün ilk kez 40 dolara kadar düşmesi arasında nasıl bir ilişki var?..
Suriye'ye savaş açan ABD gibi ülkeler ile Suriye'nin arkasında duran Rusya gibi ülkelerin paylaşamadıkları tek gerçek var: enerji!
Enerji-politik konusunu bilmeden; ne Suriye ne de Suruç, Ankara ve İstanbul'da patlayan canlı bombaları analiz edebilirsiniz.

Petrol, halen dünyanın en stratejik ürünüdür.
Petrol piyasasındaki –fiyat dalgalanmaları gibi– yaşanan gelişmeler; bir ülke ekonomisini ve siyasetini altüst edecek potansiyele sahiptir.
Bu denli önemli bu enerji kaynağının; gerçek değerinin ne olduğu, fiyatının nasıl belirlendiği ve kısa süreli aralıklarla neden büyük dalgalanmalara tabi olduğu konusunda bilgi sahibi misiniz?
Ya... Petrol fiyatının arz ve talep doğrultusunda belirlendiğini mi sanıyorsunuz? Yanılırsınız... Onlar geçen yüzyılda kaldı! Petrol fiyatının arz ve taleple ilgisi kalmadı artık. Fiyatı; küresel ekonomiyi yöneten finans piyasasındaki "kâğıt petrol" belirliyor.
Sıkı durun... Finans piyasasındaki "kâğıt petrol" fiziki piyasadaki petrolün 15 katıdır!
Anladınız: Olmayan arz ve olmayan talep üzerinden fiyatlama yapılıyor! Petrolün varil başına 120 dolar veya 40 dolar olmasının arz-taleple ilgisi yok!
Petrol fiyatını "kâğıt petrol" belirliyor!
Anlı şanlı ekran yorumcuları 32 dolara kadar ineceğini söylüyor. Hani "ucuz petrol çağı" bitmişti! Şimdi, "20 dolarla 200 dolar arasında olacak" diye dalga geçiliyor.
O halde sormak durumundayız:
"Kâğıt petrolü" hangi faktörler etkiliyor?
Birini yazayım; jeopolitik gelişmeler.
Örneğin Rusya, petrol fiyatlarına göbekten bağlı bir ülke. Bütçe gelirlerinin yarıdan fazlasını, ihracatının üçte ikisini enerjiden sağlıyor.

Dünya siyasetinde büyük iddiaları olan böylesine bir ülkenin temel varlık kaynağı petrol (ve doğalgaz) satışı olunca, hassas olduğu ilk alan enerji fiyatları oluyor. Temel stratejisi, petrol fiyatlarını yakından takip edip mümkünse fiyatları etkilemek!

Biliyoruz ki... Rusya bugün dünyanın en büyük ikinci petrol üreticisi olsa da –küresel finans çevrelerinde güçsüz olduğundan– petrol fiyatlarının belirlenmesinde dışarıya bağımlı bir ülke.

Petrol fiyatlarının düşürülmesinden hiç memnun değil; fiyatın 55 doların altında tutulması durumunda ülke ekonomisinin yıkıma uğrayacağını hesap ediyor! ABD ile Suudi Arabistan'ın Rusya'yı çökertmek için fiyatları düşürdüğü iddia ediliyor!

Petrol fiyatları 2015 yazında dip yaptığında birdenbire Rus askerinin Suriye'de görünür olup, müttefiki Esad'a desteğini artırdığı gerçeğiyle karşılaşıveriyoruz!

Savaş sadece cephelerde olmuyor, küresel finans dünyasında da oluyor. Meselelere çok boyutlu bakmazsanız kandırılırsınız...

Güzel bir özdeyiş vardır: Önemli olan merdivenden hızlı çıkmak değil, merdiveni doğru yere dayamaktır.

Evet, yazının başındaki soruya dönersek...

Bakmak için algı yeterlidir; görmek için bilim gerekir!

Ayran 25 kuruştur...

Sağlıksız Yapı

Mesele sadece enerji mi? Araba deposu ya da kalorifer yakıtı gideri mi? Ya sağlığınız?..

Dünyanın en büyük 100 şirketinden 12'si sağlık sektöründen:

Pfizer (ABD), Merc&Co Inc (ABD), Sanofi SA (Fransa), GlaxoSmithkline PCL (İngiltere), Gilead Sciences (ABD), NovoNordisk A/S (Danimarka), Amgen (ABD), Bristol-Myers Squibb Co (ABD) ve AbbVie (ABD)...

Dünyanın en büyük 10 şirketinden ikisi sağlık sektöründen:

Altıncı sırada; "Roche" (İsviçre) ve yedinci sırada "Johnson&Johnson" (ABD) var!

Sağlık bu kadar para kazandırıyorsa...

Yılda iki buçuk milyona yakın kişiye poliklinik hizmeti veren Türkiye'nin iki dev hastanesi, Çapa'daki İstanbul Üniversitesi Tıp Fakültesi ile Cerrahpaşa Tıp Fakültesi iflasın eşiğine nasıl geldi? Sebebi belli, bunlar devlet hastanesi... Vahşi kapitalizm buna izin vermez; parası olmayana sağlık hizmeti verilir mi hiç?

Bugün dünyada; sağlığı metalaştırmak/alınır-satılır hale getirmek isteyen sermaye güçleri ile sağlığın kamu/devlet hizmeti halinde kalmasını isteyenler arasında büyük bir mücadele var.

Özel sermaye için sağlık kâr odaklıdır.

Kamu için sağlık; paranın satın alamayacağı devlet hizmetidir.

Gözden kaçırılan husus şu: Piyasaya sunulan bir metayı tüketme ya da tüketmeme yönünde tercih yapabilirsiniz. Fakat, hasta olup olmamak yönünde bir tercihte bulunma olanağınız yoktur!

Hasta olduğunuzda nasıl hizmet almak istersiniz? Tabii ki haklı olarak doktora güvenmek istersiniz. Peki...

Hekim işadamına dönüşür/dönüştürülürse, sağlık hizmetleri ticarileştirilirse ne olur? Güvensizlik doğar. Bugün Türkiye'de yılda yapılan 700 milyon muayene teşhislerinin ne kadarının gerçeği yansıttığı bilinmiyor.

– Yılda 10 milyon gereksiz MR çekiliyor.

– Yılda 2 milyar kutu gereksiz ilaç tüketiliyor.

Bu salt Türkiye'ye özgü değil:

– ABD'li doktorların İsveçli hekimlere göre iki buçuk kat daha fazla rahim ameliyatı yaptığı belirlendi. Keza..

– ABD'li doktorların Kanadalı meslektaşlarına göre dört buçuk kat daha fazla koroner bypass ameliyatı yaptıkları ortaya çıktı.

– Almanya'da kendi röntgen cihazlarına sahip olan dahiliye uzmanlarının sahip olmayanlara göre üç ile dört kat daha fazla röntgen filmi çektikleri öğrenildi. Alman Radyologlar Birliği, ülkede çekilen filmlerin üçte birinden fazlasının gereksiz olduğunu açıkladı.

– Hollanda'da yapılan diz eklemi ameliyatları incelendiğinde müdahalelerin yüzde 78'inin gereksiz olduğu tespit edildi.

Acı ama hakikat: Vahşi kapitalizmin para hırsı tıbbi kararları kolayca etkiliyor. Ticari kararlar "tıbbi zorunluluk" diye yutturuluyor! Bu ilaç sektörü için de geçerli; pazarlamayı ve şirketin kârını merkeze alan anlayış, ihtiyaçları gözeten bilimle çelişiyor!

Günümüzde güveni ve iyi niyeti temel alan hasta-hekim ilişkileri sarsılıyor.

Temelinde adaletsiz-acımasız bir ekonomik sistemin/neoliberalizmin/vahşi kapitalizmin olduğu bir toplumda sağlık sisteminin bu hale gelmesi şaşırtıcı değil.

Sağlık sektöründe kâr, sınır tanımıyor!

Bu nedenle... Yılların zorlu mücadeleleri sayesinde kazanılmış, sağlık alanındaki sosyal haklar özel sermayenin avucuna bırakılıyor.

Oyun büyük... Bu büyük oyunun "akbabalarını" tanımak şart...

Baş Akbaba

Paul Elliott Singer adını hiç duydunuz mu?

Tanımanız şarttır; "Baş Akbaba" olarak bilinir!..

Tarih: 22 Ağustos 1944.

New York Manhattan'da doğdu. Yahudi bir ailenin çocuğuydu; annesi ev kadını, babası eczacıydı. New York'taki Rochester Üniversitesi'nde okudu ve Harvard Hukuk Fakültesi'nde doktora yaptı. 1974'te Wall Street'teki Donaldson, Lufkin& Jenrette (DLJ) adlı finans şirketinin gayrimenkul bölümünde avukat olarak işe başladı. Üç yıl sonra...

Ailesinden ve çevresinden topladığı paralarla kendi fon şirketini kurdu: Elliott Management Corporation. Yıllar içinde 25 milyar dolar tutarındaki hedge fonlarını yönetti.

Hedge fonu ne midir?

Bizim Sermaye Piyasası Kurulu (SPK) mevzuatında serbest yatırım fonları olarak geçmektedir. Kibar tanımları boş verin; "Akbaba Fonu"dur; tefecilik diyebilirsiniz!

Yapılan işlem; ucuza sıkıntılı borç alıp, sonra bunu kârla satmaktır!

Peki.. Kimden ucuza sıkıntılı borç alınır; tabii ki bizim gibi az gelişmiş ülkelerden!

Dünyada yönetilen 2 trilyon dolar civarında hedge fonu olduğu bilinmektedir. Bir yılda milyarlarca dolar –süper zenginlerin yatırım fonu olarak bilinen– bu hedge fonları vasıtasıyla kazanılır. Evet...

"Kumarhane ekonomisi" olarak nitelendirilen neoliberalizmin zenginlik aracıdır bu kâğıt fonlar.

Bu nedenle... 1990'lı yıllardan 2008 yılında yaşanan küresel kriz dönemine kadar hedge fonları patlama dönemini yaşadı. Ve... Bir yerde sıkıntılı borç alıp verme işi varsa mutlaka orada bir avukat olması lazım!..

Paul Elliott Singer sadece ABD'nin en büyük hedge fonlarından birini yönetmiyor; avukat olduğu için alacaklarını ülkelerin gırtlağına basarak alıyor! Nasıl mı?

Tarih: 16 Haziran 2014.

ABD Anayasa Mahkemesi, milyar dolarlık borç davasıyla ilgili kararını verdi.

Taraflardan biri Arjantin'di; hedge fonlara yapılandırılmış tahvil borçlarını ödeyemiyordu. (Bu hale nasıl getirildiği ayrı bir yazı konusudur.) Arjantin'in borcu 630 milyon dolardan 2,3 milyar dolara çıkmıştı!

Arjantin, "Dolar başına 33 sent ödeyeyim," diyordu ama karşı taraf kabul etmiyordu!

Karşı taraf, –"Baş Akbaba" Paul Elliott Singer'a ait– Cayman Adaları menşeli NML Capital'di.

Anlaşma sağlanamadı. ABD Anayasa Mahkemesi Arjantin aleyhine karar verdi; borcun hemen ödenmesini istedi. Arjantin reddetti.

Aynı günlerde...

ABD medyası Arjantin'deki "demokrasi sorununu" ve "basın özgürlüğünü" dünya gündemine getirdi! Neler yazmadılar ki: "Arjantin Nazilere kol kanat germeye devam ediyor!"

"Baş Akbaba" Singer, Arjantin'in Gama açıklarındaki gemisine el koydu ve Arjantin borcunu ödemezse yurtdışındaki tüm mal varlıklarını alacağını açıkladı!

Sadece Arjantin mi?..

Paul Elliott Singer adı; Peru, Zambiya, Kongo ve Nikaragua krizlerinde de öne çıktı. Bu yoksul ülkelerden milyonlarca dolar kazandı.

Direnen ülkeler de oldu: Örneğin İzlanda!..

2000'li yılların başı...

Bu küçük ülke İzlanda, "kumarhane ekonomisini" kabul etmeden beş yıl önce dünyanın en zengin ülkelerinden biriydi. Ne olduysa –yabancı sermayeyi ülkeye çekmek amacıyla– 2003'te tüm bankalarını özelleştirmesiyle oldu.

Dört yıl sonra İzlanda'nın borcu GSMH'sinin dokuz katıydı! Tekrar üç ana bankayı (Landbanki, Kapthing, Glitnir) millileştirmek isteseler de iş işten geçmişti. Ulusal parası kroner yüzde 85 değer kaybetti.

İzlanda iflasını ilan etti. Neoliberalizme boyun eğen sosyal demokrat hükümet istifa etti. Nisan 2009'daki seçimi Sol Kanat Koalisyon kazandı. Yeni hükümet, neoliberalizm yükünü/borçları halka ödetmeyeceğini açıkladı. Bu borçları alan krizin sorumlusu siyasetçi ve bürokratlar hakkında soruşturma açtı.

"Akbabalar" ve ülkeleri baskıyı artırdı; "sizi Küba gibi izole ederiz!" dediler.

İzlanda referanduma gitti; halkın yüzde 93'ü borcun ödenmesine karşı çıktı.

Devreye AB girdi ve İzlanda'nın katılım müzakerelerini süresiz dondurdu.

İzlanda'nın direnişi hâlâ sürüyor... Ama...

Size direnen İzlanda halkının mücadelesini anlatmazlar.

Size Yunanistan'da aslında ne olduğunu anlatmazlar.

Size "akbabaların" gerçek yüzlerini anlatmazlar.

Ne anlatırlar?..

"Filantropi" nedir bilir misiniz?..

Hayırseverliktir!

İnsan hakları, barışı korumak, demokrasiyi geliştirmek, basın özgürlüğünü yükseltmek gibi gayeleri hedefleyen insanseverliktir!

19'uncu yüzyılda İngiltere'de 20'nci yüzyılda ABD'de moda oldu... Moda hâlâ sürüyor...

Aslında filantropi, gerçeği saklamanın maskesi olarak kullanılıyor: "Akbabaların" maskesi... Örneğin... "Baş Akbaba" Paul Elliott Singer adı medyada nasıl geçer:

– ABD'deki eşcinsel evlilik hakkı kampanyası için LGBT'ye 425 bin dolar bağışladı.

– Irak Savaşı'nda yaralanan gazeteci Bob Woodruff adına vakıf kurdu...

– Savaşta ölen askerlerin çocuklarına yardım amacıyla "Özel Harekât Savaşçı Vakfı"nı kurdu.

– Afganistan ve Irak'taki Amerikalı askerlere yardım için "Amerikan Ruhu Vakfı"nı kurdu.

– "New York Polis Vakfı'na 14 milyon dolar verdi.

Gazeteciler çok sever, saygı duyar "Baş Akbaba"ya...

Yazar Amerikan medyası; "Ah ne talihsizlik; işadamı olmasaydı harika bir müzisyen olurdu!" Müzik vakıfları kurması bundandır!

Yetmez.. Yoksullar için "NewYork Gıda Bankası" kuruluşunda yer alır! Ne kadar hayırsever değil mi?..

Ve tabii ki medya, "Baş Akbaba" Singer'ın; Peru, Zambiya, Kongo ve Nikaragua'daki yoksulların nasıl kanını emdiğini yazmaz!..

Peru'yu örnek vereyim...

Türkiye ile Benzerlik Şaşırtıcı

1980'li yılları sarsan ekonomik kriz Peru siyasal hayatını kökten değiştirdi.

Nasıl ki... Arjantin'de Carlos Menem, Brezilya'da Fernando Collor iktidara geldiyse, Peru'da da neoliberal ekonomik politikaları hayata geçirecek Alberto Fujimori başa geçti.

Siyasetten önce... Medyada sık boy göstermesiyle popüler bir isim haline getirildi.

1990'da başkanlığa adaylığını koyduğunda küçük şirket sahiplerinden Evangelist Kilisesi'ne kadar uzanan farklı oluşumlarla ittifak halindeydi.

Ayrıca Peru istihbaratı SIN de, el altından Fujimori'yi destekliyordu.

Bunu sağlayan kişi ise Viladimiro Montesinos'tu...

Bu Montesinos bilinmeden Peru'da olanlar anlaşılamaz. Bu adamı yazmalıyım...

ABD'nin Panama'daki "Darbeciler Okulu"nda askeri eğitim alan Viladimiro Montesinos, 1976'da CIA ajanı olmaktan yargılandı ve yüzbaşı rütbesindeyken Peru ordusundan ihraç edildi. Üç ay sonra...

San Marcos Üniversitesi'nden sahte avukatlık diploması aldı.

Yine de orduyla ilişkisini kesmedi; 1983'te Peru ordusuna ait gizli belge ve dinleme kayıtlarını basına sızdırdı. "Vatana ihanet" soruşturması açılmasıyla Ekvador'a kaçtı. Bu ülkede, ABD/Pentagon ile Ekvador silahlı kuvvetleri arasındaki ilişkiyi yürüttü.

Fujimori başkanlığına muhalefet eden *La Republica* gibi gazeteler Montesinos dosyasını açmaya başlayınca devreye istihbarat örgütü SIN girdi; yayımlanan tüm nüshalarını topladı ve bir sonraki yayımını engelledi.

Sonuçta... Krizden bunalan halkın oylarıyla Fujimori seçimi kazandı. İlk icraatı özelleştirme oldu; ülkenin stratejik kurumlarını bile sattı.

Montesinos Peru'ya döndü ve Fujimori'den aldığı olağanüstü yetkilerle, bürokrasiyle orduda büyük tasfiyeler gerçekleştirdi. İşadamlarını haraca bağladı; gazeteleri "havuz hesaplarıyla" satın aldı...

Tarih: 3 Kasım 1991.

14 Perulunun Montesinos'a bağlı paramiliter grup Colina tarafından kurşuna dizilmesinden sonra askeri mahkeme

soruşturma başlattı. Ayrıca mecliste insan hakları ihlalleriyle ilgili araştırma sürmekteydi; Fujimori'nin, muhalefetin çoğunlukta olduğu iki kamaralı parlamentoya gönderdiği neoliberal paketler onaylanmıyordu.

Fujimori 5 Nisan 1992'de meclisi feshetti ve anayasayı ortadan kaldırdı. Seçim tarihini Kasım 1992 olarak belirledi.

Tekrar iktidara gelmesi için büyük başarıya ihtiyacı vardı. Bulundu...

"Aydınlık Yol" Peru'nun Maoist politik çizgideki gerilla örgütüydü. Arazi yapısının zorluğu ve sık ormanlar nedeniyle bir türlü sonu gelmeyen devlet güçleriyle çatışmaları 1980'li yılların başında başladı ve bu çatışmalarda 1990'lı yılların başına kadar 70 bin kişi öldü. Örgütün lideri Abimael Guzmán'dı (Yoldaş Gonzalo). (Yani, Peru'nun A. Öcalan'ı.)

Ve sürpriz seçime az kala...

Eylül 1992'de Aydınlık Yol lideri Abimael Guzmán, başkent Lima'da, Hava Kuvvetleri Komutanlığı'na iki sokak ötede, CIA'nın katıldığı operasyonla yakalandı.

Guzmán evinde ele geçirildikten yarım saat sonra devletle anlaştı; "hizmete hazır" olduğunu söyledi. Ömür boyu hapse mahkûm edilse de, istihbaratın başındaki Montesinos ile sık sık görüştü; örgütü beraber yönetmeye başladılar.

Türkiye ile benzerliğine şaşırıyor musunuz? Devam edelim...

Aydınlık Yol lideri Abimael Guzmán'ın ele geçirilmesi başarısından sonra Fujimori, bir ay sonraki Kasım 1992'deki seçimi ezici çoğunlukla kazandı.

Fujimori diktatörlüğü, popülizmle otoriterliğin bileşimiydi. Güce doymuyordu. Devlet başkanlığı yetkilerini olağanüstü derecede artıran değişiklikleri kapsayan yeni anayasayı Ekim 1993'teki referanduma sundu. Muhalefetin boykotu sebebiyle yüzde 73 oyla kazandı!

İktidarda kalmak için her yola başvurdu. Öyle ki...

1995 genel seçimi yaklaşırken, istihbaratın başındaki Montesinos'a bağlı askerler, komşu ülke Ekvador'la sınır çatışması yarattı. Bir ay süren bu çatışma ortamında Fujimori, yüzde 64 oyla yeniden başkan seçildi!

Fujimori...

– Gerillayla "açılım" toplantıları yapsa da;

– Dayatılan IMF reçetelerini uygulasa da;

– Yeni para birimine geçse de;
– Kırsaldan şehre göçenlere kısmi yardımlarda bulunsa da;
– Kilise'nin gücünü artırsa da;

Hayat pahalılığı, yüksek işsizlik, ücret-maaş düşüklüğü hoşnutsuz kitlelerin sayısını artırıyordu.

2000 yılına gelindiğinde iş çevrelerinde de Fujimori diktatörlüğüne karşı artık öfke vardı.

Ayrıca... Fujimori'nin büyük patronu ABD'yle de arası bozuldu. Hemen ardından muhalif bir milletvekili, Montesinos'un bir generalle bir gazetenin satın alınması işini kotardığını gösteren videoyu yayınladı. Hava döndü... Kirli ilişkiler ortalığa saçıldı. Fujimori artık parlamentoyu ve sokağı kontrol edemiyordu. Ve...

Tarih: 29 Ekim 2000.

Aydınlık Yol'a karşı verdiği mücadeleyle bilinen Yarbay Ollanta Humala, 62 kişilik askeri birliğiyle darbe yaptı. Fujimori ve Montesinos ülkeyi terk etti.

Ollanta Humala, anti-emperyalist Peru Milliyetçi Partisi'ni kurdu. Sosyalist ve sol partilerin desteğini alarak Temmuz 2011'de Peru devlet başkanı seçildi.

Montesinos, 2001'de Venezuela'da yakalandı...

Fujimori 2005'te Şili'de ele geçirildi...

Her ikisi de insanlığa karşı suç işlemek, yolsuzluk gibi suçlarından dolayı hapse atılırken "ağababaları" ABD sesini bile çıkarmadı!

Benzerleri o kadar çok ki...

İşte... Carlos Menem! Latin Amerika'da neoliberalizmin öncüsüydü. Tüm kamu kuruluşlarını özelleştirdi; dünyanın en zengin tarım ülkesini yiyeceğe muhtaç duruma düşürerek 10 yılda Arjantin'i iflasın eşiğine getirdi. Sonuçta o da hapsi boyladı!

İşin özünü ABD stratejilerini belirleyen isimlerden Beyaz Saray danışmanı Zbigniew Brzezinski söyledi: "Bütün ülkelerin, insanları, hükümetleri, ekonomileri; çokuluslu bankaların ve şirketlerin ihtiyaçlarına hizmet eder."

Hepsi bu...

Diyeceksiniz ki; insanlar bu adamları nasıl seçiyor; nasıl kandırılıyor? Türkiye'de durum farklı mı?..

Ya rönesansın kalbi İtalya'da farklı mı?..

Erdoğan'ın "İkizi"

Erdoğan'ın "ikiz kardeşi" Berlusconi'yi yazayım..

Öyle ya... Her ikisi de parti kurup kolayca iktidara oturdu.

İsimleri değişik sadece... Aynı yolu izlediler:

– Berlusconi sürekli mağdur rolü oynadı. Kendini yüceltmek için, kendinden nefret eden; kendini yıkmak için bin yol deneyen "düşmanlardan" bahsetti.

O hep engellenmek istenen politikacıydı!

O hep baskı altındaydı!

O hep muhalefet tarafından alçakça saldırılara uğrayan siyasetçiydi!

– P-2 Mason Locası üyesi Berlusconi sürekli, kendini darbeyle yıkacak komünist komplodan söz etti. Kendisini alaşağı etmek için hep gizli planlar yapılıyordu!

– Elinde o kadar medya olmasına rağmen Berlusconi, sürekli medyanın kendisine haksızlık yaptığını söyleyerek, seçmenin duygularında "haksızlığa uğrayan politikacı" imajını sıcak tuttu. İş çevrelerini, "vatan haini" bu muhalif medyaya reklam vermemeleri için tehdit etti.

– Berlusconi, ülkenin en önemli sorunu olarak; "kızıl komünist" yargıçları, savcıları, yüksek mahkemeleri ve Anayasa'yı gösterdi. Hakkında onca yolsuzluk dosyası olabilirdi; ama bu seçilmemiş hâkim ve savcıların kendisini yargılayacağı anlamına gelmezdi! Ülkede sistemli olarak, "seçilmişler" – "atanmışlar" ayrımı yaparak; kendisi gibi seçilmemişleri gayrimeşru gösterdi. Zaten bu "atanmışlar" halkı ezip hor görüyordu![16]

– "Güçlü başkanlık" için Berlusconi, Anayasa'yı değiştirmek istedi. Referanduma sundu; 61,3 oyla reddedildi. İtalyanlar "oh" dedi.

Pazarlama tekniği bile benzeşiyordu "ikiz kardeşi" Erdoğan ile...

– Berlusconi bir devlet adamı ya da geleneksel bir politikacı değildi. Parti lideri değil, bir "şirket" yöneticisiydi. Bu nedenle...

Bir gün önce söylediğinin bir gün sonra tam tersini söyleyebiliyordu. Adeta bir deterjan reklamındaki gibi, birkaç basit, akılda kalır slogan etrafında kendini sürekli tekrarlayan biriydi. Reklamda bilindiği gibi, sloganın doğru olması gerekmiyor önemli olan; basit, kısa ve kolay algılanabilir olmasıdır.

16 Yazar Umberto Eco bir yazısında, "Bu mantığı ciddiye alırsak, çocuklarımızı –atanmış öğretmenleri olacağı için– okula göndermememiz; hastalanınca doktorlara gitmememiz, suçluların kendilerini tutuklamak isteyen polislere atanmış oldukları gerekçesiyle direnmesi gerekir" dedi.

– Berlusconi sadece bir satıcıydı. İtibarıyla, yaptığı bir pazarlamacı taktiğiydi.[17]

– Berlusconi her gün –keza, inanılır olması hiç önemli değildi– bir kışkırtmada bulunmadan duramazdı. Hele bu tahrik; anlaşılmaz ve kabul edilemez bir konu üzerine olunca; gazetelerin ilk sayfalarını, medyanın da açılış haberlerini işgal ediverirdi. Bu, dikkatlerin sürekli üzerinde olmasını sağlardı. Özellikle muhalefetin dikkatini; ülke sorunlarına değil, sırf bu polemiklere çekmek için yapardı bunu.

– Berlusconi alacağı ağır bir kararın onay ve görüşünü öğrenmek istediğinde, bunu kendi televizyonunda açıklardı. Parlamentoda bu tür konuları hiç dile getirmezdi. Hesabı açıktı; tepki alınca "Ben öyle söylemedim," demek içindi! Bilinir ki, parlamentoda her söz kayıt alındadır. Oysa gazete-kitap okumayan ve sadece TV'den "bilgi" edinenler bir gün önce söylenenleri hiçbir zaman akıllarında tutamazlardı.[18]

– Berlusconi geniş seçmen çevresi belleğinin zayıf olduğunu bildiğinden insanlarda hep "bir şeyler" yapacağı düşüncesini oluştururdu. Rakipleri hakkında ise hep kuşku yaratırdı: "Yapamazlar."

– Berlusconi'nin tek bir yöntemi vardı; aldatma stratejisi! İktidara gelmek / iktidarda kalmak için her yol mubahtı... Belki inanmanız zordur ama; liberalleri ve eski solcuları bile politikasıyla bir dönem yanına çekmeyi başardı.

Berlusconi'nin aldatma stratejisi bir zamandan sonra yürümez oldu. 1990'lı yıllarda yarattığı "işbilir politikacı" imajı, 2000'li yıllar başında çöktü. Çünkü, neoliberalizmin gerçek yüzü görülmeye başlanmıştı.

Bütçeyi meclisten geçiremeyince 12 Kasım 2011'de başbakanlıktan istifa etmek zorunda kaldı. İstifası, İtalya tarihinin en büyük sevinç gösterilerine neden oldu.

Yolsuzlukları ortaya döküldükçe halk, Berlusconi nereye gitse, önüne "sadaka" niyetine para atmaya başladı.

Yolsuzluk dosyası kabarıktı; görevi kötüye kullanma; hakaret; gasp; cinsel istismar; yalan yere yemin; mafya ilişkileri; hilekârlık;

17 Satıcı (politikacı), yaptığı konuşmanın tutarlı olmasıyla ilgilenmez; söyledikleri arasında ansızın bir konunun dikkatinizi çekmesi yeterlidir. Çünkü sizin, tek bir noktaya takılıp diğerlerini unutacağınızı bilir.

18 Hitler'in Halkı Aydınlatma ve Propaganda bakanlığını yapan Goebbels'in iletişim kuralıdır; politikacılar bir konuyu sürekli tekrar etmelidir! "Bir şeyi kırk kere söylerseniz olur" misali!

sahte muhasebe kayıtları düzenlemek; zimmet; kara para aklama; vergi kaçakçılığı; yolsuzluk; rüşvet alma ve verme...

Sık sık hâkim karşısına çıktı. Sonunda...

1 Ağustos 2013'te vergi-dolandırıcılık suçundan 4 yıla mahkûm edildi. 2 yıl da kamu yasağı verildi. Artık "muhtar" bile olamayacaktı!

Yaşı 77 olduğundan hapis yerine 10 ay boyunca Milano'daki "Sacra Famiglia" huzurevinde çalıştı. Berlusconi bugün hastanede Alzheimer hastalarıyla ilgilenerek cezasını doldurmaya çalışıyor. Üstelik yargılandığı başka davalar da var; bakalım daha kaç yıl temizlik işleriyle meşgul olacak?

"Bizimki" ise şimdilik yırttı! Ancak... Mesele sadece ülkelerini yönetmiş liderlerin hapse girmesi değil. Gözden kaçan başka ayrıntı var...

Davutoğlu Örneği

Yıl: 1968.

Dr. Laurence J. Peter ve Raymond Hull, *The Peter Principle* adında inceleme kitabı yayımladı. Kitaba göre...

Peter ilkesi; hiyerarşiye dayalı bir organizasyonda, kişilerin eninde sonunda artık yeterli olmadıkları seviyeye (yetersizlik seviyesine) geleceklerini öngörmekteydi.

Yani: İdari hiyerarşide yer alan kişiler daima bir üst mevkie yükselmek isterler; ta ki verimsiz olacakları, yani liyakatsizliklerinin son sınırına çıkacakları yere kadar.

Peki, Türkiye siyasi tarihinin en başarısız Dışişleri Bakanı Ahmet Davutoğlu'nun genel başkan ve başbakan yapılmasını nasıl değerlendireceğiz?

Böylesine yetersiz biri hiyerarşinin tepe noktasına kadar nasıl yükseldi?

Aynı soru Erdoğan için de geçerli!

Yanıtını bizim tarihten bulmalıyız...

Yıl: 1907.

Kıdemli Yüzbaşı Mustafa Kemal Selanik'teki kolordu karargâhında görevliyken, bir gün çocukluk arkadaşı Kılıçoğlu Hakkı Bey'e şöyle dedi: "Askerlikten çekileceğim. Ben bu cahil heriflerle anlaşamıyorum, yapamayacağım."

II. Abdülhamit mektepli subayları sevmez, okuma yazması

bile olmayan alaylı subayları önemli makamlara atardı. Bu liyakatsizlik sonucu Balkanlar elden çıkmak üzereydi.

Mustafa Kemal'in karargâhta anlaşamadığı, cahil alaylı askerlerdi. Ama istifa etmedi çünkü ufukta umut vardı; İttihat ve Terakki Cemiyeti'nin 322 no'lu üyesi oldu! 1908 Temmuz Devrimi'ni yaptılar. Bu devrimin küllerinden Türkiye Cumhuriyeti doğdu.

Aradan yıllar geçti...

Bu kez iktidarda II. Abdülhamitçi/"Osmanlıcı" Erdoğanlar, Davutoğulları var. Geliyorlar mı?.. Getiriliyorlar mı?..

Koltuğa oturunca ne yapıyorlar?..

Davutoğlu dedi ki: "Kimsenin tereddüdü olmasın ki son 12 yılda gerçekleştirilen büyük restorasyon hareketi hiçbir ara ve kesintiye uğramadan devam edecektir."

Bahsettiği "restorasyon" üzerinde pek durulmadı.

Nedir bu restorasyon?..

Tarihte geri dönüşlere "restorasyon" deniyor. "Restaurare" Latince, "yeniden yapılandırılma" anlamına geliyor.

Devrim sonucu yıkılmış ideolojinin/rejimin yeniden iktidara gelişini ifade ediyor. Siyasal tarihte çok bilinen restorasyon dönemleri var:

– 1653'te İngiliz kralını kovan Cumhuriyetçi Cromwell'den sonra, 1661'de, Stuart Hanedanı'nın (Kral II. Charles) yeniden iktidara gelmesi...

– Fransız İhtilali'nin ürünü cumhuriyeti yıkan 1814-1830 Bourbon monarşisi ve 1830-1848 Kral Louis Philippe'in meşrutiyet restorasyonları.

İki örnekte görüldüğü gibi restorasyon; halkçı devrimciler için "kötü"; kralcı asiller için "iyi" bir dönem!

Davutoğlu "neyi" yıkıp, "neyi" getirmekten bahsediyordu? Biliyoruz. AKP gizli ajandasında neyin yazılı olduğunu yıllardır söylüyoruz/yazıyoruz. Gizli ajandada Kemalist Devrim'in yıkımı var!

Türkiye'de neoliberalizm bitti; "başkanlık sistemi" kamuflajı altında faşizm geliyor!..

Dün bilinmeden bugün anlaşılamaz. İnsanoğlu bunları yaşadı...

Bu Cumhurbaşkanını Tanıyor musunuz?

Portresini yazacağım kişi...

Ülkesinin doğrudan halkoyuyla seçilen ilk cumhurbaşkanıydı!..

Seçilmesinde din önemli etken oldu. Ona göre...

İdeoloji ve siyaset, mantıksal düşüncenin olduğu kadar inancın da ürünüydü. Tarihin gelişmesini, Tanrı'nın gönderdiği ve ilerlemeyi temsil eden büyük insanlar gerçekleştiriyordu!

Kendini "kurtarıcı" olarak tanıttı! Bunu kimse yutmazdı ama ülkede ağır bir ekonomik ve siyasal kriz vardı.

Uygulanan ekonomik politikalar sonucu yeni gelişen sanayicilerin ve şirketlerin gelirlerinde büyük artış olurken, nüfusun büyük çoğunluğu yoksullaşmıştı. İşçiler sağlıksız koşullarda çalışıyor ve yaşıyordu. Köylerde topraksız kalanlar kentlere göç ediyordu.

Aç halk hemen her gün muhalif gösterilerde bulunuyordu...

Böylesine siyasal atmosferde ya devrimciler kazanacaktı ya da onun gibi muhafazakârlar!

Sadece bu ülkede değil komşu ülkelerde de devrimler başlamıştı. Ülkenin zenginleri –bölgede bir hayalet gibi dolaşan– "kızıl tehlikeden" korkuyordu.

İşte... O dönemde yakın çevresiyle birlikte parti kurdu. Meclis'e aday oldu. Seçildi.

İsteği cumhurbaşkanı olmaktı...

Ülkesinin '48 Şubatı'nda ülkede büyük altüst yaşandı. Şubat Devrimi sonucunda iktidara "Geçici/Koalisyon Hükümet" geldi. Başlarında bir şair vardı!

10 Aralık'ta cumhurbaşkanlığı seçimleri yapılacaktı. Kolları sıvadı... Orta sınıfa ve çiftçilere "düzen" ve "refah", yoksullara "yardım" sözü verdi. Konuşmalarındaki sihirli sözcük "istikrar"dı. Köylülerin biriken borçlarını sıfırlayacağını söyledi. Özgür basından bahsetti; işçilere grev hakkı vermek gibi demokratik haklardan bahsetti. Ülkenin devrimcileri ona karşıydı ama yanında ağzı laf yapan liberaller vardı...

Ülkenin en güçlü dini cemaati yanındaydı...

Ülkenin en zenginleri yanındaydı...

Ayrıca, İngiltere sermayesi de destekçisiydi...

Kısa bir süre cezaevinde tutuklu kalmayı mağdur edebiyatına dönüştürmeyi başardı.

Kazanması için her şey yapıldı. Örneğin, oy kullanma alanları daraltıldı.

Sonuçta, rakiplerinin parçalanmışlığından da yararlanıp rekor bir oyla cumhurbaşkanı seçildi. Yedi buçuk milyon oyun beş buçuk milyonunu aldı...

Ülkede ilk kez halkın oyuyla seçilen bir cumhurbaşkanı vardı. Buna "II. Cumhuriyet" adı verildi.

İlk icraatı; yönetim ve ordunun kilit noktalarına adamlarını getirmek oldu. Ardından kendine koşulsuz bağlı hükümet atadı.

İkinci icraatı; komşu ülkedeki iç çatışmada dini örgütlere yardım etmek oldu! Sadece komşu ülkeye değil, komşu olmayan bir ülkenin de iç içişlerine müdahale edecekti.

Ordularının, cumhuriyet isteyenlere karşı savaşması, ülkedeki cumhuriyetçilerin büyük tepkisine yol açtı. Fakat dağınıktılar; etkileri olmadı. Cumhurbaşkanı bunu bildiği için her istediğini yaptı:

İşçilerin örgütlenme ve gösteri hakkını ellerinden aldı.

Basın organlarına izin alınmadan verilen yayın serbestisine son verdi.

Dincilerin okul açmasına; din hocalarının eğitimi denetlemesine izin verdi.

İngiltere ile serbest ticaret anlaşması imzaladı.

Ekonomik politikaları hep tutarsız-dengesiz olacaktı.

Karşı çıkanlara, bayındırlık hizmetlerini ya da demiryolu inşaatlarını anlatarak yanıt verdi!

"İyileştirme gerekiyorsa bu ancak benden gelir," diyordu.

Verdiği reform vaatlerini anımsatanlara, aldığı oy yüzdesini hatırlatıp "referandum tehdidini" kullandı!

Ülke nüfusunun büyük çoğunluğunu oluşturan köylülerin gelenekçiliğinden ve halkın cahilliğinden yararlanıyordu.

Ve sonra dediğini yaptı, ülkeyi referanduma götürdü. Referandumdan 20 gün önce bakın ne yaptı...

2 Aralık...

Anayasa dört yılını tamamlayan bir cumhurbaşkanının yeniden seçilmesini önlüyordu. Anayasa'yı değiştirmek için Meclis'te gereken dörtte üç çoğunluğu elde edemeyeceğini biliyordu. Ayrıca dağınık durumdaki cumhuriyetçiler birleşme toplantıları yapıyordu.

Cumhuriyet'in "nimetlerinden" yararlanan bu kişi ne yaptı dersiniz? Darbe yaptı!..

Darbeciler 2 Aralık gününü bilinçli seçmişti; dini bayramdı!

Sabaha karşı 04.00'te harekete geçtiler. Önce, kimi komutanlar ve milletvekilleri gözaltına alındı.

Halk, duvarlara yapıştırılan kâğıtlardan Meclis'in feshedildiğini okudu.

İki gün sonra... Cumhuriyetçiler sokağa çıktı. O güne kadar Cumhuriyet'in ordusuna güvenmişlerdi. Yanılmışlardı. Ayaklandılar.

Darbeciler; 300 kişiyi öldürdü. 6 bin 642 kişiyi hapse attı. 9 bin 530 kişiyi sürgüne gönderdi. 2 bin 804 kişiyi kamplara yolladı. 5 bin kişiyi gözetim altına aldı.

Bin 545 kişi yurtdışına kaçmak zorunda kaldı.

59 kişi idam edildi...

21 ve 22 Aralık günü yapılan referandum sonucuna göre, artık cumhurbaşkanı 10 yıl değiştirilemeyecekti! Bu da yetmedi.

Yaklaşık bir yıl sonra yapılan 2 Kasım'daki referandumda imparator seçildi!

Bu, "II. Cumhuriyet"in sonuydu. Ama...

İngiltere, Almanya, Rusya, Avusturya yeni imparatoru hemen tanıdı.

Yeni imparatorun ilk yaptığı yeni ticaret anlaşmaları imzalamak; soyluluk unvanlarını geri vermek oldu!

Artık ülke polis devletiydi. Öyle ki, ülkenin ulusal marşı, devrimci fikirler içeriyor diye yasaklandı.

Yeni imparatoru tanımayanlar da oldu; dünya tarihinde ilk bombalı suikasttan kurtuldu.

Direnen bir avuç devrimciydi.

Aydınlar umutsuzluğa kapılmıştı.

Ordu kendine güvenini kaybetmişti.

O ise, ataları gibi büyük askeri zaferler kazanacağını sanıyordu! Her sıkıntıda, dikkatleri dışa yöneltmek için savaş yaygaracılığı yapmayı sürdürdü.

Ve Almanya'ya açtığı savaş sonunu getirdi.

Ordusu bozguna uğradı. Hükümeti devrildi.

Önce Almanlara esir düştü; sonra her daim koruyucu olan İngiltere'ye kaçtı ve orada can verdi.

Ülkeyi Alman işgalcilere karşı korumaya çalışanlar ise, –içlerinde Jön Türklerin de bulunduğu– Paris Komünü'nün yiğit devrimcileriydi... İş yine devrimcilere kalmıştı. Ülkelerinin işgaline direndiler. Fakat Almanlarla işbirliği yapanlar tarafından yok edildiler.

Peki... Kimdi bu imparator?..

Adı, Charles Louis Napoléon Bonaparte'tı.

Yani, III. Napoléon'du.

20 Nisan 1808 yılında Paris'te doğdu.

Babası; Napoléon Bonaparte'ın (1769-1821) erkek kardeşi Louis Bonaparte'tı (1778-1846).

Annesi; Napoléon Bonaparte'ın üvey kızı Eugenie-Hortense de Beauharnais'ydi (1783-1837).

III. Napoléon, siyasal terminolojiye bir kavram kazandırdı:

Bonapartizm...

Dar anlamıyla; 19. yüzyılda Bonapart ailesinin iktidarını koruması için izlenen politikaya verilen isimdi.

Geniş anlamında Bonapartizm; iktidarı emekçilerin alamadığı ama burjuvazinin de alacak kadar palazlanamadığı için siyasal gücünü bürokrasiye devrettiği rejimin adıydı.

Kavramı gündeme getiren, Karl Marks'tı:

"Kapitalist toplumda icra-i görevdeki grubun, bir kişinin yönetiminde olması ve devletin diğer tüm bölümlerine ve topluma diktatörce bir kuvvet uygulamasıdır."

III. Napoléon örnekti...

Aralık 1851-Mart 1852 tarihleri arasında New York'ta yazdığı "Louis Bonaparte'ın 18 Brumaire'i" adlı eserinde K. Marks, III. Napoléon'un gerçekleştirdiği darbeyi, amcası Napoléon Bonaparte'ın daha önceden gerçekleştirdiği darbeyle kıyasladı. Ve daha sonra popüler olacak şu cümleyi yazdı:

"Hegel, bir yerde şöyle bir gözlemde bulunur: Bütün tarihsel büyük olaylar ve kişiler, hemen hemen iki kez yinelenir. Hegel eklemeyi unutmuş: İlkinde trajedi, ikincisinde komedi olarak!"

Marks, ilkinde Napoléon Bonapart'ı, ikincisinde de III. Napoléon'u kasteder!..

Erdoğanların, Davutoğullarının restorasyonu işte budur...

Başarabilecekler mi?

Yeni Model

Bir "ekonomik model" doğuyor, büyüyor, durağanlaşıyor ve en sonunda ölüyor/çöküyor!

Örneğin; 1917 Bolşevik Devrimi ile 1929 dünya ekonomik krizi; Batı'da ve ülkemizde sosyal devletçiliği ortaya çıkardı.

Yani: 1850-1929 arası uygulanan ve çöken vahşi kapitalizm, kendini yenileyerek (bizim "karma ekonomi" diye bildiğimiz Keynes'in) sosyal devletçilik kuramına bel bağladı.

Parasız sağlık, parasız eğitim gibi yoksulun yanında duran sosyal devlet, aynı zamanda modernist/aydınlanmacı, kalkınmacı bir ulus-devleti'ydi.

Her iktisat "modeli" gibi, "karma ekonomi" de doğdu-gelişti ve bitti.

Daniel S. Jones, "Evrenin Sahipleri" (*Masters Of The Universe*) kitabında, "Viyana ekolünden gelen birkaç (Hayek vd) ekonomistin; bir bakkalın kızıyla (Thatcher) bir film artistini (Reagan) 40 yıldır büyüyen/başarılı (sosyal) devlete karşı nasıl ikna etti; anlayamadım," diye sordu.

1970'li yılarda... "İnsancıllaştırılmış kapitalizm" yani sosyal devlet, yerini tekrar vahşi kapitalizme/(neo) liberalizme bıraktı. Niye?

ABD, 1946-1970 sürecinde ekonomik açıdan "altın çağ" yaşadı. 1970'lerin başındaki petrol krizi ve Vietnam bozgunu ABD ekonomisini yapısal krize soktu. Yeni bir iktisadi ve itibarıyla toplumsal düzene ihtiyaç duydular: Neoliberalizm!.. Ama korkuyorlardı; çünkü "yeni" diye yutturulacak sistem 1929'daki dünya ekonomik krizinde bozguna uğramıştı.

Şili laboratuvar olarak seçildi. Halkın oylarıyla iktidara gelmiş S. Allende, 11 Eylül 1973'te faşist General Pinochet'nin askeri darbesiyle yıkıldı.

Pinochet'nin ekonomik danışmanlığına neoliberal M. Friedman getirildi. Pinochet'nin "ekonomi prensleri" ise M. Friedman'la aynı ekolden/okuldan gelen Şikago Okulu'ndan mezun Şililerdi. (Özal'ın prensleri gibi!..)

Bu Şilili prensler hemen sosyal devlete son verdi. Eğitimden sağlığa her şeyi paralı yaptılar. Şili pazarını ardına kadar yabancı sermayeye açtılar. Özelleştirme yaptılar. Başta tarım olmak üzere üretimi azaltıp ithalatı artırdılar. Maaş ve ücretleri dondurdular ve buna rağmen vergi çalışanların sırtına yüklendi.

Sistem tamamen finansa dayalıydı; tanrı dolardı.

Halkın arzuları hayalleri körüklendi, tüketime yönlendirildi. Marka çılgınlığı oluşturuldu.

Evine, otomobiline, kredi kartı limitine göre insanlar saygı görmeye başladı!

Bu arada "aman döviz, aman borsa" diyen ekonomistler halkı kandırmaya başladı: "Kemerleri sıkın, sonra her şey güzel olacak!"

Bu arada gelir dağılımı arasında uçurumlar ortaya çıktı.

Kimse olup bitene ses çıkaramadı çünkü; "Piyasa baskılardan kurtulmalıdır" diye sendikaları yok ettiler.

Sesini çıkaracak kimse yoktu çünkü askeri darbe, muhalefeti işkencelerden geçirip cezaevine attı. Toplumsal muhalefet; feminist, çevreci, eşcinsel, yeşiller, hayvan hakları gibi küçük gruplara bölündü. Etnik ayrılıklar gündeme getirildi; etnik siyaset baş tacı edildi. Kimlik politikası, neoliberalizm yoluyla, ülkeyi sadece siyasal olarak kamplaştırmakla kalmadı, ekonomik olarak gelir dağılımı politikasının da yerine geçti.

Bu neoliberal değerleri savunanlar, gazetelerde yazdırılıp TV'lere çıkarıldı. Halkı ezen bu iktisadi plan "devrim" diye yutturuldu.

Finans merkezli "kumar ekonomisi" 1929 küresel krizinden sonra tekrar "piyasaya" sunuldu.

1979'dan sonra (Thatcher, Reagan ile) neoliberalizm tekrar model yapıldı. Hele...

1991'de, Sovyetler Birliği'nin yıkılmasıyla neoliberalizm, gücünün doruğuna ulaştı.

Sadece liberal, muhafazakâr partiler/liderler değil; "üçüncü yol" palavrasıyla Avrupalı sosyal demokratlar da, bu küresel hegemonyaya "Başka seçenek yok," diye boyun eğdi.

İngiltere'de Tony Blair...

Almanya'da Gerhard Schröder...

Yunanistan'da Yorgo Papandreu..

İspanya'da Rodriguez Zapatero...

Portekiz'de José Sócrates...

Ve yakında Fransa'da François Hollande...

"Sosyal demokratların mezarlığındaki" tüm isimleri yazmaya gerek yok.

Hepsi; neoliberalizme boyun eğdi. Yoksul halktan, üretimden yana değil, finans çevreleri/bankalar çıkarına politika yaptılar ve sonuçta siyaset sahnesinden çekilmek zorunda kaldılar...

Evet... Merkez sağ'da ve merkez sol'da tek ekonomik seçenek, sorgulanamaz neoliberalizm oldu...

Biliyorsunuz; adına "ekonomik devrim" denen bu "film" Türkiye'ye T. Özal'la 24 Ocak 1980 Kararlarıyla geldi; 12 Eylül Askeri Darbesi'yle "gösterime" sokuldu.

12 Eylül'e pek bu açılardan bakılmadı. Örneğin, Pakistan'da kamulaştırma yapan halkçı lider Zülfikâr Ali Bhutto'yu darbeyle düşürüp idam ederek neoliberal politikaları hayata geçiren Ziyaü'l-Hak ile Kenan Evren'in kardeş yapılması tesadüf mü?

Fakir çocuklara bedava süt verilmesini kaldırdığı için İngiltere'de "süt hırsızı" denen M. Thatcher, dünyaya "demir leydi" diye yutturuldu. Kovboy R. Reagan'dan "efsanevi başkan" yaratıldı!

Bizde; Özal'a "devrimci" diye methiyeler düzüldü; aynen ilk yıllarında R. T. Erdoğan'ın "devrimci" yapıldığı gibi.

Solcular arasında karşı çıkanlar olmadı mı?

Oldu. Oskar Lafontaine Almanya SPD genel başkanlığından ve Lionel Jospin Fransa Sosyalist Partisi genel başkanlığından ayrılmak zorunda bırakıldı. Hepsi haklı çıktı...

2008 yılı Batı için önemli dönemeç oldu.

1980'lerden itibaren dünya inanılmaz bir ekonomik büyümeye sahne oldu; ancak bu gelişme 2008'de durdu.

Finans krizi başladı ve neoliberalizm çöküşe geçti. Bu durum Batı'da, neoliberalizmin yükseliş dönemini tamamladığı, durağanlığa geçtiği ve yakın gelecekte çökeceği tartışmalarına neden oldu.

Nobel ödüllü Hayek ve Friedman nasıl neoliberalizm modelinin yaratıcısı olmuşlarsa, bugün J. Stiglitz ve P. Krugman gibi yine Nobel ödüllü Amerikalı ekonomistler, Yeni Keynesçilik/ Sosyal Devlet modelini tartışmaya açtılar. Dediler ki... "Kardeşim siz devletin piyasaya müdahalesini istemiyorsunuz; ama başınız sıkıştığında 'Aman bizi kurtarın,' diyorsunuz! Müdahale edilmeden piyasa kendini düzeltemiyorsa demek ki devletin ekonomide olması elzemdir."

Evet: 2008 finans krizi gösterdi ki; "piyasa köktenciliği"/neoliberalizm koca bir yalandı!..

Neoliberalist çevreler, Dünya Bankası'nın B. Milanoviç Raporu'nu (2012) elden ele dolaştırdı; "Dünyada yoksulluğu azalttık," diye övündüler. Meğer dünyada yoksulluğu azaltanların Çin, Hindistan ve Brezilya olduğu ortaya çıktı! Yani... Hâlâ sosyal devlette inat eden; ekonomide devlet ağırlıklı ülkeler!

Çin tek başına 600 milyon insanı yoksulluk sınırının üstüne çıkarmıştı. Bu üç ülke değerlendirme dışı bırakıldığında küresel düzeyde yoksullukta büyük artış vardı!

İnsanı ve doğayı tahrip eden vahşi kapitalizme karşı "yeni

toplumcu düzen" arayışları başladı. Keynes ve Marks tekrar dünya gündemine geldi.

Yaptığı büyük araştırmayla gelir dağılımı adaletsizliğini ortaya seren Fransız Thomas Piketty'nin –Marks'a gönderme yaptığı– *Kapital* dünyada en çok okunan kitaplar arasına girdi!

Büyük tarihçi Eric Hobsbawm *Dünya Nasıl Değişir* adlı kitabında, ünlü spekülatör George Soros'un kendisine, "Marks 150 yıl önce kapitalizm hakkında bizim dikkate almamız gereken bir şeyler keşfetmiş," dediğini aktardı.

İş dünyasının gazetesi *Financial Times* Marks üzerine incelemeler yayımladı/yayımlıyor. vs.

Hava dönüyor.

Sadece Latin Amerika'ya bakın...

Venezuela'da Chávez, Brezilya'da Silva, Ekvador'da Gutiérrez ve Correa, Arjantin'de Kirchner, Uruguay'da Vázquez, Bolivya'da Morales, Nikaragua'da Ortega ve Şili'de Jeria, neoliberalizmi tarihin çöplüğüne atıp, sosyal devlet politikalarına sarıldılar.

Başkan Obama bile eğitim ve sağlık reformlarıyla sosyal devlete dönüş yaptı.

Neoliberalizm için, "Arayış bitmiştir, tarihin sonu budur; son ekonomik sistem budur," diyen Fukuyama bile bugün devleti/kamuyu yeniden keşfediyor!

Olanlar hiç şaşırtıcı değil...

Şu bilgi önemlidir...

Kondratyev Dalgaları

Nikolay Kondratyev adını duydunuz mu?

Rus Marksist ekonomist. 1892'de doğdu; 46 yaşında öldü.

"Kondratyev Dalgaları" diye bilinen tezin sahibiydi.

Yazdıklarıyla Joseph Schumpeter, Ernest Mandel, François Simiand, Immanuel Wallerstein ve Eric Hobsbawm gibi isimleri etkiledi.

Kondratyev; İngiliz, Alman, Fransız ve Rus devletlerinin kayıtlarında bulunan, ekonomi başta olmak üzere, farklı konulardaki verileri toplayıp değişik bir sistematikle yorumladı.

Bu saptamada tek tek ülkeleri baz almadı; dünya ölçeğindeki büyük ekonomik yapıya bakarak yorumlar getirdi.

Kondratyev'in 1926'da ortaya attığı teorisine göre, kapitalist ekonomik yapı; doğuyor, büyüyor, durağanlaşıyor ve çöküyordu.

Her dalgada emek-sermaye ilişkileri yeniden şekilleniyor; yeni toplumsal ilişkiler ortaya çıkıyordu.

İlk başta güven veren, umut olan iktisadi yapı zamanla bozuluyor; eleştiri ve hoşnutsuzluk başlıyor; normalde sıradan sayılabilecek olaylar büyük çatışmalara neden oluyordu.

Kondratyev'e göre kapitalizmin bu her döngüsel krizi 45 ile 55 yıl arasında gerçekleşiyordu.

1) Kondratyev'in birinci dalgası, "devrimler çağı"; 1789'la başladı, 1817'ye kadar büyüdü.

Bu süreçte ne oldu:

Monarşi öldü, cumhuriyet doğdu...

Dogmatizm öldü, akıl doğdu...

Feodalizm öldü, kapitalizm doğdu...

Yani... Toprağa bağlı üretimin iktidarı son buldu. Tarım artık büyük ekonomik güç değildi. Dönemin itici gücü; buhar gücüne dayanan sanayileşmeydi.

Toplumsal yapıyı kökten değiştiren iki büyük devrim bu döneme damgasını vurdu:

Siyasal devrimin ülkesi Fransa.

Ekonomik devrimin ülkesi İngiltere.

Ne yazık ki.. Zenginleşip iktidara yerleşen burjuvazi, kilise ile anlaşıp emekçileri sattı ve birinci dalga 1848 Avrupa ayaklanmalarıyla bitti!..

2) Gelelim Kondratyev'in ikinci dalgasına...

1848-1893 yılları "sermaye çağı"ydı. Kapitalizm "olgunlaştı" ve yeni sömürge alanlarına yayıldı.

İngiltere küresel güç oldu.

Birliklerini sağlayan ulus-devletler; Almanya ve İtalya tarih sahnesine çıktı.

Sanayi "çelik"leşti. Şirketler profesyonelleşti. Elektrik yaygınlaştı. Daktilo kullanılmaya başlandı. Asansöre binildi. Dikiş makinesi tekstilin yıldızı oldu. Metro faaliyete başladı.

İlk 25 yılda büyük bir büyüme gerçekleştirildi.

Bu arada ayaklanmaları bastırılan köylüler işçi olup kölelik şartlarında çalışmaya başladı. Fakat... 1870'ten sonra muhalefet rüzgârı esmeye başladı.

Bir yıl sonra Paris Komünü kuruldu.

İkinci dalganın çöküş dönemi başladı.

3) Üçüncü dalga 1893-1939 yılarında yaşandı.

Kuralsız, sınır tanımayan vahşi kapitalizm dönemiydi.

Finansın iktidarıydı; paradan para kazanma dönemiydi.

Banka ve borsa dönemin yıldızıydı. "Soyguncu baronlar" dönemiydi bu; Rockefeller, Rothschild, Carnegie gibi.

ABD yeni güç olarak dünyaya açıldı. Radyo yayına başladı. İlk motorlu helikopter uçuruldu. İlk üretim bandı fikrinin de babası olan Ford, günde bin araba üretmeye başladı. Paslanmaz çelik bulundu. Naylon üretildi.

Tüketimin arttığı dönemdi bu.

Birinci Paylaşım / Dünya Savaşı ekonomik büyümeyi durdurdu.

1929 küresel kriziyle bu ekonomik yapı dibe vurdu.

Sonuçta, 1917 Ekim Devrimi'nin de etkisiyle vahşi kapitalizmin yerini sosyal devlet politikaları aldı.

Kondratyev bu dalganın sonunu göremedi. Onun yolundan gidenler "dalga" tespitlerine devam etti. Ancak dönemlerin başlangıçları ve bitişleri farklılık içerdi.

4) Dördüncü dalga genellikle İkinci Paylaşım / Dünya Savaşı'yla başlatıldı. Büyük yıkımdan sonra Soğuk Savaş, döneme damgasını vurdu.

Bu sosyal devletin hâkim olduğu bir süreçti.

Bu arada... Uzun menzilli roket ve ilk nükleer reaktör tasarlandı. Sesten hızlı uçuş denemesi başarıldı. Transistor icat edildi. IBM ilk bilgisayarı yarattı. Microsoft, yazılım şirketi kurdu. Sovyetler Birliği Ay'a çıktı.

Kimine göre, Vietnam Savaşı ve petrol kriziyle 1970'li yılların başında sona erdi.

Kimine göre, sosyal devleti yok eden "neoliberalizmin" ABD ve İngiltere'de uygulanmasıyla 1980'de bitti.

5) Yani... Beşinci dalganın başlangıcından emin değiliz.

Beşinci dalgaya –aynı üçüncü dalga gibi– finans piyasası ve küreselleşme damgasını vurdu. 1990'da Sovyetler Birliği'nin dağılmasıyla dalga en tepe noktasına çıktı.

Fakat... Kimine göre 1996'daki Asya krizi, kimine göre ise ABD ve Avrupa'daki 2008 ekonomik kriziyle yapı çöküşe geçti.

Yani... Neoliberalizm "bitiyor" dedikse "işkembe-i kübra"dan atmıyoruz! Artık Batı'da da şu görülüyor:

– Vahşi kapitalizmin payandaları "yeni muhafazakârlar" ve "yeni liberaller" endişe içinde.

– Politikayı masa başlarına hapsettiren siyaset mühendisleri suskunluk içinde.

– "Para olmadan siyaset yapılamaz," diyerek parayı siyasetin anahtarı haline getiren küreselleşmeci iş çevreleri korku içinde.

– Sokağı, mücadeleyi küçümseyenler şaşkınlık içinde.

Beşinci dalga çöküşe geçti; "globalizm" sözcüğünü ağzına alan yok!

Yeni bir dünya kuruluyor... Kuşkusuz değişim kolay olmuyor...

Kurbağalar Olmayın!..

Kurbağalarla ilgili bir analoji/benzetme yapılır:

Kurbağanın algı sistemi ani değişimlere hızlı tepki verir; yavaş değişimi algılayamaz ve tepki gösteremez!

Yani: Kurbağayı kaynayan bir kazana attığınızda ani refleksle kendini hemen dışarı atıyor.

Ancak: Kurbağa soğuk su dolu kazana konulup; kazan ısıtılmaya başlayınca, kurbağa ısı değişikliğini anlayamayıp, suda kalmaya devam ediyor ve kaynayan kazanda haşlanıyor!

Konuyu şuraya getirmek istiyorum:

Bizim muhalif kamuoyu, Erdoğan ve AKP konusunda ani refleks veriyor ama asıl büyük değişime karşı tepkisiz.

Oysa dünya, neoliberalizmin sonunun geldiğini ve sosyal devletin doğmakta olduğunu tartışıyor.

Mesela... *New York Times*'ta; Paul Krugman ile David Brooks bu tartışmayı yapanlardan.

Nobel ödüllü Krugman, "kâğıt üzerinden para kazanan mirasyediler kapitalizmi" diye açıklıyor neoliberalizmi!

Muhafazakâr Brooks demagoji yapıyor: "Boşluğa giden köprü üzerinde yürümeyin."

Ekonomi yazarı Ege Cansen hâlâ şöyle yazıyor: "Kötü kapitalizmin alternatifi sosyalizm değildir."

Sormak isteriz; madem bir "kötü kapitalizm" var neden bir "kötü sosyalizm" olmasın? Evet, hangi sosyalizm? İtalyanlar sosyalist terminolojiye "Lorianizm" kavramını hediye etti. Prof. Dr. Achille Loria (1857-1943) sosyalist bir ekonomistti. Hayalciydi:

"Kapitalist düzen mutlaka çökecektir; çünkü uçak icat edilmiş ve işçiler o uçakları kaçırarak ekonomiye büyük zarar vereceklerdir ve çöküş gerçekleşecektir!"

Evet, kapitalizmin alternatifi, –alay konusu olan/ Marks karşıtı– "Lorianizm" değil kuşkusuz!

Şaka bir yana... Maalesef ülkemizde "sosyalizm" denince hemen akla; piyasasız, devlet mülkiyetine ve denetimine dayalı bir ekonomik model geliyor. Yani, Sovyetler Birliği'nin aşırı merkezi sistemi.

Ancak "kapitalizm" denince akla bin bir model geliyor.

– "Güler yüzlü kapitalizm" ...

– "İnsancıl kapitalizm"...

"Bin bir surat" kapitalizm, altıncı dalgada bakalım insanoğlunun karşısına hangi yüzlerle çıkmaya devam edecek? Ya da bütünüyle yok mu olacak?

Sonuçta, 19. yüzyılda olduğu gibi bugün dünya üzerinde yine Marks'ın hayaleti dolaşıyor. Dünya, Marks'ı tekrar ciddiyetle okumaya başladı. Çünkü; kapitalist küreselleşmenin bugün yaşadığı krizi, Marks 167 yıl önce gördü.

Evet... "Piyasa fundamentalizmi" tekrar ölüyor.

Evet... Vahşi kapitalizm/neoliberalizm tekrar çöküyor.

Sovyetler Birliği'nin yıkılmasıyla bunalıma giren dünya solu, aşırı eşitsizlik doğuran tahripkâr neoliberalizme yapışıp kaldı! Türkiye'de benzeri oldu.

Acı olan CHP'nin bir türlü bunun farkına varamamasıdır.

Oysa AKP'nin "aşil topuğu"; çöküntü içine giren neoliberalizmdir.

Ey okuyucu!

Bu tür yazıları, tartışmaları okumuyorsunuz.

Bu konuların"ağır" geldiğini söylüyorsunuz.

Yapmayınız. Sorunu "teşhis" etmeden, "tedavi" mümkün değildir.

12 Eylül Askeri Darbesi ve Özal'la ülkemize sokulan ve Erdoğan'la büyütülen neoliberalizmin ülkemize kötülüğü çok oldu.

Mesele sadece ekonomik kriz değil! Lenin "Siyaset, ekonominin yoğunlaşmış hali," demiştir.

Vahşi kapitalizm ülkemize en büyük zararı; etnik kimlik politikalarıyla yapıyor; ülkeyi bölüyor.

Bilmelisiniz ki: Bugün sığlığın, vasatlığın, kalitesizliğin nedeni işte bu politikanın sonucudur.

Bu cahillikler sonucu, sorunları kavramlarla değil, hep kişiler üzerinden tartışıyoruz. "Cambaza bak," dedirtiyorlar!

Yapılması gereken kuramı tartışmaktır.

Bugün Batı, Thomas Piketty'nin *Kapital* kitabını, Marks'ın teorisini niye tartışıyor?

Herkes biten'i görüyor; geleceğe bakıyor.

Ne yapmalıyız?.. Bu soruyla kafamız ister istemez Atatürk'ün mirası CHP'ye dönüyor...

İkinci Bölüm
KILIÇDAROĞLU'NUN AKIL HOCALARI

1970'li yılların sonunda, bilgisayar teknolojisinin bugünkü kadar ileri olmadığı dönemde, "dünya bilgisayarlar arası satranç şampiyonası" düzenlendi.

Turnuvaya; ABD "Challenger", SSCB "Soyuz" ve Kanada ise "Duchess" adlı bilgisayarıyla katıldı...

- Önce ABD ile SSCB karşılaştı. Soyuz, rahat bir oyunla Challenger'ı yendi.
- Sonra ABD ile Kanada karşılaştı ve bu kez ABD, Kanada'yı yendi.
- Şampiyonu belirlemek üzere Kanada ile SSCB karşılaştı.
- Fakat beklenmedik bir sonuç oldu; Duchess, Soyuz'u yendi!

SSCB tarafında işler karıştı; hemen aralarında Mihail Botvinnik gibi bir dünya satranç şampiyonunun da bulunduğu Sovyet ekibi toplandı ve yenilginin sebebini araştırdı.

Oysa durum çok basitti:

Ana bellekler ve hard diskler sınırlı sayıda hamle depolayabildiklerinden, SSCB ekibi birçok basit hamleyi "Nasılsa oynanmaz," diye elemiş ve önemli hamlelere yer vermişti!

Kanada, SSCB'nin turnuvaya nasıl hazırlandığını bildiğinden, bilgisayarına açılışta olmayan birkaç hamleyle oyunu başlattı. Soyuz bu hamlelere şaştı kaldı! Ve yenildi...

- Satranç bir felsefedir; yaşamı kavrama ve onunla mücadele edebilme felsefesine dayanır.
- Satranç bir planlama, strateji oluşturma oyunudur; "şans" faktörü sıfırdır; kurnazlık işlemez...

İşte...

CHP'nin durumunu SSCB'nin Soyuz bilgisayarına benzetiyorum!..

CHP'nin toplumsal olaylar karşısında algılama, çözümleme ve harekete geçme konusunda hızlı olamamasının nedeni bu!

Bana kızıyorlar; "CHP'yi eleştirmeyin, yol gösterin!"

Yol göstereyim; CHP kamulaştırmaya var mı?

1980'lerde "özelleştirmeci" neoliberal iktisada inandırılmış CHP'nin ekonomi kurmayları "kamulaştırma" sözünü duymak bile istemiyor! Oysa...

Dünya bunu konuşuyor...

Adı, Arnaud Montebourg...

54 yaşındaki Fransız siyasetçi 1997-2012 yılları arasında milletvekili olarak görev yaptı. Sosyalist Parti içerisinde daha sol çizgide yer aldı. Parti neoliberal politikalara bel bağlayıp seçmenlerini kaybetmeye başlayınca, önce 16 Mayıs 2012'de sanayi bakanı, sonra 2 Nisan 2014 tarihinde ekonomi bakanı yapıldı.

Montebourg, *Le Monde* gazetesine verdiği röportajda şöyle dedi: "Serbest piyasanın miadı doldu!"

Le Monde gazetesinin röportaj yapmasının sebebi şuydu: Montebourg, Fransa şirketlerinin yabancı sermayenin kontrolüne geçmesini engelleyen "stratejik şirketler" kararnamesinin kapsamını genişletmek istiyordu!

– Başbakanla beraber seçimimizi 'ekonomik vatanseverlik'ten yana kullandık. Fransa'nın stratejik çıkarlarını korumak için aldığımız tedbirler, gücümüzü yeniden elde etmek amacıyla alındı. Serbest piyasa artık miadını doldurmuştur.

– Fransız şirketlerinin devredilmesinden sorumlu denetim mekanizmaları önceleri sadece savunma ve güvenlik sanayiiyle sınırlandırılmıştı. Bugün ülkenin temel çıkarları söz konusu olduğunda, su, sağlık, enerji, ulaşım ve telekomünikasyon sektörlerindeki şirketlerin devredilmesini belirleyebilecek denetim mekanizmalarına sahip durumdayız.

– Fransa bundan böyle şirket devirlerini bloke edebilir. Bu sahip olduğumuz kamu gücünün temel silahıdır. Diğer ülkeler harekete geçmişken, Fransa boş söylemlerle yetinemez. Örneğin 2012'de Amerikan hükümeti yatırımcılar üzerinde 114 kontrol gerçekleştirmiş ve bunların çoğu geri çekilme ve blokajla sonuçlanmıştır.

– Brüksel (AB) aktif Avrupa ülkelerini yeteri kadar koruyamamaktadır. Fransa olarak, Avrupa'da hâkim olan serbest piyasa ekonomisinden başka alternatifler olduğunu göstermek istiyoruz.

– Küreselleşmede kendi çıkarlarımızı korumak çok doğaldır. Kendimize özgü rekabet edilebilirliğimizi kurmak, bütçe açığına karşı maliyet fiyatlarımızı denetlemek ve stratejik şirketlerimizin parçalanmasını önlemek için tedbirler almak oldukça elzemdir.

– Enerji bağımsızlığımız parçalanırsa bundan devlet sorumlu

olacaktır. Dolayısıyla, serbest piyasa rejimine son vererek aslında güçsüzlüğümüze son vermiş olduk... (16 Mayıs 2015)

Görüyorsunuz...

Neoliberalizm bataklığına saplandığı için kitle temelini kaybetmiş Fransız sosyalistleri bile çıkış ararken, CHP suskun kalmayı tercih ediyor. Gördük. Ne yazık ki...

301 işçinin öldüğü Soma katliamından sonra bile "Madenleri kamulaştıracağız," diyemedi.

Oysa gerçekler tüm çıplaklığıyla ortada...

CHP'ye Kömür Yardımı

Dünya birincil enerji arzındaki 10 yıllık (2000-2010) artış oranı yaklaşık yüzde 26 düzeyinde.

En dikkat çekici gelişme kömürün toplam enerji arzı içerisindeki payına ilişkin.

Söz konusu 10 yılda;

- petrolün payı yüzde 36,2'den yüzde 33,3'e;
- nükleerin payı yüzde 6,7'den yüzde 5,6'ya;
- ve bioyakıt payı yüzde 10,2'den yüzde 10'a düşerken;
- doğalgazın payı sadece 1 puanlık artışla yüzde 20,5'ten yüzde 21,5'e yükseldi.

Buna karşın kömürün toplam içindeki payı 3,8 puan artışla yüzde 23,5'ten yüzde 27,3 düzeyine çıktı!

2030 yılında en büyük pay yüzde 29,2 ile kömürün olacak.

Kömürün yıldızı parlıyor...

2000-2030 sürecinde enerji kaynakları için artış oranları;

- doğal gazda yüzde 92,9
- petrolde yüzde 32,7
- nükleerde yüzde 49,9
- ve diğerlerinde ise yüzde 91,8 olması beklenirken;
- kömürde artış oranı yüzde 115,1 olacak.

Son bir olgu:

2011 yılı dünya linyit üretiminde; en büyük pay Almanya'nın oldu. Almanya'nın linyit üretimi 176,5 milyon ton (yüzde 17) düzeyinde.

İkinci Çin 136,3 milyon ton; üçüncü Rusya 77,6 milyon ton; dördüncü ABD 73,4 milyon ton ve beşinci Türkiye 72,5 milyon ton.

Beşinci olduğumuza bakmayınız, –dikkat ederseniz– üçüncüyle farkımız çok az!

Enerji ve kömür bu kadar önemli hale gelirken CHP nasıl seyirci olur?

Somut bir örnekle konuyu anlatmak daha çarpıcı olacak...

Tarih: 29 Nisan 2014.

Daha Soma'da büyük facia yaşanmamıştı.

CHP Manisa Milletvekili Özgür Özel ve arkadaşlarının, Soma maden ocaklarında meydana gelen iş kazalarının ve yaşanan ölümlerin sorumluları ile nedenlerinin araştırılması amacıyla TBMM'ye verdikleri Meclis araştırma önergesinde şu konuşma yaşandı:

AKP Muzaffer Yurttaş (Manisa) – Bizim gayemiz Soma'yı ve Somalıyı savunmaktır. Hiçbir maden şirketiyle ne partimizin, ne milletvekillerimizin bir ilişkisi söz konusu değildir.

CHP Özgür Özel (Manisa) – Yemin et Muzaffer Ağabey, inanacağım! Yemin et, inanacağım...

AKP Muzaffer Yurttaş (Manisa) – Evet, ben bahsettiğiniz o toplantıların hiçbirinde olmadım.

CHP Özgür Özel (Manisa) – Muzaffer Ağabey, yemin et, çıkıp özür dileyeceğim...

AKP Muzaffer Yurttaş (Manisa) – Olmadım, olmadım...

AKP'li Yurttaş'ın yalanlayamadığı ortaklık meselesi neydi? Hangi toplantıydı bu? Türkiye Kömür İşletmeleri Genel Müdürü Mustafa Aktaş'ın makam odasında, maden ocağı sahibi İbrahim Uyar ile AKP Manisa Milletvekili Hüseyin Tanrıverdi'nin yaptığı toplantı mı? Konu Soma'daki maden ocağı mıydı? Sorunun yanıtından önce minik tarih bilgisi şart...

Soma linyitlerinin keşfi 1863'te oldu...

Darkale köyü gençlerinden Osman da kömüre hücum edenlerdendi. Gece gündüz kömür aradı; sonunda buldu ve kuyu şeklindeki ilk kömür ocağını 1910'da açtı.

1914'te imtiyaz aldı; devletin madenini 99 yıl çalıştıracaktı.

Artık "Osman Ağa" deniyordu.

Aksilik... Birinci Dünya Savaşı çıktı. Ordunun kömüre ihtiyacı vardı; erkeklerin hepsi askere alınınca Osman Ağa, kadınlardan işçi taburu kurdu. Elleri nasırlı köylü kadınları her gün maden çıkardı; eşeklere yükleyip her gün tren istasyonuna taşıdı. Zorlu günlerdi...

Osman Ağa bazen madeni, ocağın nezaretçisi sert mizaçlı Berberlerin Fatma Çavuş'a bıraktı. Soma Çarşı Camii avlusunda kurulan atölyede Çanakkale Çinge Cephesi'nde kullanılan silahların onarımını yaptı!

Savaş bitti... Osmanlı yenildi; Ege Yunan tarafından işgal edilmeye başlandı. Osman Ağa, Soma Redd-i İlhak Cemiyeti'ni kurdu. Halktan topladığı parayı Kuvayı Milliye'nin merkezi Ankara'ya götürürken Karacakaş köyünde Dimitri tarafından öldürüldü...

Geride Emin Ali, Rahmi, Cemalettin gibi küçük çocukları kaldı. Cumhuriyet kurulunca çocuklar; babalarına Osmanlı'dan 99 yıllığına verilen imtiyaz ruhsatnamesiyle, maden ocağını tekrar işletmeye başladılar. Adını, "Osman Ağa Linyit İşletmeleri" koydular. Ve...

Tarih: 4 Ekim 1978.

CHP iktidardadır; Ecevit başbakandır...

2172 sayılı devletçe iletilecek madenler hakkında kanun, TBMM'de kabul edildi. Madenler kamulaştırıldı. 11 bölgedeki kömür işletmesi, Türkiye Kömür İşletmeleri Kurumu'na devredildi. Nereden çıktı bu kamulaştırma?

Gerekçesinden alıntı yapayım:

– Özel sektör işletmeciliğinde temel amaç kâr, daha çok kârdır; özel sektör madenciliği, az yatırımla kısa sürede çok kâr elde etme peşindedir...

– Özel sektör işletmelerinde uygulanan yeraltı işletme yöntemleri büyük kayıplara neden olmaktadır...

– Özel sektörde çalışan işçilerin durumu ayrı bir özellik gösterir; 18 yaşından küçük işçi çalıştırma; asgari ücretin altında ücretler; yetersiz beslenme; emek yoğun iş; kömür işletmelerinde açık alevli karpit lambasıyla çalışma ve hatta baretsiz işçi çalıştırma vb. olur...

– Bazı işletmelerde çalışanlar sendikasız olduğu gibi patronlar tarafından kurulan sendikalar da görülmüştür...

– Özel kesim madencilikten kazandığını, madencilik yerine diğer sektörlere yatırmaktadır. Örneğin, otelcilik, turizm, inşaat, ulaştırma vb. gibi...

Peki...

36 yıl önceki kamulaştırma gerekçeleriyle, 13 Mayıs 2014'teki patlama ve yangın sonucu 301 maden işçisinin hayatını kaybettiği

Soma katliamından sonra konuşulanların benzer olması canınızı yakmıyor mu?..

Bu noktaya nasıl gelindi?..

Osman Ağa'nın Darkale Ocağı 1979'da kamulaştırıldı. TKİ, Ege Linyitleri İşletmesi tarafından çalıştırıldı. Aradan yıllar geçti; AKP iktidar oldu. Maden özelleştirmeleri başladı.

Tarih: 17 Aralık 2003.

Darkale Ocağı, Uyar Madencilik Enerji Sağlık Turizm San. Tic. Ltd. Şti.'ye redevans[19] karşılığı verildi.

CHP Manisa Milletvekili Hasan Ören diyordu ki:

"Bugün adı Uyar olan şirketin ilk adı Şahin Madencilik, sonraki adı Buruyar Madencilik, ondan sonraki adı Azyak Kömür Madencilik'tir. Şirket sahipleri isim değişikliklerini hem vergi borçlarını, hem işçi alacaklarını hem de kusurdan dolayı kesilen cezaları ödememek için yapmaktadır. Ayrıca şirketin arkasında önemli bir isim vardır; AKP genel başkan yardımcılarından Manisa Milletvekili Hüseyin Tanrıverdi!"

MHP Manisa milletvekili Erkan Akçay diyordu ki:

"AKP'li bir milletvekilinin arkasında olduğu iddia edilen Uyar Madencilik adındaki bir şirket; maden ocağında her geçen yıl kazaların artmasına, yeraltında ruhsat ihlali yapılmasına ve bu şirketin devlete yaklaşık 30 milyon lira SGK prim borcu olmasına rağmen faaliyetine devam etti. Uyar Madenciliğin sahibi, AKP milletvekili ile Darkale maden ocağının kira kontratı uzatımı öncesinde TKİ genel müdürünü ziyaret etmişlerdir."

AKP'li Hüseyin Tanrıverdi kimdi? Hizmet-İş sendikasının 22 yıl başkanlığını yapmıştı; AKP milletvekili olarak 2002'den beri Meclis'teydi. AKP genel başkan yardımcılığı da yapıyor ve son yerel seçimde Manisa belediye başkanlığına adaydı! Yani, AKP'nin vazgeçilmez isimlerindendi! Gücünü nereden alıyordu?

Demem o ki:

İttihat Terakki döneminde açılan...

Cumhuriyet'le büyüyen...

CHP iktidarında kamulaştırılan...

Ve "daha çok kâr" ilkesiyle hareket eden neoliberal politikaların temsilcisi AKP döneminde yok edilen bir maden ocağının hikâyesi bu!

Türkiye'nin nereden nereye geldiğinin hikâyesi...

---

19 Bir berat, lisans hakkı ya da ticari marka sahibinin bunu devrettiği firmadan aldığı maddi karşılık. (yay.n.)

CHP bu tarihe sahip çıkamaz mı?

Mesele sadece maden ocakları değil.

Yurtdışından bir çarpıcı örnek vermeliyim:

Fransız Alstom şirketinin adını hiç duydunuz mu?

Türkiye'de çeşitli enerji ihalelerine giriyor; halen 18 Mart Çan Termik Santralı'nı işletiyor.

Bu şirkete; Amerikan General Electric ve Alman Siemens talip olunca Fransa hükümeti ne yaptı dersiniz; dünyaca ünlü bu şirketinin kamulaştırılma çalışmasına başladı. Yani, satılmasına karşı çıktı!

Sadece Fransızlar mı?

ABD bile, Dubai merkezli DP World şirketinin, Amerikan limanlarını almasına izin vermedi. Sebebi, ulusal güvenlikti!

Uyuma CHP!.. Kamulaştırmayı konuşma zamanı gelmedi mi?

Bunu sadece ben demiyorum ki...

Görünmez El

Bugün... İngiltere ana muhalefet İşçi Partisi'nin lideri Jeremy Corbyn de kamulaştırmaktan bahsediyor.

- Özelleştirmeye karşı, ulaştırmadan haberleşmeye kadar kritik sektörlerde kamulaştırmaları savunuyor.
- Refahı zenginlere, krizleri yoksullara bölüştüren her türlü politikayı yanlış buluyor.
- Kemer sıkma politikalarına karşı.
- Vergi kaçağının önlenmesini, zenginlerin vergilerinin artırılmasını istiyor. Birkaç bankayı kurtarmak adına milyonlarca vergi ödeyen vatandaşın parasını harcayan "Blair'in ikizi" Gordon Brown'ı teşhir ediyor.
- Üniversite harçlarına karşı.
- Yüksek kiraların kontrol edilmesini öneriyor.
- İngiltere'nin emperyalist politikalarına sert eleştirilerde bulunuyor; NATO'dan çıkılmasını istiyor. Keza, Irak Savaşı'na, Suriye'ye müdahaleye ve İran'a yaptırımlarına karşı çıktı. Iraklılardan özür dilenmesini, ülkeyi 2003'te savaşa sokan kendi partisinin lideri Tony Blair'in yargılanmasını istiyor.

Corbyn İşçi Partisi'nin çökmüş devrimci damarlarına kan pompalamak istiyor.

Kısacası... Bizde liberallerin "darbeci", "eski kafalı", "marjinal" ilan ettiği fikirleri, Corbyn bugün "kapitalizmin başkenti"

Londra'da savunuyor! Evet... Kapitalizmin anavatanı İngiltere'de muhalifler yüzünü sola dönüyor. Sağ politikaları sol tabelalarla sürdüren siyasetçiler tek tek siliniyor.

Evet... Piyasayı refahın önüne koyan, sosyal adalete sırtını dönen, yoksulları ve emekçileri dışlayan vahşi kapitalizmin ömrü bitiyor. Artık... Kimse Blair'in adını duymak istemiyor. Savaşlardan, zenginlerden, kimlik politikalarından medet umanlar tarihin çöp sepetini boyluyor.

CHP ne yapıyor? "Ali Babacan adeta CHP'li" diyerek AKP'nin neoliberal ekonomi politikalarına övgüler düzüyor!

Ali Babacan'ı örnek alacaklarına yüzünü emekten yana paylaşım politikalarına dönenleri niye örnek almıyorlar?

İşte Avrupa'dan bir başka örnek: Yanis Varufakis...

Yanis Varufakis, iktisat teorisi profesörü.

Adını ilk, dünyanın tanınmış ekranlarına çıkıp küresel ekonomik krizle ilgili sözleriyle duyurdu.

Ekonomi dünyasındaki halini şuna benzetiyordu; Ortaçağ manastırına yerleşmiş bir ateist din adamı! Neler demiyordu ki...

– "Borsanın ne kadar düştüğüyle ilgili değilim; istedikleri kadar düşebilir. Benim için tek önemli olan bilançodur."

– "Benim pek çok ekonomist meslektaşım; krizlerin engellenebilir kazalar olduğunu düşünüyor. Bana göre, bunlar kaza değildir, bunlar kapitalizmin sonucudur."

Varufakis komşumuz; Yunan.

Yunanistan'ın ekonomisinin zayıflıklarının farkındaydı. Bu nedenle en başında Yunanistan'ın 2001'de euro'ya katılmasına karşı çıktı.

Küresel ekonominin ABD'nin keyfi politikalarına göre belirlenmesinden rahatsızlık duydu.

2008 yılındaki büyük küresel ekonomik krizden önce uyarıyı ilk yapan ekonomistti.

Genel olarak borç krizi değil banka krizi vardı; sorunu halka yüklemek için bu tür yalanlar söyleniyordu! Evet...

Yunanistan krizi yoktu, Avrupa krizi vardı...

Borçların ödenmemesinden yanaydı. "Biz batmış durumdayız ve batmış olduğumuzu kabul edelim," diyordu.

Hedefinde Almanya vardı.

Bir gün TV'ye çıktı. "Almanya'yı çökerten Versailles Antlaşması'nın tam tersi bir durum var bugün; Almanya artık kurban değil, kesici! 2010'dan itibaren Yunan ekonomisinin kaderini Almanya belirliyor. Bizim Almanya'ya el işareti yapmamız gerekir," dedi. Ve ekranda malum el işaretini yapıp ekledi:

"Şimdi kendi problemini kendin çöz!"

Ardından... 2011 yılında ölüm tehditleri almaya başladı. Eşini kıramadı, Teksas Üniversitesi'nde çalışmaya ABD'ye gitti.

SYRİZA lideri Aleksis Çipras ona hayrandı ve milletvekili adayı olmasını istedi.

Varufakis üniversiteden izin alıp Yunanistan'a döndü.

10 günlük seçim kampanyasını motosiklet üzerinde yaptı. Tek bütçesi motorunun mazot gideriydi. Herkesten çok oy aldı.

Tarih: 27 Ocak 2015.

SYRİZA hükümeti kurdu. Yanis Varufakis maliye bakanı oldu.

Hemen ekibini belirledi. Parasız danışmanlık yapanlar arasında; Jeffrey Sachs gibi ünlü iktisatçılar vardı. Vahşi kapitalizme karşı bayrak açtılar.

Makam aracı vardı ama motosikletini kullanmaya devam etti. Bakanlık koltuğuna oturmadı; odasındaki toplantı masasının bir ucunda çalışmayı tercih etti. Gerek bakanlar kuruluna, gerekse Avrupa'daki toplantılara motosiklet ceketiyle giren bir politikacıydı o. Beyaz Saray'a punk'çıların moda ettiği, "Dr. Martens" ayakkabılarıyla gitti.

AB bakanlarıyla saatler süren yemekli toplantılardan sıkıldı; çünkü, saatlerce bir sıfat üzerinde tartışıyorlardı; "büyük" diyelim mi, demeyelim mi?

Varufakis'e göre bu siyasetçiler hayattan kopuktu; şekilciydi ve en acıklısı yalancıydı.

O, samimiyete inanıyordu.

Sonra... Çipras'la yollar ayrıldı.

Çipras AB'ye "Kemer sıkayım siz de borcu indirin," diyordu.

Varufakis ise "Kemer sıkmam borcu indirin," diyordu. Keza... Özelleştirme yapmaya karşıydı. Asgari ücret ve emekli maaşlarını artırmak istiyordu.

Obama devreye girdi; Varufakis'e "Ben de enkaz devraldım; Wall Street bankalarını kurtarmayı hiç istemedim ama acı şeyleri yutmasını sen de öğren," dedi. Ekledi: "Yunanistan'a borç verenler senin başını yemek istiyor."

Varufakis geri adım atmadı; "Bize yardımcı olmazsanız ülkeyi faşistler ele geçirecek," dedi.

Atina'da dünyanın önde gelen ekonomistleriyle yeni bir "Yunanistan planı" hazırladı.

Kabul görmedi. Başta Almanya olmak üzere AB daha da sertleşti. AB'ye rağmen referanduma gittiler. Kazandılar. Ama...

O gece Çipras'la buluştu, "Bana tam yetki ver," dedi.

Çipras, AB ile anlaşmak istiyordu. 50 milyar euro'luk özelleştirmeye karar verdi. Varufakis'e maliye bakanlığı yerine gemicilik-turizm bakanlıklarını önerdi; Varufakis reddederek istifa etti. İlk yaptığı Almanya maliye bakanının telefonunu cepten silmek oldu!

Neden artık bizde böyle politikacılar yok?

CHP niye bu tür siyaset yapmıyor?

ABD'den de bir isim vereyim; Vermont Senatörü Bernie Sanders! ABD devlet başkanı olmak için Demokrat Parti'den aday adayı oldu.

Demokratik sosyalizmi ve İskandinav modeli ekonomiyi ve sosyal politikaları savunduğunu açıkça söyleyen Sanders, ABD'yi azınlıktaki milyarderler sınıfının yönettiğini söyledi.

ABD'de oligarşik bir yönetimin geçerli olduğunu, ABD'nin siyasal bir devrime ihtiyaç duyduğunu açık bir biçimde ifade etti.

Zenginlerin üzerindeki gelir vergisi yükünün artırılmasını, Wall Street'teki borsa işlemlerinin bazılarının vergilendirilmesini, asgari ücretin radikal biçimde artırılmasını, gelir dağılımındaki uçurumların ortadan kaldırılmasını, ücretsiz eğitim ve sağlık hizmetlerinin devreye girmesini savundu.

Aldığı oylar dünyayı şaşırttı.

Evet... ABD siyaset yaşamı bile değişiyor. Bunu hayat dayatıyor. Detroit'teki özelleştirme karşıtı su eylemlerini polis ve asker zorla bastırabildi! Nasıl eylem yapmasınlar? ABD Merkez Bankası/FED Raporu'nda; büyük ekonomik krizin yaşandığı 2008 ve 2013 yılları arasında, ABD hane gelirinin yüzde 12 düştüğü ve işçilerin, haftada 40 saat değil, artık 46,7 saat çalıştığı yazılıydı! Zenginlerin kazancı ise, bu beş yılda yüzde 10 oranında büyümüştü.

Bir "orta sınıf" ülkesi ABD'nin, ekonomik krize yuvarlandığı görülüyordu. ABD'de son dönemde artan sosyal gerilimlerin, toplumsal-siyasi kutuplaşmanın sebebi buydu. Sosyal eşitsizlik öfkeyi artırıyordu ve bu da karşılığında militarist baskıyı büyütüyordu! Aynı Türkiye'de olduğu gibi...

Evet... "Yıkılmaz" denen, "insanlığın geldiği artık son nokta" denen neoliberalizm, kalesi ABD'de de bile sarsılıyor.

Yunanistan, Portekiz, İspanya gibi ülkelerde solun iktidara yürümesinin sebebi buydu.

Baksanıza... İktidardaki Sosyalist Parti'yi finans kapitalin gerici partisi olarak görenler Fransa'da Anti-Kapitalist Parti'yi kurdu.

Herkes farkında; AB balonu bile patlamaya hazır.

İlk İngilizler kaçacak! En sıkı kemer sıkma politikası uygulayanların başında gelen Başbakan David Cameron, "yatak odası vergisi" nedeniyle meclisten ağır tokat yedi!

300 yıldır birlikte yaşayan İskoçya, İngiltere 'den ayrılmak istiyor. Sebebi belli; yaşanılan ekonomik bunalım ve neoliberalizmin, toplumsal muhalefeti bölmek için etnik meseleleri kaşıma politikası!

"Kumar ekonomisi" olarak bilinen finans ekonomisinin saltanatı yıkılıyor; nefesler tutulup borsa-döviz takip etme dönemi bitiyor; üretim yine tarihi koltuğuna oturacak görünüyor...

CHP ne yapıyor; Ali Babacan'a övgü düzüyor!..

Bakınız...

AKP Ağzıyla Konuşmak

Adı, William Blake (1757-1827)...

Görüşleri yüzünden çağdaşları tarafından "deli" olarak görüldü. Daha sonra eleştirmenler tarafından, "İngiltere'nin ürettiği en mükemmel sanatçı," diye takdir gördü.

Der ki... "Gerçeği söylüyorsam, amacım onu bilmeyenleri ikna etmek değil; bilenleri savunmak."

Hoşa gideni yazmak doğruyu yazmak değildir...

Duygularımızla değil aklımızla hareket etmek zorundayız...

Evet, CHP'yi eleştirmek zorunludur.

Anımsayınız...

Bir dönem "Orta Direk" vardı.

Şimdi modanın adı "Orta Gelir Tuzağı!"

Yani... "Middle Income Trap".

Kavramın ne olduğunu açıklayacağım...

Önce kavramı kimlerin dillerine pelesenk ettiğini yazayım:

İlk, hükümet çevreleri; Ali Babacan'lar, Mehmet Şimşek'ler...

Arkasından, –o her daim yüzüne verdiği "çok bilen adam" pozuyla– dönemin Cumhurbaşkanı Abdullah Gül...

Eski solcu-yeni neoliberal iksisatçı "televole takımı" konunun üzerine atladı.

Emre Aköz "Aman!" dedi; Yiğit Bulut "Dikkat!" dedi.

Şaka sanmayınız; dinci *Akit* gazetesi bile "konunun önemini" belirtti: "Türkiye'nin en önemli meselesi orta gelir tuzağıdır!"

"Abdullah Gül'ün cumhurbaşkanı adayı" Ekmel Bey bile cnbc-e tv'de söyledi: "Orta gelir tuzağına dikkat!"

TÜSİAD uyardı; TOBB uyardı...

Ve nihayet –popüler olana merakıyla bilinen– CHP'den ses çıktı!..

CHP genel başkan yardımcısı ekonomist Selin Sayek Böke, partinin Antalya kampında, "orta gelir tuzağı"na dikkat çekti!

Demek, Türkiye'nin ekonomik gelişmişliği için umudun adı, "Middle Income Trap"ti...

Sanıyorum, tanıdığım kimi CHP'liler içlerinden şöyle demiştir: "Böke kendini AKP kampında mı sanıyor?"

Yazınca kızıyorlar! "Hoş geldin etekli Kemal Derviş!"[20] Son yıllarda... E. Bernstein'la yola çıkıp, neoliberal öncüler Friedrich Hayek ile M. Friedman'la "yol arkadaşlığı" yapan çok "sosyal demokrat" gördük! Dejavu bu!..

Açlar, işsizler, yoksullar, sömürülenler siyaset merkezlerinden görülmüyor mu?

Soma, Ermenek maden katliamları salt hükümeti çıkıştırma malzemesi mi?

Tarım işçileri ölüyor.

Çocuklar GDO'lu ürünlerle zehirleniyor.

Hibrit tohumu gibi belalarla tarım yok ediliyor.

Doğa katlediliyor.

İmalat sanayii 1950'liler düzeyinde.

Esnaf borç çemberinde.

Yanı başımızda savaş; içimizde kanlı bölünme oyunu.

Ve CHP'nin tüm bunlara çözümü, "Middle Income Trap"!

Döndük geldik başa: "Aman borsa düşmesin" ekonomisi! Varsa yoksa büyük sermayenin kazancı. Özallar ve Tayyipler bunu "aptesli kapitalizm"le uyguladı. CHP "sol sosuyla" mı yapacak?..

---

20 İşçi Partisi lideri Tony Blair, 18 yıllık Margaret Thatcher hükümetini 1997'de yıkarak başbakan oldu. Fakat Thatcher'ın neoliberal ekonomik politikalarını aynen takip ettiği için İngilizler Blair'e, "pantolon giymiş Thatcher" dedi. Blair'in, Thatcher'dan tek farkı, etek değil pantolon giymesiydi! Adına "üçüncü yol" dense de uygulanan neoliberal politikalar, 6 Mayıs 2010 seçimlerinde İşçi Partisi'nin hükümetten düşmesine neden oldu.

Bakın nedir bu meşhur "orta gelir tuzağı", yazayım.

Diyorlar ki:

– "Sizin ekonominiz kötü değil; ama iyi de değil. Gelişmiş Batı ekonomileri gibi olmanız için size bir reçete gerekiyor! Yani yapısal reformları hızlandırmanız şart!" Aaaa!..

Deden bunu Adnan Menderes döneminde duydu.

Baban-annen bunu Turgut Özal döneminde duydu.

Şimdi de sen AKP'li Babacan ya da AKP'li Şimşek'ten veyahut CHP'li Böke'den duyuyorsun!

Demek... Batı gibi zengin olmak istiyorsak rekabet gücümüz olmalı.

Çok güzel... Eeee; "ne yapmamız gerekiyor"?

Yanıt 60 yıldır aynı: "Emek gücü maliyetlerini aşağıya indirmek gerekiyor!"

Yani... "Kemer sıkmanız gerekiyor!"

Yine bir rüya –ya da havuç demeliyim–; "Tamam maaşınız, ücretiniz azalacak ama zengin ülkeler seviyesine çıkacaksınız!"

Sonra başlıyorlar rakamlar vermeye...

Kişi başı gelirimiz 10 bin dolarmış ve bunu artırmak için orta gelir tuzağına düşmemiz gerekiyormuş! (Dolarlı milli gelirdeki büyümeyi bir başarım göstergesi olarak kullanmanın yanlışlığına filan hiç girmeyelim.) Ne 10 bini?

OECD ülkeleri arasında Türkiye; en zengin yüzde 10 ile en yoksul yüzde 10 arasındaki uçurumla birinci!

Siz neden bahsediyorsunuz; Doğu'yu, Güneydoğu'yu İç Anadolu'yu ve Karadeniz'i yok mu sayıyorsunuz? Türkiye dört şehirden mi ibaret?

Görmüyor muyuz AKP'nin gerçek büyüme karnesi berbat; büyüme filan palavra...

Demek CHP bu "büyüme masalına" inanıyor!

Demek çok büyüdük ve orta gelir tuzağına düşmeyip daha da büyüyeceğiz! Şaka mı bu?

Ekonomi durağanlaştı; büyük kriz kapıda ve bu nedenle AKP; "Middle Income Trap" gibi kavramlara sığınıp kafa bulandırıp nefes almaya çalışıyor.

CHP bu oyuna gelip AKP ağzıyla konuşuyor!

IMF ve Dünya Bankası, kamuoyunu "yeni acı reçetelere" ikna için "etekli Derviş'leri" piyasaya sürüyor...

İşte bu nedenle...

Sosyal Devlet'in simgesi Altı Ok'una sarılması gereken

CHP'nin parti simgesini tartışmaya açmasını anlamak mümkün!

Oysa!.. Altı Ok gökten zembille inmedi.

- 1927'de partinin "dört ok"u vardı; cumhuriyetçi, halkçı, milliyetçi ve laik...

- 1931'deki kongreye hazırlanan Mustafa Kemal'in CHP programına nasıl detaylı çalıştığının elyazıları mevcuttur. O yıl 13-14 Mayıs'taki üçüncü büyük kongrede parti programına; "devletçilik" ve "devrimcilik" okları eklendi ve böylece Altı Ok ortaya çıktı.

Altı Ok, partinin bayrağı oldu.

Niye 1931'de parti programına iki ok eklendi?

Bunun sebebi dünyadaki 1929 büyük ekonomik kriziydi.

Mustafa Kemal'in notlarında şunlar yazılıydı:

- Demokrat, laik...
- Devletçi ve himayeci...
- Ferdi teşebbüs ve inkişaf (gelişme) esastır.

Parti programında devletçilik şuydu:

"Ferdi mesai ve faaliyeti esas tutmakla beraber, mümkün olduğu kadar az zaman içinde milleti refaha, memleketi bayındırlığa eriştirmek için milletin genel ve yüksek menfaatlerinin icap ettirdiği işlerde –bilhassa iktisadi saha– devleti fiilen alakadar etmek mühim esaslarımızdandır."

Yıl, 1931'di...

Doğru okumak için tarihsel perspektif şarttır:

Mithat Paşa'lar 1876'da I. Meşrutiyet ilan ettirdiler; ama artık işlevi kalmamış "millet-i hakime" tutkusuyla diğer Avrupalı mutlak monarşilerin başlattığı uluslaşmayı başaramadılar. Anayasa'yı Saray ile uzlaşarak yapmak istemeleri sonlarını getirdi. II. Abdülhamit, anayasal hakkını kullanıp Meclis'i feshetti. Mithat Paşa'yı öldürttü.

Mithat Paşa devrimi donduruldu.

İttihatçılar, 33 yıllık istibdat dönemine II. Meşrutiyet'le son verdi. Büyük reformlar yapsalar da savaş sonlarını getirdi.

1908 Devrimi donduruldu.

1923 yılında Mustafa Kemal, Cumhuriyet'i ilan ederek bu ilerici yürüyüşe yeni bir aşama getirdi: Kemalist Devrim.

Ve bakınız: Bu "demokratik devrimler" bize özgü değildir.

Bunlar kişisel bir görüş de değildir.

Örneğin... Çin'de 1911 Demokratik Devrim'in lideri Sun Yatsen'in "Üç Halk İlkesi" ile Kemalist Devrim'in "Altı Ok"u benzerdir.

Mao, "Üç Halk İlkesi"ni savunarak devrimi sürdürmüş ve nihayetinde Çin, bugün dünya devi olmayı başarmıştır.

Bugün bir başka dünya devi Hindistan'ı Gandi Devrimi'ni yok sayarak değerlendirebilir misiniz?

Keza... Rusya'dan İran'a tüm meşrutiyet devrimlerinin ilham kaynağı aydınlanmacı Fransız Devrimi'dir.

Türk devrimlerinin olduğu gibi...

Belki duymuşsunuzdur: Heykel konusunda Küba çok hassas bir ülkedir.

Castro, heykelinin yapılmasına karşıdır.

Ama o Castro, başkent Havana'ya Atatürk heykeli koydurdu. Çünkü bilir ki, Latin Amerika'nın Simon Bolivar ve Jose Martin gibi devrimcileriyle Atatürk'ün yolu aynıdır. Bağımsızlıkçıdırlar, halkçıdırlar.

Ya, Atatürk'ü ağzına almaktan çekinen CHP yönetimi?

İsminden bile utanan ve "Halk Partisi" yerine "CHP" diyen bir parti yönetimi var karşımızda. (Erdoğan bile zorla AKP değil AK Parti dedirtiyor!)

Biliyoruz ki... Utanılacak değil iftihar edilecek bir tarihi var CHP'nin. Altı Ok bütün halk sınıfları ittifakının çimentosudur. Ama CHP yönetimi tarihinden utanıyor...

Devletçilik ilkesinden utanıyor! 1929 büyük dünya krizi nedeniyle zaten cılız olan özel sektör yerine kamu yatırımlarının artırılması nedeniyle devletçiliğin ilke olarak benimsendiğini bilmiyor.

Bugün, devir azgın-vahşi piyasa dönemi, hiç devletçilik ağza alınır mı? Hiç halkçılık telaffuz edilir mi? Kimler "kamulaştırma" diyor okudunuz. Sadece devletçilik değil.

Milliyetçilik ilkesinden de utanıyor CHP yönetimi!

Milliyetçilik kavramının; Fransız İhtilali'yle doğduğunu; ulus-devletlerin kendi pazarlarını korumak ve emekçisinin sömürülmesine karşı çıkmak olduğunu bilmiyor. Oysa...

Kemalist Devrim'in milliyetçiliği; anti-emperyalisttir; yayılmacı ve ırkçı değildir.

"Aman oy kaybetmeyelim" pragmatizmiyle laiklikten ve Cumhuriyet ilkelerinden sürekli tavizler vererek Ortaçağ'ı dirilten idare-i maslahatçılar, devrim sözünden tabii ki korkar!

Anlamak istemezler:

– Altı Ok, ulusal devrimci pratiğin/eylemin ilkesidir.

– Altı Ok, demokratik sivil toplum projesinin ilkesidir.

– Altı Ok, bağımsız bir ülke ve özgür bir toplum olmanın ilkesidir.

Bunları hiç konuşmaz CHP yönetimi. Oysa... Kemalist Devrim'in üzerindeki örtüyü kaldırma cesareti göstermelidir.

Korkaklıkla bir yere varılamaz. Korkunun kaynağı, bilgisizliktir.

Bugün...

ABD'den Fransa'ya, Yunanistan'dan İngiltere'ye, Portekiz'den İspanya'ya ekonomik kriz yaşayanlar, CHP'nin halkçı çizgisine gelmektedir.

Devletçilik konusunda Çin, Hindistan, Rusya gibi kimi ülkeler ekonomik model olarak gösterilmektedir.

IŞİD belası laiklik ilkesinin Müslüman ülkeler için ne kadar hayati olduğunu dünyaya gösterdi

CHP ise utangaçlığı üzerinden atamıyor.

Oysa, kurucusunun görüşü net:

Tarih: 16 Ocak 1923.

Mustafa Kemal İzmir'deki basın toplantısında şöyle dedi:

"Herkesi memnun edelim dersek, maksadı temin etmiş olmayız. İdare-i maslahatçılar esaslı inkılap yapamaz. Bugünkü sefalet ve rezalet içinde kimseyi memnun etmeye imkân yoktur. Memleket mamur, millet zengin olduğu zaman herkes memnun olur..."

Ardından... Cumhuriyet'i ilan etti.

Ardından... Devrimler geldi.

Politik bağımsızlık, ekonomik bağımsızlıkla tamamlandı.

Bugün... CHP bu devrimci çizgiyi neden sürdüremiyor?

Bugün... CHP bu bozuk düzeni değiştirerek gittikçe ağırlaşan toplumsal sorunları kökten çözecek parti neden olamıyor?

Çünkü, kafalar karışık...

Mustafa Kemal'in partisi Atatürk'ü tanımıyor!

Dayatılan "Tanzimat Batıcılığı"nı Atatürkçülük sanıyorlar!

Ekonomik ve siyasi bağımsızlık sözünü duyunca irkiliyorlar; demode buluyorlar.

Bu nedenle... Çözüm üretme yerine –kaçak güreşip– mevcut partiler gibi günlük siyaset yapma kolaycılığından vazgeçmiyor.

Bir türlü bürokratik-hantal yapısından kurtulamıyor, silkinemiyor.

Bunun temel nedeni CHP'nin, 12 Eylül Darbesi'nden sonra "Gardrop Atatürkçüsü" olan tutuculara teslim oluşudur. Bu çevreler, –bugün aynı CHP yönetimi gibi– düzenin özü olan iktisadi yapıya hiç söz etmediler.

Havanın değiştiği artık görülmelidir.

Davos'tan örnek vereyim...

Davutoğlu'nun Masası

Davos'taki bir yemek masasındaki iki kişiden bahsetmek istiyorum.

Biri, Başbakan Davutoğlu!

Diğeri bir Amerikalı ekonomist Joseph Eugene Stiglitz...

Davutoğlu, Davos'taki yemekte Stiglitz'le aynı masayı paylaşmak için oldukça çaba sarf etti.

Davutoğlu, Stiglitz'le yan yana gelmek için neden bu kadar istekliydi?

Kimdi bu ünlü Amerikalı?

Ve asıl... Bu meselenin CHP ile ilgisi neydi?

Joe Stiglitz dünyanın tanıdığı ekonomist.

Cambridge'den Yale'e; Oxford'dan Stanford'a; Princeton'dan Columbia'ya kadar çeşitli üniversitelerde profesörlük yaptı.

Bill Clinton'ın ABD başkanlığı döneminde Ekonomik Danışmanlar Kurulu'nun başkanlığında bulundu.

Dünya Bankası'nda başkan yardımcısı görevindeyken; Türkiye gibi ülkelerin nasıl uçuruma itildiğini görüp istifa etti. Dünya Bankası ve IMF'nin içyüzünü anlattığı mektubu olay oldu. (O yıllarda Dünya Bankası'ndaki Kemal Derviş "kurtarıcı olarak" Türkiye'ye gönderiliyordu!)

Stiglitz'in 2001 yılında Nobel Ekonomi Ödülü alması şaşırtıcıydı. Çünkü, altın yıllarını yaşayan neoliberalizme / vahşi kapitalizme sert eleştirilerde bulunuyordu...

Örneğin... Dünya Bankası ve IMF'nin; –Türkiye gibi– içine kapalı ekonomileri –Özal gibi– birdenbire ve hazırlıksız açmaya zorlayarak; bu ülkelerdeki köylü, işçi ve küçük esnafı perişan ettiğini; bu ülkelerde fakirliğin artmasına ve gelir dağılımı dengesinin bozulmasına sebep olduğunu; ve bu ülkelere aniden giren spekülatif sıcak paranın hemen ilk yavaşlama emaresinde kaçarak krizlere neden olduğunu yazıyordu...

Stiglitz'e göre, Dünya Bankası ve IMF, kendilerini yönlendiren çevrelerin ideolojik tercihleri adına "yardım" ettikleri ülkelere büyük zararlar veriyordu.

Neydi bunlar?..

Bir dönem Türkiye'de Asaf Savaş Akat'lar-Mehmet Altan'lar –aynı bugün olduğu gibi– TV'lerin-gazetelerin baş köşelerinde özelleştirme gibi neoliberalizm dayatmaları konusunda hamaset yapıyorlardı.

Stiglitz ise şunu diyordu: "Kapitalizmin 'görünmez eli' görünmez; çünkü böyle bir el yoktur!" Devletsiz piyasanın olamayacağını; devletin rekabeti teşvik edecek bir pazar yaratması gerektiğini söylüyordu.

1929 dünya vahşi kapitalizm krizini devlet müdahalesiyle aşmasını sağlayan Keynes çizgisindeydi! Stiglitz'e göre de, "Her şeyi piyasa belirler," diyen vahşi kapitalizm aldatmacaydı.

Sahi... Hatırlayınız özelleştirme konusunda nasıl kandırıldığınızı! Oysa Stiglitz diyordu ki:

"Şuursuz özelleştirme olmaz. Bir düşün; özelleştirme kimilerini zenginleştirme aracı mı olacak? Özelleştirme rekabet mi sağlayacak, tekelleşme mi?

Devlet denetleme kurumları olmadan özelleştirme yapılabilir mi? Keza, her alanda özelleştirme olur mu? Özel sektördeki tekelleşme sorunu, devlet sektöründeki verimsizlik sorununa göre daha zararlı değil mi?"

Örnekler verdi sürekli Stiglitz:

"Rusya dizginsiz özelleştirme sonucu darmadağın oldu; özelleştirme, ülke zenginlerine rant elde etme fırsatları sağladı. Özelleştirmelere karşı çıkan Çin ise dünya devi oldu!"

Sadece özelleştirme değil...

Küreselleşmenin eşitsizliğine ve gelişmiş ülkelerin, gelişmekte olan ülkelere olan aşırı sömürüsüne dikkat çekti; ulusal ekonomilerin yok edilmesine karşı çıktı. Bu amaçla...

ABD ürünlerine karşı ambargo uygulamaya çağırdı!

Gelelim... Davutoğlu'nun yemek masasına...

Evet... Dünya; mali-finans politikalarına sırtını dönüp, tekrar üretim ekonomisine yöneliyor.

Devletin ekonomideki önemi neredeyse tüm ekonomi toplantılarının ana konusu.

Bu nedenle *Küreselleşme Büyük Hayal Kırıklığı* gibi 16 kitap yazan Stiglitz, 40 yıldır eşitsizlik ve yoksulluk üzerine çalışan Anthony Barnes Atkinson'ı Nobel ödülü için öneriyor!

Vahşi kapitalizm çöküyor.

Gerçeklerin üstü kapatılamıyor.

Stiglitz gibi ekonomistler, faiz lobisinin kredi kartlarıyla halkı nasıl soyduğunu anlatıyorlar.

Eşitsizliğin geldiği boyutu gözler önüne seriyorlar:

– "Avrupa'da ineklere günde 2 dolarlık sübvansiyon uygulanıyor. Çalıştığım Dünya Bankası'nın yoksulluk standardı ise günde 3 dolar! Avrupa'da inek olmak yoksul ülkede vatandaş olmaktan daha iyi!"

Düzenbazlıkları anlatıyorlar:

– "Kredi derecelendirme kuruluşları neden oldukları zararların bedelini ödemediklerinden, firmaların/ülkelerin ödemeye hazır oldukları paraya göre istenen notları veriyorlar!"

Yaşadıklarını söylüyorlar:

– "Gelişmemiş ve gelişmekte olan ülkelerin seviye atlayamamalarının sebebi; sürekli borç almaları ve bunu Dünya Bankası ve IMF eliyle bilinçsizce kullanmalarıdır!"

Uzatmayayım... Davutoğlu'nun, –kapitalizm içine gömülmüş sosyalizmin temsilcisi– Stiglitz ile yan yana oturmaya çaba harcamasının nedeni buydu.

Özal ve şürekâsının yıllardır ağızlarından düşürmedikleri vahşi kapitalizmin ekonomisti M. Friedman çoktan unutuldu gitti!

Bugün umut Stiglitz gibi ekonomistlerde aranıyor.

Gel de bunu CHP'ye anlat!..

CHP delegesinin yarısı; Kemal Derviş'in "yol arkadaşı" ve AKP'li Babacan'ların, Şimşek'lerin ağızlarından düşürmedikleri "orta gelir tuzağını" bize yeniymiş gibi yutturan "Yeni CHP"lileri omuzlarda taşıyor; parti sözcüsü yapıyor!

CHP... IMF-Dünya Bankası reçeteleriyle iktidar olabilir mi?

Ne diyeyim... Ne yazayım...

Tüm bildiklerimi unutayım mı?

Bunca mücadele bu popülizm için mi?

O Toplantının Mesajı

Her yerde olan hiçbir yerde değildir!

CHP Genel Başkanı Kemal Kılıçdaroğlu "büyük patronlar kulübü" TÜSİAD toplantılarında bulunmayı çok önemsiyor!..

CHP tarihinde TÜSİAD'ın yeri nedir?

1) Şili'de "Bu düzen değişmelidir," diyen solcu Salvador Allende hükümetini yıkmak için ABD destekli karaborsa oluşturuldu; tüketim malları bulunamadı. İnsanlar temel ihtiyaçları

için saatlerce kuyrukta beklemek zorunda kaldı. Ardından CIA destekli askeri darbeyle Allende öldürüldü. Bir zamanlar bulunamayan zorunlu tüketim malları piyasaya çıkıverdi!

2) Türkiye'de "Bu düzen değişmelidir," diyen solcu Bülent Ecevit döneminde kuyruklar ve karaborsa patladı. TÜSİAD gazetelere Ecevit'i ilanla uyaran muhtıra verdi. Ardından CIA destekli askeri darbe geldi. Ecevit hapse atıldı. Karaborsa ve kuyruklar bitti.

3) Şili'de askeri diktatör Augusto Pinochet ve Türkiye'de askeri diktatör Kenan Evren himayesinde "neoliberalizm" adı verilen vahşi kapitalizm hayata geçirildi.

4) 2000 yılında Şili'de sosyalistler iktidara geldi. Lagos ve Bachelet neoliberalizmi kaldırıp çöpe attı. Halen iktidardalar. Türkiye'de ise Erdoğan 14 yıldır iktidarda ve vahşi kapitalizm modelini uygulamaya devam ediyor.

5) Evet neoliberalizmin temsilcisi Erdoğan, TÜSİAD'ın Ankara'daki yüksek istişare toplantısına pek katılmazken CHP lideri Kılıçdaroğlu hep orada!

Kuşkusuz... Ana muhalefet partisi liderinin, "büyük patronlar kulübü" toplantısına katılmasında yadırganacak bir durum yok. Ama...

Sembolik imajı büyük.

Erdoğan'ın boyun eğdiği vahşi ekonomik modelin; "daha fazla kâr" şiarıyla hareket eden patronlar tarafından benimsendiği- desteklendiği sır değil.

Tek bir örnek bile yeter; 2000'de Türkiye'deki dolar milyarderi sayısı 5'ken, bugün 44![21]

Patronların istediği ekonomik sistemi acımasızca uygulayan Erdoğan, her fırsatta TÜSİAD'ı halka şikâyet ediyor: "Bunlar var ya bunlar..."

CHP ise her fırsatta, "Patronlar bizden korkmasın, kendilerini hep destekleyeceğiz," diyor!

İşte... AKP ile CHP arasındaki fark budur! CHP, "şark kurnazlığını" bile beceremiyor!

Yıllardır muhalefette olan CHP, TÜSİAD yanında durarak/böyle görünerek/konuşarak "düzenin bekçisi" ve "sorunların kaynağı" imajından kurtulamıyor...

---

21 Zenginleştiğimizi düşünmeyiniz, sadece gelir dağılımı eşitsizliğinin sonucu bu. Nüfusun yüzde 30,2'si günde 5 dolar kazanıyor! 25 milyon yoksulluk sınırında ve altında. Yani, Türkiye'nin içinde yoksul bir Afrika var!

CHP'nin bu TÜSİAD mahcubiyetini anlamak zor. Eğer mahcup olunacak bir durum varsa, büyük patronların CHP'ye verdikleri o muhtıradır.

Mesele sadece patronların toplantısına katılıp katılmamak olsa üzerinde pek durulmayabilir. Eski Türkçede "Kaziye-i anha öyle değil," diye bir tabir var; yani kazın ayağı öyle değil...

CHP'nin Etkilendiği Sağcı

Vergilius (MÖ 70-MÖ 19), Roma İmparatorluğu'nun ünlü şairidir... Destan olarak kabul edilen *Aeneis*'in yazarıdır...

Dante'nin (1265-1321), dünya edebiyat tarihinin en büyük eserlerinden kabul edilen; ahirete yapılan yolculuğu anlattığı üç ciltlik *İlahi Komedya* kitabındaki ana karakterlerden biri Vergilius'tur.

Dante'nin cehenneminde gezinirken Vergilius; yaşamı soylu amaçlardan yoksun insanlarla ilgili şöyle der: "*Non ragioniam di lor ma guarda e passa.*" Yani...

"Onların üzerinde durmaya değmez; bir bak geç!.."

Ne yazık ki...

CHP, "üzerinde durmaya değmez" kişileri hep dikkate alıyor.

CHP lideri Kemal Kılıçdaroğlu, en çok etkilendiği yazarları açıkladı: Mensuplarının yazdığı kitaplara göre yerli ve yabancı istihbarat servisleriyle yakın ilişkili-aşırı sağcı Milli Mücadele Birliği örgütünün Ankara Sancağı başkanlığından gelip;[22] Türkeş'e, Özal'a, Mesut Yılmaz'a ve Tansu Çiller'e kadar hızlı dönüşler yapan Taha Akyol!..

Hani... Vergilius'un "*Non ragioniam di lor ma guarda e passa*" dediklerinden.

Demek Akyol'u CHP lideri önemsiyordu!

CHP'nin rotasını Taha Akyol belirliyorsa burada büyük ideolojik sorun var demektir.

Çünkü Akyol CHP'nin siyasal rotasını çizerken açıkça "sol" düşmanlığı yapıyor! Neymiş efendim, sol'un halkta karşılığı yokmuş!

---

22 "Dr. Hikmet Kıvılcımlı'nın Kıbrıs'a kaçacağı haberini ikinci liderimizin (Yavuz Aslan Argun-sy) beni gönderdiği kişiye ulaştırdım. O kişi de hemen MİT Başkanı Albay'a haberi verdi.(...) MİT yöneticilerinden biri vefat etmişti. Gazetemizin sahibi cenaze alanında ön saftaymış; MİT'le organik bağı var mıydı? Bilmiyorum." Milli Mücadele Birliği hakkında gizli servislerle ilişkisi hakkında benzeri bilgiler vererek özeleştiri yapan İrfan Küçükköy'ün *Bir Uyanışın Anatomisi* ve gazeteci Hüseyin Özalp'in *Derin Dinciler* kitabını okumanızı tavsiye ederim.

İsmet İnönü, "Orta'nın Solu" diyerek iktidar olmadı mı?

Bülent Ecevit partisinin adına "Demokratik Sol" ekleyerek iktidar olmadı mı?

Ayrıca... Kimse sabah akşam kalkıp "sol... sol..." demiyor! Ama...

Sol'un değerlerini savunmak gerekmiyor mu?

Sol; eşitlik, özgürlük, kardeşliktir.

Aydınlanmanın eseridir. İlericiliktir.

21'inci yüzyıl Türkiyesi'nde hâlâ bu kavramları tartışmak abestir; Taha Akyol'lar bilerek gerçeği eğip bükerek kaba "kasaba siyaseti" yapıyor.

Bu tuzağa düşen CHP, –döne döne başı dönmüş benzeri köşe yazarlarını önemseyerek– parti kimliğini-kişiliğini kaybetme noktasına geliyor.

Sormayalım mı? Mustafa Kemal ve arkadaşları bu aydınlanma çizgisinden ayrı düşünülebilir mi?

Taha Akyol'a göre CHP'de sorun "akademik ve entelektüel lojistik eksikliği"ymiş! Tüm "birikimiyle" de ekliyor: "CHP, Batılı anlamda sosyal demokrat parti haline gelmelidir!"

Bayılıyorum bu cahilliğe!..

Hangi Batılı sosyal demokrat parti?.. Almanya mı? Yunanistan mı? İspanya mı? Fransa mı? İngiltere mi?

Schröder, Papandreu, Zapatero, Blair mi? Hangisi?

Neoliberalizme yenik düşen o partiler yerlerde sürünüyor; liderleri arkalarına bakmadan kaçtı.

Türkiye'deki asıl ayrışma budur; neoliberalizme boyun eğip eğmemektir. Halkçı parti olup olmamaktır!

Çiller'in, Yılmaz'ın akıl hocası Taha Akyol'un "başı kel"dir ve elinde "tarakla" dolaşıyor. Kılıçdaroğlu'nun siyasal rol modeli budur!

Bu pek "bilgiçleri" tanıyoruz; "sınıf atlamalarını"/"zenginleşmelerini" bu düzen sağladı; "aman değişmesin" diye çırpınıyorlar!

– İstiyorlar ki; "kumar ekonomisi" rantçıları, yani bankalar-finans kurumları hep kazansın.

– İstiyorlar ki; ülkeler varını yoğunu satsın; dolara, euro'ya tapsın!

– İstiyorlar ki, tüketim çılgınlığı-kültürel yozlaşma devam etsin.

– İstiyorlar ki; sosyal devlet hiç telaffuz edilmesin.

Evet istiyorlar ki; aydınlanma düşmanı Ortaçağ sürsün; insan bir meta haline gelsin; tüm insani değerler parayla alınıp satılsın.

Evet istiyorlar ki; yurtsever ittifaklar olmasın; birlikte yaşamanın-mücadele etmenin önündeki en büyük engel olan ve demokrasiyi değersizleştiren, yurttaşlığı yok eden "aşiretleşme"-"bir topluluğa bağlanma" kutsanması sürsün.

Cumhuriyet'in ve halkın partisi CHP, bu çevrelerin oyununa nasıl geliyor, anlamak zor!

Doğan Avcıoğlu... Uğur Mumcu'nun deyimiyle "tek kişilik üniversite"ydi.

Yunus Nadi Ödülü'nü alan 800 sayfalık dev eseri *Türkiye'nin Düzeni*[23] adlı kitabında şöyle yazdı:

> "Tam bir demokrasi ve en geniş özgürlükler peşindeki devrimcinin, daima özgürlükten yana olacağı açıktır. Esasen davanın özü, politik biçim tartışmasını çok aşmaktadır. Davanın özü; Ortaçağ kalıntılarının hâlâ ayakta kalmasını sağlayan, politik ve ekonomik bağımsızlığımızı dış güçlere ipotek eden, tam bir demokrasinin kurulmasını ve hızlı kalkınma yoluyla çağdaş uygarlığa ulaşılmasını engelleyen tutucu güçler koalisyonu egemenliğinin tasfiyesidir..."

Yaşasalardı... Doğan Avcıoğlu ve Uğur Mumcu bugünkü CHP yönetimini ağır eleştirirlerdi.

Politik mertlikten hoşlanmıyoruz ama gerçek bu!

Yeni CHP'de Avcıoğlu'nun, Mumcu'nun yerini Taha Akyol'lar aldı!..

Yobaz iktidarın hırsızlığı ortaya çıkmış...

Saray'daki şatafatları dillere düşmüş...

Ülkede ne adalet kalmış ne de güvenlik...

Savaş burnumuzun dibine gelmiş...

Döviz almış başını gitmiş...

İç ve dış borç almış başını yürümüş...

Ülke yorgun, bıkkın hale gelmiş...

Ruhların karartılmış olduğu böylesine bir dönemde, umut olması gereken ana muhalefet partisi CHP oy kaybediyor!

Bu acıklı somut durumu "köşe güzelleri" ve "ekran bilgiçleri" alkışlıyor. Ne diyor bu dönek liboş takımı:

– CHP çok doğru bir yola girdi!..

– CHP çok harika bir parti oldu!..

Özellikle son 30 yıldır bu hiç değişmedi:

---

23 Kırmızı Kedi Yayınevi, 2015.

CHP, ne zaman bağımsızlıkçı, halktan, adaletten yana siyaset yapsa yerin dibine sokulur.

CHP, ne zaman küresel güçlerin çıkarına politika yapsa/bu köhnemiş düzeni savunsa bu çevrelerin medyası tarafından alkışlanır!

Bu aynı... Kurtuluş Savaşı döneminde Mustafa Kemal'e karşı çıkan İstanbul basınının tavrıdır!

Bunların ekranına bakarsanız, bunların gazetelerini okursanız, CHP çok başarılı![24] Emin olun... Bunlar hep CHP'yi "piyasa partisi" yapma uğraşıdır.

Avrupa'da vahşi kapitalizme boyun eğen sosyal demokrat partilerin ve liderlerin başına gelenleri biliyorsunuz; silindiler.

Ortadoğu'dan da bir örnek vermeliyim ki, CHP'ye neler yapılmak istendiği net görülsün...

CHP'nin "Kardeşi"

"Yeni CHP" gibi hata yapıp kendini piyasa rüzgârına kaptıran bir halkçı partinin sonu bakın ne oldu?

Türkiye'deki partinin adı: Adalet ve Kalkınma Partisi.

Mısır'daki Müslüman Kardeşler'in partisinin adı: Hürriyet ve Adalet Partisi.

Fas'taki İslamcı partinin adı: Adalet ve Kalkınma Partisi.

Tunus vs. ülkelerde aynı isim ve aynı "kökten" gelen partiler var.

Bunlar; devletin ve siyasetin İslamlaştırılmasından yana; demokrasiyi aldatma amacıyla dillerinden düşürmeyen; ulusalcılığa karşı, dışa bağımlı, Büyük Ortadoğu Projesi'nin "Ilımlı İslam" partileri...

Tarihi sona yaklaştılar. Bittiler, bitiyorlar...

Diğer yanda... Bu coğrafyada CHP gibi aynı bağımsızlıkçı kökten gelen partiler de var:

– Fas'ı sömürge olmaktan çıkaran, İstiklal Partisi...

– Tunus'un efsanevi lideri Habib Burgiba'nın bağımsızlıkçı, Anayasa Partisi...

– Mısır'ın, Vafd (Heyet) partisi...

CHP'yi Mısır'daki Vafd partisi üzerinden anlatmak istiyorum. Çünkü: Mısır ile Türkiye tarihinin siyasi, ekonomik ve kültürel benzerliği çok.

---

24 Malezya'da gazeteleri protesto eden eylemcilerin sloganı, "Satın almayanı aldatmazlar!"dı. Türkiye'de de böyle bir eylem şart...

Şöyle... Kavalalı Mehmet Ali Paşa'nın Mısır'daki ıslahatları Osmanlı'yı etkiledi.

Her iki yerdeki bu reformlar; 19'uncu yüzyılın ikinci yarısında ülke başındaki (Hıdiv İsmail ve II. Abdülhamit) yöneticilerin dinsel ağırlıklı uygulamalarıyla kesintiye uğradı. Ve... İki ülke kapitülasyonlara, borçlanmaya ve savaşa yenik düştü. Önce Kahire sonra İstanbul İngiliz işgaline uğradı.

Birinci Dünya Savaşı sonrasında İngiliz egemenliğini sona erdirmek ve Mısır'ı tam bağımsızlığına kavuşturmak amacıyla, Saad Zaglul Paşa liderliğinde 1919'da modernist-ulusalcı parti; Vafd (Heyet) kuruldu. Bayrağı laikliğin sembolüydü; haç ile hilali birbirine bağlı gösteriyordu.

Vafd yarım yüzyıllık mücadelesi sonucu, burjuva monarşist bir anayasal demokrasi hedefledi. Yıl: 1923'tü. Tam olmasa da seküler bir anayasaydı bu. Ve 1924 ile 1936 seçimlerini ezici bir üstünlükle kazandı.

İngilizler bundan memnun olmadı; Mısır'ın bağımsızlığını istemedi. Söz konusu olan Süveyş Kanalı'ydı; ellerinden çıkmasına izin veremezlerdi.

İngilizler, diktatör Sıddık Paşa'yla ittifak yaparak darbe yaptı. Gücünü; Vehhabi Selefilik ve Müslüman Kardeşler örgütünden aldı!

İkinci Dünya Savaşı'ndan sonra yapılan seçimi yine sömürge karşıtı Vafd kazandı ve bağımsızlığın önündeki en büyük engel İngiliz-Mısır anlaşmasını yırtıp attı.

Süveyş'in boyunduruğu bitince ne oldu dersiniz; Müslüman Kardeşler terör eylemlerine başladı ve ardından Vafd bir daha yıkıldı.

1952'de iktidara Arap milliyetçisi "Özgür Subaylar" geldi. İki yıl sonra yönetimi Cemal Abdül Nasır ele geçirdi. Tepeden inmeci bu yönetim halkla buluşamadı; politik hareketlerin olmaması siyasal boşluğu İslamcı hareketlerin doldurmasına yol açtı.

1967 savaşını İsrail'e kaybetmeleri sonucu Enver Sedat tamamen sağa döndü. Müslüman Kardeşler'le anlaşmaya gitti. Bunun "mimarı" ABD'ydi.

Devlet ve siyaset İslamileştirilerek, 1980'li yıllarda neoliberalizme ve ABD'ye boyun eğdirildi.

Hüsnü Mübarek aynı yoldan gitti; üç alanı siyasal İslamcılara bıraktı: eğitim, adalet ve medya![25]

---

25 Ne tesadüf, Fethullah Gülen Cemaati de Türkiye'de buralara hâkimdi. Akıl hocaları hep aynı...

"Ulusalcı" diye Mısır ordusu küçültüldü (500 bin) ve polis mevcudu (1 milyon 200 bin) çok büyütüldü.

H. Mübarek, küresel kapitalizme hız verdi. Destekçisi Müslüman Kardeşler, "Özel mülkiyet İslam'da kutsaldır," dedi.

Tarım reformu talep eden köylülere, sendika isteyen işçilere "şeytan" dediler. "Baş düşman, solcular"dı.

Mısır'daki "paralel yapı" Müslüman Kardeşler, en büyük desteği Mısır burjuvazisinden aldı. Bunların Mısır'daki adı "Yenilikçi Girişimciler"di!

Vafd, 40 yıl sonra 1983'te yeniden siyaset sahnesine çıktı.

Başında "yeni" sıfatı vardı: Yeni Vafd...

Yeni Vafd da; demokratik laik ulus-devleti savunuyordu.

İnsan haklarının tavizsiz savunucusuydu.

Eğitim diyordu, işsizlik diyordu, konut sorunu diyordu, sağlık diyordu.

Peki bunu hangi ekonomik sistemle yapacaktı?

1980'lerden sonra dünyayı "kasıp kavuran" neoliberalizmle!

Bakınız... "Neoliberalizm" deyip geçmemek lazım. Siyaset yapmanın argümanlarını bile değiştirdi.

Neoliberalizm; parayı, siyasetin anahtarı haline getirdi.

Siyaset herhangi bir mal-meta gibi ambalajlanıp pazarlanır oldu. Öyle ya... Sıradan/sade vatandaşın demokratik muhakemesine güvenilemezdi; tepeden yönlendirilmeliydi!

"Başka alternatif yok" sözünün kabul görmesi sağlandı. Bu genel inançsızlık sonucu, insanların siyasete ilgisi kayboldu; seçim sandıklarına bile gitmemeye başladı. Sonuçta, neoliberal hegemonya demokrasiyi değersizleştirdi.

Siyaset, salt "masabaşı stratejisi" haline dönüşüp halktan kopunca, liberallerin elinde kalan laik Yeni Vafd ne yaptı dersiniz: Ilımlı İslamcılarla ittifak kurdu!

Müslüman Kardeşler hükümetini desteklediler.

Müslüman oyları alabilmek için Yahudi düşmanlığına kadar savruldular.

Futbolcu-şarkıcı gibi popüler-tanınmış isimleri aday göstererek oy alma hesabı yaptılar.

Bu arada, tüzük ve genel başkan değişiklikleri nedeniyle hep parti içi kavgalarla didinip durdular.

Ülke yangın yerine döndü; ama Yeni Vafd "bürokratik yapısını" kırıp harekete geçemedi.

Sonra... Yeni Vafd da bölündü.

Şimdi bu yazdıklarımdan CHP açısından çıkarılacak ders yok mu?

Çok var. Niye ders almıyorlar?

Soru, aslında yanıttır.

Göz göre göre Cumhuriyet'in kurucusu CHP'yi kimlik siyasetine kurban ediyorlar.

Yazmasam olmaz...

CHP'nin "Dersi"mi

CHP'de kimlik politikasına boyun eğiş "Dersim"le başladı...

Bunu partiye "yutturan" da Erdoğan oldu.

"Dersim" aşağıya...

"Dersim" yukarıya...

Her "Dersim" dendiğinde arkasından Atatürk Cumhuriyeti'ne söylenmedik hakaret kalmadı!

Büyük tarihçi Eric Hobsbawm şöyle diyordu:

"Eskiden tarih mesleğinin, –örneğin nükleer fiziğin aksine– en azından zarar vermeyeceğini düşünürdüm. Şimdi zarar verebileceğini biliyorum. IRA'nın kimyasal gübreyi patlayıcıya dönüştürmeyi öğrendiği atölyeler gibi, tarih de bomba fabrikasına dönüştürülebilir."

– Tarih; etnik ideolojiler için bomba yapımında kullanılan "gübre" oldu!

– Tarih; siyasal-ideolojik istismara açıldı!

– Tarih; olguya, kanıta bakmadan uydurmaya alet edildi!

CHP genel başkan yardımcısı Sezgin Tanrıkulu, "CHP adına Dersim katliamından özür diliyorum" dedi. Peki...

– Kurucu parti CHP, Diyarbakır Liceli Sezgin Tanrıkulu'nu milletvekili ve genel başkan yardımcısı yapmadı mı?

– Kurucu parti CHP, Tunceli Nazımiyeli Kemal Kılıçdaroğlu'nu genel başkanlık koltuğuna oturtmadı mı?

Hangi özürden bahsediliyor?

"Dersim" gibi etnik konuların ısıtılıp gündeme getirilmesinin nedeni; neoliberalizmin ortaya çıkardığı kimlik politikasına mahkûm olmaktır.

Kimlik siyasetçiliğine esir düşülmüştür. Demokrasi, özgürlük, aydınlanma etnik-dinsel kimliğe indirgenmiştir.

Evet. Bu "projenin" patenti neoliberalizme/ABD'ye aittir! Amaçları, toplumsal mücadeleyi bölmektir.

"CHP'nin kamburu" kimi "solcu liberaller", –neoliberalizmin dünyaya ihraç ettiği– yeni sağcılığın/yeni muhafazakârlığın kuyrukçuluğunu yapmaktadır.

Değerlendiremiyorlar mı ABD bu projesiyle, kendine karşı gelecek tüm muhalif hareketleri bölerek darmadağın etti?

Bilmiyorlar mı; oyun sadece Türkiye'de değil, dünyanın dört bir yanında oynanıyor.

Dün; sömürgeci Batı'ya karşı mücadele veren Asyalılar, Afrikalılar, Latin Amerikalılar bugün etnik sebeplerle birbirinin boğazına sarılıyor.

Mevcut sömürü düzenine karşı bir cümle edemeyen "kimlikçi siyasetçiler", kendilerini halka "solcu" diye yutturuyor! Yiyen çok...

Rüzgâra göre siyaset yapmak kolaydır; koltukaltlarınız rüzgârla dolunca uçuverirsiniz; dilinizden popülist söylemleri düşürmezsiniz. Açılımcılardan, ABD-AB'cilerden onaylanıp takdir görmenizdir hedefiniz; çünkü rüzgâr oradan esiyordur!

Oysa, önemli ve zor olan rüzgâra karşı durmaktır; gerçekleri haykırmaktır.

Demek, özür diliyorsunuz öyle mi?

Peki... Ne yaptı CHP bakalım...

Osmanlı Devleti; "Anadolu" sözcüğünü bugünkü Anadolu'nun orta ve batı bölgeleri için kullandı.

– Doğu Anadolu'ya; "Erzurum Yaylası" dedi.

– Güneydoğu Anadolu ise; "Cezire-i Ulya" yani "Yukarı Cezire"ydi. Buraya "Diyarbakır Yaylası" dediği de oldu.

– Kurtuluş Savaşı'yla birlikte ülke bütünlüğünü vurgulamak için, 10 Temmuz 1919'da "Şarki Anadolu Müdafaa-i Hukuk Cemiyeti" kuruldu. Yani, doğu bölgeleri de Anadolu kapsamına alındı. Ardından...

11 Eylül 1919'da kurulan, "Anadolu ve Rumeli Müdafaa-i Hukuk Cemiyeti"yle birlikte misak-ı milli sınırı Musul'a kadar uzandı.

Cumhuriyet Türkiyesi'nin karşılaştığı en büyük sorunlardan biri "Vilayat-ı Şarkiye" diye tanımlanan ulaşılması zor bu bölgeleri devletle bütünleştirmekti.

Buralar Osmanlı döneminde görece "özerk" sayılabilecek bir konumdaydı; Osmanlı'nın buralardan beklentisi oldukça sınırlıydı; bu coğrafya sükûn içinde kaldığı sürece hiç meselesi yoktu.

Bölgede devlet yoktu.

Cumhuriyet, bölgenin beşeri yapısının Türkiye'nin diğer bölgelerinden farklı olmasını istemiyordu. "Dersimli"yi eşit yurttaş yapmak istiyordu. Bu nedenle; yol yapmak, elektrik götürmek, okul açmak ve mülkiyet-üretim ilişkisini kökten değiştirmek istiyordu.

1930'larda Doğu ve Güneydoğu Avrupa'da gerçekleştirilen toprak reformlarını incelemesi için tarihçi Prof. Dr. Ömer Lütfi Barkan görevlendirildi.

Ayrıca... Maliye Müfettişi Hamdi Bey ile Elazığ Valisi Ali Cemal Bey'in raporlarına bakılarak "Şark Islahat Planı" hazırlandı.

Ardından... Abdülhalik Renda, Cemil Uybadin, İbrahim Tali Öngören, Fevzi Çakmak, Avni Doğan, Halis Paşa'ya raporlar yazdırıldı. Toplumsal mühendislik bağlamında büyük önem taşıyan bu raporları hazırlayanlardan biri de Tunceli milletvekili Necmettin Sahir Sılan'dı. Toplam 9 rapor yazdı...

Sılan'ın raporunda Nazımiye Azgılar köyünden Hasan Arslan şöyle diyordu: "Biz, aç ve çıplağız. Millet, bu sene ot yedi, hepsi hasta yatıyor."

Rapora göre, Hozat/Zımbık köyünden Cennet Kadın açlık yüzünden belindeki kuşakla kendini ceviz ağacına asmıştı!

Bugün romantik sözlerle idealleştirilen "Dersim"de, halk açtı; darı ekmeği, ayran çorbası ya da çökelek bulan şanslıydı. Ceviz içi, dut kurusu ve pestille karnını doyuruyordu. Bulguru ancak zenginler yiyordu.

Halkın toprağı, hayvanı yoktu... Elektrik yoktu. İçme suyu yoktu...

Köyler ve kasabalar bakımsızdı. Sağlık koşulları elverişsizdi. Doktor yoktu. Salgın hastalık toplu ölümlere neden oluyordu. Bir tek seyyar doktor "Gezici Sağlık Otomobili"yle hastalara yetişmeye çalışıyordu.

İnsanlar nüfus kütüğüne bile kayıt ettirilmemişti.

Kız kaçırma olaylarında büyük artış vardı. Genç kızlar arasında intihar yaygındı.

Okul yok gibiydi. Okuryazar oranı yüzde 2,8'di.

Çocuklar 12 yaşına kadar çıplak dolaşıyordu.

Ulaşım olanakları yetersizdi. Nakil işleri at, katır ve eşeklerle temin ediliyordu.

İnsanlar toprak damlarda yaşıyordu. Kilim, yorgan ve temiz bir yatak sadece varlıklı evlerde vardı.

Bayındırlık hizmetleri yapılamıyordu.

Kadastro yapılmamıştı; toprakların tapusu yoktu.

Orman yönünden zengindi ama ne orman idaresi vardı, ne de işletiliyordu.

Eşkıyalık-kaçakçılık geçim kaynağıydı.

Adalet yoktu. Binlerce kişi firardaydı.

Bölge "sürgün yeri" olarak biliniyor ve bürokrasi en kötü memurlarını buraya gönderiyordu!

Yoksul halk, Hz. Muhammet soyundan geldiğine inandığı aşiret reisini devletten daha güçlü görüyordu. Gönüllü kölelik yapıyordu.

"Dersim"in aydınlanması zorunluydu...

Üstelik geç bile kalınmıştı. Osmanlı döneminde yörenin dünyaya açılması için, bir Amerikan sermaye grubunun gündeme getirdiği "Chester Projesi" hayata geçirilmek istenmiş ancak sermaye yetersizliği nedeniyle vazgeçilmişti.

Cumhuriyet kararlıydı...

Fakat bu hiç kolay olmadı. Bunu kavramak için o dönemde başkent Ankara'da olanları bilmek gerekiyor...

Affairisme...

İsmet İnönü, "aferizm" diyordu; hem milletvekili hem de iş takipçiliği yapanlara.

İş Bankası'nın "iş" kelimesinin Fransızcası "affair"di ve İnönü, kavramı buradan üretmişti.

Aferistlerin başını, ekonominin kilit noktalarını ellerinde tutan "İş Bankası çevresi"nin baş temsilcisi Celal Bayar çekiyordu!

Cumhuriyet'in ilk yıllarındaki Mustafa Kemal ile, Kâzım Karabekir ve arkadaşları arasındaki "devrimciler-reformistler" kavgası bitmişti.

Ardından İnönü ve Bayar arasında "devletçiler ile aferistler" çatışması başlamıştı. Devletçilik uygulamaları hızlandıkça bu mücadele şiddetlendi.

Bugünlerde yandaşların dilinden yine "tek parti" lafı düşmüyor; oysa o dönem kaç grup olduğunu/kaç fikir ayrılığı yaşandığını bilmiyorlar!

Hayır, bu girişi yapmamın nedeni onlara yanıt vermek değil. Moda deyimiyle "Dersim Meselesi"ne –hep gözardı edilen– iktisadi açıdan bakmak! Şöyle...

Hükümet, neden 1930'lu yılların ikinci yarısından sonra

"Dersim"e Cumhuriyet götürmek istedi? Bu soru üzerinde kimse durmuyor...

1930'ların ikinci yarısına kadar, toprak mülkiyet dağılımıyla ilgili Osmanlı'dan devralınan gayriadil yapıya ilişkin herhangi ciddi bir düzenleme girişiminde neden bulunulmadı?

Şundan:

Kurtuluş Savaşı'nın örgütlenmesini ve başarılmasını sağlayan toplumsal ittifakta büyük arazi sahipleri önemli rol oynadı.

Cumhuriyet hükümetleri başlangıçta büyük arazi sahiplerinden yana bir tavır aldı. Bu nedenle 1924 Anayasası kamulaştırmayı zorlaştırıcı hükümlere sahipti.

Keza, 1925'te kabul edilen Kadastro Kanunu da toprak meselesinde özel mülkiyet rejimini pekiştirdi.

Ve, 1926'da Medeni Kanun'un kabul edilmesiyle feodal beyler, el koydukları arazileri tam malik sıfatıyla tapuya kaydettirdi.

Bu durum şöyle bir sonuç çıkardı: Ailelerin yüzde 5'i toprakların yüzde 65'ine; yüzde 95'i ise toprağın yüzde 35'ine sahipti!

Bu hal, CHP içinde fikir ayrılıklarına sebep oldu.

İdealist-aydın bürokratların çoğu, köylünün mal sahibi olmasını ve ekonomik yönden desteklenmesini gelişme politikaları açısından yararlı görüyordu.

Sonuçta: Cumhuriyet hükümetlerinin toprak politikası, bu iki karşıt eğilim arasında çatışmalı gelgitlerin etkisi altında biçimlendi.

Doğu'da durum başkaydı...

Büyük toprak sahiplerine tavır alındı. Nedeni; 1925'teki Şeyh Sait Ayaklanması'nda başı feodal beylerin çekmesiydi.

1927'de "idari, askeri ve içtimai" nedenlerle 1.500 kadar "bey ailesi" "batı"ya gönderildi. Bu ailelerin terk ettiği araziler, iskân edilecekleri illerde kendilerine yeni arazi verilmesi şartıyla hazineye intikal etti.

Ve, "doğu"da 20 bini feodal beylerden kamulaştırılanlar olmak üzere, 110 bin dönüm tarım arazisi fakir köylülere dağıtıldı.

Toprak reformu konusunda; gerek batıda hiçbir şey yapılmaması, gerekse doğudaki minik düzenleme ülkedeki feodal üretim ilişkilerinde belirgin bir iyileşme sağlayamadı. Toprakta mülkiyet dağılımını düzenleme konusu 1929 ekonomik krizinden 5 yıl sonra gündeme geldi.

Bunun sebebi...

Toprak ağalarının siyasi nüfuzlarının gerilemesi ve dünya ekonomik bunalımı nedeniyle daha da çarpıklaşan toprak mülkiyet yapısını düzenleme gereğiydi.

Başını İnönü'nün çektiği devletçi CHP'liler arasında, kapsamlı bir toprak reformu yapma düşüncesi güç kazandı. İnönü, "Batakçı toprak ağasının kökünü kazıyacağım," diyordu. "Toprak, işleyenin," sözü ilk bu yıllarda dile getirildi.

Atatürk aynı görüşteydi; toprak mülkiyet dağılımını düzenlemek için üç ana ilke ortaya koydu:

1) Memlekette topraksız köylü bırakmamak.

2) Bir köylü ailesini geçindirebilecek toprağın, hiçbir sebep ve suretle bölünmesine izin vermemek.

3) Büyük çiftçi ve çiftlik sahiplerinin işleyebilecekleri arazi genişliğini makûl ölçütlerle sınırlandırmak.

Kurtuluş Savaşı hep birlikte kazanılmıştı, Cumhuriyet rejimini kabul etmiş bir halkın, ülkenin en önemli kaynağı olan toprağı adil bir şekilde bölüşmesi gerekmekteydi.

Bu, hem ülke topraklarının verimli olarak işlenmesi, hem de gelir dağılımının daha adil bir duruma getirilmesi ve böylece toplumsal barışın sağlanması için gerekliydi.

Bu, aynı zamanda Cumhuriyet ve demokrasinin geliştirilerek yaşatılabilmesi için şarttı.

İşte bu nedenle...

1937'de, 1924 Anayasası'nda bazı değişiklikler yapıldı. Kamulaştırma mümkün hale geldi. Ayrıntılarını ileri sayfalarda yazacağım...

Büyük arazi sahibi milletvekilleri, hükümetin köylülere yönelik bu tür girişimlerinden rahatsızlık duyuyordu.

"Devletçiler ile Aferistler" çatışıyordu...

İnönü parti içindeki muhalefete rağmen köylüleri özgürleştirme politikasından geri adım atmadı.

Bu nedenle Cumhuriyet ancak 1936'dan itibaren "Dersim"de imar hamlelerini başlattı:

– Öncelikle yollar, köprüler, demiryolları inşa etmek için projeler geliştirdi.

– Toprak reformu planları yapıldı.

– Halka ekmesi için, bedava arpa ve buğday tohumu verilmek istendi.

– Saban yerine pulluk kullandırılmak istendi.

– Ziraat Bankası'ndan kredi verilmek istendi.

– Dokumacılık geliştirilmek istendi.
– Hayvancılığı geliştirmek; yağ ve peynir ürettirilmek istendi.
– Sağlık yurtları, okul yapılmak istendi.
– Elektrik ve sulama götürülmek istendi.

Bunlar o dönemin kıt bütçesine göre büyük yatırımlardı.

Yüzlerce yıldır devletin çivi çakmadığı bölgeye, o yoksulluk günlerinde Cumhuriyet, ilk etapta ana yollarla birlikte 10 köprü yaptı.

Singeç Köprüsü bunlardan biriydi. Pertek-Hozat yolu üzerine yapılan bu köprünün uzunluğu 60 metreydi. Tunceli'yi güneyden kuzeye bağlayan ikinci ana yol üzerindeydi. Açılışını Mustafa Kemal Atatürk yapacaktı.

20 Mart 1937'de ayaklanma başladı; acı olaylar yaşandı...

10 ay sonra tarih: 7 Kasım 1937.

Atatürk, Singeç Köprüsü'nün açılışını yaparken Tuncelili bir ihtiyarın övgü dolu sözlerine şu yanıtı verdi:

"Hatasız kul olmaz diye bir söz vardır. Birkaç kişinin hata yapmasıyla bu hataya uzaktan yakından ortak olmamışları bir tutamayız. Sizler bizim kanımızdansınız, bizim insanlarımızsınız. Geçmişteki ufak tefek hataları küçük ve manasız davranışları unutmaya mecburuz. Kin beslememeye, kardeşliğimizi sürdürmeye mecburuz..."

Bugün... CHP'de kimileri AKP kuyrukçuluğu yapıyor.

Sormuyorlar; AKP hükümeti 14 yılda neden bir tek Tunceliliyi vali, emniyet müdürü ya da il milli eğitim müdürü yapmadı?

Sormuyorlar; Tunceliliٍler bürokraside neden hep CHP hükümetleri döneminde yükseldi?

Mesele açıktır; ya gericilikten yanasın ya da aydınlanmadan...

Etnik tuzağın pençesindeysen bunu kavraman zor kardeşim!

Şimdi... Kimlik siyasetine yenik düşmüşsen bana diyebilirsin ki, "Dersim"i niye tırnak içinde yazıyorsun?

Moda'yı sevmiyorum çünkü!..

Bakınız...

İsim Polemiği

Tarihsel adların da arkeolojisi vardır. Kazdıkça altından neler çıkar neler...

Her yeni kültür, tarihsel coğrafya adlarını kendi dil fonetiğine uydurur!

"Kavimler Kapısı" Anadolu isim zenginidir. Ne diyor büyük şair Ahmed Arif:

"Beşikler vermişim Nuh'a
Salıncaklar, hamaklar,
Havva Anan dünkü çocuk sayılır,
Anadoluyum ben,
Tanıyor musun ?.."

Tanıdığınızı hiç sanmıyorum.

Moda oldu "Dersim" demek...

Osmanlı kayıtlarında adı, "Disim"di. Halk "Desim" diyordu. Bölgenin adıydı; Tunceli ile ilgisi, bu şehrin, bölge içinde olmasından kaynaklanıyordu. 25 Aralık 1935'te çıkarılan yasayla Mamiki köyünde yeni il merkezi kuruldu ve adına "Tunceli" dendi...

Gelelim bölge tarihine...

İlk yerleşimin MÖ 6 binlere kadar uzandığı biliniyor.

Subarlar, Hurriler, Asurlular, Hititler, Akadlar, Frigyalılar, Urartular, Medler, Persler, Makedonyalılar, Kapadokyalılar, Romalılar, Sasaniler, Araplar, Bizanslılar, Selçuklular, Moğollar, Akkoyunlular, Osmanlılar gibi kimler gelip kimler geçti.

Bölgeye kimi "İşuva" adını verdi, kimi "Supani"...

Yaşayanlara kimi "Muştular" dedi, kimi " Müşkiler"...

"Dersim"in adı uzun yıllar "Daranalis" olarak kaldı. Bu ismin, MÖ 519'da Doğu Anadolu'yu fetheden Pers Kralı Dara'nın adından kaynaklandığı ileri sürüldü.

Konu açılmışken, asıl yurtları Anadolu değil; İran'dı...

Alevi yurdu Horasanlıydılar.

Hazar Denizi'nin güneybatısında (Tahran'ın kuzeyinde) Deylem/Daylam bölgesinde, Pers öncesi halklardan bir topluluk yaşardı: Deylemliler/Daylamlılar!

Günümüz İranı'nın Kuzey Horasan eyaletinde Deylaman bölgesi var. Lahican, Siya, Kal, Koh, Mazenderan, Rast, Gibal, Pir Pulur, Fumen, Gerekerd, Gilan, Teberistan, Çalus, Kalar, Enzeli, Varemin, Bar, Tufem, Rudsa, Muvaz, Kohaman, Hasan Rud, Emurluh gibi yerlerde yaşayanlar Dersimlilerin akrabalarıdır.

İran'daki Büveyhoğulları Devleti'ni (932-1056) Deylemlilerin kurduğu biliniyor. Bu halk 13'üncü yüzyılda Moğol istilasından kaçarak Anadolu'ya geldi. Anadolu'da yaşadıkları bu bölgeye adlarını verdiler. Farsça, "der" (kapı), "sim" (gümüş) sözcüklerinden oluşan bir isim tamlamasıydı "Dersim".

Türkçe'ye "Gümüşkapı" olarak çevirebiliriz.

Kimine göre, "Darsım" Zazaca bir sözcüktü; "dar" (ağaç) ve "sim"di (gümüş). "Darsım" aslında "Gümüşağaç" demekti.

Dilinin kökeni neydi?

Perslerin "Behistun Kitabeleri"nde Deylemlilerin konuştukları dile "Zuzu" deniyor. "Zuzu" bugünün anlamıyla Zaza!

Kimi dilbilimcilerine göre bu dilin adı, Deylem'den türeyen "Dımılice"ydi. Ve bu dil ailesinin "Kuzeybatı İranî diller" grubunda yer aldığı belirtiliyor.

Dilbilimciler ve Zazalar, Zazaca/Dımılice'yi bir dil olarak kabul ediyor. İranoloji dilbilimine göre ise, Zazaca başlıbaşına bir dil.

Kürdolojinin babası sayılan V. Minorski ve David MacKenzie, Prof. Goiche Kojima, Susani, Oskar Mann ile Karl Hadank gibi bilimadamları Zazacanın bir Kürt lehçesi olmadığını kanıtladılar. Zazaca; eski dillerden "Partça"nın devamı olarak kabul edildi. Bazı Kürdologlar bunu kabul etmiyor, Zazacayı Kürtçenin dört lehçesi arasında sayıyor.

Uzattım... Sonuçta...

Kim güçlü ise kendine bir tarih uyduruyor; adını dayatıyor.

Sebahat Tuncel de soyadını değiştirecek mi?

Ya da Tuncel Kurtiz, Tuncer Necmioğlu gibi büyük sanatçılar?

Evet... "Dersim" meselesinde olduğu gibi...

Cumhuriyet, yeni oluşturduğu şehre "yiğit insanlar" anlamına gelen "Tunceli" adını verdi.

Kimileri "Dersim adında ısrar edeceğiz," diyor. Etsinler.

Ben de "Tunceli" demeye devam edeceğim.

Benim "Tunceli" adıyla övüneceğim çok tarihsel olay var. Onların ne var, bilmiyorum!

Tunceli, ağa'nın, şıh'ın, şeyh'in/feodalizmin barınamadığı yer demektir.

Tunceli, aydınlanmanın kalesi demektir.

Tunceli, en çok okuryazarın olduğu yer demektir.

Tunceli, 1954 ve 57'de herkes DP'ye oy verirken CHP'ye oy vermek demektir.

Tunceli, faşist 1982 Anayasası'na en çok hayır oyu vermek demektir.

Tunceli bağımsızlık, özgürlük, eşitlik demektir.

Tunceli, CHP'ye genel başkan vermiş şehir demektir.

Tunceli, İbrahim Kaypakkaya demektir; Ali Haydar demektir.

Tunceli, "Tabutumu Türk bayrağına sarıp beni köyüme gömün," diyen Kamer Genç'tir.

Tunceli sevgi-hoşgörü-vicdan demektir.
Tunceli, kadın-erkek eşitliği demektir.
Tunceli, delisinin heykelini şehir meydanına dikecek özgüvendir.
Tunceli, bir komünisti, bir kadını belediye başkanı yapandır.
Tunceli semboldür.
Ya "Dersim"?
Tunceli ayıp olacak/utanacak hiçbir şey yapmamıştır ki bugün adı değiştirilsin.
Siz ne derseniz deyin... Benim gönlümdeki Tunceli'yi, yiğit insanları silemezsiniz.
Bu konuyu bu kadar uzatmamın nedeni var.
CHP'nin bilerek dünyada sona yaklaşan neoliberalizme ve onun kimlik siyasetine bu derece sarılmasının nedenini bulmak istiyorum.
CHP'ye yakıştıramıyorum bu ideolojik sapmayı...

PKK'yı Kim Büyüttü?

Gerçek, gözardı edilince ortadan kalkmıyor...
CHP'yi; küçültmek, bölmek, etkisizleştirmek istiyorlar!
30 yıldır Kürt sorunuyla ilgilenirim.
Hep şunu dinledim:
– "PKK'yı Diyarbakır cezaevi büyüttü; ağır işkenceler olmasaydı, PKK kitleselleşemezdi!"
Başka?..
Özellikle PKK'ya katılanların neredeyse ortak söylemidir:
– "Asker köyün meydanında erkek-kadın herkesi çırılçıplak soydu; bunu kendime yediremedim, dağa çıktım!"
Başka?..
– "Dilimizi konuşmamız-yazmamız-okumamız yasaktı."
Başka? Başka yok. Bu kadar...
Ben bugüne kadar...
– Ağa baskısından bahsedeni görmedim.
– Şeyh zulmünü dile getireni görmedim.
– Şıh yobazlığının hayatını kararttığını söyleyeni görmedim.
– Toprağımız yoktu diyeni görmedim.
– İşsizdim diyeni görmedim.
Varsa yoksa "T.C."nin siyasal ve kültürel baskısı!..
PKK olgusunu analiz etmek isteyenlere bu olgular yeterli geliyor mu? Bana hiç yetmedi.

Ben diyorum ki, PKK'yı Turgut Özal büyüttü!..

Yani, neoliberalizm...

Yani, vahşi kapitalizm, PKK'yı büyüttü...

İktisadi siyaset bilinmeden analiz yapılamaz!

Gazetede şöyle bir haber okudum geçen yıl:

Hakkâri, Yüksekova'da aynı okula giden dört kardeşin aynı anda birlikte okula gitmediği ortaya çıktı. Çünkü, evde bir tek bot ve bir tek kaban vardı; bunu ancak biri giyebiliyordu ve bu sebeple okula dönüşümlü gidiyorlardı!

Diyorum ki:

– Halka ucuz kıyafet veren Sümerbank Hakkâri mağazasını kim kapattıysa PKK'yı o büyüttü!

Diyorum ki...

– Köyteks'in Erzincan, Siirt, Diyarbakır hazır giyim tesislerini ve Sümerbank'ın Malatya, Erzincan, Şanlıurfa, Diyarbakır, Sarıkamış, Adıyaman, Erhaz, Sihaz, Sarıkamış işletmelerini kapatanlar PKK'yı büyüttü.

Sadece bunlar mı?..

– Elazığ, Van, Kars, Kurtalan, Gaziantep, Şanlıurfa, Aşkale, Adıyaman, Ergani çimento fabrikalarını kim sattı ise PKK'yı o büyüttü.

– Adıyaman, Bitlis, Malatya, Diyarbakır, Muş, Siirt gibi "şark tipi tütün" üretimini kimler bitirdi ise PKK'yı o büyüttü.

– Bitlis ve Malatya sigara fabrikaları, Adıyaman, Besni, Kahta, Malatya, Batman, Bekirhan, Beşiri, Kozluk, Kurtalan, Sason, Bitlis, Buldan, Kale, Diyarbakır, Silvan, Bismil, Diyarbakır, Elazığ, Erzurum, Gaziantep, Kars, Malatya, Sivas, Van Tütün Pazarlama ve Dağıtım başmüdürlükleri; Muş Yaprak Tütün İşletmeleri ve Diyarbakır Müdürlüğü'nü kim kapattı ise; PKK'yı o büyüttü.

– Van, Diyarbakır, Tunceli, Sivas, Kars, Adıyaman, Elazığ, Göksün, Kızıltepe, Erzurum, Siirt, Tatvan, Hilvan ve Muş yem fabrikalarını kim sattı ise PKK'yı o büyüttü.

– Erzincan, Erzurum, Siverek, Sivas, Elazığ, Diyarbakır, Adıyaman, Malatya, Yüksekova, Muş, Adilcevaz SEK işletmelerini kim kapatıp sattı ise PKK'yı o büyüttü.

– Kars, Şanlıurfa, Elazığ, Gaziantep, Tatvan ve Ağrı et kombinalarını kimler yok etti ise PKK'yı o büyüttü. (1980'de nüfusumuz 45 milyondu ve büyükbaş-küçükbaş hayvan sayımız 84 milyondu. Bugün 75 milyonuz, hayvan sayımız 30 milyon!)

– Doğu ve Güneydoğu Anadolu'da arıcılığı kim bitirdi ise PKK'yı o büyüttü.

– GAP'ı engelleyenler, Köy Hizmetleri Genel Müdürlüğü'nü kapatanlar, Etibank'ı yok edenler kim ise PKK'yı o büyüttü.

– Türkiye Zirai Donatım Kurumu'nun Muş, Diyarbakır, Erzurum, Kahramanmaraş, Şanlıurfa işletmelerini kim elden çıkardı ise PKK'yı o büyüttü.

– Tohum Islah Enstitüleri, Toprak Mahsulleri Ofisi'ni kapatanlar kim ise PKK'yı o büyüttü.

– Pancar, tütün, pamuk ekimine kim kota koyduysa PKK'yı o büyüttü.

– İl Özel İdarelerinin, Köy Hizmetlerinin ve Karayolları Genel Müdürlüğü'nün 103 şubesindeki işçileri kim sokağa attı ise PKK'yı o büyüttü.

– Girlevik, Otluca, Kiti, Telek, Besni, Adilcevaz, Ahlat, Derme, Erkenek, Kemek, Mardin-Çağ, Malazgirt, Uludere, Çemişgezek, Sönmez, Koyulhisar, Endil, Hoşap, Erciş ve Koçköprü HES'leri satanlar kim ise PKK'yı o büyüttü.

Hangisini yazayım... Erzincan'da onlarca yıl boyunca üç vardiya çalışan "iplik fabrikasını" kapattılar; 1700 kişi çalışıyordu. Şehir bu işletme ve şeker fabrikasında çalışan insanların maaşlarıyla geçiniyordu! Yazmakla bitmez...

Bugün... Güneydoğu'da kendi mülkiyetinde hiç toprak olmadığını belirten aile oranı yüzde 59. Aşiretlere, ağalara bölgeyi kim terk etti ise PKK'yı o büyüttü.

Yani... Demem o ki...

Diyarbakır Cezaevi, tarihimizin yüzkarasıdır.

Ama sebep o değildir. Yoksa Mamak Askeri Cezaevi de solu büyütürdü!

PKK'yı büyüten 1980'de 12 Eylül Askeri Darbesi ve Özal eliyle hayata geçirilen neoliberalizmdir.

Ve bu, vahşi kapitalizmin "etnik kaşıma" politikalarıdır.

Cumhuriyet'in Sembolleri Satıldı

CHP bilmelidir; insan öğrenimle dönüşmez; üretimle dönüşür. Ne demek istediğimi şöyle açayım...

200 yıl geriye gidelim...

Toprağa bağlı üretimin/feodalizmin iktidarı son buldu. Tarım artık en büyük ekonomik güç değildi. Dönemin itici gücü; buhar gücüne dayanan sanayileşmeydi. İnsan ve hayvan gücünün yerini makineler almaya başladı.

Pamuk dönemin en yarar getiren üretimiydi.
Tekstil dönemin parlayan sektörüydü.
Sanayileşmeyi başaran ülkeler gözlerini dış pazarlara diktiler...

Önceki sayfalarda okudunuz; 1838'de İngiltere ile imzalanan "Serbest Ticaret Antlaşması", Osmanlı ekonomisine tarihi boyunca indirilen en öldürücü darbe oldu. Gümrüksüz giren İngiliz makine endüstrisi malları, Osmanlı'nın korumasız el tezgâhlarını kısa zamanda yok etti. Ülkedeki geleneksel üretici kesim, Avrupa ürünleriyle rekabet edemedi ve ekonomik hayattan silinip gitti.

Hıfzı V. Velidedeoğlu anılarında bunu şöyle özetledi:

"1913'te henüz bir ilkokul çocuğuyken, Orta Anadolu'nun tren uğrağı olmayan kasabasında, her gün babamın yanında, başımızda kırmızı bir fes, elimizdeki zembilin içinde çarşıdan taşıdığım yiyeceklerin arasında Rus şekeri; Amerikan unu bulunduğunu ve babamın ayağına ayakkabı; sırtına çamaşır ve giyecek yapmak için Fransız köselesi ve Fransız patiskası, Amerikan bezi; Alman kumaşı ve başını kapamak için Avusturya fesi aradığını çok iyi hatırlıyorum. Babam bunları arıyordu, çünkü bunların Türk malı olanları yoktu. Hepsi dışarıdan geliyordu..."

Tarih: 17 Şubat-4 Mart 1923.

İzmir İktisat Kongresi'nin açılış konuşmasını İstiklal Savaşı'nı başarmış Mustafa Kemal yaptı:

"Tarihin ve tecrübenin süzgecinden arta kalmış bir gerçek vardır. Türk tarihi incelenirse, gerileme ve çöküntü nedenlerinin iktisadi sorunlara bağlı olduğu görülür. Tam bağımsızlık için şu kural vardır: Milli egemenlik, mali egemenlikle desteklenmelidir. Bizleri bu hedefe götürecek tek kuvvet ekonomidir. Siyasi ve askeri muzafferiyetler ne kadar büyük olursa olsun, iktisadi zaferlerle taçlandırılmadıkça payidar olamaz."

Bu nedenle... Kemalist Devrim, Aşar vergisi yüzünden parasız, tohumsuz ve hayvansız kalan köylüye 4 bin lira ve ayrıca; tohum, fidan, hayvan verdi.

Bu nedenle... Köylüye ilk on yılda 1 milyon 77 bin 526 dönüm arazi dağıtıldı. "Tarım Kredi Kooperatifleri", "Tohum Islah İstasyonları", "Toprak Mahsulleri Ofisi" vb. kuruldu. Zirai Donatım Kurumu, çiftçinin tarım aleti-araçları ve gübre ihtiyacını sağladı. Dalaman ve Ankara'da Gazi Orman Çiftliği gibi numune çiftlikler açıldı. vs...

Bunları biliyorsunuz. Sadece bir örnek vereyim...

Nazilli Sümerbank Basma Fabrikası "Ekonomik bağımsızlık olmadıkça, ulusal bağımsızlık olmaz" ilkesiyle kuruldu.

Cumhuriyet'in idealist kadroları Osmanlı'nın kara talihini yenmeye yemin etmişlerdi. Nazilli Sümerbank Basma Fabrikası, devlet eliyle kurulan ilk basma fabrikası olma özelliğine sahipti.

Fabrikanın temeli kolay atılmadı:

Önce; tarımda verimliliği artırmak ve bilimsel olarak yeni projeler oluşturmak için 1925'te Adana'da Tohum Islah Komisyonu kuruldu. Amerika'dan 40 çeşit tohum getirilerek denemeler yapıldı. Amerikalı uzmanlar davet edildi.

Ardından; Nazilli'de Pamuk Islahı İstasyonu kuruldu. Bilimselliği, kaliteyi her alanda esas alan Kemalist Devrim, istasyona yurtdışından gelişmiş makineler getirmekle kalmayıp kuruluşun başına da eğitimini Amerika'da tamamlamış olan Celal İğriboz'u atadı.

İstasyonda yapılan ıslah çalışmaları sonucunda 28 adet pamuk çeşidi tescil ettirildi. Tescil ettirilen akala 1086, coker 100 A/2 ve Nazilli 66-100 çeşitlerinin her biri 10-15 yıl üretimde kalarak Ege bölgesi pamuk üretimi artırıldı.

Tarih: 25 Ağustos 1935.

Nazilli Sümerbank Basma Fabrikası'nın temelleri atıldı. Bedeli narenciye karşılığı ödenmek üzere Sovyetler Birliği'nden kredi ve teknik destek alınarak kollar sıvandı.

Ve hummalı çalışma başladı; 120 Sovyet mühendisi ile çevre il-ilçelerden gelen 4 bine yakın işçi geceli gündüzlü çalışarak hedeflenen tarihten 20 gün önce inşaatı bitirdi.

Yapımı 18 ay sürdü. Bina ve makineler dahil olmak üzere fabrika 5 milyon Türk lirasına mal olması planlanırken, maliyeti 8 milyon Türk lirasına yaklaştı.

Fabrikada kullanılacak kaliteli pamukların çevrede yetiştirilmesi için 200 adet modern tohum ekme makinesi satın alındı.

Aynı zamanda fabrika içinde demirhane, marangozhane, dökümhane, kaynak ve teneke işleri yapan bölümler; elektrik ve su ihtiyacını karşılayabilmesi için elektrik-su santralları yapıldı.

Binlerce çam ağacı dikildi...

Tarih: 9 Ekim 1937

Atatürk hastaydı. Açılışa gitmeyi çok arzuladı. Zor yürüyordu ve kolunda Celal Bayar vardı.

Büyük Kurtarıcı'nın açılışını yaptığı son fabrika Nazilli Sümerbank Basma Fabrikası olacaktı.

Atatürk coşku içindeki halkı, fabrika girişindeki müdüriyet binası balkonundan selamladı. Açılış konuşması bittikten sonra erkekli kadınlı işçiler, Atatürk'ün önünden geçit töreni yaptı.

Atatürk kırmızı kurdeleyi kesti, sarı madenden yazılmış Sümerbank harfleriyle yapılmış anahtarla fabrika kapısını açtı.

Ve... Atatürk'ün direktifiyle 480 makine çalışmaya başladı.

Atatürk şöyle dedi: "İşte bu bir musikidir..."

Yeni Türkiye inşa ediliyordu; lafla değil alın teriyle, emekle...

Satarak-çalarak değil, üreterek...

İlk yıl 1938'de; yaklaşık 9 milyon metre basma; 145 ton iplik üretildi.

Bir yıl sonra basma üretimi 12 milyon metreye ve iplik üretimi 407 tona çıktı.

10 yıl sonunda; basma üretimi 20 milyon metreye ve iplik üretimi 2 bin 800 tona çıktı. 1960'lı yıllar fabrikanın istikrarı yakaladığı; 1970'li yıllar ise verimlilik ve kârlılık açısından zirve yaptığı dönemdi. 1974 yılında elde ettiği 71,5 milyon liralık kârla Türkiye'nin o yıl en büyük 100 işletmesi arasında 26. sıraya yükseldi.

Ne oldu ise 1980'li yıllardan sonra oldu...

Neoliberalizm rüzgârları esiyordu.

Sosyal devleti yok eden ve itibarıyla halkı ezen bu iktisadi plan "devrim" diye yutturuldu. Devletin ekonomik hayattan tamamen çekilmesi amaçlanıyordu.

Bu vahşi kapitalizmi savunanlar, –büyük maaşlar karşılığı– gazetelerde yazdırılıp, TV'lere çıkarıldı. Bunlar bilimadamı olmaktan çıkarıldı; ideolog yapıldı.

Laf kalabalığıyla gerçeklerin üzerini örtüyorlardı.

Bunlar; Mehmet Altan, Asaf Savaş Akat gibi dönek liboşlardı.

Onlara göre, tarım ilkeldi; Türkiye bu köylülükten kurtulmalıydı!

Sadrazam Reşit Paşa gibi, iç piyasayı ardına kadar yabancı mallara açan Özal "devrimci" ilan edildi.

Halka hizmet için yoktan var edilen kamu iktisadi kuruluşları, "KİT'ler zarar ediyor; yoksulluğumuzun nedeni KİT'ler" yalanları pompalandı. İşçiler, sendikalar düşman haline getirildi.

Bu gelişmeler yaşanırken Nazilli Sümerbank Basma Fabrikası'nda olduğu gibi KİT'lerdeki makine ve tezgâhlar eskimişti ama değiştirilmiyordu. Nazilli'ye; Karaman, Kayseri, Eskişehir, Bergama, Adıyaman ve Bakırköy fabrikalarından demode, derleme tezgâhlar sökülüp getirildi! Bunlar bilinçli adımlardı; amaç kamu kuruluşlarını gözden düşürmekti.

Teknolojik gerilemenin verdiği zarar ve sürekli küçülmeyle fabrikada iş verimliliği düştü. İşçilerde moral gücü tükeniyordu.

İngiliz baskısıyla Osmanlı'da 160 yıl önce yaşananlar tekrarlandı:

Türkiye'ye sokulan gümrüksüz ham bez ithalatının yanı sıra, suni ve sentetik hazır giysilerle rekabet etmekte zorlanıldı. Pazar kaybedildi.

– 1998 yılında 4,3 milyon metre basma ve 598 ton iplik üretildi.

– 2001'de ise, üretim basmada 1,5 milyon metreye ve iplikte 500 tona düştü. Ve...

Nazilli Sümerbank Basma Fabrikası'na son darbeyi Başbakanlık Özelleştirme İdaresi vurdu. Fabrika kapatıldı ve bedelsiz olarak Adnan Menderes Üniversitesi'ne devredildi. Üniversitenin kullanımı dışındaki büyük bir bölümü, içindeki tarihi dokuma makineleri, araç ve gereçleriyle üç kuruşa hurdacıya satıldı. Kalanlar çürümeye terk edildi.

Kemalist Devrim'e bir bıçak daha saplandı.

Evet: Türkiye'de üzerinde pek durulmayan bir gerçek var; insan okulda değil, fabrikada eğitilir. Nazilli bunun güzel örneğiydi... Şöyle...

Yıllar önce Havana'ya gittiğimde görmüştüm. Kübalılar tütün sararken içlerinden birinin okuduğu klasik romanları dinliyordu.

Bugün Türkiye'deki fabrikalarda Beethoven dinleyerek çalışan hiç işçi var mı? Dün vardı.

Nazilli Sümerbank Basma Fabrikası'nda Beethoven çalıyordu. Piyanosu olan bir fabrikadan bahsediyoruz. Emekçilerinin koro kurdukları ve klasik müzik seslendirdikleri bir fabrikadan! İşçi korosu, sadece Nazilli'de değil, Aydın ve Denizli gibi çevre illerde konserler veriyor ve Atatürk'ün çok önemsediği çoksesli müziği Anadolu'ya tanıtıyordu. Ayrıca:

– İşçilerin radyosu vardı...
– Tiyatro yapıyorlardı...
– Fabrika bir eğitim kurumu gibiydi...
– İşçiler yemek aralarında edebiyat klasiklerini okuyordu...
– Fabrikada eğlenceler düzenleniyordu. Balolar yapılıyordu...
– Haftada 6 filmin gösterildiği 700 kişilik sinema salonu vardı...

– Kurulan "Sümer Halkevi"nde halka biçki-dikiş kursları veriliyordu...

– Yılda iki kere halka bedava basma dağıtılıyordu...

– Fabrikada işçilere okuma-yazma öğretmek için beş sınıflı okul vardı. "Sümer İlköğretim Okulu" adlı bu işçi okulu 980 öğrenciye sahipti... İşçi çocukları için 26 yatak ve 40 mevcutlu bir kreş kurulmuştu...

– Lacivert-beyaz renkli Sümerspor; atletizmden bisiklete, futboldan yüzmeye kadar çok branşta faaldi... Paten yapılıyordu... Bisiklet yarışları düzenleniyordu...

– Fabrika bünyesinde 40 yataklı bir hastane, bir eczane, bir de laboratuvar vardı...

– İşçiler ve memurlar, fabrikanın hemen önünde özel olarak inşa edilen 264 dairelik ve bin kişilik lojmanlarda kalırken, bekâr işçiler için 350 kişilik "Bekâr İşçi Evleri" vardı...

– İşçilerin; Kuşadası Davutlar Yolu'nda, Selçuk-Çamlık yaylasında ve Karacasu Ömür yaylasında kampları vardı...

Eklemeliyim: İşçiler arasında Türkiye'nin dört bir yanından gelenler olduğu gibi, Yunanistan'dan Bulgaristan'a, Almanya'dan İsviçre'ye kadar yurtdışından çalışmaya gelen 1200 işçi vardı.

Şehir merkezi ile fabrika arasında gidip gelen ve fabrika çalışanlarının yanı sıra Nazilli halkının da ücretsiz olarak binebildiği "Gıdı Gıdı Treni" vardı! Ve *Gıdı Gıdı* isminde mizah gazetesi çıkıyordu...

Bir gün yolunuz Nazilli'ye düşerse, Kemalist Devrim'in ürünü, çürümeye bırakılan bu fabrikayı görün; Mustafa Kemal'e olan inancınız artar.

"Halk Partisi" adının nereden geldiğini daha iyi kavrarsınız...

CHP Aslında Nedir?

İşte CHP ısrarla bu gerçeği görmek istemiyor.

CHP... Sadece cephede savaşmış parti değildir.

CHP... Sadece kurtuluşu gerçekleştirmiş parti değildir.

CHP... Sadece kurucu parti değildir.

CHP... Büyük ekonomik dönüşümü sağlamış partidir.

CHP... İnsanı dönüştürmüş partidir.

Bu nedenle...

CHP; Soma'dır...

CHP; zeytin ağaçları kesilen Yırca köyüdür...

CHP; HES'lere karşı direnen derelerdir...

CHP; Sivas'ın kangalıdır, Amasya'nın elmasıdır, Malatya'nın kayısısıdır, Elazığ'ın öküzgözü üzümüdür, Denizli'nin horozudur...

CHP; Anadolu bozkırının buğdayıdır, arpasıdır, samanıdır...

CHP; Sapanca Gölü'dür, Erzurum'un Oltu Çayı'dır...

CHP; Haydarpaşa Garı'dır...

CHP; Bergama direnişidir...

CHP; Gezi'dir...

Bu nitelikleriyle CHP; bağımsızlığın, cumhuriyetin ve devrimlerin erozyona uğramaması için mücadele veren partidir.

CHP'nin "yeni" yönetimi bunu unuttu!

Bunu kavrayamadığı için yumruk yemektedir!

Nasıl mı?..

O Yumruğun Nedeni

Kemal Kılıçdaroğlu'na 8 Nisan 2014'te, TBMM'de yumruk atıldı.

Yumruklayan 26 suçtan sabıkalı AKP'li Orhan Övet'ti.

Niye yumruklamıştı?

Ama önce... Gürer Aykal'ın yıllar önce Odatv'ye yazdığı bir makaleden bahsedeceğim.

Konu: Mandolin!..

Hiç düşündünüz mü; Cumhuriyet'in ilk yıllarında okullarda müzik enstrümanı olarak neden mandolin tercih edildi?

Mandolin, yaylı sazlara, özellikle kemana geçişte müthiş bir kolaylık sağlamasıyla bilinir. Keman ile mandolinin tuş ölçüleri aynı. Bu nedenle mandolin üzerinde çalışan ve eğitilen parmaklar, kemana geçtiği zaman yabancılık çekmez. Bu da mandolinin yaylı sazlara geçişteki kolaylığını açıklar.

Bu yüzden de çoksesli müziğe saygısı olan tüm dünya ülkelerinde, ilköğretim çağındaki çocukların mandolin öğrenmesi teşvik edilir.

Türkiye'de daha sonraları mandolinin yerini önce "melodika", ardından da günümüzde modern kaval diyebileceğimiz "blok flüt" aldı.

Her iki müzik aletinin mandolinle aynı kategoride anılması söz konusu olamaz. Türkiye, çoksesli müzik sanatında Cumhuriyet'in ilk yıllarındaki temposunu bir daha yakalayamamışsa, bunda yürütülen müzik eğitim politikalarının büyük etkisi vardır.

Yalnızca bu çerçeveden bakıldığında bile, Cumhuriyet'in ilk yıllarındaki eğitim atağının gücü ve kapsayıcılığı ortaya çıkmaktadır.

Mandolin... Yumruk... Ve sabıkalı Orhan Övet!..

Ne ilgisi var değil mi? Çok var...

Yıllar önce Köy Enstitüsü mezunu olan, Güzel Sanatlar Genel Müdürü Mehmet Özel *Köy Enstitüleri* adlı harika bir fotoğraf albümü yayımladı. Fotoğraflar bir dönemi tüm gerçekliğiyle ortaya seriyordu.

1930 yılında Türkiye'nin 40 bin köyünün 35 bininde okul yoktu. Köy çocuklarının yüzde 80'i okula gitmiyordu.

CHP, 1935'teki Dördüncü Kurultayı'nda okul ve öğretmen sayısının artırılması için bir dizi karar aldı. Eskişehir Çifteler, İzmir Kızılçullu, Edirne Kepirtepe ve Kastamonu Gölköy'de deneme niteliğinde köy öğretmen okulları açıldı. Ardı geldi...

Hasan Âli Yücel'in Milli Eğitim bakanı olmasının ardından 17 Nisan 1940'ta Köy Enstitüleri Kanunu çıktı. Köy okullarına acilen öğretmen yetiştirilecekti. Van'dan Kars'a; Diyarbakır'dan Malatya'ya; Adana'dan Samsun'a; Sakarya'dan Sivas'a kadar toplam 21 Köy Enstitüsü açıldı.

Fotoğraf albümünde yırtık elbiseler içindeki yoksul köy çocuklarının gelişimleri kare kare gösteriliyordu. İlgimi en çok öğrencilerin ellerindeki mandolin çekmişti. Gürer Aykal sayesinde öğrendim mandolini neden öğrettiklerini.

İleride öğretmen olacak öğrencilerin ders müfredatı şöyleydi: Yüzde 50 kültür, yüzde 25 tarım ve yüzde 25 teknik dersler.

Öğretmenler gittikleri köylerde sadece çocukları okutmayacak, köylülere nasıl verimli tarım yapılacağını, yol yapılacağını vs. öğretecekti.

Diyeceksiniz ki, sadede gel; sabıkalı, AKP'li Orhan Övet'in arkasında kim var? Anlatacağım...

Ankara Elmadağ'ın Hasanoğlan köyünde 15'inci Köy Ensitüsü kuruldu.

Kurucularından biri, tanışmaktan onur duyduğum Rauf İnan'dı. Sıradan eğitimci değildi; 1928'de yurtdışına eğitime gönderilen öğretmenler arasındaydı. Viyana'da Pedagoji Enstitüsü'nde okudu; Viyana Yüksek Halk Okulu'nda kültür felsefesi dersleri aldı ve Paris'te Alliance Française'i bitirdi.

Rauf İnan'ın kurucu olduğu Hasanoğlan Köy Enstitüsü simgeydi. Rauf İnan 10 Temmuz 1941'de temeli atılan enstitü binalarını 11 köy enstitüsünden gelen öğrencileriyle birlikte yaptı. İki okul binası, bir yatakhane, on öğretmen evi, sinema, müzik salonu ve açık hava tiyatrosu, bir ahır ve bir kümes yaptılar. 3 km mesafedeki Hasan Deresi'nden su getirdiler. Çorak araziyi ağaçlandırdılar.

Sonra ne oldu?

Çokpartili siyasal yaşamın başlamasıyla Demokrat Parti, TBMM gündemine Hasanoğlan Köy Ensitüsü'nü getirdi:

– "Öğrencilere komünist eğitim veriliyor"du!..

– "Okul binası orak şeklinde yapılmış"tı!..

– "Kızlı-erkekli karma eğitim kabul edilemez"di!..

CHP 1946 itibarıyla, "iktidarı kaybedeceğiz" paniğine kapıldı; "halk dalkavukluğu modası" Cumhuriyet'in kurucu partisini de etkiledi. Artık önemli olan gerçekçi politikalar değil, halkın oy'una yönelik popülizmdi!

Milli Eğitim Bakanı Reşat Şemsettin Sirer, 1947'de Hasanoğlan Köy Enstisü'nün kapısına kilit vurdu. 1954'te ise DP Köy Enstitüleri'ni kapattı. Enstitü önünden geçen yola "Adnan Menderes" adı verildi!..

Tarih: 8 Nisan 2014.

Hasanoğlan köyü doğumlu 26 suçtan sabıkalı AKP'li Orhan Övet, köylerine enstitü kuran CHP'nin liderine yumruk attı.

Kuşkusuz Kılıçdaroğlu bir yumrukla korkup sinecek karakterde biri değil. Fakat... Bu yumruk aslında, 1950 itibarıyla Kemalist Devrim'i satıp Ortaçağ bağnazlığıyla ittifaka girenlerin yarattığı/doğurduğu bir şiddet/suç değil mi?

Hasanoğlan köyünde mandolin tutması gereken eller, 26 suçu nasıl işledi? Asıl failler kim? Failleri bulmak isteyenler:

Ankara'nın yanı başında bugün yıkılma tehlikesi altındaki Hasanoğlan Köy Enstitüsü'ne gitsin. Binaların mimari üslubunun güzelliğini görsün. Bahçesinde öğrencilerin 60 yıl önce yaptığı heykellere baksın. Çocukların diktiği ağaçlara şaşırsın.

Eminim, Cumhuriyet'in dününü ve bugünü görünce diyecektir ki: Gerçek failler Kemalist Devrim'i satanlardır!

Kemalist Devrim ideolojisini, pragmatizme-demagojiye kurban verdiler!

Sormayacak mıyız?..

Bizim Cumhuriyet aydınlanmamız nasıl Ortaçağ'a dönüştü?

Mustafa Kemal'in kurduğu Cumhuriyet nasıl bu kadar gericileşti-vasatlaştı?
Gelinen bu noktada CHP'nin payı yok mu?

CHP'de asıl sıkıntı derinde...
Siyasi inançsızlık nedeniyle kimi CHP'liler, siyaseti ticari rant alanı olarak görüyor. Varsa yoksa küçük de olsa bir rant koltuğu!
Bu yozlaşma 12 Eylül Askeri Darbesi'nin ideolojisizliği hâkim kılmasının sonucudur.
Siyaset salt para için yapılır oldu. Milletvekilliği bile emekli aylığını garantilemenin aracı yapıldı.
İnançsızlığın sonucu olan çürüme, ideolojiyi de, siyaseti de yok etti. Parti şirket oldu; ANAP gibi, AKP gibi!
Bu nedenle isteği olmayan istifasını verip gidiyor. Yüzeyde ideolojik fikir tartışması olarak gözükenler, aslında derinde kişilik zafiyetini ortaya çıkardı.
Ruh açlığını doyuramazsınız; ne paralar, mevkiler, şöhretler, akademik unvanlar verseniz de insanı ezen bu açlığı yok edemezsiniz. Kocaman bir egoyla yaşayan bu tür insanlar, fikirlerine her karşı çıkışı, eleştiriyi, kişiliğine saldırı olarak alırlar.
Asıl mesele bu "yeni siyaset" anlayışı...

CHP'nin Tek Sorunu

CHP'de "yeni" sıfatı nerden çıktı?
CHP'nin "glasnost"a ihtiyacı var mı?
Bilinir ki, glasnost inançsızlıktır.
İnançsızlık çözücüdür, yıkım getirir.
Koca Roma İmparatorluğu'nu neyin yıktığını sanıyorsunuz?
Sovyetler Birliği'nin ekonomik yetersizlikten mi yıkıldığını sanıyorsunuz?
Genel kabullerle hareket ederseniz çok yanılırsınız. Çözüldüğü tarihte Sovyetler Birliği'nin ne ekonomik ne teknolojik bir sorunu vardı. Bu sebeple Stanislaw Gomulka'dan Paul Cook'a kadar Amerikalı Sovyetologlar, Sovyetler Birliği'nin yıkılmasına çok şaşırdı, hiç beklemiyorlardı. Yanılmalarının nedeni Sovyetler Birliği'nin iktisadi ve siyasi yetersizliklerden batacağına inanmalarıydı. Halbuki Sovyetler Birliği'nde sorun ekonomik değildi. Aksine iktisadi olarak ABD zordaydı; stagflasyon sürecini neoliberalizmle aşmaya çalışıyordu. ABD zordaydı...

Yani: Sovyetler Birliği'ni, umutsuzluğu kimlik haline getiren bürokratik elit inançsızlığı yıktı.

"Perestroyka" ve "glasnost" mucidi Mihail Gorbaçov genel sekreterliğe geldiğinde tıpkı bir "mesih"/kurtarıcı olarak görüldü.

Sonra görüldü ki; meğer kendine güveni ve sosyalizme hiç inancı yokmuş. Çok kolay ricat etti. Önce tarihini reddederek kötülemeye başladı.

Sürekli iç ve dış politikada yapılan "hata"lardan bahsetti.

Sonra, bugün pek moda olan "demokratizatsiya" dönemi açıldı. Yani, Amerikan usulü başkanlık sistemi kuruldu. Tüm bunlara "Yeni Politik Düşünce" adı verildi.

"Kurucu" Gorbaçov'un iki temel eksikliği vardı:

İdeolojik bir dayanağı yoktu.

Ve ikincisi; zor kararları alamayan bir bürokrattı.

Evet... CHP'nin bir "glasnost"a ihtiyacı var mı?

Halk Partililer tarihlerinden, ideolojilerinden/devrimlerinden şüphe mi duymaktadır?

Bilinmez mi, kuşku inançsızlığın anasıdır.

Maalesef!..

CHP'deki pragmatizm, partiye Fethullah Gülen Cemaati ile ittifak yaptırıyor! Oysa...

Kontrgerilla'yla, Susurluk Çetesi'yle mücadele eden CHP, bugün "paralel devlete" göz yumabilir mi? Siyasetin gereği bu olamaz.

CHP tabanı ne derseniz yapacak "güruh" değildir; devrimcilere Gladio'yu kabul ettiremezsiniz.

Artık bilmeyen kaldı mı:

– "Paralel devlet" Cemaat'in hâkimidir, savcısıdır, polisidir...

– "Paralel devlet" Cemaat'in yasal görünen yasadışılığıdır...

– "Paralel devlet" Cemaat'in adaleti intikam aracı haline getirmesidir...

CHP bunu kabul edemez.

CHP Türkiye'yi Cemaat ittifakıyla özgürleştiremez.

Herkes, bu dinci Cemaat çetesinin emniyette neden örgütlendiğini artık biliyor.[26]

Büyük oyunu görmek için; Türkiye'deki son TSK tasfiyesini ve polisin artan gücünü anımsatmaya gerek var mı?

Kurgulanmış siyasal davalardan amaç yeni bir devlet inşası önündeki tüm engelleri kaldırmak değil miydi?

---

26 Dün polis, Tanzimat'ta olduğu gibi yeni devlet inşasının temeliydi.
Bugün de polis, Cemaat'in yeni devlet inşasının temeli.

Cumhuriyet kazanımlarını kökten yıkacak Cemaat ideolojisinin; uluslararası güçlere boyun eğen, despotik ve çağdışı bir devlet kuracağı ortada değil miydi?

Dün bunları gören CHP bugün bunları nasıl görmez?

Bunun üzerinde durmak şarttır...

Kim Bunlar?

Güçlükler güçle yenilir.

Sorumluluğundan kaçmak insanı ihanete sürükler.

Sorumluluğundan kaçmamak insanı aydın yapar! O halde sorayım...

CHP partiyi kemiren inançsızlığa niye son vermiyor?

Dar kafalı fanatizme, bir kibirli gaddara karşı CHP neden halk cephesi kuramıyor?

CHP, Madımak değil mi?..

CHP, Başbağlar değil mi?..

CHP, Uludere değil mi?..

Evet! Biz böyle bilmiyor muyuz:

CHP, acı çekenin yanında duran partidir. Matadorun değil boğanın yanındadır.

CHP, sıradan bir kötülüğün değil derinliği olan iyilikten yana olan partidir.

CHP, inadına umudu yaşatan ve inadına ruhun asaletini koruyandır.

CHP, teslim alınamayanların partisidir...

O halde...

CHP'de niye herkes üzerine ölü toprağı serpilmiş gibi hareketsiz?

Türkiye'yi bağnazlık bataklığından çıkaracak bir hoşgörü manifestosuna ihtiyaç yok mu?

Günlük, kısır siyasi polemikler arasında yitip gidileceği görülmüyor mu?

İşin özü şudur:

Türkiye yeni bir ekonomik ve siyasi yol ayrımında.

Bu gergin, sert sancılı/kaotik politik ortamın temel sebebi de budur.

Şu an Türkiye'de bir yapay siyasal düzen var.

Artçı depremler TKP'den *Cumhuriyet* gazetesine kadar yaşanmaya başlandı. Asıl depremin CHP'de olacağı görülüyor. Çünkü...

CHP, Türkiye'nin geleceğe açılan kapısıydı. Ne yazık ki, geleceği inşa etmek felsefesinin / Kemalist Devrim'in pusulası kırıldı. Sandığa mahkûm siyaset, CHP'yi gericileştirip "her yol mubah" diyen pragmatist parti yaptı.

İktidar olmak için her yol mubah olur mu?

ABD elçisinden bile medet umulur mu; gizli kapılar ardında toplantılar yapılır mı?

Cemaatçilerin verdiği bilgi-belgeyi açıklamak muhalefet yapmak sanılır mı?

Erdoğan'ları ortaya çıkaran 1990'lı yıllardaki kriz politikalarının sorumlusu, her devrin adamları sözüm ona sağcı-solcu profesyonel "akıl vericiler" yol gösterici yapılır mı?

Dünyada halkçı partiler iktidara gelirken, "Halk Partisi" adı unutulur mu; Altı Ok'tan utanılır mı?

Halka değil, kapalı kapılar ardındaki Soros tipi güçlere dayalı bu siyaset anlayışı yıkılmaya mahkûmdur. Yanlış siyaset doğru yapılamaz...

Aslolan iktidar değil, saygı'dır.

Çünkü kalıcı olan iktidar değil, partinin kişiliğidir.

Büyük olmak demek yön vermek demektir. CHP büyük bir partidir ama bundan haberi yoktur!

Tarihsel niteliğini; niceliğe / sayıya mahkûm etmiştir.

– CHP, kendini akıntıya kaptırmıştır; sürüklenmektedir. Dümenin bir türlü rotaya sokulamamasının nedeni politikasızlıktır.

– Fikir üretememenin, bir türlü düşünsel zenginliğe ulaşamamamın nedeni politikasızlıktır.

– Muhalefet yapıyor gözükme adına Erdoğan'ı taklit ederek basmakalıp laf ebeliğine sarılmasının nedeni politikasızlıktır. Kimlik siyasetine yenik düşmesinin nedeni politikasızlıktır.

– CHP'nin bir türlü geniş halk kesimlerinin umudu haline gelememesinin nedeni politikasızlıktır.

Politikasızlığın nedeni teorinin olmamasıdır.

Türkiye İşçi Partisi'nin 1965-69 TBMM yasama döneminde 15 milletvekiliyle neler yaptığını biliyoruz. Bu milletvekilleri daha mı cesurdu; daha mı çalışkandı? Hayır.

CHP milletvekillerinin performansına kimse kötü söz edemez; ve keza parti örgütlerini 12 Eylül zindanları bile "pes" ettirememiştir. Ama eksik olan teori'dir. Teorisiz pratik olmaz. Olursa bu durum; karanlık yabancı denizlere açılan yanlış seferlere benzer.

CHP'nin kurtarıcıya değil, teorik akla ihtiyacı vardır.

Programını bilmeyen ve itibarıyla kafası karışık bir parti, ciddiye alınan bir muhalefet yapamaz. Bir o yana bir bu yana sallanıp durur. Dün eleştirdiğini gün gelip övüverir! Bu ikircikli politika, partideki ve halktaki inancı öldürür.

Ne yazık ki...

CHP yolunu kaybetti; istikametini bilmez hale geldi/getirildi. Bu nedenle...

Sorunlar çözülemedikçe partinin performansı daha da düşer. Bu durum... Hoşnutsuzluk çatışma doğurur; parçalanma kaçınılmaz olur. Yani... CHP kendisini kandırıyor; bu böyle gitmez.

Çaba; kurucu partiyi, dün olduğu gibi bugün de halkına umut veren mücadeleci CHP yapmaktır.

Çaba... CHP'yi neoliberalizm bataklığından kurtarmaktır.

Çaba... CHP'yi dogmatizm bataklığından kurtarmaktır.

CHP'yi uçuruma sürükleyenlerin kimler olduğu sır mı?

Sorumlular belli...

Bunlar... Düşün insanı için en büyük eksiklik olan direnme gücünden hayatları boyunca yoksundurlar.

Bunlar... Hiç bedel ödemeyenlerdir. Ne yoksul halkı tanırlar ne sokağı bilirler. Bu nedenle siyaseti masa başı stratejisiyle kurgulayacağını sanırlar.

Bunlar... Mevki, para pul, menfaat, için Pensilvanya belasından medet umarlar.

Bunlar... Fikir despotlarının-zihniyet zorbalarının kalesi gerici/yobaz gazetelerden-televizyonlardan çare umarlar.

Bunlar... CHP'yi cehaletin kuyruğuna takarlar.

Bunlar... Zengin sofralarında bulunmakla övünürler.

Bunlar... Siyaseti; sadakatsizlik üzerine kurarak çürütürler.

Bunlar... Düşünsel kirlilikleriyle partiyi küçültürler.

Cahildirler, hilekârdırlar, hırsız adayıdırlar...

CHP, partili görünümlü bu düşünsel değerleri olmayan bozguncuların oyununu bozmak zorundadır.

Bunlar... Mustafa Kemal'in emaneti CHP genel merkezine şeytani hilekârlıkla sızdılar...

Kimi örgütleri-belediyeleri zaptettiler...

Milletvekili olup meclise girdiler...

Mücadeleci yiğit partilileri CHP'den kovdular; moralleri bozdular...

Partide dostluğu, yardımlaşmayı, güveni, dürüstlüğü yok ettiler...

En önemlisi... CHP'yi, para kazanmanın aleti haline getirdiler.

– CHP'yi, genlerindeki devrimci özünden/kimliğinden döndürmek isteyen bunların elinden kurtarmak şarttır.

– CHP'yi, şişmiş, hantallaşmış düzeni değiştirme heyecanını, arzusunu taşımayanların elinden kurtarmak şarttır.

– CHP'yi, gücünü kapalı kapılar ardındaki kirli entrikalardan alanların elinden kurtarmak şarttır.

– CHP'yi, sizin, demokratik muhakemesine güvenmeyen ve partiyi tepeden yönetmeyi hedefleyenlerin elinden kurtarmak şarttır.

Ve siz! Sizler!.. Ruhunda zarafet taşıyan CHP'liler!

Manevi ve ahlaki bağımsızlığını lekesiz koruyan CHP'liler!

Devrimciler. Demokratlar. Vatanseverler. Namuslular.

Biliyorum... CHP'nin genetiğinde Kuvayı Milliye'nin mücadele ruhu vardır.

12 Mart'lar 12 Eylül'ler; askeri darbeler yıkamadı CHP'yi.

Gladio'nun faşist kurşunları durduramadı o cesur partilileri.

İşkence tezgâhları, hapisler susturamadı o onurlu partilileri.

AKP'nin 14 yıllık zorbalığı sökmedi.

Ey CHP'li arkadaş! Asıl mesele sadece AKP zulmü değil; partiyi içten kemiren parazitlere karşı da mücadele etmektir.

CHP'nin tarihsel birikimine sahip çıkarak partiyi inançsızların elinden kurtar; devrimci ruhuna tekrar kavuştur. Döneme yenilme.

Bil ki, zorlu sınavlar direnç gösterilmeden kazanılmaz.

Bil ki...

– Atatürk'ten, Altı Ok'tan ve modern ulusal karakterimizden utanarak iktidar olunmaz.

– "Bu olmadı onu yapalım; o olmadı bunu yapalım" kafa karışıklığıyla/kararsızlıkla iktidar olunmaz.

– CHP'yi sinikleştiren "bekle gör politikaları" terk edilmeden; "öncü parti" kimliğine sahip çıkılmadan iktidar olunamaz.

– Tüm sorunların kaynağı olarak Cumhuriyet devrimlerini gören çıkar merkezli hırsız çetesiyle hesaplaşmadan iktidar olunmaz.

– Yıllar içinde partiye sinsice girip, partinin dinamizmini öldüren "muhafazakârlık virüsünü" ve "liberal-yeni sağ" etkileri bünyesinden koparıp atmadan iktidar olamaz.

– Salt iktidar eleştirisiyle de iktidar olunmaz.

– Meclis'e soru önergeleri vererek, diğer partilere laf sokarak, salı toplantılarında esip gürleyerek iktidar olunmaz.

– Popülizme teslim olup vitrinine yeni yüzler değil, yeni düşünceler koymadan iktidar olunmaz.

– Medyaya esir düşerek, medyanın popüler isimlerini aday göstererek iktidar olunmaz.

Ve halka güven vermeden iktidar olunmaz.

Ve yoksullukla savaşmadan iktidar olunmaz.

Ve mücadele etmeden iktidar olunmaz.

İnadına umudu diri tutmadan iktidar olunmaz.

Dizginsiz sermaye diktasıyla / vahşi kapitalizmin siyasetiyle, kültürüyle hesaplaşmadan iktidar olunmaz! Tüm bunların yolu halkçı-devrimci bir programdan geçiyor.

Hakikatleri, gerçeklik kazanacak kadar tekrar etmek gereksiz sayılmaz.

Yapılması Gereken

CHP, radikalleşmelidir; Kemalist Devrim bayrağını, bırakıldığı 1930'lardan alıp yürüyüşe devam etmelidir. Yeteri kadar yerinde saymıştır. Hedef ileri gitmektir.

CHP'liler siyasal inancından şüphe etmemelidir. Düzen değişikliğinden yana olduğunu bağırmalıdır. Kendi devriminden korkmamalıdır, utanmamalıdır.

Bu şişmiş, hantallaşmış, gericileşmiş düzeni değiştirme heyecanını-arzusunu ancak bu devrimci ruhu dirilterek gerçekleştirebilir. Öncelikle yapması gereken, demokrasiyi, siyaseti değersizleştiren ve insanı, doğayı yok eden "piyasa köktencisi" vahşi kapitalizmle arasına duvar örmektir.

Yoksul halktan-üretimden yana değil; tüketimle doların-borsanın tanrılaştırıldığı finans çevreleri / bankalar çıkarına politika yapmaktan artık geri durmalıdır.

Sağlık, eğitim, çevre, tarım, çalışma hayatı, adalet, özgürlükler gibi birçok alanda halkın lehine bir dizi köklü dönüşümleri gündemine alıp cesurca açıklamalıdır.

CHP, mistik bir parti değildir; rehberi bilimsel düşüncedir ve bundan taviz vermeyeceğini herkese yiğitçe göstermelidir.

Bu yeterli değildir.

Dünyada demokrasi ve parti olgusu bile tartışılırken donmuş siyasal yapılarla halka ulaşmak zordur. Yani... Yönetim biçiminden örgütlenme biçimine kadar bir dizi değişiklik yapılıp, siyasete yeni bir yöntem ve dil kazandıracak yepyeni bir politik yapı inşa edilmelidir.

Örnek vermek gerekirse... Propaganda yöntemleri bile kökten değiştirilmelidir. Bu teknoloji çağında politik faaliyet, salt miting yapmak, afiş asmak, bildiri dağıtmak olmamalıdır.

Zihinsel alışkanlıkları kırmak gerekir.

Parti bürokrasisine yenilmiş Soğuk Savaş artığı siyaset yapma alışkanlıklarından değil. Bu tür yapılar-yöntemler artık çıkmaza girmiştir. Çağdışıdır.

Politika, şimdiki zamanın önemini yol gösterici bir ilke olarak kabul eder. Çünkü politika durmaz, kendi başına ilerler.

Bu nedenle... Bu köhnemiş anlayışları yıkarak geleceğin siyaset yapma biçimini inşa etmek zaruridir.

Bir özgürleşme siyasetinden bahsediyorum.

Yeni "siyasal modeller" yaratılmalıdır.

Yeni bir "kolektif yapı" doğurulmalıdır.

Yeni siyasal araçlarla yeni politik süreçler organize edilmelidir.

Siyasal gettolardan çıkılmalıdır ve yeni örgütlenme modelleriyle halkı kapsayan dinamik bir güç yaratılmalıdır.

Bir sınıf ya da bir grup-lobi için değil, insanlığın tamamı için mücadele vermeyi hedefleyen bir politik yapı kurulmalıdır.

Örgütlü bir birlik içinde farklılıklar ve tartışmaların zenginlik olduğu içselleştirilmiş yönetimler iş başına getirilmelidir.

Artık... Teorisi ve pratiğiyle yeni türkü söyleme zamanıdır.

İşte o zaman... Bugünün yenilmişleri yarının yenenleri olacaktır.

Romalı filozof Seneca'nın dediği gibi...

"Yüreği yılmadan düşen, dizleri üstünde savaşmayı sürdürür."

Kılıçdaroğlu'na Mektup

Kişisel olarak çok sevmeme rağmen 1 Kasım 2015 genel seçiminden sonra Kılıçdaroğlu'na acı bir mektup yazdım.

Bu bölümü böyle bitireyim...

Kemal Abi...

Marks der ki:

"Toplumsal reformlar; güçlünün zayıflığından ötürü değil, her zaman zayıfın gücünden ötürü gerçekleşir."

Yani... İktidar size sunulmaz; siz iktidarı söke söke alırsınız, demeye getiriyor.

Kollarını kavuşturup nesnel koşulların oluşmasını bekleyenler her daim yenilmeye mahkûmdur, demeye getiriyor.

Ne yazık ki siz...

İflah olmaz politik toyluğunuz nedeniyle, zayıfa güç kazandıramadınız!

ABD'nin, TÜSİAD'ın ve kimi medyanın iktidarı avucunuza koyacağını sandınız!

Ya da kumpasçı Fethullah Gülen'in!

Niye böyle bir tavır içindesiniz, biliyor musunuz?

Çünkü siz, 1990'larda yaşıyorsunuz.

Dünya için garabet olan "duvarın yıkılma" şokundan çıkamıyorsunuz. Neoliberalizmin zaferini taçlandırmak için ortaya atılan "tarihin sonu" (kapitalizmden başka yol yok) safsatasınaböbürlenmelerine hâlâ inanıyorsunuz.

1990'ların etkisiyle sol politikaların bittiğini sanıyorsunuz ve sosyal adalet gibi kavramların adını bile duymak istemiyorsunuz.

Sovyetler Birliği'nin çöküşünü takip eden günah çıkarma, içe kapanma ve pişmanlık günlerinin etkisinden bir türlü kurtulamıyorsunuz.

Sol'u suçlayıp itip kalan ufuksuzlar kervanından kopamıyorsunuz.

Yani... Vahşi kapitalizm ve onun dayanağı "yeni sağ" hayaline kapıldınız gidiyorsunuz. Hâlâ Soros'cu TESEV kafasındasınız!

Ya da kibarca dersem... Bugün "model" değil, sadece sürekli tasarruf tedbirleri yalanıyla işsizliği-yoksulluğu artıran "mali disipline" dönüşen AB için, 1990'larda "insanlığın gelecek modeli" diyen Habermas kafasındasınız!

Bu nedenle... Vahşi kapitalizmin ülkeleri ve insanları yok eden sömürü sistemine boyun eğmeyi inatla sürdürüyorsunuz.

Bu nedenle... Zenginlerden çekinip dünyada ve Türkiye'de insanı çileden çıkaran eşitsizlikler hakkında tek söz etmiyorsunuz.

Bu nedenle... Batı'dan çekinip –Ecevit'in Saddam'ın yanında durduğu kadar– emperyalizmin hedefindeki Esad'ın, Kaddafi'nin yanında duramadınız.

Avrupa'da örneklerini gördüğümüz ve yok olup giden aldırmaz lakayt sosyal demokrat liderlerden hiç farkınız olmadı...

Kemal Abi...

Alain Badiou der ki:

"İnsanlar eşit ve özgürdür. Eşitlik bir amaç ya da sonuç değil, eylemin dayanağıdır. Bu basit hakikati inkâr eden her şey direnme hakkı ve görevini yaratır."

Özgürlük kendisini, istemek ve eylemekle gösterir, demeye getiriyor.

Özgürlük ancak kendisini oldurarak olur, demeye getiriyor.

Eylemsiz özgür kalınamaz, eylemsiz özgür olunamaz, diyor.

Gerçekten merak ediyorum.

Siz... Hayatınız boyunca bir eylemde yer aldınız mı?

Bunu şu nedenle soruyorum:

Sol'un sadece teorisini değil, pratiğini de öldürdünüz.

Oysa, eylem üzerinden düşünmek sol'un en güçlü silahıdır.

Siz... Eylemden, direnmekten, başkaldırmaktan hep çekindiniz.

Bürokrat kimliğiniz nedeniyle –hayatın can merkezi– sokağı/eylemi unutup CHP'yi genel merkeze ve Meclis'e hapsettiniz.

Haziran Direnişi'ni, karşılarına Ekmel Bey'i koyarak durdurdunuz.

AKP "devlet partisi" yapılırken CHP'yi inzivaya çektiniz.

Bir türlü harekete geçmeyen "yaşlılar partisi" hüviyetine büründürdünüz devrimler yapmış koca partiyi.

Hep uzlaşmacı pasif politik kimliğinizle, masa başında üretilen süslü retorikle CHP'nin tarihsel rotasını geriye yönlendirdiniz.

Oysa, CHP put kırıcıdır.

Statükocu parti değildir. Tarihte CHP'yi bu noktaya getirip itibarsızlaştıranlar iktidar yüzü görmemişlerdir.

Fakat siz de ne yazık ki aynı yolda yürümekte kararlısınız!

Oysa, ne çok umudumuz vardı. Ama...

Hiçbir siyasal inancı olmayan bir Gorbaçov olup çıktınız karşımıza!

Bugün hâlâ... Bunun CHP'yi parçalayıp yok edeceğini göremez haldesiniz! CHP'nin "ölüm fermanının" yazılmasına nasıl razı olursunuz?

Kemal Abi...

Sol'un uzun karanlık gecesi bitti.

Suçluluk duyma devri sona erdi.

Yeni bir rüzgâr esiyor dünyanın dört bir yanından.

2000'li yılların başından itibaren dünya; sol hareketlerin teorik ve politik dirilişine sahne oluyor.

Dünyayı kaplayan vahşi kapitalizme ve onun destekçilerine karşı amansız bir mücadele veriliyor. Seçimler kazanılıyor.

Bu terör ve kriz çağında etik-ahlak abidesi solcu ruh tekrar tarih sahnesine çıkıyor.

Tutuculuk dönemi bitiyor.

Sessizlik dönemi bitiyor.

Artık halkçı politikalara çamur atılamıyor.

Artık sol düşüncenin üzerine gölge düşürülemiyor.

Evet... Kemal Dervişçi "kumarhane ekonomisi" fantezilerine inananlar artık yolun sonuna geliyor.

Evet... Politik düşünsel dağınıklığın, istikrarsızlığın ve beceriksizliğin sonuna geliniyor.

Çetin ve ısrarcı çalışma yerine salt seçime dayalı politik faaliyet yürütmenin sonuna geliniyor.

Kemal Abi...

Tüm içtenliğimle yazıyorum.

Sizi insan olarak/ağabey olarak çok seviyorum, çok güveniyorum.

Ama ben, tarihsel ilerlemeye de inanıyorum.

Siz, 1990'ların düşünsel kirliliğinden/bataklığından bir türlü çıkamıyorsunuz.

CHP'ye artık zarar veriyorsunuz. Kongreler kazansanız da bu politik tutumlarınızla CHP'nin başında kalmanız zor.

Kendinize yazık etmeyiniz. Daha çok gözden düşmeyiniz; o büyük saygınlığınızı erozyona uğratmayınız.

Çok üzgünüm... Yazmak zorundayım: Atatürk'ün koltuğundan kalkınız.

CHP'nin başkaldıran bir ruha ve halkçı politikalara ihtiyacı var.

Tüm devrimciler gibi Che Guevara da benzer sözler söylüyor:

"İktidarın olgun bir meyve gibi ellerine düşmesini bekleyenlerin bekleyişi hep sürecektir."

Sizi işaret ediyor.

Tanıyorum ki iktidarın elimize düşmesini beklemeyecek çok CHP'li var.

Her gün, her saat mücadele edecek çok CHP'li var.

Koca Nâzım'ın dediği gibi...

"Bıraksın peşimizi kendi yüreğinin kabuğunda yaşayanlar!"

Kemal Abi...

Ben hep harflerimi, kelimelerimi ve cümlelerimi tarihe emanet ederim.

Yanılmayı çok isterim. Ama yanılmayacağımdan eminim...

İsterim ki tarihte zarif kişiliğinizle yer alırsınız.

Bu satırları bir dost olarak yazdığımı günün birinde anlayacaksınız.

Goethe tarihe, "Tanrı'nın gizemli atölyesi," der.

Bu gizemli atölye; ayrıntılarla uğraşmaz; sıradanlığa aldırış etmez. İnsanın yıldızının parladığı anları bekler.

Stefan Zweig, insanın yıldızının nasıl parlayacağını şöyle yazdı:

"Tek bir evet, tek bir hayır; bir anlık erken davranma ya da bir anlık geç harekete geçme; bu ânı, yüzlerce kuşak da geçse asla geri getiremez ve bu yitirilen an bireylerin ve ulusların yaşamını ve hatta bütün bir insanlığın yazgısını belirler."

Nokta.

Üçüncü Bölüm
HDP'DEKİ "ÖPÜCÜK" SORUNU

Soralım...

Kürt siyasal hareketlerinin hiçbir toplantısında veya mitinginde Deniz Gezmiş'in posteri neden yok?

Son sözlerini şöyle haykırmamış mıydı:

"Yaşasın Türk ve Kürt halklarının bağımsızlık mücadelesi! Kahrolsun emperyalizm! Yaşasın işçiler, köylüler!"

Sebebi belli...

Hiç unutmam: Mehmet Altan katıldığı "Siyaset Meydanı" programında "emperyalizm teorisinin" K. Marks'a ait olduğunu söylemişti!

Bu adam profesör...

Bu adam ekonomi profesörü...

Evet –güya– bu adam solcu...

Yahu... İnsanın bu kadar "titr/unvanı" olur da John Atkinson Hobson (1858-1940) adını bilmez mi?

Üstelik Hobson da ekonomistti; ve sosyal bilimciydi.

Marks'ın nasıl zengin yoldaşı F. Engels varsa; Hobson'un da iktisat araştırmalarına maddi katkıda bulunan işadamı Albert F. Mummery adlı dostu vardı!

Hobson, "Yoksulluk" (*Problems of Poverty*, 1891), "Modern Kapitalizmin Evrimi" (*The Evolution of Modern Capitalism*, 1894), "İşsizlik Problemi" (*Problem of the Unemployed*, 1896), "John Ruskin: Sosyal Reformcu" (*John Ruskin: Social Reformer*, 1898) adlı kitaplarını yazdı.

İngilizlerin, Güney Afrika'yı işgal eden İkinci Boer Savaşı'nı (1899-1902) *Manchester Guardian* adına muhabir olarak takip etti. İşte bu savaşta "emperyalizm" kavramı tanımını yaptı.

Tartışmasız başyapıtı "Emperyalizm" (1902) kitabında; emperyalizmi, yeni pazarlar arayan "modern kapitalizmin" zorunlu sonucu olarak tanımlayarak Lenin, Troçki, Luxemburg gibi sosyalistleri etkiledi.

Deniz Gezmiş'in son sözlerindeki emperyalizm; yayılmacılık demekti.

Bu, bir ülkenin topraklarını geliştirmesiyle de olurdu; bir ülkenin, başka ülkenin kaynaklarından yararlanmasıyla da olurdu.

Bu nasıl gerçekleştirilirdi? Silahla! Ya da...

"Bayram değil seyran değil eniştem beni niye öptü?" deyimini haklı çıkaracak, "öpücük"le!

Bu öpücük; "medeniyet", "demokrasi", "özgürlük", "insan hakları", "barış" sözleriyle fiiliyata geçirilirdi ki, öpülen sadece öpüldüğünü sansın!

19'uncu yüzyılın sihirli yalanı, "medeniyet"ti.

20'nci yüzyılda sihirli yalan "demokrasi" oldu.

Günümüzde "demokratikleşme" denince hemen şüphe duyuyorum. Örneğin...

ABD'nin, Ayn el-Arap (Kobani) bölgesindeki PKK'nın yan örgütü PYD'ye havadan silah ve mühimmat yardımında bulunması üzerine örgüt yöneticisi Enver Müslim, "Aldığımız malzemeler yerine sağlam bir şekilde ulaştı. Bize bu yardımı yapanlara teşekkür ediyoruz," dedi. Bizim Odatv'nin bu haberle ilgili başlığı ironikti: "Bu emperyalizm bi harika dostum!.."

Oysa. Ne ebola, ne mers; günümüzde en öldürücü hastalık emperyalizmdir.

Bulaşıcıdır ve "öpmeyle" geçer...

Dikkat edin kim ki... "Ulus-devlet bitmiştir," veya "Emperyalizm çağı artık geride kalmıştır," lafını ederse; bilin ki bu sözü eden kişi "öpülmüştür"!

Siz ki... "Aydınlanma, bağımsızlık, laiklik" derseniz ve birileri size burnunu kıvırıyorsa, bilin ki "öpülmüştür".

Birinci Dünya Savaşı'nın öncesinde 28 Temmuz 1914'te yayınlanan ünlü "93 Manifestosu"nu bilir misiniz? 93 Alman sanatçı-yazar-bilim insanı, Almanya'nın neden Belçika'ya savaş açması gerektiğini imzaladıkları bildiriyle dünyaya duyurdu; Belçika'ya Goethe'nin, Kant'ın, Beethoven'ın medeniyetini götüreceklerdi!

Emperyalizmin "öpücük" aldatmacasıyla gittiği coğrafyaya kıran girer. Bilim insanını bile "öpücükle" yoldan çıkarır!

Birinci Dünya Savaşı öncesi Avrupalı kimi solcular da bu oyuna geldi ve tarihin en büyük bölünmesini yaşadılar... Kimi sol/sosyalist partiler parlamentolarında savaşa "evet" dediler; (Avusturya'dan Adler, Almanya'dan Ebert, Rusya'dan Plehanov) sağcı hükümetleriyle işbirliği yaptılar; (Fransa'dan Vaillant,

Belçika'dan Vandervelde, İngiltere'den Henderson) savaş kabinelerinde yer aldılar.[27]

Demek... İşçi sınıfı birbiriyle savaşacaktı! Hani, dünyanın bütün işçileri birleşecekti! Enternasyonalist ütopya yerle bir oldu.

Savaşa sadece dört parti karşı çıktı: Rusya'dan Menşevik ve Bolşevikler; İngiltere'den İşçi Partisi ve Sırbistan'dan Sosyal Demokrat Parti. Bunlara göre, "100 kölesi olan bir köle sahibi, kölelerin daha 'adil' dağılımı için, 200 kölesi olan bir köle sahibine karşı savaşa girişiyordu!"

Bolşeviklerin lideri Lenin, bu eğilimi "sosyal-şovenizm" olarak adlandırdı: Teoride, sosyalizm; pratikte, şovenizm!

Emperyalizm gökten zembille inmiyordu! İyi tanımak gerekiyordu!..

Aradan yıllar geçti. Bugün... Emperyalizm Türkiye solunu da bölüyor. Ülkemizde saflaşmanın mihenk noktası emperyalizm...

Bölgede haritalar yeniden çizilirken...

Türkiye solu, Türkiye milliyetçisi, Türkiye Müslümanı "kafasız" mücadeleye devam ediyor. Anlamamaya dayalı bir süreç yaşıyoruz. Çünkü, bu ülke aydınının teorik dünyası sığ! Bu nedenle, hayatı yenilgilerle geçen bizim romantik aydının "çocukluk hastalığı" devam ediyor:

Kafasındaki şablona uymayan gerçekleri görmek istemiyor. Aydınımız...

Acı ama, düşünme yetisini kaybetti.

Acı ama, siyasi zekâsını kaybetti.

Acı ama, mücadele ruhunu yitirdi.

Bu nedenle kuyrukçu oldu!

Kuyrukçu kendine güveni olmayandır. Yani...

Türkiye'nin yaşadıkları üzerine açık-anlaşılır tavrı koymayanlar; kendilerinin bir güç olamadığını kabul edenler; kitle tabanı olan siyasi güçlerden birine (örneğin; AKP'ye veya PKK'ya ya da Cemaat'e) eklemlenmeyi tercih ediyor.

---

27 Savaşa "evet" diyen 31 yaşındaki Fransız sosyalist bir milletvekilinin bu karardan sonraki hayatını örnek vermeliyim: Pierre Laval, 1914'ten 1919'a kadar sosyalist milletvekili, 1927'den 1940'a kadar senatör, 1925'ten itibaren ise defalarca bakanlık görevlerinde bulundu. 1931-1932 yıllarında başbakanlık, 1934'ten 1936'ya kadar dışişleri bakanlığı, 1935-1936 yıllarında tekrar başbakanlık ve aynı zamanda dışişleri bakanlığı yaptı. Hitler'in Fransa'yı işgalinde Naziler ile anlaştı ve 1942'den 1944'e kadar başbakanlık koltuğunda oturdu. Savaş sonunda işbirlikçilik ve vatana ihanet suçlamasıyla idama mahkûm edildi ve 15 Ekim 1945'te kurşuna dizildi. Yani, 1914'teki yanlış tutum bir sosyalisti nereden nereye sürüklemişti!..

İtibarıyla siyasi kimliklerini kaybediyorlar.

Bu nedenle; "yetmez ama evet" diyenler bugün "Kobani" dışında söz dinlemek istemiyor! Hep aynı kişiler olması tesadüf olabilir mi? Ki bunlar...

Bu kuyrukçular, ideolojiyi-siyaseti yorumlama hakkını bağnazca kendi tekeline almak istiyor; "düşünce tiranlığı" kurmak istiyor.

Yorulmadılar da... (AKP desteği örneğinde olduğu gibi) yenilgi kaçınılmaz olunca; hayatları, yaşadıklarına sorumlu bulmakla geçiyor.

Oysa... Her maddi durum/her olgu bilinç yaratır.

Dün bugünün anahtarıdır. Duygularınla değil, kafanla düşünürsen safını rahatça seçebilirsin:

"Öpülmek" istiyor musun, istemiyor musun?

Yani... Kiminle yatağa girdiğin önemli.

Öcalan'ın Babası

Yıl 1972...

Haki Karer, 1950 Ordu Ulubey doğumluydu. Ankara Üniversitesi Fen Fakültesi öğrencisiydi ve Deniz Gezmiş ile arkadaşlarının kurduğu THKO'nun sempatizanıydı.[28]

Kemal Pir, 1952 Gümüşhane Güzeloluk köyü doğumluydu. Ankara Üniversitesi Dil ve Tarih-Coğrafya Fakültesi öğrencisiydi ve Mahir Çayan ile arkadaşlarının kurduğu THKP-C'nin sempatizanıydı.[29]

Her ikisi de Ankara Emek Mahallesi'ndeki bir evin bodrum katındaki öğrenci evinde kalıyordu. Yıl sonuna doğru evin misafirleri arasına Abdullah Öcalan da katıldı.

Cemil Bayık, Dil ve Tarih-Coğrafya Fakültesi'nde Kemal Pir'in okul arkadaşıydı; Emek Mahallesi'ndeki bu bodrum katında Öcalan'la tanıştı.

Ankara'daki grup zamanla büyüdü; bugün PKK yöneticilerinden Kayseri Sarızlı Rıza Altun, Adana Tufanbeylili Duran Kalkan, Tunceli Ali Haydar Kaytan vs. bu ekip içindeydi.

Hepsi solcuydu... Hepsi sosyalistti...

Mazlum halkların kurtuluşunun; Türk ve Kürt kardeşliğinin

28 18 Mayıs 1977'de "Sterka Sor" (Beş Parçacılar) denen Kürt grup tarafından Gaziantep'te öldürüldü.

29 Kemal Pir, Diyarbakır Cezaevi'ndeki ölüm orucu sonucu 7 Eylül 1982'de öldü.

emperyalizme karşı vereceği mücadele sonucu mümkün olacağına inanıyorlardı.

Bu nedenle... Lice'ye 20 km uzaklıktaki Fis köyünde 26 Kasım 1978'de PKK kurulurken, adının "Komünist Parti" olup olmayacağı tartışıldı. Öcalan, Vietnam İşçi Partisi etkisiyle mutlaka "işçi" adının olması gerektiğini söyledi.

İçlerinde Kürtçe bilen azdı; Ferhat Kurtay'a, önerilen isimlerin Kürtçe nasıl olabileceği görevi verildi. "Partiya Karkerên Kurdistanê" (PKK) yani "Kürdistan İşçi Partisi" adı benimsendi. Bayrağı, kızıl yıldız içindeki orak-çekiç'ti.

Bu birinci kongrede; Öcalan başkan, Cemil Bayık başkan yardımcısı seçildi.

Cemil Bayık...

1955 Elazığ Keban / Aşağıçakmak köyü doğumluydu.

Babası Elazığ Askeri Bakım Onarım Fabrikası'nda işçiydi.

Ortaokul, lise yıllarında dindar biriydi; oruç tutup namaz kılıyordu.[30]

Akçadağ Öğretmen Okulu ve ardından Dil ve Tarih-Coğrafya Fakültesi'nde sosyalist oldu.

Her daim Öcalan'ın sağ kolu olarak görev yaptı.

Cemil Bayık... Öcalan'ın Kesire Yıldırım ile evlenmesine karşı çıkan; 12 Eylül Askeri Darbesi'ni öngörüp Öcalan'ın yurtdışına çıkması gerektiğini söyleyen ve Suruç'taki bir kaçakçıdan PKK'ya ilk kalaşnikofu alan isimdi...

Bir gün...

Öcalan, baba ocağı Ömerli köyüne Cemil Bayık ile geldi.

Annesi Üveyş Öcalan tavuk kesip suyuyla pilav yaptı.

Yemekte Öcalan ile Bayık Kürt meselesi üzerine konuşurken babası Ömer Öcalan söze girdi: "Solculuğu bırakmış, Kürtçülüğe başlamışsınız; beni dinleyin, siz solculuğa devam edin, Kürtçülüğün altından kalkamazsınız."

Hangi Öcalan haklı çıktı; baba mı, oğul mu?

Ömer Öcalan'ın sözleri üzerinden yıllar geçti...

1989'da Berlin Duvarı yıkıldı...

Sovyetler Birliği dağıldı... Soğuk Savaş bitti... PKK, ideolojisini, bayrağını, adını değiştirdi.

Yeni Dünya Düzeni'ne uyumlu hale geldi. "Emperyalizm"

---

30 Cemil Bayık'ın kardeşi Hasan Bayık halen Elazığ'da Kuran kursu hocalığı yapıyor.

sözünü artık ağzına almıyordu. Yeni müttefikleri ABD, İsrail ve AB idi.

Bugün... Cemil Bayık KCK Yürütme Konseyi eş başkanı.

Artık diyor ki:

"– Türkiye sorunu çözme amacı taşıyorsa bunun uluslararası güçler olmadan çözülemeyeceğini bilmesi gerekiyor. Bu güçler çözümde yer almadan çözüm gelişemez.

– Amerika'nın üçüncü taraf olabileceğini söyledik. Amerika'yı Kürdistan dışında Ortadoğu'nun dışında düşünmek mümkün değildir. Bugün Ortadoğu dünyanın belkemiğidir..."

Görünen...

Emperyalizmin neoliberal söylemlerini benimseyen PKK kadrolarının "Amerikan mandası"nı kabul ettikleridir! Nereden nereye savruldular?..

Ne demişti Ömer Öcalan: "Altından kalkamazsınız!"

Şunu eklemeliyim...

Kostas, Nikos, Aleksandros, Tomas, Apostolis, Paskalis, Antonis, Teodoros, Tanasis, Stathis, Stelyos, Orestis, Ektoras, Andreas, Dimitris, Vangelis, Angelos, Petros, Manolis, Spiros, Pavlos, Fanis, Hristos, Haris...

117 kişiydiler. Hepsi Yunanlı'ydı... Hepsi sosyalistti...

Anadolu'nun Yunan ordusu tarafından işgaline karşı çıktılar.

"Anadolu'nun işgali bir emperyalist oyundur. Britanya, mazlumların kanıyla yeni sınırlar çiziyor. Biz, mazlum Anadolu halkını öldüremeyiz, onlar kardeşlerimizdir," dediler.

"Yaşasın barış, yaşasın kardeşlik," diye haykırdılar.

Zalimlere karşı çıkan bütün mazlumların sembolü, destansı direnişin simgesi Mustafa Kemal'lere karşı savaşmayacaklarını açıkladılar.

Bildiri imzalayıp dağıttılar.

Ve... Bir gecede hepsi idam edildi. Yıl 1921'di...

Ocak ayının ilk günü, İzmir'deki İşgal Kuvvetleri Komutanlığı'nın merkezi Balçıklıova'da (Balçova), –İnciraltı Sahili'nde– kurşuna dizildiler.

Hayat ne şaşırtıcı:

Cemil Bayık'ın NATO'yu, AB'yi, ABD'yi göreve çağıran "mandacı" demecini okurken, gözüm masamın üzerindeki, şair Tuğrul Keskin'in Yunanlı komünistleri yazdığı *Zito i Epanastasis* kitabına takıldı.

Düşündüm; Haki Karer, Kemal Pir yaşasaydı ne derdi Cemil Bayık'a? Öyle ya... Cemil Bayık sosyalistse, emperyalizme karşı çıkan sosyalist 117 Yunanlı ne?

Cemil Bayık sosyalist ise, Mustafa Kemal'dan esinlenip "Kemal" kod adını alarak, Yunanistan'da emperyalizme karşı savaşan sosyalist Mihri Belli ne?

Ömer Öcalan haklıydı; emperyalizme davetleri gösteriyor ki, altından kalkamadılar!

İsyanın Nedeni

Kürt meselesi eksik bilgilerle tartışılıyor.

Bizim tarih yazılımımızda en büyük güçlük; genellemelerin dayandırılması gereken verilerin eksikliği, yetersizliği ve maalesef yokluğudur.

Evet, olgular üzerinden tartışmıyoruz.

Kimileri, Kürt tarihine dair "hikâye" yazıyor! Çoğunluğu propaganda yapıyor.

Bir tarihi kendi gelişim dönemlerine göre görmek ve iktisat biliminin (üretim biçimi-üretim ilişkileri) verilerine göre yorumlamak esastır.

Aksi durumda; –Osmanlı vakanüvisleri veya münevverleri gibi– tarihi ekonomik temelli değil salt siyasal olaylar üzerinden yüzeysel tartışıp dururuz...

Soru: Kürt problemi salt siyaset ve kültür meselesi midir, yoksa hepsinin temelinde yatan ekonomi sorunu mudur?

Kürt problemi, Osmanlı mülkiyet/toprak ilişkisi bilinmeden analiz edilebilir mi?

Osmanlı üretim biçimi ve ilişkileri konusunda bile kafalarda netlik yok. Şöyle:

- Osmanlı toprak düzeni Batı'da olduğu gibi klasik anlamda feodal bir rejim miydi?
- Osmanlı'yı "despotizm" çerçevesinde mi değerlendirmeliyiz?
- Osmanlı düzeni ne feodal ne de köleci deyip, "Asya tipi üretim biçimi" kavramıyla mı açıklamamız gerekiyor?
- Yoksa... Osmanlı üretim biçimini, Osmanlı tarihini dönemlere ayırarak mı tanımlamalıyız?

Bu sorularla meseleyi kavramanın zorluğunu anlatmak istiyorum. Kürt meselesi konusunda yazanlar, Osmanlı toprak mülkiyetini kavrayamadıklarından; üç ayrı Kürt aşiretinin üç farklı toprak sistemine tabi olduğunu bilmiyorlar!

Osmanlı'nın Doğu'daki idari taksimatından; klasik Osmanlı sancaklarından farklı "Ekrad Sancağı" ve "Hükümet Sancağı"ndan haberleri yok!

– Sanıyorlar ki... Osmanlı, ABD gibi eyaletlere bölünmüştü ve eyalet ile sancakların İstanbul'a olan bağlarında ayrı statüler söz konusu değildi!

– Sanıyorlar ki... Kürtler, bir gün –kafasına esti– bağımsız olmak için 19'uncu yüzyıl başında ayaklandı! Cahillik...

Kuruluş döneminde Osmanlı devletinin gelirleri esas olarak savaş / fetih gelirlerine dayanıyordu. Fetih bitince ve dünya iktisat piyasasına / pazarına uyum sağlanamayınca, devletin maddi kaynakları azaldı. Bunun üzerine Osmanlı'nın içeriye dönüp, "Bu topraklar benim, pamuk eller cebe," demesiyle içsavaş / ayaklanmalar başladı.

Üstelik, 19'uncu yüzyıl başında sadece Kürt derebeyleri ayaklanmadı; Balkanlarda Tepedelenli Ali Paşa, Pazvandoğlu Osman Ağa ve Tirsiniklizade İsmail Ağa; Mısır'da Kavalalı Mehmet Ali Paşa; Arabistan'da Vehhabi isyanları da oldu.

Şaşırtıcı değil arka arkaya isyan etmeleri:

Her ekonomik / mülkiyet ilişkisi çatışması aynı zamanda siyasal bir çatışmaya neden olur. Tüm mülklerin sahibi Osmanlı çöktükçe / gücünü kaybettikçe toprağı kapanın elinde kaldı.

Devlet gücü zayıfladıkça memurunun zorbalığı arttı. Jandarma, vali, mutasarrıf, kaymakam vb. gibi bürokratlar arazilere el koyarak toprak ağalığına terfi etti!

Olan köylüye-marabaya oldu...

Şunu yazmalıyım:

Askerliğimi Bitlis Tatvan'da yaptım.

Bölgede mezra yerleşimi yaygındı.

Muhabirlik dönemimde gittiğim Anadolu'nun "kuş uçmaz kervan geçmez" yerlerinde benzer yerleşimler gördüm.

Osmanlı, buralarda nüfus sayımı yapamıyor ve itibarıyla ne vergi ne de asker alıyordu.

Buralar Osmanlı çöküşünün simgesiydi. Gırtlağındaki lokması alınır hale gelen köylü mültezim, "kuyruklu sarraf", derebeyi ve ağa zorbalığından kaçarak saklanacağı mezralar kurmuştu.

Köylü-maraba ne yapsın; devleti sadece vergi, asker istiyordu;

derebeyi, toprak ağası, tefeci kanını emiyordu. Kaçıp sığınacağı meskeni dağlar oldu. Kimi ise eline silah alıp eşkıyalığa başladı.

Ne yapsınlar; köylü-maraba bitkin, ürkek, güvensiz bir başına bırakılmıştı. 100 bin topraksız aile vardı.

Toprakların yüzde 40'ı derebeylerinin, yüzde 30'u toprak ağalarının elindeydi. En büyük yardımcıları, kendilerini "Seyyit" diye yutturan dinci şeyhler-şıhlar idi.

Ve Osmanlı "Merkezi devleti güçlendireceğim," diye bu ilişkilere neşter vurmak istedi.

19'uncu yüzyıldan günümüze kadar süren ayaklanmaların temelinde ekonomi vardı.

Uzatmayayım... Yüzyılların bu köhnemiş feodal düzeninin nedenini kavrayan Atatürk ilk iyileştirici adımı attı.

Atatürk: "İran Olmayacağız"

Tarih: 18 Eylül 1924.

Yer: Rize.

Mustafa Kemal eşi Latife Hanım'la birlikte bir gün önce saat 18.00'de Rize'ye gelmişti. Valiliği, belediyeyi ve garnizonu ziyaret ettikten sonra geceyi Rize'nin tanınmış isimlerinden Mehmet Mataracı'nın konağında geçirdi.

Saat 14.30'da *Hamidiye* gemisiyle Giresun'a hareket edecekti. Halkın alkışları ve İdman Yurdu'nun bandosuyla valilikten uğurlanırken yanına iki müftü yaklaştı. Bundan sonrasını *Cumhuriyet* gazetesi muhabirinin yazdıklarından okuyalım:

> Paşa Hazretleri'nin hükümet dairesinden dönüşleri esnasında Rize ve Atina[31] müftüleri tarafından kendilerine bir dilekçe verilmiştir. Dilekçede medreselerin tekrar açılması talep ediliyordu. Reisicumhur Hazretleri, dilekçe muhteviyatını öğrenince asabileşmişler ve müftülere hitaben: "Tevhid-i tedrisat mı istemiyorsunuz? Bu millet mektep yapmayacak mı? Şimdiye kadar geri kalmamızda en büyük etkenin ne olduğunu bilmiyor musunuz? Hayır medreseler açılmayacak!" buyurmuşlar ve halk tarafından alkışlanmışlardır. Paşa Hazretleri hitabelerine devam buyurarak: 'Geçiminizi mi düşünüyorsunuz? Müsterih olun, ibadetinizle uğraşın. Bırakın milleti. Yoksa bu kararı veren Meclis'te sizden büyük âlimler mi yok? Millet bildiği gibi yapacak.' Paşa Hazretleri tekrar şiddetle alkışlanmışlardır ve

31 Yeni adı Pazar.

müteakiben Vali Bey'le bir müddet konuşmuşlar ve bu arada, 'Bu adamlar burasını İran gibi mi yapmak istiyorlar?' demişlerdir. Ahali, müftüleri kınamış ve Gazi'nin hitabesinden çok memnun olmuştur.[32]

Mustafa Kemal niye İran'ı kötü örnek olarak gösterdi?

O dönemde İran'da neler oldu?

Rıza Şah, İngilizlerin desteğiyle İran'da darbe yaptı. Ordu Komutanlığı, Savunma Bakanlığı derken Başbakan oldu. Kaçar Hanedanı'nın gücünü yok etmek için cumhuriyet ilan etmek istedi. Dava arkadaşları modernistler ülke genelinde cumhuriyet propagandası yapmaya başladı. Ancak cumhuriyetin kurulmasına (İngilizlerin kontrol ettiği) mollalar karşıydı ve bunlar eğitimsiz halkı kışkırttı. Cumhuriyet hayalinin gerçekleşmeyeceğinin farkına varıp, iktidar gücünü elinden kaçırmak istemeyen Rıza Şah, toprak ağaları ve mollaların desteğiyle krallığını ilan etti! Meclis'te İslam yasalarını koruyacağına ve hiçbir değişiklik yapmayacağına yemin etti.

İşte... Bir yıl önce cumhuriyeti ilan eden Mustafa Kemal, medreselerin açılmasını isteyen hocalara kızıp, bu nedenle "Türkiye, İran olmayacak" demişti!

Krallığı, halifeliği elinin tersiyle itekleyip ülkesine cumhuriyet rejimi getiren Mustafa Kemal başarılı oldu mu? Kuşkusuz oldu.

Peki, Cumhuriyet'in devrimleri korunabildi mi?

Atatürk'ün hassasiyeti anlaşılabildi mi?

Mustafa Kemal'in evinde kaldığı Rizeli Mehmet Mataracı, bir yıl sonra Şapka Kanunu çıktığında, İstanbul'dan hemen 10 adet şapka getirtti. Hemşerilerine dağıttı. Rize'nin çağdaş bir şehir olması için ömrü boyunca çabalayan Mehmet Mataracı'nın adı, bugün şehirde nereye verildi bilir misiniz: "Mehmet Mataracı Kız Kuran Kursu!"

Başka söze gerek var mı?..

Atatürk için, dönüştürücü tek etmen kültür, eğitim-öğretim değildi. Altyapı/ekonomi olmadan üstyapı/eğitim insanı geliştiremez, dönüştüremezdi.

Biliyordu ki...

Gericilikle toprak arasında ilişki vardı kuşkusuz.

Atatürk, ülkenin en önemli kaynağı toprağın adil şekilde

32 *Cumhuriyet*, 20 Eylül 1924.

bölünmesi taraftarıydı. Bu; hem ülke topraklarının verimli işlenmesi hem de gelir dağılımının adil hale getirilmesi ve böylece toplumsal barışın sağlanması demekti. Bu nedenle şunu analiz edecek donanıma sahipti:

> Arkadaşlar, kılıç ile fetih yapanlar, sabanla fetih yapanlara mağlûp olmaya ve binnetice terk-i mevki etmeye mecburdurlar. Nitekim Osmanlı saltanatı da böyle olmuştur. Bulgarlar, Sırplar, Macarlar, Romenler sabanlarına yapışmışlar, muhafaza-i mevcudiyet etmişler, kuvvetlenmişler; bizim milletimiz de böyle fatihler tarafından diyar diyar gezdirilmiş ve kendi anayurdunda çalışamamış olmasından dolayı bir gün onlara mağlûp olmuştur. Bu bir hakikattir ki, tarihin her devrinde ve cihanın her yerinde aynen vaki olmuştur. Meselâ Fransızlar, Kanada'da kılıç sallarken oraya İngiliz çiftçisi girmiştir. Bu sabanla kılıç mücadelesinde nihayet muzaffer olan sabandır. Ve Kanada'ya sahip oldu. Efendiler kılıç kullanan kol yorulur, nihayet kılıcı kınına koyar ve belki kılıç o kında küflenmeye, paslanmaya mahkûm olur. Lâkin saban kullanan kol, gün geçtikçe daha ziyade kuvvetlenir ve daha çok kuvvetlendikçe daha çok toprağa malik ve sahip olur.[33]

İşte bu nedenle, "Köylü milletin efendisidir," demiştir!..

Cumhuriyet'in ilk yıllarında 13,6 milyon nüfusun 10,3 milyonu kırsal kesimde yoksulluk içinde yaşıyordu. Tarımı geliştirmeden aydınlık bir Türkiye kurmak zordu...

Genç Cumhuriyet bu nedenle, 17 Şubat 1925'te –gelire çok ihtiyacı olmasına rağmen/hazine gelirlerinin dörtte birini oluşturan– yüzyıllardır köylüyü ezen aşar/öşür vergisini kaldırdı.

Eğitimsiz köylü, en ilkel araçlarla tarım yapıyordu. 1927 sayımına göre, ülkede 1 milyon 187 bin karasaban vardı. Demir pulluk yok denecek kadar azdı. 1923-1925 yıllarında köylüye ilk etapta 7 bin 677 pulluk dağıtıldı. Dört yıllık Cumhuriyet döneminde dağıtılan pulluk sayısı 211 bin oldu. 1936 yılında 410.360'a yükseldi.

Köylünün elinde artık sadece pulluk değil; 54 bin adet her çeşit tırmık, 2 bin 770 tohum ekme makinesi, 4 bin 668 orak makinesi, 2 bin 235 biçer-bağlar, 728 harman makinesi ve 2 bin 947 tınaz ve kalbur makinesi vardı.

---

33 Türkiye İktisat Kongresi, 1923, İzmir, Haberler-Belgeler-Yorumlar 1981: 246-247.

Cumhuriyet tarımda makineleşmeye önem verdi. 1923-1924 yıllarında 486'sı devlet malı olmak üzere 501 traktör bulunurken sayı kısa zamanda 1.844'e ulaştı.

1926'da çıkan 752 sayılı yasayla, traktör, motorlu pulluk, biçer-döver, kamyon ve kamyonet sahiplerine tarımda harcadıkları akaryakıt için "mevadd-ı müşteile rüsumu tazminatı" / vergi iadesi ödenmesi kabul edildi.

1927'de Ziraat Vekâleti / Bakanlığı bütçesi ancak 3 milyon 722 bin lirayken, makine kullanan çiftçiye devlet 1926-1930 döneminde 6 milyon 652 bin lira ödedi.

Köylüye ödünç tohum verildi. Köylünün daha kaliteli ve verimli tohum ekerek daha çok ürün elde etmesi için tohumlar ıslah edildi; tohum üretim çiftlikleri kuruldu. Sonuçta... Buğday üretimi 1923-1925 yılları ortalaması 972 bin tonken 1936-1940'ta 3 milyon 636 bin tona çıktı!

1929 yılı sonuna kadar Türkiye'de 64 zirai kredi kooperatifi kuruldu. Tarım kredi kooperatiflerinin sayısı 1929'da 65'ken 1938'de 589'a; kooperatiflere üye olanların sayısı da 1929'da 4 binken 1938'de 114 bine yükseldi.

Köylü tarım yapmayı atadan-dededen kalma usullerle yapıyordu. Tarımda eğitim için:

1922 yılında 12 yerde orta ziraat okulları açıldı. İlkokul mezunlarını kabul eden üç yıllık Ziraat Makinist Mektebi ve Yüksek Ziraat Mektebi kuruldu.[34] Yüksek Ziraat Enstitüsü'ne çok sayıda Alman profesör getirildi; hemen tüm kürsülerin başında Alman profesörler bulunuyordu. Öğrenciler Almanya ve Fransa gibi ülkelere lisansüstü eğitime gönderildi.

Hayvancılık kuşkusuz unutulmadı. Et ve süt için Cumhuriyet'in ilk yıllarında haralar-inekhaneler kuruldu. Kars, Erzurum, Ardahan ve Diyarbakır haraları bunlara örnektir.

1923-1925'te 15 milyona düşmüş olan koyun sayısı, 1930'ların sonunda yaklaşık 20 milyona çıkarıldı.[35] Keçi sayısı ise aynı dönemde 11 milyondan 16 milyona ve büyük baş hayvan sayısı ise 4 milyondan 9 milyona yükseltildi.

1929 yılından itibaren dünyayı ve itibarıyla Türkiye'yi de sar-

34 Yüksek Ziraat Mektebi öğrencileri Atatürk Orman Çiftliği'nde staj yaparlardı! Bugün o topraklar ne hizmeti veriyor biliyorsunuz!

35 Konumuz olmadığı için ayrıntıya girmiyorum. Bu işler hiç kolay olmadı. Örneğin, Sovyetler Birliği'nden 1929'da 10 koç, 1930'da 6 koç ile 20 koyun ithal edildi. Hem saf olarak hem de yerli kıvırcıklarla melezlenerek yetiştirilmeye çalışıldı.

san büyük ekonomik krize ve Şeyh Sait gibi iç isyanlara rağmen başarıldı bunlar!..

Feodalizm, Cumhuriyet'e direniyordu! Bölgede ailelerin yüzde 5'i toprakların yüzde 65'ine, yüzde 95'i ise toprağın yüzde 35'ine sahipti.

Cumhuriyet ilk etapta, 20 bini derebeylerinin ve 90 bini hazinenin olan 110 bin dönüm toprağı marabaya dağıttı.[36]

Arkası gelecekti...

Ancak... Atatürk'ün geniş toprak reformu talebi onca konuşmasına, yasa teklifi hazırlatmasına rağmen bir türlü Meclis'i aşamadı. Yasayı geçirmeye Atatürk'ün ömrü yetmedi. İnönü, –toprak ağaları CHP'yi terk edip DP'yi kurmalarına rağmen– yetersiz olsa da toprak reformu yaptı.

1945'te –Atatürk'ün söylevleri doğrultusunda– Çiftçiyi Topraklandırma Kanunu kabul edildi. Yasa, büyük toprak sahiplerinin topraklarının kamu mülkiyetine geçirilmesini, bunların bir kesiminin topraksız ve az topraklı köylülere dağıtılmasını ve kırsal bölgelerde köklü değişiklikleri içeriyordu. Ancak bu yasa uygulanamadı. Siyasete ve ekonomiye egemen olan büyük toprak sahipleri, toprak ağaları, aşiret reisleri ve şeyhler kanunun uygulanmasını engelledi...

Şimdi... Bugün...

Kimi Kandırıyorsunuz?

Ağaların, şeyhlerin, şıhların gölgesine giren HDP'ye sol diyorlar!

- Bölgedeki feodal yapıya dair tek söz etmeyerek;
- Marabaları değil, ağaları meclise taşıyarak;
- Yeni Düyun-ı Umumiye'ye karşı durmayıp emperyalist mandayı kabul ederek;
- Salt Kürt oldukları için gerici Şeyh Saitlere, Said-i Nursi'lere övgü düzerek;
- Ağaları Meclis'e taşıyarak, parti yöneticisi yaparak sol parti olunabilir mi?..

Sormayalım mı?

36 Cumhuriyet, kadroları kamulaştırma konusunda o kadar özenliydi ki, Anayasa'ya göre özel mülklerin kamulaştırılması, hükümetin arazinin piyasa değerini peşin olarak ödeme şartına bağlandı (Kanun no: 491, Nisan 1924).

Bugün... "Ulusalcı solcular faşisttir," diyenlerin ağızlarında neden "emperyalist" sözcüğü yok?

Niye... Batı'ya dönüp "Ortadoğu'da ne işiniz var, defolup gidin," demiyorlar?

Niye... "Biz sorunlarımızı kardeşlik temelinde kendimiz çözeriz "demiyorlar?

Aksine heykellerini yapmak istiyorlar; Atatürk heykellerini yıkıyorlar!

İran'a düşmanlar, Suriye'ye düşmanlar, Irak'a düşmanlar.

ABD'yi seviyorlar. İsrail'i beğeniyorlar.

Amerikan mandasına "evet" diyorlar.

Mazlum halkların sırtına basarak "ikinci İsrail/Kürdistan" kurulmasına "evet" diyorlar.

Neoliberalizmin sözcülüğünü yapıyorlar. Soros'dan besleniyorlar.

"Türk" sözcüğünden nefret edip –başta Anayasa olmak üzere– her yerden kaldırmak istiyorlar.

Adına ister sol deyin... İster sosyal demokrat deyin...

Kimlik siyaseti yapanların kuyruğuna takılanlar tarihi gerçekleri görmek istemiyor.

Sınırımızdaki her olayı bize Kürt meselesi üzerinden konuşturup tartıştırıyor; sanki bölgede Türk yokmuş gibi!

Tarihten Türk'ü silmek istiyorlar.

Bir örnek vermeliyim...

Yıl: 1922. Kasım ayının ilk günleri...

ABD'li gazeteci Edward King çalıştığı United Press adına, Ulusal Kurtuluş Savaşı'nın başkomutanı Mustafa Kemal ile bir röportaj yapmak istedi. Coğrafi şartlar ve savaş durumu bu röportajın gerçekleşmesini engelliyordu. Sonunda yol bulundu; gazeteci King sorularını yazıyla Ankara'ya gönderdi. 5 sorusu vardı. 3'üncü soru ve yanıtı *İkdam* gazetesi tarafından sansür edildi. Atatürk yine de yanıtladı.

Neydi o soru ve yanıtı:

– Kürdistan petrol arazisini talep edecek misiniz?

– Musul vilayeti milli sınırlarımız dahilindedir.

Aynı yıl Amerikalı gazeteci Richard Eaton da röportaj yaptı. Görüşme Türk ordusu İzmir'e girdikten hemen sonra, 13 Eylül 1922'de gerçekleşti.

– İstanbul'u almak ve Üsküdar üzerine yürümek istediğinizi

söylüyorlar. Kazandığınız zaferden sonra ilk projelerinizin neden ibaret olduğunu sorabilir miyim?

– Bütün Türk toprakları kurtulmadıkça durmayacağım.

– Paşa hazretleri Türk toprakları derken ne murat ediyorsunuz?

– Avrupa'da İstanbul ve Meriç'e kadar Trakya; Asya'da Anadolu, Musul arazisi ve Irak'ın yarısı.

Üç yıl sonra... Yıl: 1925.

Boğazlar Meselesi ve Hatay Sorunu'nu çözen Atatürk'ün ömrü Musul'u topraklara katmaya yetmedi. Musul'un alınmasını vasiyet ettiği söylenir.

Bugün bölgede "Türk" adını bile geçirmiyorlar; Türk kendi vatanında öksüz kaldı!

Hani bu dönemde sık tekrarlıyorlar; "Ver kurtul" diye! Atatürk, "Al kurtul"dan yanaydı! Bu gerçekler konuşulmuyor...

"Kimileri" kimlikçi Kürt siyasetinin payandası yapılıyor. "Türk" sözünü duymak istemiyorlar.

Peki... Bu çevreler ne istiyor?

Tehcir Yeri: "Kobani"

Kimlikçi Kürt politikasının gelip dayandığı yer; bir büyük oyunun gönüllü kuklalığı: mandacılık!..

Sahnede oynanan senaryo şu: ABD canavarı/özel ordusu IŞİD, Kuzey Irak ve Kuzey Suriye üzerinden Akdeniz'e ulaşacak "Kürt koridoru" açıyor.

Batı medyası "IŞİD öldürüyor ey dünya uyuyor musunuz?" diye yayına başlıyor. Ve... Bir bakıyorsunuz dünyanın gündemine "Kobani" geliyor; ardından PKK "Kobani"yi alıyor.

Bir adım daha atmak gerekiyor; "canlı bombalar" devreye sokuluyor; Batı medyası "IŞİD'in canlı bombaları öldürüyor ey dünya uyuyor musunuz?" diye yine yayına başlıyor. Koridor biraz daha yol alıyor!..

Vay be!.. ABD'nin, İsrail'in gücü yetmediği IŞİD'i, PKK yerle bir ediyor! Yerseniz.

Sizler..."Kardeşim bu emperyalizmin kanlı oyunudur; Ortadoğu halklarını birbirine kırdırıyorlar," derseniz; "faşist" ilan ediliyorsunuz!

İstiyorlar ki; Batı gölgesindeki bu yalancı "büyük koroya" katılın. Gözünüzü gerçeklere kapatın...

Tarih: 15 Haziran 2014.

IŞİD, yüzde 70'ini Avşar Türkmenlerinin oluşturduğu Türkçe konuşulan Telafer'e girdi.

Öncesi... Sonrasında...

"Telafer... Telafer" diyen birilerini duydunuz mu?

Hayır. Peki... Aynı IŞİD, "Kobani"ye yaklaşınca neden herkesin ağzından "Kobani... Kobani" adı düşmedi?

Telafer'e sessiz kalanlar neden "Kobani" diye feryat etti?

Tabii ki, vahşete karşı çıkılsın. Dün de Ortadoğu kardeşliğine inandım; bugün de inanıyorum; ama birilerinin kardeşlikten anladığı sadece Kürt olmasın!

Türk ezilsin, Türk öldürülsün, Türk sürülsün, kimsenin sesi çıkmıyor. İster istemez bu çevrelerin samimiyetinden kuşku duyuyorsunuz.[37]

Acı ama gerçek:

Telafer düşüp Türkmenler bölgeden kaçınca kimileri çok sevindi; çünkü Telafer, Irak Kürtleri ile Suriye Kürtleri arasında tampon bölge. (Yumurtalık boru hattı da buradan geçiyor.)

Düşündüler ki, IŞİD yok olunca Telafer Kürtlerin olur; Suriye ve Irak Kürtleri komşu olur; ve sonrası belli; "büyük Kürdistan"!

Evet: IŞİD, "büyük Kürdistan"ı kurmak için var gücüyle çalışıyor; saldığı korkuyla bölgenin demografik yapısını değiştiriyor.

Dün: Çekiç Güç'e Barzani devletini kurdurdular.

Yarın, tampon bölge stratejisiyle Suriye Kürt devletini kurdururlar artık!

Dikkatinizi çekmiştir: "Kobani" adını niye parantez içinde yazıyorum? Çünkü...

"Kobani" diye bir şehir adı yok.

Adı, Ayn el-Arap, yani Arapların baharı (Arap Baharı) diyebiliriz.

Osmanlılar "Arap Pınarı" diyordu.

Adından anlaşıldığı gibi kent, bir Arap şehri.

Kuşkusuz Türkmen, Kürt, Ezidi nüfus da var.

Peki "Kobani" nereden çıktı?.. Uydurdular!

---

37 Bu öylesine bir atmosfere dönüştü ki; şu örneği vereyim: "Japon Osaka Bilimyurdu araştırmacıları, Moğolistan'da yapılan kazılarda Göktürkler döneminden kalma iki taş yazıt buldu. Başkent Ulan Bator'un 400 km güneydoğusunda bulunan yazıtlardan biri 4 metre, diğeri 3 metre uzunluğunda ve yazıtların üzerinde 20 satır Türkçe yazı bulunmaktadır." Bunu yazıp söylediğiniz anda "faşist" damgası yiyorsunuz; iş bu seviyeye kadar indi!

Çoğunluğunuz İstanbul Sultanahmet'teki "Alman Çeşmesi"ni görmüştür. Alman Kayzeri II. Wilhelm'in II. Abdülhamit'e hediyesiydi. Fakat...

Üç kuruş menfaatleri yoksa bu emperyalistler kimseye hediye filan vermez; çeşme, Bağdat Demiryolu inşaatının Alman şirketine verilmesinin ödülüydü! Anadolu'dan kalkıp, Halep, Musul üzerinden Bağdat'a ulaşan yolun uzunluğu, 1.600 km olacaktı. 887 km demiryolu yapılabildi, çünkü Birinci Dünya Savaşı çıktı. Neyse...

Adı dışında hiçbir "milli" yanı olmayan Bağdat Demiryolu Şirket-i Şahane-i Osmaniyesi, Ayn el-Arap yakınlarında kurulan "Kompany" adlı demiryolu istasyonunun adıydı.

Buraya; 1915'teki tehcirle gelen Ermeniler için büyük bir kamp kuruldu. Zamanla köy oldu; üç Ermeni kilisesi inşa edildi.[38]

Fransızlar ile 1921'de imzalanan Ankara Antlaşması'yla güney sınırımız belli oldu. Sınırın Türkiye bölümünde kalan Kürtlerin bir bölümü Suriye'ye göçtü. "Kobani Suruç'un demografik uzantısı oldu. Bu Kürt göçü ve 1920'li ve 1930'lu yıllardaki Kürt isyanlarının bastırılması sonucu Suriye'ye kaçan Kürtlerle Ayn el-Arap'ın etnik yapısında Kürt nüfus arttı.[39]

Tarih: 19 Temmuz 2012.

Suriyeli PKK'lıların kurduğu Demokratik Birlik Partisi (PYD) Ayn el-Arap'ı işgal ederek "demokratik özerklik" ilan etti. Şehrin adını değiştirip, "Kobani" yapıverdi!

Halbuki, Suriye'de Kürtlerin herhangi bir vilayette çoğunluk oluşturamadığı biliniyor. Kentte hâlâ Arap çoğunluğu vardı. (Keza Kürtçede "Kobani" sözcüğü yok.)

Bu arada Suriye'de Arap milliyetçiliği altında ezilen Kürtlerin, şehri ele geçirince Araplara karşı gösterdikleri sert tavırlar, Arap dünyasında (itibarıyla IŞİD tarafından) tepkiyle karşılandı. Emperyalistler bölgeden gidince Kürtler ile Araplar arasında büyük kan davasının başlayacağını bilmek için kâhin olmaya gerek yok! Neyse...

Ele geçirilen "Kobani" birden "kutsallaştırıldı":

– Abdullah Öcalan, 1979'da "kutsal yolculuk" yapıp Suruç'tan "Kobani"ye geçerek Ortadoğu'ya ilk adımı atmıştı!

38 Buradaki Ermeni nüfusun çoğu Suriye'nin Araplaşma politikaları sonucu 1960'ta Sovyetler Birliği'ne göçtü.

39 Buradaki savaştan kaçıp Türkiye'ye sığınan Kürtlerin büyük bölümünün atasıdedesi Türkiye doğumlu.

PKK'da ilk ölen kişi "Kobani"liydi.

Kürtler düne kadar Öcalan'a destek verdiği için çok sevdikleri Esad'ın ne kadar diktatör olduğunu keşfediverdi!

"Kobani"nin "resmi tarihi" yazılmaya başlanmıştı...

Diğer yandan tepkiler gelince ne yaptılar? Şunu...

Tel Abyad, Suriye PKK'sı PYD'nin eline geçti..

Tel Abyad'ın Kürtçe adı "Girê Spî"...

Peki... Ayn el-Arap'a Kürtçe "Kobani" diyenler; Tel Abyad'a neden Kürtçe "Girê Spî" demedi?

Sebebi belli; "Kobani"de yaptıkları gibi "etnik temizlik yaptıkları intibasının" oluşmasını istemiyorlardı! Bir "PKK aklı" var. Ya da emperyalist aklı demeliyiz! Ne yazık ki bir "Türkiye aklı" yok!..

Bakınız... Erdoğan'lar, Kılıçdaroğlu'lar, Bahçeli'ler gelir geçer.

Ama bugün yanı başımızda Türkiye'yi yakından ilgilendiren/gelip geçmeyecek tarihi olaylar yaşanmaktadır.

Bu konularda "particilik" olmaz...

Bu vatan görevidir... Bu kardeşlik görevidir...

İnadına Ortadoğu'da kardeşliği savunmak şarttır!

Kendi adıma; Kürtlere yapılan zulümleri dün nasıl yazdımsa, bugün de Arap, Ezidi, Süryani ve Türkmenlere yapılanları yazmayı sürdüreceğim.

Evet... Mandacılık entrikasını hep yazacağım.

Ortadoğu bin yıllık kadim halkların toprağıdır; buradaki yaşam gönüllülük esasına dayanmalıdır. Halklar birbirine düşürülerek kalıcı barış sağlanamaz.

Kürt'ün acısını paylaşmayanın Türk olamayacağını yazdım hep.

Kendi kaderini tayin hakkını savundum ve hâlâ savunuyorum. Bunu yazmak-savunmak ancak emperyalizme karşı durmakla mümkün olur.

Mandacı koro'ya katılmam.

Öyle ki...

Bilimsel Aldatma!

1128 akademisyen "Bu suça ortak olmayacağız," diye bildiri yayınladı.

Suç dedikleri Diyarbakır Sur, Cizre, Nusaybin gibi yerlerde PKK'nın "Kobani tipi ayaklanması" idi.

Akademisyenlerin bildirisini okudum. Dedim ki, "Nereden biliyorlar?" Evet...

Bölgede olan bitenin bilgisini nereden ediniyorlar?

Bunu 1990'lı yıllarda faili meçhuller konusunda haberler yapan, kitaplar yazan ve AİHM'de devlet aleyhine tanıklık eden bir gazeteci olarak soruyorum.

Kusura bakmayınız "aydın kıtlığı" çekiyoruz; bilgisiz konuşan "bilir bilmezler" ülkesi burası!

Hakikat üzerinden değil, propaganda ve karşı propagandanın yarattığı mitler üzerinden meseleler analiz ediliyor.

Şu notu eklemeliyim:

"Saddam Hüseyin" deyince aklınıza ne geliyor?

Barzani-Talabani-PKK-HDP çevrelerinin yanıtı bellidir: "Halepçe katliamıyla Kürtlere soykırım yaptı!"

Yıl 1988. Irak-İran Savaşı tüm şiddetiyle sürüyor.

Saddam Hüseyin son kez 23 Şubat'ta El-Enfal Harekâtı'nı başlattı.

Humeyni ise buna Zafer-7 Harekâtı'yla karşılık verdi.

Bu sırada Celal Talabani liderliğindeki "Kürdistan Yurtseverler Birliği"ne bağlı peşmergeler, İran ordusuyla işbirliği yaparak Kuzey Irak'taki Halepçe kasabasına saldırdı.

Tam bu sırada... Tarih: 16 Mart 1988.

MİG-23 uçaklarıyla Halepçe'ye zehirli gaz atıldı. Yaklaşık 5 bin kişi yaşamını yitirdi.

Bu kimyasal bombaları kim attı?

Bugün... Özellikle kimi Kürt çevrelerine sorun; Halepçe katliamını Saddam'ın işlediğini söyleyeceklerdir. Sosyal medyada araştırma yapın; Halepçe'de Kürtlere soykırım yaptığı için Saddam'ın idam edildiğini okuyacaksınız. Oysa...

Saddam hakkında idam kararı veren mahkemenin gündemine Halepçe katliamı hiç gelmedi!

Saddam sadece; Bağdat'ın kuzeyinde Şiilerin yoğun olduğu Ducely'de kendisine karşı 1982'de yapılan suikast girişimi sonrasında "100'ü aşkın insanı öldürttüğü" iddiasıyla yargılandı ve idam edildi.

Peki... Saddam neden Halepçe katliamından sorgulanmadı/yargılanmadı? Çünkü...

Yıl: 2004. CIA Ortadoğu uzmanı Prof. Dr. Stephen Pelletier tarafından hazırlanan rapor, söz konusu zehirli silahların İran'a ait olduğunu ispatladı!

Demek ki... Neymiş...

Batı medyasında "Kürt soykırımı" olarak yazılan Halepçe katliamını kimin yaptığı yalanı, Irak'ın parçalanıp Kuzey Irak'ta "Kürdistan" kurulana kadar gerçekmiş!

Evet. Gerçekleri yazmamızı değil propaganda yapmamızı istiyorlar.

Dayatıyorlar: "Kürt'ü yaz."

Başka? Başka bir şey yazma; "Kürt'ü yaz."

"Kürt" dediğim, PKK-PYD-HDP... Başka gündemleri yok! Ortadoğu'ya, dünyaya sadece bu "pencereden" / tek boyutlu bakıyorlar.

"Yahu" diyorsunuz, "görmüyor musunuz; kafalarında bin bir tilki dolaşan emperyalistler Kürt'ü kullanıyor. Dün de Arapları kullandılar; bak Arap dünyası ne halde; hiç mi ders çıkarmıyorsunuz? Gelin, kardeşlik zemininden ayrılmayalım; kimlik siyasetinden vazgeçelim; barışı-demokrasiyi ancak böyle hâkim kılarız."

Bunu dediğiniz anda yaftalıyorlar; "ulusalcı faşist!"

Alttan alıyorsunuz; sineye çekiyorsunuz; anlatmaya çalışıyorsunuz: "Salt meseleye kimlikçi politikalarla bakarsanız sizi kukla yaparlar; Ortadoğu'daki büyük kapışmayı analiz etmelisiniz; çok boyutlu bakmalısınız. Yarın dizinizi çok döversiniz."

Bunu dediğiniz anda sizi dinlemek istemiyorlar.

"Hâlâ mı 'emperyalizm' lafları; bunlar eskidi- bitti, bu çağ kapandı artık; demokrasi çağındayız" diyorlar.

ABD'nin bu coğrafyaya barış getireceğine inanıyorlar!

Ah!.. Ah!.. İnsanların en çok inandıkları, en az anladıklarıdır.

Ama biz yine de bıkmadan, usanmadan; gözlerin kör olduğu, kulakların sağır olduğu bu çevrelere gerçekleri anlatmayı sürdüreceğiz. Bizi dinlemek istemezlerse başkalarına söz vereceğiz. Örneğin...

Adı, William Blum...

ABD dış politikası konusunda önde gelen uzmanlardan.

2013'te yazdığı kitabın adı, bu çevrelere yanıt niteliğinde: *Emperyalizmin En Ölümcül Silahı: Demokrasi Yalanı.*

Bir dönem ABD Dışişleri Bakanlığı'nda çalışan William Blum diyor ki:

> ABD dış politikasını anlamanın sırrı, bunun hiçbir gizli yanı olmadığını anlamaktır. İlke olarak, ABD'nin dünyaya egemen olmaya çalıştığını ve bu amaçla her türlü yola başvurduğunu anlamak yeterlidir. Bu anlaşıldıktan sonra Washington'ın uyguladığı politikada görünürdeki tüm karmaşa, karşıtlık ve belirsizlik ortadan kalkar...

William Blum, ABD'nin dünya egemenliği çabasını rakamlara dökerek çarpıcı bir tabloyu gözler önüne seriyor. ABD İkinci Dünya Savaşı'ndan bu yana neler yapmıştı:

1) Başka ülkelerde demokratik yollardan iktidara gelmiş 50'den fazla hükümeti devirmeye çalışmıştır.

2) En az 30 ülkede demokratik seçimlere doğrudan müdahale etmiştir.

3) 50'den fazla yabancı lideri öldürtmeye çalışmıştır/kimini öldürtmüştür.

4) 30'dan fazla ülkenin üstüne bomba yağdırmıştır.

5) 20 ülkede halkçı ya da ulusalcı hareketleri bastırmaya çalışmıştır.

> Toplam olarak, 1945'ten beri Amerika Birleşik Devletleri 71 ülkede (dünya ülkelerinin üçte birinden fazlasında) yukarıda geçen eylemlerden bir ya da birkaçını gerçekleştirmiş, bunun sonucunda milyonlarca insanın yaşamını yitirmesine, milyonlarcasının acı-çaresizlik içinde kıvranmasına ve binlerce kişinin işkence görmesine sebep olmuştur. (...)
>
> Eğer sevgili Başkanımız Obama'ya bir soru sorabilseydim şöyle derdim; 'Sayın Başkan görevde bulunduğunuz bu kısa dönemde altı ülkeye (artı Suriye'ye) savaş açtınız: Irak, Afganistan, Pakistan, Somali, Yemen ve Libya (artı Suriye). Bir şeyi merak ediyorum, sizin neyiniz var?' (...) Son zamanlarda dünyada olup bitenleri izleyen ve çağdaş tarih hakkında biraz bilgisi olan herkes büyük bir olasılıkla ABD dış politikasından nefret etmektedir.

William Blum şunu eklemeliydi: Barzani-Talabani-PKK-HDP çevresi dışında!..

Ne diyor bu çevreler: "Emperyalizm çağı bitti!"

Bu nedenle... Olan Suruç'taki gencecik çocuklarımıza, Ankara'daki can kardeşlerimize oluyor. Sonra... Bu kan deryasından

"Devlet yaptı," deyip sıyrılıveriyorlar!

Evet. Ağızlarından bir gün olsun "emperyalizm" sözü çıkmıyor! İnsan bir kez olsun –Nasrettin Hoca misali– düşünmez mi: "Okyanus ötesinden Ortadoğu'ya gelmiş hırsızın hiç mi suçu yok!.."

Akademisyenler, derim ki... Son 50 yılın revaçta sözcüğü "şiddet" tanımını salt "devlet şiddeti" üzerinden anlatırsanız bu bilimsel anlamda eksiklik olur.

Şiddetin toplumsal bir olgu olarak kavranmasında can alıcı nokta şudur: Öncelikle bu olgunun birden fazla şekilde dereceleri vardır.

Örneğin, Türkiye'de toplumsal hayatın her alanında şiddete maruz kalıyoruz. Yani...

"Şiddet" tanımı muğlaklık taşır; tek bir anlatımı yoktur; bu nedenle öncelikle "şiddet" tanımı üzerine kafa yormalıyız.

AKP-devlet şiddeti var da, PKK şiddeti yok mu?

PKK terörü görülmeden "şiddet karşıtı" bir bildiri hazırlanabilir mi?

Kimi akademisyenler, PKK'nın, şiddeti bir "kan davasına" dönüştürdüğünü görmüyor mu?

Amaç kan akıtılmasını durdurmak ise, neden tek taraflı bir çağrı bu?

AKP'nin kan dökmesine karşı çıkıp, PKK'nın katliamlarını tereddütsüz görmezlikten gelmek bildiri üzerine gölge düşürmüyor mu?

Tamam... Akademisyen olarak PKK'lı olabilirsiniz. Böyle bir bildiri yayınlayabilirsiniz. Amacınız, özerklik, federasyon ya da ayrılmak olabilir.

Burada söz konusu olan; "hedefiniz" değil, "eyleminizin" karakteridir; PKK'nın siyasal şiddetini/terörünü görmezlikten gelemezsiniz. Bu bilim olamaz!

Şiddet eyleminin türleri arasında ayrım yapamazsınız!

Kuşkusuz... Akademisyen bildirisi fikir özgürlüğüdür. Gözaltı ve kimi tehdit saçmalıkları bir yana bildirinin eleştirilmesi de fikir özgürlüğüdür.

Kimileri diyor ki; "AKP bu işe parmağını sokmasaydı da bildiricileri rahatça eleştirseydik; bırakmıyorlar ki?" Niye bıraksın?.. AKP gibi pragmatist/çıkarcı bir oluşum bunu nasıl siyasi malzeme yapmaz?

Asıl mesele, bildiri hazırlayanların halka "yabancılaşması" değil mi?

Tarihte bunun acılarını insanoğlu çok çekti.

– Moskova'nın emriyle İtalyan siyasal gerçeklerine gözünü kapatan İtalyan Komünist Partisi Mussolini'nin iktidara gelmesine neden olmadı mı?..

– Moskova'nın emriyle Almanya siyasal gerçeklerine gözünü kapatan Almanya Komünist Partisi, Hitler'in iktidara gelmesine neden olmadı mı?..

Dayatılan dogmatik sapmaya izin vermeyen politik inancın örnekleri çok!..

Kandil'in emriyle Türkiye gerçeklerine gözünü kapatan –HDP gibi– kimi akademisyenler Türkiye'de diktatörlük kurmak isteyenlere yardımcı olmaktadır!

Bunu nasıl görmezler? Akademisyenlerin bildirisi, toplumlar arası çatışmaların giderek daha yıkıcı hale gelmesine neden olmuştur.

Yoksa amaç... Türkiye'yi iyice siyasal krize sokacak taktiksel bir strateji mi?

Maalesef... Zihinleri aydınlatmayan bu bildiri üzerinde Kandil'in "doğrusu" vardır; itibarıyla bu bir "kukla gösterisi"dir!

Sonuçta...

Asıl trajedi şudur: Aydın, özgün-yaratıcı kimliğini kaybetmektedir; kimlik siyasetinin dayatılan "tercümesini" yapmaktadır. Yazıktır...

Oysa, hepimizin olağanüstü ihtiyatlı olması gerekiyor...

"Suça ortak olmayacağız," açıklaması yapanlar şu gerçeği kamuoyuna anlatmak zorunda:

Sur'dan Cizre'ye yüzlerce PKK'lı öldürüldü. Peki bu PKK'lılar neden ayaklandı?

Kürtçe mi yasak?

Kürtçe öğreten özel okul, enstitü açmak mı yasak? "X, W, Q" harflerini kullanmak mı yasak?

Kürtçe gazete, dergi, kitap çıkarmak mı yasak?

Kürtçe TV, radyo mu yasak?

Kürt'ün parti kurması mı yasak? Kürtçe propaganda yapması mı yasak?[40]

---

40 Şu bile oldu: 22 Kasım 2014 tarihinde İçişleri Bakanlığı'na başvuruda bulunulup kısa adı PAK olan (Partiya Azadî Kurdistanê) "Bağımsız Kürdistan Partisi" kuruldu. İsminden ne istedikleri belli! İstanbul ve Diyarbakır'da resepsiyon verdiler. Yani: Siyasetin kanalları bu kadar açıkken hâlâ silaha başvurmanın sebebi nedir?

Kürt'ün belediye başkanı, milletvekili, bakan, başbakan, cumhurbaşkanı olması mı yasak?
Kürt'ün kaymakam, vali olması mı yasak?
Kürt'ün asker, subay olması mı yasak? Kürt'ün Mehmetçik olması mı yasak?
Kürt'ün memur olması mı yasak?
Kürt'ün şarkıcı-artist-futbolcu olması mı yasak?
Kürt'ün yerel kıyafetini giymesi mi yasak?
Kürt'e şirket kurmak, holding sahibi olmak mı yasak? Türkiye'nin en zengin 100 kişisi arasına girmesi mi yasak?
Kürt'e ülkenin belli bölümünde yaşamak mı yasak?
Kürt'e seyahat özgürlüğü mü yasak? 5 yıldızlı oteller mi yasak?
Kürt'e Kâbe'ye gitmek mi yasak?
Kürt'e anayasal haklar mı yasak?
Kürtçe türkü mü yasak?
Kürtçe film mi, tiyatro mu yasak? Şiir mi yasak?
Türkiye'de Türk'e ne serbest de, Kürt'e o yasak!
O halde...
Hadi diyelim PKK önceki yıllarda dağa çıkmakta haklıydı!
Peki ya bugün, kentlerde niye silahlı ayaklanma yaptı? Bine yakın insan niye öldü?
Bakınız...

Tarih: 22 Ocak 1946.
Komela adlı Kürt örgütü, Kuzey İran'daki Mahabad Çarçıra Meydanı'nda "Mahabad Kürdistan Cumhuriyeti"ni ilan etti.
Bu yeni ülkenin arkasında Sovyetler Birliği vardı.
Kızıl Ordu 9 Mayıs 1946'da İran'dan çekilince İran ordusu 17 Aralık'ta Mahabad'a girerek Kürt devletini yıktı.
İran, Cumhurbaşkanı Kadı Muhammet, Başbakan Hacı Baba Şeyh, Savunma Bakanı Hüseyin Han gibi yöneticileri yeni cumhuriyetin ilan edildiği Çarçıra Meydanı'nda idam etti.
Irak ise Şeyh Ahmet Barzani'yi hapsetti; işbirlikçi iddiasıyla ordusundaki kimi subayları idam etti. Molla Barzani Sovyetlere kaçarak canını kurtardı.
Türkiye'nin burnunun dibinde bunlar yaşanırken Türkiye'deki Kürtler isyana kalkıştı mı?
Hayır! Sesleri bile çıkmadı. Niye?
Devam edeyim...

Tarih: 16 Mart 1988.

Irak-İran Savaşı sürerken, Saddam Kuzey Irak'ta Kürtlerin yaşadığı Halepçe'ye sekiz MİG-23 uçağından zehirli bombalar attırdı. Çoğunluğu bebek olan beş binden fazla insanın hayatını kaybettiği açıklandı. Gazeteci Ramazan Öztürk'ün çektiği fotoğraflar yürekleri dağladı. Peki...

Halepçe katliamı ardından Türkiye'deki Kürtler ayaklandı mı? Hayır. Üstelik dağlarda PKK vardı!

ABD'ye güvenip 1991'de ayaklanan Kürtler, Kuzey Irak'ta ayaklandı. İsyanı bastıran Irak ordusundan kaçan Kürtler Türkiye'ye sığındı. Kuzey Irak'ta yaşanan vahşet üzerine Türkiye'deki Kürtler ayaklandı mı? Hayır! Sesleri bile çıkmadı. Niye?

Dün Irak'ta, İran'da, Suriye'de olanlar için sesleri çıkmayan Türkiye'deki Kürtler, kentlerde neden silahlı kalkışma yapıyor? Yanıtını bulmak zorundayız. Ki... Tehlikenin farkında olalım.

Bugün...

IŞİD, Kürtleri öldürüyor mu? Evet.

Bu katliamı nerede yapıyor? Kuzey Irak'ta yapıyor; Kuzey Suriye'de yapıyor. O halde Kürtler, Türkiye'deki şehirlerde niye ayaklanıyor; askeri, polisi ve sivil vatandaşları öldürüyor?

Özerklik için mi?.. Ayrılmak için mi?..

TBMM'de üçüncü parti olarak büyük güç toplayan HDP'nin sivil girişimlerinin önüne geçmek için mi?

Sahi... Kaç PKK var? Ve kaçı emperyalistler tarafından yönetiliyor? 2016 yılı başında yüzlerce PKK'lının ölümüne sebep olan maceracılığın amacı nedir?

Oysa... İki PKK'lının hayatı bakın nasıl kesişmişti:

Biri Abdullah Öcalan...

Diğeri Selahattin Demirtaş...

Öcalan-Demirtaş Ortaklığı

Yıl: 1973...

Selahattin Demirtaş Elazığ Palulu. 10 Nisan'da doğdu.

Dedesi Mehmet Ali Kaya'nın isteğiyle nüfusa "Selahattin" diye yazdırıldı. Aile içinde ise ona "Eser" adıyla seslenildi.

Babası Tahir, Köy Hizmetleri'nde tesisatçıydı. Annesi Sadiye ev hanımıydı.

Yedi kardeştiler; dördü kız, üçü erkek; Nurettin, Selahattin, Nurcan, Aygül, Süleyman, Şadiye ve Bahar.

Zaza'ydılar; anne-babası kendi aralarında Zazaca; ama çocuklarıyla Türkçe konuşuyordu.

Geçirdiği zatürree az daha canını alacaktı...

Yıl: 1973...

24 yaşındaki Abdullah Öcalan Ankara Üniversitesi Siyasal Bilgiler Fakültesi öğrencisiydi.

Denizlerin idamdan kurtarılması için Aydınlıkçıların Şafak bildirisini dağıtmaktan 6 ay hapis yatmıştı. O tarihte Kürt gençleri ikiye ayrılmıştı: milliyetçi Kürtler-solcu Kürtler! Öcalan solcu Kürt'tü; Türk sosyalistlerle yeni bir Bolşevik devrimi hayalini kurarken Kemal Burkay, Dr. Sıraç Bilgin gibi Kürtlerle de dirsek temasına girdi. Yakın çevresinde Cemil Bayık, Duran Kalkan, Mazlum Doğan, Mustafa Karasu, Hayri Durmuş ve Kesire Yıldırım gibi isimler vardı.

Bahçelievler; 14. Sokak ile 17. Sokak'ın birleştiği apartman dairesinde ilk "komün"ü bu arkadaşlarıyla kurdu. Giysiler, paralar ortaktı.

Ankara'da "Dersim Gecesi" düzenlediler ve ilk kez kendilerine iki tabanca aldılar!

Yıl: 1978...

Demirtaş Diyarbakır Suriçi'nde ilkokula yazıldı. Ağabeyi ve ablası da aynı okuldaydı. Çabuk incinen bir çocuktu. Kısa zamanda temizliği ve çalışkanlığıyla öğretmeninin gözüne girdi. Yılmaz Güney'e hayrandı.

Yıl: 1978...

Öcalan, Basın Yayın öğrencisi Kesire Yıldırım'la 24 Mayıs'ta evlendi. Kesire'nin babası Ali Yıldırım'ın istihbarat ajanı olması Öcalan ve Kesire hakkında hâlâ süren birçok rivayete sebep oldu. Keza... O tarihte polis ajanı Necati Kaya'yla (pilot) tanıştı. Pilot'un Dikmen'deki evinde Güneydoğu'ya giderek örgüt kurma kararı aldı.

Ve Cemil Bayık, Suruç'taki bir kaçakçıdan ilk Kalaşnikof'u aldı. Ve 26 Kasım'da Lice Ziyaret (Fis) köyünde 22 kişinin katılımıyla PKK kuruldu.

Yıl: 1984...

Demirtaş ortaokul öğrencisiydi; çalışkandı ve astsubay olmak istiyordu. Komşusu astsubaydı, ona özeniyordu.

Yıl: 1984...

12 Eylül Askeri Darbesi'nden hemen önce Suriye'ye kaçan Öcalan, Eruh ve Şemdinli baskınlarını yaptırdı. Astsubay Memiş Arıbaş ve er Süleyman Aydın şehit oldu. Başbakan Turgut Özal baskını "üç-beş eşkıya" diye geçiştirdi. Ve PKK, o yıl ekim ayında biri yüzbaşı 21 Mehmetçik'i şehit etti.

Yıl: 1987...

Demirtaş lise öğrencisiydi. "Kürt diye etnik bir grup olduğunu lisede öğrendim," diyecekti. Annesinden-babasından gizlice Kürtçe müzik dinlemeye başladı. Arkadaşı Ulaş'tan bağlama çalmayı öğrendi.

Yıl: 1987...

Türk medyası Öcalan ve PKK'ya ilgi göstermeye başladı. Hadi Uluengin'den Mehmet Ali Birand'a kadar gazeteciler Bekaa'ya gidip röportajlar yaptılar. Öcalan, kitle temeli kazanmak ve otorite kurmak için köylere saldırı emri verdi: 22 Ocak'ta Hakkâri'nin Ortabağ köyünde 8; 23 Ocak'ta Midyat'ta 10; 22 Şubat'ta Şırnak Taşdelen köyünde 14; 20 Haziran'da Mardin'in Ömerli ilçesinde 6'sı kadın, 16'sı çocuk 30; 8 Temmuz'da Şırnak'ta Pençenek köyünde 16; 9 Temmuz'da Midyat'ta 16'sı çocuk 31; 18 Ağustos'ta Eruh Kılıçkaya köyünde 23; 10 Ekim'de Şırnak'ın Meşeiçi köyünde 13 köylü öldürüldü.

Yıl: 1990...

Demirtaş liseyi bitirdi. Üniversiteyi kazanamadı. İkinci kez girdiğinde İzmir 9 Eylül Üniversitesi deniz işletmeciliği bölümünü kazandı. Hazırlığı ikinci yıl geçebildi.

Biri kız dört erkek arkadaşıyla müzik grubu kurdu. Adı "Komabelangaz"dı; yani "Grup Perişan!"

İlk kez gözaltına alındı. Sebep işletme fakültesi öğrencisi ağabeyi Nurettin Demirtaş'ın PKK gençlik örgütü üyesi olmasıydı. Ağabeyi tutuklandı.

Demirtaş, arkadaş çevresinden, "Herkes dağa giderken sen hâlâ okul mu okuyorsun?" diye "mahalle baskısı"yla karşılaştı.

Bocaladı... Yazın üniversite tatil olduğunda Diyarbakır'a gelip tesisatçı dükkânı açan babasına yardım ediyordu. Bazı günler babasının çok sevdiği "Çift Camlardan Ses Gelmiyor" türküsünü söylerdi.

Yıl: 1990...

PKK, Cizre'de kadın ve çocuklara ilk serhildan/intifada/başkaldırı'yı yaptırdı. Aynısı Nusaybin'de tekrarlandı. 21 Mart'ta tıp fakültesi öğrencisi Zekiye Alkan "Kürtlere yapılan baskıları" protesto için kendini yaktı. Amaç ayaklanma çıkarmaktı. Öyle ki, İstanbul Bakırköy'de eylem yapan 30-40 PKK'lının Çetinkaya mağazasına attıkları molotof kokteyli sonucunda çıkan yangında 7'si kadın, 1'i çocuk 11 kişi canını kaybetti. PKK terör eylemlerini her geçen yıl artırdı:

Tatvan'da durdurdukları bir minibüsteki 13; Silvan Yolaç köyünde "Hizbullahçı" diye camide namaz kılan vatandaşları dışarı çıkararak 10; Bingöl Genç'te çeşitli araçlardan indirdikleri 7; Batman Kozluk'ta 4'ü köy korucusu 10; Bitlis Cevizdalı köyüne düzenlenen baskında 30; Bingöl Solhan'da bir otobüs durdurup 19; Malazgirt Dedebağ köyüne yapılan saldırıda 12; Mardin'de bir minibüse kurulan pusu sonucu 4 kişiyi öldürdü.

Yıl: 1993...

Demirtaş Ankara Üniversitesi Hukuk Fakültesi'ni kazandı. Bu okulu tercih etmesinin sebebi, 22 yıla mahkûm edilen ağabeyi Nurettin'e avukat bulamamalarıydı. Yeni evi, Ankara İlker semti oldu. Okula yürüyerek giderken yolunun üzerindeki TBMM binasına bir kere bile bakıp "Bir gün milletvekili olacağım," diye düşünmedi.

Yıl: 1993...

Cumhurbaşkanı Özal'ın, Barzani ve Talabani ile görüşmeleri sonucu Öcalan, takım elbise giyip (kravatı Türkiye'den bir gazeteci getirmişti) basının önüne çıktı. Ateşkes ilan etti. Amacı PKK'yı meşru bir parti haline getirmekti. Ve Özal öldükten 40 gün sonra PKK, 32 silahsız Mehmetçik'i kurşuna dizerek ateşkesi bozdu. Ardından çatışmalar başladı. DEP kapatıldı. Milletvekili Mehmet Sincar öldürüldü; Leyla Zana gibi milletvekilleri cezaevine atıldı.

Yıl: 1995...

Demirtaş dağa çıkıp PKK'ya katılmaya karar verdi. Fakat... Demirtaş'ı dağa götürecek kuryeler yakalandı. Tesadüfler sonucu 15 gün Diyarbakır'da gözaltına alınmakla kurtuldu.

Yıl: 1995...

Sınır ötesi operasyonda 300'e yakın PKK'lı öldürüldü. Çatışmalarda 11 Mehmetçik şehit oldu. Başbakan Erbakan'ın aracıları sayesinde PKK tek taraflı ateşkes ilan etti. PKK 5. Kongresi'nde parti bayrağındaki orak-çekiç kaldırıldı.

Sürgünde Kürt Parlamentosu kuruldu. Ateşkes kısa sürdü. PKK'da intihar saldırıları dönemi başladı. Öğretmenler başta olmak üzere kamu çalışanı siviller hedef alındı. Kuzey Irak'a 60 bin askerle sınır ötesi operasyon yapıldı. Genelkurmay'ın açıklamasına göre 1.200 PKK'lı öldürüldü.

Yıl: 1999...

Demirtaş Diyarbakır'da avukatlık yapmaya başladı. Siyasi tutukluların avukatlığını üstlendi. Başında Osman Baydemir'in bulunduğu İnsan Hakları Derneği (İHD) Diyarbakır Şubesi'ne üye oldu. İHD, Silopi HADEP İlçe Başkanı Serdar Tanış ile yardımcısı Ebubekir Deniz'in karakolda kaybolması olayına bakmasını istedi. Faili meçhul kayıpların-cinayetlerin bulunması için kendisine en çok yardımcı olan kişi, İdil Savcısı İlhan Cihaner'di...

Yıl: 1999...

Öcalan yakalandı. Türkiye'ye getirilip İmralı Cezaevi'ne konuldu. Dokuz duruşma sonucu idam cezasına çarptırıldı. PKK, saldırmazlık kararı aldı ve Türkiye'den çekilmeye başladı. Öcalan'ın çağrısıyla sekiz PKK'lı teslim oldu. Bu arada cezaevlerinde –örneğin Mehmet Can Yüce gibi– kimi PKK'lılar, Öcalan'ın liderliğini sorgulamaya başladı.

Yıl: 2002...

Demirtaş evlendi. Eşi Başak çocukluk aşkıydı. Diyarbakır'da aynı mahallenin çocuklarıydılar. Davullu-zurnalı bir düğünle evlendiler; gelin ve damadın üzerinde yerel kıyafetler vardı. Balayına gitmediler. Başak Demirtaş, Diyarbakır Dicle Üniversitesi Eğitim Fakültesi mezunuydu; öğretmenlik yapıyordu. İlk kızlarının adını Kürtçe "değerli" anlamına gelen "Delal" koydular...

Yıl: 2002...

DSP, MHP, ANAP koalisyon hükümeti idam cezasını kaldırdı. Öcalan'ın cezası ağırlaştırılmış müebbet oldu. Artık bir tek kurşun atmayan PKK, "Serhildan/Başkaldırı Partisi"ni kurdu. Öcalan, "Acil Çözüm Bildirisi"ni açıkladı; "Silah nihai çözüm değildir," dedi.

Yıl: 2006...

Demirtaş Diyarbakır İHD Şube Başkanlığı'nı üstlendi. Kısa dönem askerliğe gitti. Döndükten sonra kuzeni Sedat Demirtaş ve kardeşi Aysel Demirtaş ile birlikte avukatlık bürosu açtı.

Roj TV'deki tartışma programına telefonla katılan Demirtaş, hapiste bulunan Öcalan için "Kürt sorununun çözümünde rolünün değerlendirilmesi gerekir," dediğinden hakkında Diyarbakır Cumhuriyet Başsavcılığı tarafından terör örgütü propagandası yapmak suçlamasıyla soruşturma açıldı ve bir yıl ceza aldı. Mahkeme hükmün açıklanmasının geri bırakılmasına karar vererek, Demirtaş'ın beş yıl boyunca denetimli serbestlik tedbirine tabi tutulmasını kararlaştırdı.

Bu arada... 12,5 yıl hapis yatan ağabeyi Nurettin Demirtaş, Demokratik Toplum Partisi (DTP) eş genel başkanı seçildi. Seçim barajını geçemeyeceğini düşünen DTP, adaylarını bağımsızlar listesinden gösterdi. Selahattin Demirtaş, Diyarbakır bağımsız milletvekili seçildi. Ve aynı yıl, ikinci kızı Kürtçe "yürekten gelen" anlamındaki "Dılda" doğdu.

Yıl: 2006...

Geçen yıl silaha sarılıp 20 kişiyi katleden PKK, bu yıl da 41 kişiyi öldürdü. En acısı Diyarbakır Koşuyolu Parkı'ndaki patlamada 7'si çocuk 10 kişinin ölmesiydi. Amerikalıların PKK ile görüşme yapıp silah vermelerinin ortaya çıkmasına rağmen AKP hükümeti bir şey yapamadı. MİT Müsteşarı Emre Taner, İmralı Adası'ndaki Öcalan'la "çözüm" görüşmelerine başladı...

Yıl: 2010...

Anayasa Mahkemesi'nin "eylemleri yanında, terör örgütüyle olan bağlantıları da değerlendirildiğinde, devletin ülkesi ve milletiyle bölünmez bütünlüğüne aykırı nitelikteki fiillerin işlendiği bir odak haline geldiği" gerekçesiyle DTP'yi kapatacağı anlaşılınca, Selahattin Demirtaş, Barış ve Demokrasi Partisi'nin (BDP) eş genel başkanı oldu. Bir yıl sonra yapılan genel seçimde Hakkâri'den bağımsız milletvekili seçildi.

Yıl: 2010...

PKK geçen yıl yerel seçimde olduğu gibi 12 Eylül referandumunda da ateşkes ilan etti. AKP'li Beşir Atalay koordinatörlüğünde "açılım" süreci başladı. Fakat PKK kanlı eylemlerini sürdürmeye başladı. Örneğin... Hakkâri bölgesinde 25 Mehmetçik'i şehit etti.

Yıl: 2014...

Demirtaş, –daha geniş tabanlı bir siyasi oluşum amacıyla– BDP kapatılarak yerine kurulan Halkların Demokratik Partisi (HDP) eş genel başkanı seçildi. 10 Ağustos'taki cumhurbaşkanlığı seçiminde partisinin adayı oldu. Kamuoyunda tanınırlığı arttı. Aldığı yüzde 9,7 oy oranıyla herkesi şaşırttı.

Öcalan'la görüşmeler yapan "İmralı Heyeti"nde yer almaya başladı.

Yıl: 2014...

Öcalan ve MİT işbirliğiyle yürütülen "açılım", "İmralı süreci", "çözüm süreci" her tıkandığında PKK silaha sarıldı, kan akıttı. IŞİD'in Ayn el-Arap saldırısını –Türkiye'nin iç meselesi haline getiren– PKK'lılar ikisi polis 34 kişinin ölümüne neden oldu.

Yıl: 2015...

Demirtaş'ın eş genel başkanı olduğu HDP genel seçimde yüzde 13,1 oyla 80 milletvekili çıkardı. Demirtaş bu kez İstanbul'dan milletvekili seçildi.

Yıl: 2015...

PKK, Suruç katliamını sebep göstererek kan akıtmaya başladı. Öcalan kendini ziyaret eden HDP heyetine, "Bu gidişatı önleyemeyen herkes sorumludur; çözüm süreci de bu noktaya gelmemeliydi," dedi.

Bugün...

Selahattin Demirtaş 47 yaşında.

Abdullah Öcalan 67 yaşında.

PKK yarım asırdır kan döküyor ve dökmeye devam ediyor.

Peki... Gelinen son noktada; Demirtaş ve Öcalan mücadelelerini birbirlerine benzeyerek sürdürmüyor mu?

Eğer, üniversiteli Demirtaş dağa çıksaydı, PKK'lı Öcalan olacaktı!

Oysa, Öcalan dağdan indirildi ve şimdi Demirtaş olma yolunda ilerliyor!

Demirtaş'ın yanına Öcalan'ı alıp, PKK terörünü durdurabileceğini sandı çok kişi!

Oyunu kim bozdu?..

Bu akan kanın sebebi belli değil mi; ayı ile yatağa girip kim öpücük verdi ise o!

Bu kanlı kısırdöngü ancak emperyalizme karşı mücadeleyle son bulur.

Yoksa... Mesele tek taraflı değil. Erdoğan ile Öcalan yan yana gelseler bile olayın çapını görmeden bu sorunu çözemezler.

Çözmek için bir de Erdoğan'a bakalım...

Erdoğan'ın Ajandası

Çıraklık döneminde Erdoğan, Büyük Ortadoğu Projesi (BOP) lideri olacağına inandırıldı. "Öpücükle"...

Kalfalık döneminde Erdoğan, Arap Baharı'nın önderi olacağına inandırıldı. "Öpücükle"...

Ustalık döneminde Erdoğan, Müslüman Sünni dünyanın halifesi olacağına inandırıldı. "Öpücükle"...

Elinde sihirli bir sopa olduğuna inandırıldı; dokununca sorunları çözecekti.

Hepsine kandı. Anımsayınız...

Tarih: 14 Mart 2003.

Başbakan oldu...

Çok istemesine rağmen, ABD'nin Irak saldırısını kolaylaştıracak 1 Mart Tezkeresi'ni AKP grubuna kabul ettiremedi. İki hafta sonra başbakanlık koltuğuna oturtuldu.

Tarih: 21 Ocak 2003.

PKK'lı Mustafa Karasu ABD Dışişleri Bakanlığı'na gönderdiği mektupta "Yanınızdayız," diyordu: "ABD'nin Irak'a müdahalesi, bölgede zararlı bir yük haline gelen –Türkiye'deki gibi– rejimlerin aşılmasının olanağını yaratacak, bölgede demokratikleşmenin yolunu açacaktır."

ABD, 20 Mart 2003'te Irak'ı işgale başladı...

4,5 ay sonra... Tarih: 4 Temmuz 2003.

Kuzey Irak/Süleymaniye'de 150 ABD askeri, Özel Kuvvetler Komutanlığı'na mensup 11 Türk subayının kafasına çuval geçirerek gözaltına aldı.

"Çırak Başbakan", "Amerika'ya nota vermeyecek misiniz?" sorusuna, "Nota öyle her kafa estiğinde verilmez; ne veriyorsun müzik notası mı?" diye çıkıştı!

Çok geçmedi. Bağdat Büyükelçiliği'nde görev yapmaya giden beş Türk polisi Musul'da şehit edildi.

Ve... Öcalan 1999'da yakalandıktan sonra sivil itaatsizliği ön plana çıkarmak amacıyla "demokratik çalışma grupları" oluşturan PKK, bu amaçla "Serhildan Partisi"ni kurmuştu. 5 yıllık "eylemsizlik" ardından PKK'lı Murat Karayılan 1 Mart 2004'te ateşkesin sona erdiğini açıkladı. Peki niye?

Yanıtı Can Dündar'ın haberinde vardı: "İlginç flört: ABD-PKK görüşmesi" başlıklı haberinde, ABD Dışişleri yetkilileri ile PKK Başkanlık Konseyi arasında görüşmelerin olduğunu ve bu görüşmelerde PKK ile ABD'nin mutabakata vardıklarını yazdı.[41]

Can Dündar, bir gün sonra ise, Kuzey Irak'ta federasyon oluşumu için pazarlık yapıldığını yazarken, ABD ile PKK'nın 6 kez görüştüğünü belirtti. Bu bilgileri, görüşmelere aracılık eden Davut Bağıstani'nin gönderdiği fotoğraf da teyit etti. Fotoğrafta PKK'lılar ile ABD'li bir asker yetkili vardı!

Ne tesadüf!..

Tarih: 16 Şubat 2004

"Çırak Başbakan", Kanal D ekranında BOP projesi sonucu Diyarbakır'ın yıldız olacağını söyledi. Aynı yıl Diyarbakır'daki konuşmasında "Kürt sorunu benim sorunumdur," dedi.

Aynı günlerde...

Tarih: 21 Şubat 2004

PKK'lı Osman Öcalan, ABD'nin işgal valisi Paul Bremer'e yazdığı mektupta Irak'ta "PKK için çalışma izni" istedi! ABD'li General Jay Gamer, "Burada çok kalmayacağız, burası sizin," diyecekti...

Yani, ABD desteğini alan PKK, ateşkesi bitirdi. Ve... Tarih: 30 Nisan 2005.

Kuşadası'nda bombalı paketin patlamasıyla başkomiser Yaşar Aykaç şehit oldu. Dört polis yaralandı.

Yine kanlı süreç başladı: 4 Haziran'da Tunceli'de dört Mehmetçik şehit edildi.

2 Temmuz'da Bingöl'de beş güvenlik görevlisi yaşamını yitirdi.

16 Temmuz'da Kuşadası'nda bu kez minibüste bomba patladı. Turistlerin de bulunduğu beş kişi öldü.

5 Ağustos'ta Şemdinli'de beş Mehmetçik şehit edildi...

2005 yılında toplam 20 can verildi...

Yıl bu acı tabloyla kapanırken, PKK destekçisi Mesut Barzani, 24 Ekim'de Beyaz Saray'da G.W. Bush tarafından kabul edildi. Konu "Kürtlerin özgürlüğü" idi!

---

41 *Milliyet*, 18 Ocak 2003.

Bu görüşmeyi Genelkurmay Başkanı Hilmi Özkök, "Barzani bir aşiret reisiydi artık durum değişti. Artık değişen koşullara göre hareket edeceğiz," diye yorumladı.

"Çırak" da aynı görüşteydi; 4 Mart 2006'daki konuşmasında "BOP'un eş başkanıyım" açıklamasını yaptı.

İddiaya göre, MİT Müsteşarı Emre Taner, İmralı Adası'ndaki Öcalan ile "çözüm" görüşmelerine başladı...

PKK saldırıları durmadı; 2006'da toplam 41 kişi hayatını kaybetti. En acısı 13 Eylül 2006'da gerçekleşti: Diyarbakır Koşuyolu Parkı'ndaki patlamada 7'si çocuk 10 kişi öldü. Şırnak'ta 6 ve Tunceli Pülümür'de 7 Mehmetçik şehit edildi. Ankara Anafartalar Çarşısı önündeki canlı bombanın patlaması sonucu dokuz kişi öldü.

Bu arada... Türkiye elde ettiği bilgileri/belgeleri ABD'ye sundu ama sonuç alamadı. Örneğin... Tarih: 28 Aralık 2006.

Amerikan askeri aracı Kandil Dağı'ndaki Kortek Kampı'na gelerek, 100'er adet M-16 marka Amerikan piyade tüfeği bulunan üç sandık bırakmıştı. Silahların tümünde dürbün ve bombaatar takılıydı!

Görünen: ABD'nin Irak işgali PKK'yı her geçen gün güçlendiriyordu... "Çırak Başbakan" ABD gezisinde Başkan Bush'tan; Dışişleri Bakanı Abdullah Gül ise Dışişleri Bakanı Rice'tan PKK konusunda yardım istedi.

2007 yılı kritikti; genel seçimler ve cumhurbaşkanlığı seçimi vardı. PKK "şaşırttı"; 1 Ekim 2006'dan itibaren geçerli olmak üzere ateşkes ilan etti!

Türkiye seçime terörü unutarak girecekti...

Gelelim kalfalık dönemine... Yıl: 2007...

Türkiye 22 Temmuz'da genel seçime gitti. "Çırak Başbakan" sandıktan "Kalfa Başbakan" olarak çıktı. Ardından... Abdullah Gül 24 Ağustos'ta cumhurbaşkanı oldu.

Bu iki seçim bitince PKK tekrar tetiğe bastı:

7 Ekim'de Şırnak Gabar Dağı'nda 13 şehit verildi. 21 Ekim'de Hakkâri Dağlıca'da 12 şehit verildi. Seçimlerden sonra, –2007 yılının son beş ayında– 52 şehit verildi.

Her şehre şehit tabutu geliyordu... Halk öfkeliydi...

"Kalfa Başbakan" 21 Şubat 2008'de Kuzey Irak'a sınır ötesi harekât emri verdi. Fakat...

ABD Savunma Bakanlığı görevlilerinin 28 Şubat'ta Ankara'da

yaptığı temasların ertesi günü harekât sona erdirildi! ABD 2003'teki çuval olayından sonra gönül almak için bu kadar süreye izin vermişti; bir hafta! Zaten...

BM Genel Sekreteri Ban Ki-mun'dan AB Genel Sekreteri Javier Solana'ya, İngiltere'den Almanya'ya hepsi benzer açıklamayı yapmıştı: Türk birliklerinin Irak'ta bulunması büyük bir istikrarsızlık riski oluşturur!

Ardından... PKK, Şemdinli Aktütün Karakolu'na saldırdı; 17 Mehmetçik can verdi. Diyarbakır'da askeri servis aracının geçişi sırasında düzenlenen bombalı saldırıda altısı öğrenci yedi kişi öldü, 68 kişi yaralandı. Çatışmalar bölgeyle sınırlı değildi... İstanbul Güngören'de 10 dakika arayla iki bombanın patlatılması sonucu; beşi çocuk, biri doğmamış bebek 18 kişi öldü, 150 kişi yaralandı.

2008'de toplamda 127 can verildi. Anadolu topraklarından oluk oluk kan akıyordu. Batı ise tüm bu ölümler karşısında sessizdi...

Kan 2009 yılında da akmaya devam etti. Fakat...

29 Mart 2009 tarihinde yerel seçimler vardı. PKK ne yaptı dersiniz? 2008 yılı sonunda çatışmasızlık kararı aldı!

Bu "barış ortamında" Cumhurbaşkanı Gül, "2009'da iyi şeyler olacak," dedi. Bitlis'in Güroymak ilçesi ismini Kürtçe "Norşin" diye telaffuz etti. Yerel seçimi AKP kazandı!

Öcalan 156 sayfalık "Yol Haritası"nı, –PKK'nın ilk saldırı yıldönümü olan– 15 Ağustos 2009'da MİT'e teslim etti. Açılım koordinatörü AKP'li Bakan Beşir Atalay kimi aydınlarla buluştu. "Açılım AKP'nin kurulmasıyla başlamıştır," dedi.

PKK masada elini güçlendirmek için, Diyarbakır'da dokuz; Çukurca'da altı askeri şehit etti.

Açılımcı aydınlar; hükümete, "Aman ne istiyorlarsa verin," diyordu! O tarihte...

PKK ile MİT Oslo'da görüşüyordu. ABD ordusu 2011'de Irak'tan çekilecekti ve Kürtleri; Arap ve İran'dan koruyacak garantör devlete ihtiyaç vardı; Türkiye! Eh zaten AKP hükümeti, Kuzey Irak'ın ekonomik inşa sürecine yardım etmiyor muydu? "Kalfa Başbakan", 62 sanatçıyla İstanbul'da bir araya geldi; "Açılıma omuz verin," dedi. Ahmet Türk'le buluştu, açılımı konuştu.

Görüşmeler sürerken, 19 Ekim'de Habur süreci başladı ve 34 PKK'lı teslim oldu. Görüntüler toplumda infial yarattı. "Kalfa" tepkiler sonucu geri adım attı: "Bizim terör örgütüyle görüştüğümüzü söyleyenler şerefsizdir." Habur süreci sona erdi!

Ve yine PKK, Türk askerini şehit etmeye başladı. 2010'da sadece Hakkâri bölgesinde 25 Mehmetçik can verdi. İstanbul Halkalı'daki mayınlı tuzak sonucu biri lise öğrencisi, dördü asker beş kişi öldü. İskenderun'daki Deniz Kuvvetleri'ne ait birliğe roketatarlı saldırıda altı asker şehit oldu. İstanbul Beyoğlu'nda PKK'lı canlı bombanın patlaması sonucu 32 kişi yaralandı.

Ancak... PKK, 12 Eylül 2010'da yapılacak referandum nedeniyle yine eylemsizlik kararı aldı.

Yargıyı tamamen Cemaat'in kontrolüne bırakan Anayasa değişikliği referandumu "açılımcı liboşlar"" ve PKK'lıların "yetmez ama evet" oyuyla geçti.

Ve... 12 Haziran 2011 Genel Seçimlerinden Kalfa Başbakan "Usta" olarak çıktı!

Tabii ki... 12 Haziran seçiminden bir ay sonra PKK eylemsizlik kararını kaldırdı.

Tarih: 24 Temmuz 2011.

Diyarbakır Silvan'da 13 Mehmetçik'i şehit etti!

Seçimlerden iki ay sonra... Çukurca'da 12; hemen ardından yine Çukurca'da 24 Mehmetçik'i katletti.

Son katliamın ardından Türkiye'nin pek çok kentinde gösteriler yapıldı. "Usta" Kuzey Irak'a hava operasyonu emri verdi. Batı hemen tepki gösterdi. Türk F-16'lar durduruldu!

Tesadüf!.. 28 Aralık'ta Uludere komplosu tezgâhlandı ve Türk F-16'lar tarafından 35 kaçakçı köylü öldürüldü.

PKK, Siirt'te altı kadının bulunduğu araca saldırı düzenledi, dört kadını öldürdü. Uzatmayayım; 2011'de toplam 112 can verildi!

Bu arada açılım sürecine Cemaat müdahale etti. Oslo görüşmelerinin ses kaydını internete sızdırdı. Önce KCK'lılara ve dört gün sonra da Oslo görüşmelerini yapan MİT heyetine operasyon yaptı.

"Usta" ameliyat olmuştu ve süreci kontrol edemiyordu.

PKK, 2012'de de can almaya devam etti. Silopi'de 6; Yüksekova'da 8; Şemdinli'de 5; Beytüşşebap'ta 12, Karlıova'da 8; Bitlis'te 10 ve toplamda 103 Mehmetçik şehit oldu... Gaziantep'te bomba yüklü aracın patlatılması sonucu 10 kişi öldü, 66 kişi yaralandı.

2012 sonunda çözüm süreci tekrar gündeme geldi...

MİT Müsteşarı Hakan Fidan ile Öcalan görüşmeye başladı. BDP'liler İmralı'ya gitti.

"Usta"; 26 Eylül'de İmralı görüşmelerini reddederken üç ay sonra 28 Aralık'ta bu kez MİT'in, Kürt sorununa çözüm bulmak için Öcalan'a ziyaretlerde bulunduğunu açıkladı!

15 gün sonra... "İmralı Zabıtları" basına sızdırıldı.

PKK'nın Alevi kült isimlerinden Sakine Cansız ve iki PKK'lı kadın Paris'te öldürüldü.

Neler oluyordu?

Yetmezmiş gibi... "Usta"nın Suriye içsavaşındaki tutumu Türkiye'yi hayli zora sokacak; terör sorunu bambaşka noktalara taşınacaktı. Örneğin... 13 Şubat'ta Cilvegözü Sınır Kapısı'nda bomba yüklü araç patlatıldı; dördü Türk 14 kişi yaşamını yitirdi. 11 Mayıs'ta Hatay Reyhanlı'da düzenlenen iki ayrı bombalı saldırıda 52 kişi öldü, 146 kişi yaralandı. Artık savaşın Türkiye ve Irak'tan sonra üçüncü merkezi Suriye idi ve kan Türkiye'ye sıçrıyordu. Türkiye ise henüz bunun farkında değildi. Öyle ki...

"Usta" isimlendirmeye takılmıştı; "İmralı Süreci" yerine "Çözüm Süreci" olarak adlandırılmasının doğru olacağını açıkladı. Sonra...

"Akil İnsanlar Heyeti" oluşturdu. Heyetle yaptığı toplantıda, çözüm sürecini halka anlatmaları ve teşvik etmeleri için kendilerinden yardım istedi. Süreç hızlandı...

Öcalan'ın Nevruz mesajı Kürtçe ve Türkçe okundu. PKK silah bırakacağını ve askeri kadrolarını yurtdışına çıkaracağını açıkladı. (Zaten Suriye'deki PKK'nın bu kadrolara ihtiyacı vardı!)

"Demokratikleşme Paketi" açıklandı... KCK tahliyeleri başladı...

"Usta"nın davetiyle Barzani, 50 araçlık konvoyla 16 Kasım 2013'te Diyarbakır'a geldi. Barzani'yi AKP Milletvekili Mehmet Emin Dindar ve Şırnak Vali Vekili Mustafa Akgün; "Usta"yı da Osman Baydemir, Leyla Zana, Sırrı Sakık, Altan Tan ve Esat Canan karşıladı. Toplu açılış töreninde "Usta", Barzani'nin elini tutarak halkı selamladı. "Bugün büyük bir kucaklaşmaya hep birlikte şahit oluyoruz," dedi..

Silahların sustuğu bu ortamda 30 Mart 2014 yerel seçimini yine "Usta" kazandı!

Ve... Tarih: 10 Ağustos 2014.

"Terörü bitiren lider" propagandasıyla "Saraylı Cumhurbaşkanı" oldu. Yeni görevinde de çözüm süreciyle yakından ilgileneceğini söyledi.

Başbakan Yardımcısı Beşir Atalay'ın "Kandil'le direkt görüşülmesini arzu ediyorum," açıklamasına, PKK'lı Cemil Bayık'tan "Biz her zaman açığız," yanıtı geldi.

Bu tarihlerde Türkiye'nin gündemine Ayn el-Arap (Kobani) geldi. TSK'ya Suriye ve Irak'ta sınır ötesi operasyon yetkisi veren tezkere Meclis'ten AKP-MHP oylarıyla geçti.

IŞİD'in Ayn el-Arap saldırısını protesto eden PKK'lılar, ikisi polis 34 kişinin ölümüne neden oldu. Cemil Bayık, Kobani ve Türkiye'de yaşananlardan hükümeti sorumlu tuttu; çektikleri PKK birliklerini Türkiye'ye geri gönderdiklerini söyledi.

İki hafta sonra 25 Ekim'de Yüksekova ilçesinde PKK'nın saldırısına uğrayan üç asker şehit oldu.

2014 yılı böyle kapandı...

7 Haziran 2015'te genel seçim vardı.

AKP hükümeti ve HDP sözcüleri 28 Şubat'ta ortak açıklama yaparak, PKK'yı silahları bırakmaya davet etti.

"Saraylı Cumhurbaşkanı" herkesi şaşırtarak "Kürt sorunu yoktur," dedi! Ve, AKP hükümeti temsilcileri ile HDP yöneticilerinin Dolmabahçe'de yan yana gelmesini onaylamadığını söyledi. Kafalar yine karıştı... Çok geçmedi...

PKK, Ağrı Diyadin'de Mehmetçik'le çatıştı. Ardından 20 Temmuz 2015 tarihiyle ardı ardına katliamlar, cinayetler işlenmeye başlandı.

Kanlı süreçte en başa dönüldü. Tek fark vardı; PKK artık şehirlerde mahalle mahalle çatışıyordu.

Kazanan... Kuzey Irak'ta amacına ulaşan ve şimdi hedefinde Kuzey Suriye bulunan ABD-İsrail oldu. Hedefleri belliydi; "Büyük Kürdistan!.."

Konu konuyu açıyor...

Puzzle'ın tümünü görmek için kısa bir not aktarmalıyım:

Sultanahmet'teki 12 Ocak 2016 tarihindeki terör eylemini öğrendiğimizde arkadaşlarımızla aramızda şöyle bir diyalog geçti:

– "Patlama turistlerin olduğu yerde oldu; bu IŞİD'dir! IŞİD Türkiye'de HDP çevresi ve yabancıları hedef alıyor."

– "Bu terör saldırısını PKK yapmış olamaz. PKK güvenlik güçlerini hedef alıyor; olay yerinde polis yokmuş!"

Şu halimize bakar mısınız?

Türkiye'nin geldiği içler acısı hale bakar mısınız?

Kimileri de, "İstanbul'daki patlama Diyarbakır'da, Şırnak'ta neler olduğunu anlaşılır hale getirmiştir inşallah," diye twitter'da mesaj atıyor! Yuh artık!

Ve birinin mesajını görünce ağzımdan çıkanı kontrol edemedim!

ABD'nin Ankara Büyükelçisi John Bass, Türkçe attığı tweet'te, "Sultanahmet'teki patlamayla ilgili haberleri yakından takip ediyoruz. Kalplerimiz, olaydan etkilenenlerle..." diye yazdı!

Aklıma Aristoteles'in sözü geldi:

"En büyük suçlar zaruri olanı değil de, fazla olanı elde etmek için işlenir!"

Bu terör saldırısının sorumlusu kim?

Canlı bomba mı?.. IŞİD mi?..

Türkiye'deki basiretsiz yöneticiler mi?.. Davutoğlu mu?.. Erdoğan mı?..

Bu kadar mı?.. Başka yok mu?..

Ya PKK'nın terör çatışmalarını dağlardan şehirlere kadar getirmesinin sorumlusu kim?

IŞİD terörü... PKK terörü...

Aydın yöresinin güzel bir lafı var:

"Turpun büyüğü heybede!"

Kim Bu "Kovboy"?

Adı, Jackie Lawlor...

Gazeteciydi...

Uluslararası çatışmaların atılgan bir şekilde risk alarak, tehdit ederek veya askeri yöntemlerle çözümlenmesini tanımlamak için bir kavram yarattı:"Kovboy Diplomasisi."

Bu siyasal kavramın doğuşunun sebebi; ABD Başkanı Theodore Roosevelt'in dış politikalarını tanımlamak için söylediği şu sözdü:

"Yumuşak konuş ve büyük bir sopa taşı!"

Bu söz ABD dış politikasının özetiydi.

Irak ve Afganistan işgalinin beyni Donald Rumsfeld'in Savunma Bakanlığı/Pentagon'daki ofisinin masası üzerinde, –bronz plakette kazılı olarak– Roosevelt'in bu sözü vardı!

Bakın nereden nereye geleceğiz...

Geleceği öngörmek zorunlu olarak geçmişin bilgisinden geçer... 19. yüzyılın büyük emperyalist gücü İngiltere/Britanya'ydı. Dünyanın dörtte birini kontrol ediyordu!

20. yüzyılın büyük emperyalist gücü ABD oldu.

Peki... İngiltere bu gücünden neden vazgeçti? Hem Birinci Dünya Savaşı hem de İkinci Dünya Savaşı'nın galibiydi.

Düşünün ki, dünyadaki diğer tüm donanmaların toplamından daha büyük bir donanma gücüne sahipti. Biliyoruz ki –Kıbrıs gibi– sömürgelerinin çoğundan askerlerini çekti. Niye?..

İngiliz tarihçi Hobsbawm bu soruya şu yanıtı verdi: "Sanırım Britanyalılar, orta büyüklükteki bir ülkenin yapabileceği şeylerin sınırlı olduğunu, dünyanın kimi bölgelerine askeri güç kullanarak yapılacak bir müdahalenin oralardaki durumu daha da kötüleştireceğini biliyordu. Dünyada başarabilecekleri şeylerin sınırlı olduğunu anlamışlardı."

Yani... Sömürgeci İngilizler, dünyayı düzenlemek için elinden geleni yapmıştı ancak dünyayı egemenliği altına alamayacağını anlamıştı!

Bugün... Dünyayı tek bir gücün tahakkümü/zorbalığı altına sokma anlayışını kim dayatıyor: ABD!

ABD tarihte dünya hegemonyası kurma iddiası taşıyan tek ülke! "Amerikalı kovboy" dün arka bahçesi Latin Amerika'ya yaptığını bugün dünyaya dayatıyor; ülkelere zulmediyor.

İşte... Irak, Afganistan, Suriye, Libya vs. ülkelerdeki politikaları ortada. Bu uslanmaz "azgın kovboy" dünyayı yakıp yıkıyor!

İnsanlar; dünyayı istikrara kavuşturan, savaş yapmayı imkânsızlaştıran "Soğuk Savaş" dönemini mumla arıyor!

Askeri zorbalıkları/baskıları yetmezmiş gibi... Sultanahmet'teki canlı bombanın sebebi kendileri değilmiş gibi tweet atıyorlar!

Görüyoruz...

Ne denli güçlü olursa olsun tek bir gücün, dünya politikasını kontrol etme isteği insanoğluna acılar yaşatıyor. Üstelik...

İngilizler güçlerinin zirvesindeyken bile dünyayı dönüştürmeye hiç kalkışmadı. Küresel bir model olma yönündeki bu eğilim, kendini megalomaniye kaptıran ABD'ye özgü!

Evet, mesele sadece askeri hegemonya sorunu değil. Aynı zamanda iktisadi ve itibarıyla siyasi-kültürel bir modelin dayatılması ülkelerin toplumsal yapılarını altüst ediyor.

"Kumar ekonomisi" neoliberalizm dayatması, daha kapitalist sisteme bile geçememiş toplumların genetik bileşimlerini erozyona uğratıyor.

Baksanıza... Siyaset anlayışı değişti.

Kimlik siyaseti toplumsal dokuları parçaladı.

İnsan bozuldu... Belirsizlik arttı. "Serbest piyasa fundamentalizmi" fundamentalist terörü doğurdu!

Sonuçta... "Kovboy ile yatağa giren maceracılar" binlerce insanın ölümüne sebep oldu/oluyor.

Sonra dönüp "Ulusalcılar Kürt düşmanı" diyorlar!

Niye Kürt'e düşman olsunlar? Hangi Türk'ün Kürt akrabası yok. Kurtuluş'u birlikte gerçekleştirmediler mi?

Meselenin sevip sevmemekle veya dostlukla düşmanlıkla ilgisi yok. Mesele ideolojik! Bakınız...

Bilindiği gibi K. Marks Yahudi kökenlidir.

1843'te kaleme aldığı "Yahudi Sorunu" adlı makalesi büyük yankı uyandırdı. Makalesinde, dinle siyasetin yerini çözümledi. Ona göre Yahudi meselesi, genel olarak laiklik sorununun bir parçasıydı. Laiklik ise, gerçek dini özgürlüğün olmazsa olmaz koşuluydu.

Yahudi kökeni yaşamı boyunca kendisine karşı kullanılmış Marks, bu makalesi yüzünden neyle itham edildi bilir misiniz; anti-semitik/ırkçı olmakla!

Bu "kafa karışıklığı" örneğini vermemin nedeni... Kimileri, bir süredir dindarlara ve Kürtlere özgürlüklere düşman faşist-darbeci olarak tanıtılma çabasında!

Yıllarca bu özgürlükler için mücadele vermiş, nice bedeller ödemiş insanlar, bugün bu tür aşağılayıcı ithamla suçlanıyor. Ayıptır.

Politik Pezevenklik

Karşımızda büyük oyun var.

Bu oyunun kuklalarını da yakından bilmeliyiz.

Kim bu "öpücük aracısı" kişiler; yani, "politik pezevenkler?..

Anımsayınız: Hukuk ve adalet sistemini paramparça eden 12 Eylül 2010 referandumunda "birileri" ne dedi: "Yetmez ama evet"!..

Bu "birileri" bugün ne diyor; "Yetmez ama HDP"!

Dün Cemaat'i desteklediler.

Dün AKP'yi desteklediler.

Bugün, HDP'yi destekliyorlar!..

Dün Fethullah Gülen'e övgü yarışındaydılar.

Dün Erdoğan'a övgü yarışındaydılar.

Bugün Selahattin Demirtaş'a övgü yarışındalar!..

Bu "öpücük pezevenklerinin" "Biz ne söylersek, ne yazarsak doğru"dur yalanını/siyasal ahlaksızlığını hiç tartışmıyoruz. Oysa, salt bugünün değil, 100 yıllık siyasal sürecin tüm sancılarından bunlar sorumlu değil mi?

Sayıları az, sesleri çok bu "birileri" gazetelerde, televizyonlarda sıkça görünüyor ve nedense yaptıkları hatalar üzerinde hiç durulmuyor. Yani, biri çıkıp da, "Yahu kardeşim siz de, ne çok hata yaptınız, bizi ne çok kandırdınız," demiyor!

Bunlar da cesaretle, "hep haklılarmış" gibi konuşup-yazıp duruyor; büyük bir kibirle "yol gösteriyorlar"!

Oysa bunların "atalarını" biz iyi tanıyoruz:

– Hürriyet ve İtilaf Fırkası kurarak işgali desteklediler.

– İngiliz Muhipler Cemiyeti'ni kurarak İngiliz mandası istediler.

– Wilson Prensipleri Cemiyeti kurarak ABD mandasını istediler.

– Saltanatın ve hilafetin kaldırılmasına karşı çıktılar.

– Soğuk Savaş döneminde tüm kesimlerden daha etkili sol düşmanlığı yaptılar.

– 12 Mart 1971 ya da 12 Eylül 1980 gibi askeri darbelere en büyük desteği verdiler.

– "Özelleştirme" kılıfı altında vatanı bir kadın memesine sattılar.

– Ergenekon-Balyoz yalanlarının ortağı oldular.

Her daim, "Yetmez ama evet" dediler.

Bıkmadılar... Usanmadılar... Ve... Hiç utanmadılar...

Peki... Bu "Yetmez ama evet"çiler sürekli neden siyasal hata yapıyor?

Bu durumu sadece "politik inançsızlık" diye açıklayabilir miyiz?

Evet. Bu ülkeye inanmıyorlar. Bu ülke insanının yapabileceğine inanmıyorlar. "Türk"ten nefret ediyorlar. Mustafa Kemal'i sevmiyorlar. Bu nedenle bu toprakların tüm değerlerini aşağılıyor, değersizleştiriyorlar.

Ama mesele sevip sevmemenin ötesindedir:

Yüzlerinde "demokrasi" maskesi var ve bu ülkeye medeniyetin "dışarıdan" geleceğine inanıyorlar. Emperyalizmi "tek kurtarıcı" görüyor; dünyaya egemen bu zorbalığın gönüllü temsilciliğini yapıyorlar. İstedikleri; "gelsinler bizi kurtarsınlar" anlayışıdır:

– "ABD gelsin kurtarsın..."

– "AB gelsin kurtarsın..."

Bağımsızlığa düşmanlar. Mandacılık ruhu taşıyorlar.

Görevlidirler... Bu nedenle kim emperyalizmin kuyruğuna takılırsa, "Yetmez ama evet" diye destek veriyorlar. Adları Ahmet, Mehmet, Murat ya da Ayşe olabilir. Aslında...

George Orwell'dirler... Arthur Koestler'dirler.. Raymond Aron'dırlar...

Görmek istediklerini görürler; duymak istediklerini duyarlar.

Düşünme yetisini ve siyasi zekâlarını kaybetmişlerdir.

Gerçekle bağlarını koparmışlardır.

Bu nedenle: Dün Cemaat'in ve AKP'nin; bugün ise PKK'nın şiddetini yok sayarlar.

Yönleri emperyalizme dönüktür ve buradan gelen uyarıyla yönlerini değiştirirler; işaret edilene kol kanat gererler.

Her daim büyük oyunun piyonudurlar...

Bu politik tavır, her seferinde halkın zulüm görmesine, acılar yaşamasına neden olur.

Bu nedenle... Dün Cemaat'in/AKP'nin ve bugünse HDP'nin asıl maksadını ustalıkla gizlerler.

Ne acı ki, Yeni CHP'nin akıl hocası da bunlardır!

Bu topraklarda değişen bir şey yok...

Düşünceleri nedeniyle büyük acılar çekmiş ve mezarı bile hâlâ Azerbaycan'da bulunan Sabiha Sertel, dönemin koşullarına göre taraf değiştiren dönekleri, *Roman Gibi* adlı anı kitabında şöyle yazdı:

> Faşizm yıkıldı, faşist milliyetçiler derhal demokrat kesildiler. Fakat öyle bir demokrat ki demokrasinin müdafaası, muhafazakâr Churchill'in, emperyalist ve kapitalist Tori'lerin müdafaası oldu. Churchill 'Ben nasyonalistim,' dediği için az daha ağzını öpeceklerdi. Churchill ve partisi seçimi kaybetti. Yerine sosyalist parti geldi. Evvelsi gün faşizmin, dün liberal demokrasinin müdafaasını yapanlar, bugün hemen sosyalist oluverdiler...

İşte, hepsi bu...

"Yetmez ama evet"çilerin gizli niyetini biliyoruz:

Kürt sorununun çözümünü ABD-Barzani-İsrail "şeytan üçgeni" içinde arıyorlar.

Biz ise, eşitlik, özgürlük ve kardeşlik temelinde...

Biliyoruz ki, Kürt bu ülkenin zenginliğidir.

Kürdümüzü Ortadoğu bataklığının taşeronu yaptırmayız.

Kürdümüzü feodalizmin bataklığına sürükletmeyiz.

Kendilerine "sol" diyenlerin emperyalizmin payandası gericilikle nasıl uzlaştığını bir örnek olay üzerinden anlatmalıyım...

Milletvekillerinin Sicili

19. yüzyıldaki burjuva devrimi Avrupa'da her ülkede başarılı olamadı. Örneğin Slavlar!..

Slavların temel sorunu; monarşist feodal egemenlikleri yıkmayıp, kendi varoluş koşullarını gelecekte değil geçmişte aramalarıydı!

Yüzyıllardır içinde bulundukları donmuş yapı, onları doğası gereği bu yapının korunması yönünde bir çabaya sevk etti.

Bu nedenle, Hıristiyan Ortodoksluğun merkezi Rus çarının başını çektiği bir Slav bütünlüğü içerisinde yer almak istediler: Panslavizm.

Bu realite ortaya şunu çıkardı:

Ulusal bir pazarın ve onun ifadesi olan kapitalist üretim ilişkilerinin olmadığı veya yaratılamadığı durumda, söz konusu topluluklar/etnisite kendi varlıklarını koruma güdüsüyle gerici bir işleve sahip oluyor!

Slavlar bu sebeple Avrupa devriminin/aydınlanmasının baş düşmanı durumuna geldi. Ve Rusya tarafından hep kullanıldılar.

Marks'tan Lenin'e kadar sosyalizmin öncüleri; ulusal hareketleri, aydınlanma savaşımının bir parçası oldukları ve gericiliğe karşı savaştıkları sürece desteklediler.

– Marks, bu nedenle Mithat Paşa'yı destekledi!

– Lenin, bu nedenle Mustafa Kemal'i destekledi!

Bu nedenle Avrupalı devrimciler; gerici Slavlara karşı çıktı; ilerici Polonya'ya destek verdi.

Lenin ne diyor: "Halkın devrimci çıkarları, gericiliğin hizmetindeki bazı küçük ulusların hareketinden üstündür. Bir ülkedeki bir hareket bir başka ülkenin entrikalarının aleti olabilir ve bu işe Kilise, mali çevreler ya da kralcılar katılabilir; biz o zaman, bu hareketi desteklemeyiz."

Evet.. Sapla samanı birbirine karıştırmamak gerekir.

Rus çarının gölgesinde kalarak varlığını sürdürmeyi düşünen feodalizmle barışık Slav hareketini ne sosyalistler ne de bağımsızlıkçı bir ulusalcı hareket destekledi!

Tarih gösteriyor ki...

Kimlik siyasetine kendini kaptırmamış; özgür, eşit, kardeş ve tam bağımsız Türkiye'yi kurmak isteyenler emperyalizmle aralarına mesafe koymak zorundadır.

Yoksa bakın gericilik kendini nasıl belli ediyor...

Şunu gördük: Kimileri için sadece "Kürt" olmak yeterli referans! "Ne olursa olsun, yeter ki Kürt olsun" anlayışının siyasi terminolojideki karşılığı şudur:

TBMM çatısı altında; Uğur Dündar'ın yaptığı Arena programında CHP'li Kılıçdaroğlu, AKP'li Dengir Mir Mehmet Fırat'ın yolsuzluklarını ortaya çıkarmadı mı?

Bu nedenle Fırat, kurucusu olduğu AKP'den tasfiye edilmedi mi?

HDP, Fırat'ı partisine kabul edip milletvekili yaptığı gibi, bu ismi TBMM başkanı adayı yaptı!

- Yolsuzluk yapmış...
- Hayali ihracat şampiyonu olmuş...
- TIR'ları uyuşturucu taşımış...

Birinin önemi yok HDP için.

Demek siyaset ile ahlak arasında ilişki kurmuyorlar!

Demek kendilerine sormadılar; Mir Fırat'ı milletvekili yapmak ve başkanlığa aday göstermekle, AKP'nin dört bakanını Yüce Divan'a göndermemesi arasında ne fark var?

Bu siyasi ahlakı sorgulamayacak mıyız?

Mir Fırat'ı kabul edip milletvekili yapıp meclis başkanlığına aday göstermenin sebebi, "Yeter ki Kürt olsun" anlayışı değil mi?

Sizler... Hırsız-rüşvetçi siyasal iktidara karşı mücadele ederken "Türk" olup olmadığını hiç düşündünüz mü?

Sizler... Cemaat ile mücadele ederken "Türk" olup olmadığını bir gün aklınıza getirdiniz mi?

Hayır! Ama "birileri" öyle değil; "Yeter ki Kürt olsun" istiyorlar!..

Sormayalım mı: Kendilerine "solcu" diyen HDP içindeki milletvekilleri partilerinin TBMM başkanı adayı Mir Fırat'a nasıl oy verdi? Biri bile sormadı mı, "Fırat'ı niye aday yaptık" diye?

Mir, Kürtçede "Bey" demektir.

Rişvan aşiretinin beyi'dir; ağası'dır!

Hadi geçtik diyelim hakkındaki diğer iddiaları...

Ağa-bey / şeyh-şıh sultasına karşı ağızlarından bir tek kötü söz çıkmayan HDP'nin, bir feodal beyi aday çıkarmasını nasıl değerlendirmeli? HDP niye marabanın değil, ağaların partisi? Böyle solculuk-devrimcilik olur mu?

Demirtaş, Davutoğlu'nu kastederek "Maho Ağa'yı balkona çıkarmayacağız," diyordu; Ağa'yı TBMM başkanı yapmak istediler!

Şimdi... Sormak durumundayım; kim ırkçılık yapıyor?

İşte HDP İzmir Milletvekili Müslüm Doğan... Adı hayali ihracata karışmış Mir Fırat'ın milletvekili yapılmasını içine sindirdiği gibi TBMM başkanı olması için gitti oy verdi! Kim mi Doğan? Sivas Divriği doğumlu ve Pir Sultan Abdal Derneği genel başkanıydı!

İşte HDP İstanbul Milletvekili Turgut Öker...

Adı uyuşturucu kaçakçılığına karışmış Mir Fırat'ın TBMM başkanı olması için oy verdi. Kim mi Öker? Sivas Yıldızeli doğumlu ve Almanya Alevi Birlikleri Konfederasyonu genel başkanıydı!

İşte... HDP İstanbul Milletvekili Ali Kenanoğlu. Ocakzade Dede torunu; Hacı Bektaş Veli Anadolu Kültür Vakfı, Boğaziçi Alevi Kültür Derneği, Alevi Bektaşi Federasyonu kuruluşları yöneticisi; *Hubyar Sultan Ocağı ve Beydili Sıraç Türkmenleri* kitabının yazarı... O da oy verdi; bir dönem Erdoğan'ın "ağa" dediği Mir Fırat'a...

Demek bunun adı, Alevilik öyle mi?.. Yazık...

Demek bunun adı, siyaset öyle mi?.. Yazık...

Sorularım var:

Siz... HDP Onursal Başkanı ve İzmir Milletvekili Ertuğrul Kürkçü; Mahir Çayan, Cihan Alptekin ve diğer sekiz yoldaşınız yanı başınızdan; Mir Fırat'lara koltuk kazandırmak için mi sonsuzluğa yürüdü? Celal Doğan'a sorum bile yok!

Siz... Adana Milletvekili Rıdvan Turan ve Van Milletvekili ve HDP Eş Başkanı Figen Yüksekdağ Şenoğlu; Ezilenlerin Sosyalist

Partisi'ni Mir Fırat'lara oy vermek için mi kurup genel başkanı olmuştunuz?

Siz... İstanbul Milletvekili Levent Tüzel; Halkın Kurtuluşu'nda başlayıp, Emek Partisi genel başkanlığına uzanan mücadeleniz gün gelip Mir Fırat'ı desteklemeye mi uzanacaktı? (Heyhat! AKP'yle kurulan seçim kabinesinde olmayı içine sindiremedi; Fırat nasıl sindi acaba?)

Siz... Antalya Milletvekili Saruhan Oluç; kurucusu olduğunuz ÖDP'den Mir Fırat'ı desteklemek için mi ayrıldınız?

Siz... Sırrı Süreyya Önder; Adıyamanlı Mir Fırat'ı, Adıyamanlı en iyi berber baban –o zorlu dönemlerde Türkiye İşçi Partisi kurucu il başkanlığını yapan– Ziya Amca bilmez mi? "Oğlum yıllarca biz bunun için mi mücadele verdik?" demez mi?

Ya siz... Almanya'da Münster Belediyesi meclis üyeliği görevinde bulunan ve Sol Parti'de yöneticilik yapan Batman Milletvekili Ali Atalan size ne demeli?

Ya siz... Almanya doğumlu Diyarbakır Milletvekili Feleknas Uca; Almanya Sol Parti'den Avrupa Parlamentosu'na girdiniz ve burada sosyalist-komünistlerle GUE/NGL grubu oluşturdunuz. Avrupa Ezidiler Federasyonu Eş Başkanlığı yaptınız. Hepsi Türkiye'ye gelip feodal aşiret ağasına oy vermek için miydi?

Diyarbakır Cezaevi'ndeki insanlık dışı uygulamalara kendini yakarak yanıt veren Kemal Pir'in yeğeni Diyarbakır Milletvekili Ziya Pir'e sözüm yok; Cemaat kontenjanından Meclis'e geldi.

Demek bunun adı, solculuk öyle mi?..

Demek bunun adı, siyaset öyle mi?..

Geçiniz...

Benim sözüm... Yıllardır dini inancını siyasete malzeme yapan, girip çıkmadığı parti kalmayan ve hep ticaretini büyüten HDP Diyarbakır Milletvekili Altan Tan'a değil!..

Sözüm... 1978'den beri Diyarbakır'da din adamı olarak görev yapan HDP Diyarbakır Milletvekili Nimetullah Erdoğmuş'a... Adı kötüye çıktığı için AKP'den tasfiye edilen Mir Fırat'a oy vermeyi içine sindiriyor mu? Babası Molla Mehdi onu bu nedenle mi yetiştirmişti?

Sözüm... Malatya'da başörtüsü yasaklarına karşı mücadele ederken hapse atılan HDP İstanbul Milletvekili Hüda Kaya'ya... Demek, MHP'den kopup Demokratik İslam Kongresi'ni şeyhlere-şıhlara-ağalara destek için kurdunuz?

Sözüm... Diyarbakır Milletvekili Leyla Zana gibi yıllarca hapis yatanlara...

Ağrı Milletvekili Mehmet Emin İlhan gibi iki kardeşini kaybedenlere...

Muş Milletvekili Burcu Çelik Özkan gibi babasını kaybedenlere...

Şırnak Milletvekili Aycan İrmez gibi annesini kaybedenlere...

Iğdır Milletvekili Mehmet Emin Adıyaman gibi kardeşini kaybedenlere...

Hiçbiri, Mir Fırat'ı ekranda paçavraya çeviren Kılıçdaroğlu gibi cesur çıkmadı; gidip tıpış tıpış Mir Fırat'a oy verdi! Demek bunun adı "sol" mücadele öyle mi?

Hadi...

Gaydalı aşiretinin temsilcisi Bitlis Milletvekili Mahmut Celadet Gaydalı'nın...

Zeydan aşiretinin temsilcisi Hakkâri Milletvekili Abdullah Zeydan'ın...

Şipkı aşiretinin temsilcisi Ağrı Milletvekili Berdan Öztürk'ün...

Şeyh Sait İsyanı'nın Palu kanadını oluşturan Şeyh Hasan'ın torunlarından Bingöl Milletvekili Hişyar Özsoy'un bir aşiret ağasına oy vermesini anlayabilirim.

Kendine "solcu" diyenlere ne demeli?

Böyle solculuk olur mu?

Yakın tarihimizde bunlar yaşandı...

Milliyetçiler ve Komünistler

Kıbrıs Komünist Partisi (AKEL), 24 Aralık 1926'da Türk ve Rum işçiler tarafından kuruldu.

AKEL'in zamanla Yunanistan komünist hareketiyle birleşme kararı partiyi böldü. Türk komünistler bu birleşmeye karşı çıkıp AKEL'den ayrıldı!

Dikkatlerden kaçmış olabilir; İsrail Komünist Partisi, abluka altındaki Gazze'ye deniz yoluyla yardım götüren Mavi Marmara gemisine yapılan baskını kınadı. Bunun "Kıbrıs Komünist Partisi'ndeki bölünmeyle ne ilgisi var?" diyebilirsiniz. Mesele aslında benziyor.

1919'da kurulan İsrail Komünist Partisi (MAKİ) de 1965'te bölündü. Sebep aynıydı: Moshe Sneh liderliğindeki Yahudi komünistler, Sovyetler Birliği'nin İsrail karşıtı bir tutum takınmasından ve sürekli Filistin'in yanında saf tutmasından rahatsız oldu. Bu tavır partiyi böldü. Arapların çoğunluğunu oluşturduğu komünistler, kendilerini anti-siyonist olarak tanımlayıp MAKİ'den ayrıldı. Bu grup 1 Eylül 1965'te RAKAH adında yeni bir komünist parti kurdu.

Kıbrıs'taki benzer ayrılık İsrail'de de yaşandı. Yahudi ve Arap komünistler de milliyetçiliği aşamamışlardı.

Kıbrıs'taki ayrılık hâlâ sürüyor. İsrail'deki iki komünist parti arasındaki ayrılık 1981'de bitti. MAKİ sivil toplumcu/liberal sol RATZ ile birleşerek siyasi hayatına son verdi. Sonra 1997'de RATZ da bitti ama bu konumuz değil...

RAKAH ise, 1989 yılında adını tekrar MAKİ diye değiştirip, İsrail'in tek komünist partisi olarak siyasi mücadelesine devam ediyor. Parti içinde sayıları az olmakla birlikte Yahudi komünistler de var. Parti özellikle 2000'li yıllarda İsrail'de yaşanan militarizme ve Filistin ile Lübnan halkına karşı yapılan askeri saldırılara karşı çıkıp, gösteriler düzenledi. Hadaş (Yeni) Bloku'nda seçimlere katıldı; 112 bin oy alarak 120 üyeli Knesset'de 4 sandalye kazandı.

Kıbrıs ve İsrail'deki komünist ayrılık Türkiye'de de yaşandı mı?

Yani, Türk ve Kürt komünistler, milliyetçilik meselesini alt edebildiler mi? Bir dönem Türkiye İşçi Partisi'nin genel başkanı Kürt Mehmet Ali Aslan'dı. Partide Kemal Burkay, Mehdi Zana, Naci Kutlay, Tarık Ziya Ekinci, Canip Yıldırım gibi Kürtler vardı.

TİP, Kürt sorununu dile getirip çözümler önerdiği için Anayasa Mahkemesi tarafından 20 Temmuz 1971'de kapatıldı. Behice Boran gibi solcular bu nedenle 3 yıl hapis yatıp afla çıktılar.

Türkiye solunda asıl köklü ayrılık 12 Eylül Askeri Darbesi'nden sonra oldu.

Komünist partiler, solcular bile böylesine kopuşlar yaşıyorsa, kardeşlik bayrağını elinden düşürmeyenlerin işi daha da zorlaşıyor. Çünkü...

Kimileri, birliği değil inadına ayrılığı körüklüyor..

İşte "damdan düşer gibi" biri...

"Türk Demem!"

Ya da şöyle mi demeliydim:

"Dam üstünde saksağan, vur beline kazmayı"...

Dünyanın gündeminde canlı bomba terörü var.

Burnumuzun dibinde savaş var; terör var.

HDP Milletvekili Leyla Zana'nın gündeminde ne var?

Leyla Zana'nın –parti disiplinini umursamayan– büyük egosu var...

Leyla Zana'nın "şekilci muhalefet" inadı var...

Meclis yemininde "Türk Milleti" değil, "Türkiye milleti" dedi! Niye? Herhalde canı istedi! Yoksa... Leyla Zana'nın "Türk Milleti" ile "Türkiye milleti" kavramlarını analiz edebilecek bilgi birikimine sahip olmadığını herkes bilir!

"Köylü kurnazlığı" yapıyor; Erdoğan'a "Türk Milleti" kavramının Anayasa'dan çıkarılmasında "hemfikiriz" mesajını veriyor!

"Çocuksu uyanıklığın" Leyla Zana'nın kişilik özelliği olduğunu yıllar içinde öğrendik. Atalarımızın dediği gibi; "Abdal düğünden, çocuk oyundan usanmaz!"

Bakınız... Leyla Zana'ya 1994 yılında yapılanlar büyük hataydı. Evet... Leyla Zana'yı –üstelik AİHM kararı nedeniyle yeniden yargılanıp cezasının onanmasına rağmen– 10 yıl hapiste tutmak büyük hataydı. Evet... Leyla Zana'ya özür borcumuz var! Peki...

Bizler Leyla Zana'yı anlamaya çalışırken o ne yapıyor?

"Türk Milleti" kavramına düşmanlık ediyor.

Mesela... Fikir özgürlüğünün "başkenti" Paris'e gidelim... Fas kökenli ve Müslüman olan Milli Eğitim Bakanı Najat Vallaud-Belkacem, Fransa Ulusal Meclisi'nde benzer çıkışı yapabilir mi? "Benim anadilim Berberi" deyip bu dilde konuşma yapabilir mi? Demeçlerinde – "özgürlük-demokrasi var" diye – IŞİD'e övgü düzebilir mi? Hükümete "IŞİD'le masaya oturmazsanız ölüm orucuna başlayacağım," der mi?

Ya da Korsikalı ünlü solcu politikacı Émile Zuccarelli mecliste neden böyle hiç çıkış yapmadı? Hatta...

"Korsika milleti" denilince...

"Korsika özerkliği" denince...[42]

Fransa hemen 1992'de Anayasası'nın ikinci maddesine ek yaptı: Cumhuriyet'in dili Fransızcadır.

"Türk" düşmanlığı neden yapılır ki? Atatürk'ün bizzat kaleme aldığı metinde; "Türkiye Cumhuriyeti'ni kuran Türkiye

42 Korsika'da "özerklik" yanlılarının seçimlerde başarılı olmaları ve yerel meclis ve konseylerde yüzde 100 denetim sağlamaları; bütün zamanların en yetkin üniter devleti Fransa'nın yönetsel yapısını bilmeyen kimilerince, Korsika'nın "özerk" olduğu şeklinde yorumlanmasına neden oluyor. Fransa meclisi buna 2018'de karar verecek! Ve bu zor görünüyor.

halkına Türk Milleti denir," ifadesi yer alıyor. Hâlâ... Kafa karışıklığı yaratmanın anlamı ne?

Leyla Zana görmüyor mu bugünlerde kimsenin oyun oynayacak ruh hali yok! Bırak Türk'ü... Bırak Kürt'ü...

Hele... Nedir yemin?

Eski Ahit'te... Antik Yunan'da... Roma'da... İncil'de...

Erkekler yemin ederken ellerini yumurtalıklarına götürüp testisleri üzerine yemin ederlerdi!

Yahudi Tekvin'de yazar; "Elimi testisime kor: Yerlerin ve göklerin Tanrısı efendimizin huzurunda yemin ederim ki..."

Yaşam kaynağının testis olduğuna inanılırdı.

Tüm dinlerde ayıp/edepsiz olan neydi bilir misiniz: Boş yere yemin etmek! Ortaçağ'da en kötü ve en tehlikeli olan yemin'di; boş yere yemin etmek, Tanrı'nın adını değersizleştirme alışkanlığı olarak görülürdü. Tanrı, bir yalana nasıl şahit edilebilirdi? Aziz Augustinus'a göre, cinayetten daha kötü olan boş yere yemin etmekti! Yalan yeminin cezası korkunçtu.

Zamanla... Yemin sıradanlaştırıldı; herkes yaptığının, söylediğinin doğruluğu için Tanrı adını kullanmaya başladı. Örneğin..

Tarih: 22 Eylül 1973. Henry Kissinger; sol elini İncil'in üzerine koyup, sağ elini kaldırarak yemin ederek ABD dışişleri bakanı olarak göreve başladı. Bildiğiniz gibi Kissinger Yahudi'ydi. Yorum yapmaya gerek var mı?

Bugün... Günlük yaşamda ne çok insan Allah adını vererek yemin ediyor: Vallahi... Billahi... Tallahi...

Türkiye'de hep Meclis yemini meselesini konuşup duruyoruz. Yemin öyle olsa ne olur olmasa ne olur; ne inandırıcılığı kaldı ki?.. Birileri de ekliyor; "Allah" adı eklenmeliymiş! Her kültür hegemonyasının yaptığıdır bu. Bugün tartışılan yemini de 12 Eylül Askeri Darbesi dayatmadı mı? "Allah" isminin yemine eklenmesi 12 Eylül'ün Danışma Meclisi'nde de tartışılmıştı. Denilmişti ki, Müslüman olmayan milletvekilleri Allah üzerine nasıl yemin edecek?

Gerçi... 20 Mart 1877'de açılan ilk parlamentomuz "Meclis-i Umumi"de 46 Müslüman olmayan milletvekili vardı ve hepsi Kuran-ı Kerim'e el basarak şu yemini etti:

"Padişahıma, vatanıma ve Kanun-i Esasi hükümlerine, bana verilmiş olan vazifeye hürmet gösterip, aksine hareket etmekten sakınacağıma vallahi billahi..."

Nice yeminler edildi, nice antlar içildi. Sonuçta... Osmanlı parçalandı. "Bir yemin ettim ki dönemem," durumu hiç olmadı!

Benim de bir önerim var.

Yemin nasıl olursa olsun bir de şu olsun: Rönesans habercilerinden İngiliz edebiyatçı Geoffrey Chaucer (1343-1400) tarafından kaleme alınan *Canterbury Hikâyeleri* adlı eserde, "Afnameci" karakteri var; para karşılığında günahları affeder! Evet...

Meclis'e "yeni yemin" değil, "afname komisyonu" gerekiyor; yemin suçlarını affedecek!..

Şaka bir yana Leyla Zana şunu bilmelidir ki... Bugün Meclis'te ise, bunu tarihin ilerlemeci safında yer alan Atatürk'lere borçludur. 14 yaşında evlenmesine neden olan feodal-dinci siyasi düzene değil!..

Kürtçülük politikalarının geldiği yer burasıdır; komedi!..

Hz. Âdem Kürt'tü!

Size birini tanıtmak istiyorum...

Said-i Nursi'nin talebesi: Adı Cemşid Bender.

Bu aslında müstear adı. Asıl ismi Mehdi Halıcı (1927-2008).

Konya doğumluydu.

Halıcı ailesinin ana tarafı Van'ın Başkalesi'nden, baba tarafı ise Bingöl'ün Kiğı'sından Konya'ya göç etmişti.

Mehdi Halıcı, İstanbul Üniversitesi Hukuk Fakültesi'nde öğrenciyken babasına yazdığı "sadakat ve sabır" mektubu nedeniyle tutuklanıp Afyon Cezaevi'ne kondu. Babası halı esnafı Sabri Halıcı da o cezaevindeydi; suçu Said-i Nursi müridi olmaktı!

Said-i Nursi Konya'ya her gidişinde talebesi Sabri Halıcı'nın evinde misafir oldu. Eserlerinde "Konyalı Sabri"den sıkça bahsetti. Sabri Halıcı çocuklarını hep Said-i Nursi öğretileriyle büyüttü. Mehdi Halıcı yaşamı boyunca Said-i Nursi cemaatiyle ilişkilerini duygusal anlamda hiç koparmadı; zor günlerde avukatlıklarını üstlendi. *Risale-i Nur*'ları övdü. Yazı hayatına ise, 1957'de ağabeyi Feyzi Halıcı ile Konya'da *Çağrı* adlı sanat dergisini çıkararak başladı. Sonra ani bir kararla 1958'de Norveç'e giderek kooperatif konusunda ihtisas yaptı. Dönüp devlet kurumlarında çalıştı; İstanbul'da avukatlık yaptı.

Bu arada kardeşi Feyzi Halıcı'dan da bahsetmem gerekir:

İÜ Fen Fakültesi'ni bitirdi. Yüksek Kimya Mühendisi olmasına rağmen Konya'ya dönüp baba mesleği halıcılığı devam ettirdi. Şiirler yazdı. Bunun bazıları Said-i Nursi üzerinedir. Türk Dil Kurumu üyesi oldu. 1959'da Konya Kültür ve Turizm Derneği'ni kurdu. 1968-1977 yılları arasında AP senatörü olarak TBMM'de görev yaptı. İstanbul Kültür ve Sanat Vakfı ile Atatürk Kültür Merkezi Bilim Kurulu onur üyesi oldu. CHP Genel Başkan Yardımcısı ve Ankara Milletvekili Emrehan Halıcı'nın babasıdır.

Mehdi-Feyzi Halıcı'nın kız kardeşleri Nevin Halıcı ise *Zaman* gazetesi yazarıdır.

Aile hakkında bu kadar bilgi vermemin nedeni, bir ailede nasıl farklı fikirler olduğunu göstermektir. Çünkü Mehdi Halıcı'nın yazdıklarını okuyunca çok şaşıracaksınız.

O halde başlayalım...

Cemşid Bender'in (Mehdi Halıcı), *Kürt Tarihi ve Uygarlığı*[43] kitabıyla ilgili hiç araya girmeden; yorum yapmadan; sayfa sırasına da uyarak kitaptan bazı cümleler alıntılayacağım.

– "Her şeyin ilki olmak kolay mı?" (s. 9)

– "Gutiler (MÖ 3000'ler) için Qurti denmektedir." (s. 11)

– "Bilindiği gibi Kürt Kassit İmparatorluğu Hitit ülkesiyle çağdaştı." (s. 17)

– "İlk kerpici Kürt Kassitler yaptı. İlk takvimi; ilk matematik ve geometri prensiplerini; ilk ağırlık ve uzunluk ölçü birimlerini Kürt Kassitler buldu." (s. 21)

– "İlk rasathaneyi Urfa'da Kürt Kassitler kurdu. İlk 'teşhis' ve 'tedavi' ikilemini; masajı tedavi yöntemi olarak Kürt Kassitler uyguladı. Ve petrolü de onlar keşfetti." (s. 22)

– "İnsanlığı ilk kez mağara hayatından kurtaran, emekleyen çocuğu ellerinden tutup yürüten, uygarca bir yaşamın koşullarını tarihte ilk kez oluşturan Sümerler ve Kürt halkı olmuştur." (s. 31)

– "Gılgamış Destanı adlı destanla ilgili tabletlerin metinlerini Kürt Kassit uyruklu şair Sin Lekke Unnini yazmıştır." (s. 39)

– "İranlılar edebiyat ve sanat zenginliklerini Kürtlerden almışlardır." (s. 44)

– "Kürtler çoktanrılı dinlerden tektanrılı dinlere geçişin köprüsü olmuştur." (s. 45)

– "Sümerlerle de çağdaş olan Kürt Guti topluluğu Sümerlerle birlikte çiviyazısını kullandı. Antikçağı aydınlatan dil Kürtçeydi." (s. 46)

– "Tektanrılı dinlerin kutsal kitaplarında yer alan pek çok söylencenin, efsanenin, öyküsünün ana menbaının Kürtlerle ve onların yaşadıkları bölgeyle ilgili olduğu doğrudur." (s. 52)

---

43 Kaynak Yayınları, 3. baskı, 1991.

– "Meddah adı da verilen dengbej, Kürt kültürüne aittir." (s. 54)

– "Saz sözcüğü Kürtçedir. Ayrıca aynı kökten türeyen sazbend (çalgıcı), sazende ve sazendegân sözcükleri de Kürt dilinin ürünleridir." (s. 57)

– "Halk ozanlığı Kürt kültür ve sanatının bir parçasıdır. Kürt halk ozanları atışma, taşlama, güzelleme ve hikâyeli türkü dallarında binlerce yıldan beri Nevruz bayramlarında, düğünlerde ya da uzun kış gecelerinde sanat yeteneklerini ortaya koyarlar." (s. 59)

– "Kürt kökenli inanç dünyası Bektaşilik, Mevlevilik, Rufailik, Kadirilik, Kalenderilik gibi tarikatların yaratıcısı oldu. Kürtler gerek Yezidilikte ve gerekse bunun uzantıları olarak kurdukları tarikatların müzikli ayinlerinde coşku ve cezbe yaratmak için çalpara, kudüm, çeng, kurrane, nagur, flüt ve bender gibi Kürt müzik enstrümanlarını kullanmışlardır." (s. 66)

– "Kürt dilini bildiği ve Horasan'dan geldiği için Kürt kökenli olduğu öne sürülen Mevlânâ hakkında elimizde kanıtlayıcı belge yoktur. Ancak Mevlânâ'nın kitaplarını yazdırdığı, 'Velayet' ve 'Hilafet' görevlerini bıraktığı, Mevleviliği kuran Hüsamettin Çelebi Kürt kökenlidir. Hüsamettin Çelebi uyguladığı ayin deyimlerinde Kürtçe kullanmıştır. Derviş, dergâh, post, postnişin, sema, semazen, çelebi Kürtçe sözcüklerdir." (s. 68-69)

– "Yezidiliğin kurucusu Şeyh Adiy bin Musafir, Hakkâri Kürtlerindendir." (s. 79)

– "Kürt düşünür Ebu'l-Vefa; Hacı Bektaş Veli'yi, Baba İlyas'ı Baba İshak'ı, Geyikli Baba'yı ve daha nicelerini kendi düşünce potasında yoğuran, şekillendiren, onları halkın yanında ve halk için harekete geçiren bir düşün adamıdır." (s. 94)

– "Kürt uygarlığının bir ürünü olan Alevilik, 'inanç felsefesi' ve 'yaşam biçimi' yaratırken, politik sosyal ve ekonomik alanlarda da halkı yüreklendirmiştir." (s. 109)

"(Firdevsi'nin yazdığı) *Şehname*'de anlatılan efsane tümüyle Kürtlerle ilgilidir." (s. 148)

"Cirit oyununun Kürtlere özgü bir spor türü olduğu tüm dünyaca bilinmektedir. Cirit sözcüğü Kürtçedir. Cirit oyunu Kürt ırkı atlarla yapılır." (s. 169-170)

"Halı ve kilim dokumacılığını Kürtler icat etmiştir. İranlılar ve Türkler Kürtlerden öğrenmişlerdir." (s. 172)

"Kökboyası kullanımını Kürtler bulmuştur." (s. 179)

"Nuh Tufanı Sümerler ile Guti Kürtlerinin ortak efsanesidir." (s. 189)

"Batı tarihçileri uygarlığın tekerleğin keşfiyle başladığını söylerler. Bu söz abartılıdır ama yanlış değildir. Atı tarihte ilk kez ehlileştirip binek ve çekme aracı olarak kullanan Kürt halkıdır. Aynı halk ehlileştirdiği atın çekeceği tekerleği de keşfetmiştir." (s. 190)

"Tarihte uluslararası antlaşmaları ilk yapan Kürt halkıdır." (s. 191)

Devam etmeye gerek var mı?..

Kürt Tarihi ve Uygarlığı kitabı bu tür akıldışı iddialarla sürüp gidiyor. Bırakınız tarihteki tüm "ilk"leri, Cemşid Bender, Hz. Âdem'in bile Kürt olduğunu ima ediyor! (s. 71)

Hiç gülüp geçmeyiniz. Abdullah Öcalan, *Sümer Rahip Devletinden Halk Cumhuriyetine Doğru* kitabının 2. cildinde benzer polemiği sürdürüyor.

Gelinen yer burasıdır!..

Evet, komiktir...

Adında Tarih Gizli

Ne acı... Gencecik solcular, Mir Fırat'ların-Zana'ların iktidarı için toprağa düşüyor.

Gencecik devrimciler, "Kürt hurafeleri" için toprağa düşüyor.

Gencecik sosyalistler, emperyalizmin "petrol ihtiyacı" için toprağa düşüyor.

Hâlâ bunu göremeyen komünistlere ne demeli?..

Tarih: 22 Eylül 1984.

Suphi Nejat Ağırnaslı doğdu. Adında bir tarih gizliydi:

– Mustafa Suphi, Türkiye Komünist Partisi'nin kurucu başkanıydı.

– Ethem Nejat, Türkiye Komünist Partisi'nin kurucu genel sekreteriydi.[44]

– Soyadı, dedesi Niyazi Ağırnaslı'dan geliyor; 1961 parlamentosunda senatördü; Türkiye İşçi Parti'liydi; başta Deniz Gezmiş, Hüseyin İnan, Yusuf Aslan olmak üzere '68 Kuşağı devrimcilerinin avukatıydı.

Suphi Nejat Ağırnaslı, ailesinin siyasi sürgün olduğu Almanya'da büyüdü. Üniversite okumak için Türkiye'ye geldi. Marmara

44 Kurtuluş Savaşı'na katılmak üzere Bakü'den Anadolu'ya geldiklerinde; Trabzon'da kayıkçılar kâhyası Yahya ve çetesi tarafından 1921 yılında öldürüldüler.

Üniversitesi Sosyoloji Bölümü'nde okudu. Burada derece yaparak Boğaziçi Üniversitesi Sosyoloji Bölümü'ne geçti. Boğaziçi Üniversitesi'nde yüksek lisans yaptı. Tezini Tuzla tersanelerindeki işçi cinayetleri üzerine yazdı.

Öğrenci hareketlerinde ve Öğrenci Gençlik Sendikası örgütlenmesinde etkin rol oynadı.

Ezilenlerin Sosyalist Partisi parti meclisi üyeliği yaptı.

28 Nisan 2011'de KCK operasyonunda gözaltına alındı. Dört gün sonra serbest kalınca, "Ben sosyalistim. Bu kimliğimle de tanınırım. Kürt meselesinde duyarlı bir insanım. Türkiye'de sosyalist, özgürlükçü insanlarla Kürtlerin ilişkilenmesi, entelektüel düzeyde de olsa siyasi düzeyde de olsa, bir cadı avıyla karşılanıyor," dedi.

Çevirmendi: *Biz Anonymous'uz, Tarihin Yapıları Tarihsel Materyalizme Giriş, Para-Şüt, Ters Yüz Et, Düşük Bütçeli Filmler, L. Auguste Blanqui'nin Devrimci Teorileri.*

Tarih: 5 Ekim 2014.

Eylül ayında gittiği Ayn el-Arap yani moda adıyla "Kobani"de savaşırken 30 yaşında can verdi.

Kod adı, "Palamaz Kızılbaş"tı.

Madteos Palamaz, 1915'te İstanbul'da idam edilen sosyalist bir Ermeni'ydi. Kızılbaş, Alevilere ithaftı. Ne Ermeni'ydi ne de Alevi'ydi; bir yanı Çerkes bir yanı Türk'tü...

Komünistti ve güya enternasyonal dayanışma için canını vermişti. Sonuçta... Bizim bir gencimiz daha toprağa düştü.

Yazmak istediğim şudur:

En büyük hata; hiçbir hatanın farkına varmamaktır!

Bizim bu topraklar daha kaç kez aynı hatalara sahne olacak?

Neden geçmişten hiç ders çıkarılmıyor?

Hadi... '68 Kuşağı'nın önceki kuşaktan aldığı bilgi ve tecrübe mirası yoktu. Peki... Bunca yaşanmışlıklar varken bugünün nesnel koşullarını anlamaktan uzak maceracı tepkileri nasıl değerlendireceğiz?

Hâlâ romantizme yenik düşmeyi hiç tartışmayacak mıyız?

Hâlâ kendini feda etme; ölüme hayran olma duygusallığının önüne geçemeyecek miyiz?

Türkülü-şiirli-ağıtlı romantik devrimcilik daha kaç gencimizin ölümüne neden olacak?

Yenilgilerden ders çıkarmak için daha kaç genç toprağa düşecek?

Öğretmesi gereken daha kaç kalem bu erken ölümlere methiye düzmeye devam edecek?

Bu topraklarda maceracılık ne zaman son bulacak?

Yaşamanın/yaşatmanın en büyük mücadele-eylem olduğu ne zaman anlaşılacak?

"Bizim Mahalle"nin ağabeyleri neden sessiz?

Bilirim, ölüm karşısında herkes çaresizdir ama tehlikeli bir sürece sokulduğumuz görülmüyor mu?

Oysa... Gençlere anlatmalıyız.

Devrimcilik zordur... Devrimcilik meşakkatlidir...

Aslolan... Sivil mücadelede inat etmektir; her türlü şiddete karşı çıkmaktır. Aklı/gerçekçiliği bu topraklara hâkim kılmaktır.

Israrla sinsi bir oyuna dikkat çekmektir: Yaşamında eline silah almamış bir akademisyeni, üç günlük askeri eğitimden sonra kimler cepheye sürdü? Niye kimse bunu sorgulamıyor da maceracılığa övgüde birbiriyle yarışıyor?

İnsanın ölümü kendinden çok geride kalanların sorunudur...

– Mücadele, ezberletilmiş ideolojiler ve kavramlarla olmaz.

– Siyaset bilimdir; sosyalizm bilimsel kuramdır.

– Yenilgi öğretmendir. Yenilgi insana ileriyi görme yeteneği kazandırır.

Yaz. Konuş. Dinleyen kim?..

"Kobani"yi inşa etmeye giden 34 genç, Suruç katliamında can vermedi mi?

Suruç'la ilgili açıklamaların hepsi tamam, hepsi doğru diyelim. Peki... 17-19 yaşındaki öğrenci çocukları çatışmanın göbeğine gönderen politik pratiğin hiç mi kabahati yok? IŞİD ile PYD/PKK Ayn el-Arap/"Kobani"de savaşırken bu gencecik filizler neden bu kanlı coğrafyaya sürüldü?

Yoksa... IŞİD'i sadece sınır ötesinde mi var sanıyorlar?

HDP'nin Diyarbakır mitinginde patlayan bombayı değerlendiremediler mi?

Her gün canlı bombaların patladığı bu bölgede neler yaşanacağını nasıl öngörmezler? Bu çocuk oyuncağı mı? Gerçekçilikten bu derece uzaklaşılır mı?

Hadi.. Bölgeyi inşa etmeye gidenler delikanlı, onları anlıyorum. Benim eleştirim ağabeylerine, ablalarına, önderlerine, örgütlerine... Biliriz ki; her sol örgüt için esas olan, "kitleyi kırdırmamaktır"!

Gençleri kimler kırdırdı? Kimse çıkıp özeleştiri yapmayacak

mı? Bu nedenle Suruç'un benzeri katliam Ankara'da da yaşanmadı mı? 109 insan niye öldü?

Bunca yıllık provokasyon tarihinden kimse neden ders çıkarmıyor? Ne çabuk unutuldu onca katliam...

Burası Ortadoğu...

Halk deyişiyle, kimin eli kimin cebindedir belli olmaz; uyanık olma zorunluluğu vardır...

Başbağlar katliamını bilirsiniz...

Doktor Baran Unutuldu

Tarih: 5 Temmuz 1993. Saat: 20.30

Yer: Erzincan/Kemaliye/Başbağlar köyü.

Köyün imamı Adil Hoca ezanı okurken köyü 100'e yakın PKK'lı bastı.

33 köylü öldürüldü.

Öldürülenlerden İbrahim Baltacı, 13 yaşındaydı.

Öldürülenlerden köyün imamı Adil Torun 23 yaşındaydı.

214 evi, camiyi, okulu ve halkevini yakıp gittiler.

İddialara göre, PKK, üç gün önce Sivas Madımak Oteli'nde yakılarak katledilenlerin intikamını almıştı!

Başbağlar katliamını gerçekleştirenlerin başında dönemin adı en bilinen PKK'lı komutanı vardı; Dr. Baran!

Tunceli doğumlu Dr. Baran'ın gerçek adı, Müslüm Durgun'du. PKK ile Libya'da işçiyken tanıştı. Libya'dan Lübnan'a geçerek PKK kamplarında eğitim gördü. Burada tüberküloz hastalığına yakalandı. Tedavisi sırasında tıbba merak saran Müslüm Durgun hastalığını yendi. Daha sonra örgüt tarafından tıbba olan merakından dolayı PKK'lı doktorların yanında ilk yardım dersleri aldı ve öğrendiklerini bir broşür haline getirerek dağdaki PKK'lılara dağıttı. Bu yüzden adı "Doktor Baran" olarak bölgede yayıldı. 1990'ların başında Dersim sorumlusu oldu! Bölgeye geldiğinde ismi "efsane" gibi olduğundan birçok Alevi genç PKK'ya katıldı. Fakat... Zamanla PKK'nın sivil halkı öldürmesi, halktan zorla para toplama gibi dayatmaları Tuncelilileri örgütten soğuttu. Aleviler PKK'dan uzaklaştı.

İşte o dönemde Dr. Baran Tunceli'ye sınır Başbağlar köyünde katliam yaptı. Amaç, Alevileri tekrar PKK'ya kazandırmaktı! Plan tutmadı.

Dr. Baran, 12 Mart 1994'te "Öcalan'a muhalefet etmek, örgüt

talimatlarına uymamak" gerekçesiyle "Ekrem" kod adlı Hıdır Sarıkaya grubu tarafından öldürüldü!

Dr. Baran'ın PKK'lı olan "Redar" kod adlı 21 yaşındaki oğlu İnan Aslan Durgun babasının öldürülmesinden bir yıl sonra örgütten kaçtı...

Gerçekler bu kadar ortadayken hâlâ ne yapılıyor?

İşte, Mürsel Gül...

45 yaşındaydı. Esnaftı. Sultangazi'de sabun ve temizlik ürünü satıyordu.

Dört kurşunla öldürüldü.

Suikastı PKK üstlendi; iddialarına göre, Mürsel Gül IŞİD Türkiye yöneticisiydi. Mürsel Gül sosyal medyada Suruç katliamıyla ilgili ölenlerin "kâfir" olduğunu söyleyerek "Bugün 32 yarın 320 olur inşallah. Hadi bereketli olsun," diye yazmıştı.

Bu çirkin yazı Mürsel Gül'ü IŞİD'li yapar mı? Keza...

İşte, Ethem Türkben...

Kürt nüfusunun yoğun yaşadığı Adana, Seyhan, Gülbahçe Mahallesi'ndeki evinde gece çocuklarının gözü önünde öldürüldü. Hedefi Müslüman fert, Müslüman aile ve Müslüman toplum olan Kalem Eğitim Kültür ve Dayanışma Vakfı üyesiydi. İhvan sempatizanıydı. PKK'ya göre, IŞİD'çiydi. Arkadaş çevresinin iddiası ise Siverekliydi ve Suruç katliamının intikamı için PKK tarafından öldürüldü.

Suruç'ta bir genç sırf sakalları nedeniyle linç edilmek istendi!

Tüm Müslümanları IŞİD militanı görerek öldürmek isteyenler canlı bombalara davetiye çıkarmıyor mu?

PKK, sözde Madımak'ın intikamı için yaptığı Başbağlar katliamı lekesinden kurtulabildi mi?

Hayır!

Öcalan, İmralı savunmasında suçu Dr. Baran'ın üzerine atarak kurtulmaya çalıştı.

Bugün aynı PKK, Suruç katliamının intikamı için neredeyse her sakallı Müslüman'ı öldürme peşinde! Başbağlar'dan hiç ders almamış görünüyor!..

PKK... Cinayetlerine, provokasyonlarına devam ediyor.

Bunlardan habersiz solcu gençler ölüme koşuyor.

Yetmezmiş gibi ne diyor kimlikçi Kürtler?..

Macide Hanım'ın Acısı

Öyle bir hava yaratıyorlar ki...
Bu topraklarda sanki sadece Kürtler politikacılar zulüm gördü.
Ayıptır.
Taylan Özgür'ü vurup öldürdüklerinde 21 yaşındaydı...
Deniz Gezmiş'i astıklarında 25 yaşındaydı...
Hüseyin İnan'ı astıklarında 23 yaşındaydı...
Yusuf Aslan asıldığında 25 yaşındaydı...
Mahir Çayan'ı vurup öldürdüklerinde 27 yaşındaydı...
Sinan Cemgil'i vurup öldürdüklerinde 27 yaşındaydı...
Kadir Manga vurulup öldürüldüğünde 24 yaşındaydı...
Cihan Alptekin'i vurup öldürdüklerinde 25 yaşındaydı...
Hüseyin Cevahir'i vurup öldürdüklerinde 26 yaşındaydı...
Ulaş Bardakçı'yı vurup öldürdüklerinde 25 yaşındaydı...
Ömer Ayna'yı vurup öldürdüklerinde 24 yaşındaydı...
Koray Doğan'ı vurduklarında 25 yaşındaydı...
Alpaslan Özdoğan'ı vurduklarında 26 yaşındaydı...
İbrahim Kaypakkaya'yı işkencede öldürdüklerinde 24'ündeydi...
Ali Haydar Yıldız'ı işkencede öldürdüklerinde 20 yaşındaydı...
Erdal Eren'i astıklarında 17 yaşındaydı...
Necdet Adalı asıldığında 22 yaşındaydı...
Seyit Konuk asıldığında 22 yaşındaydı...
Hıdır Aslan asıldığında 26 yaşındaydı...
Mustafa Özenç asıldığında 22 yaşındaydı...
Veysel Güney asıldığında 24 yaşındaydı...
İlyas Has asıldığında 28 yaşındaydı...
Serdar Soyergin asıldığında 22 yaşındaydı...
Ahmet Saner asıldığında 22 yaşındaydı...
Kadir Tandoğan asıldığında 23 yaşındaydı...
Erdoğan Yazgan asıldığında 21 yaşındaydı...

Hangisini yazayım... Yürek dayanmaz...

Koray Kaya, Sivas'ta Madımak Oteli'nde yakıldığında 12 yaşındaydı...

Elinden tuttuğu ablası Menekşe Kaya öldüğünde 15 yaşındaydı...

İki kardeş yakılarak öldürüldüğünde; Asuman Sivri 16 yaşında, Yasemin Sivri 19 yaşındaydı...

Ya diğerleri... Ateşe semah duran çocuklarımız...

Yazmaya sayfalar yetmez...
Mehmet Akif Dalcı vurulup öldürüldüğünde, 18 yaşındaydı...
Metin Göktepe işkenceyle öldürüldüğünde 27 yaşındaydı...
Halit Güngen vurulup öldürüldüğünde 21 yaşındaydı...
Ve Gezi Direnişi'nin yiğit evlatları...
Mehmet Ayvalıtaş 19 yaşındaydı.
Abdullah Cömert 22 yaşındaydı...
Ethem Sarısülük 27 yaşındaydı...
Ali İsmail Korkmaz 19 yaşındaydı...
Ahmet Atakan 23 yaşındaydı...
Berkin Elvan 15 yaşındaydı...

Bir zulümden bahsediliyorsa, kimlik siyaseti dayatmasıyla "o Kürt" veya "bu Türk" diyebilir miyiz? Sadece solcular değil; Ülkücü-Akıncı gençler de öldürülmedi mi; onların içinde Kürt yok mu sanıyorsunuz! Gerçekle yüzleşeceğiz. Gerçekler üzerinden tartışma yapacağız.

Bileceğiz... Zalim siyasal iktidarlar; yüreği kor gibi yanan idealist romantik gençlerimizi, zorbalığın düşmanı cesur çocukları hiç sevmedi...

Zorba iktidarlar aileleri paramparça etti; çekilmedik acı bırakmadı.

Macide Hanım'ı tanır mısınız?..

Esat Adil Müstecaplıoğlu'nun eşiydi.
Esat Adil 1904'te Balıkesir'de doğdu.
Din bilgini Adil Efendi'nin oğluydu.

Ağabeyi Haydar Adil, Birinci Büyük Millet Meclisi'nde Balıkesir (Karasi) milletvekili olarak görev yaptı.

Esat Adil 15 yaşında Kuvayı Milliye Hareketi'ne katıldı.

Kurtuluş'tan sonra öğrenimini tamamlamak için İstanbul'a gitti.

Zafer-i Milli'de, *Türk Dili*'nde yazıları, şiirleri yayımlandı.

Hukuk Fakültesi'ni bitirdi. Hukuk doktorası için Belçika'ya gitti.

Burada sosyalizmle tanıştı; İkinci Sosyalist Enternasyonal'in önderlerinden Émile Vandervelde'nin konuşmalarından etkilendi.

Brüksel Üniversitesi'nde deniz hukuku doktorası yaptıktan sonra 1932'de Balıkesir'e döndü. Adliyede çalışmaya başladı.

Halkevi'nin kuruluşunda yer aldı; başkanı oldu. Dergi çıkardı;

günlük gazete yayımladı. Kitaplar yazdı: *Faşizm, Bolşevizm, Demokrasi; Milliyetçilik Nereye Sürükleniyor?* vd.

Edremitli bir eşraf ailesinin kızı öğretmen Macide Hanım'la evlendi.

1938'de Temyiz Mahkemesi başmüdür muavini oldu. Ankara'ya taşındılar.

Sonra cezaevleri müfettişliği yaptı. İzmir Cumhuriyet başsavcılığı ve Ege Bölgesi adalet müfettişliği görevlerini de yürüttü.

Sertellerin *Tan* gazetesinde "Adiloğlu" takma adıyla makaleler yazdı. Kimliği ortaya çıkınca, görevinden atılacağını anlayıp istifa etti; avukatlık yapmaya başladı.

Tan gazetesi 4 Aralık 1945'teki baskınında canını zor kurtardı. DP'yle yollar ayrılınca 14 Mayıs 1946'da Türkiye Sosyalist Partisi'ni kurdu.

Gerçek gazetesini çıkarmaya başladı. Sabahattin Ali, Aziz Nesin yakın yol arkadaşlarıydı.

16 Aralık 1946'da partisi kapatıldı ve tutuklandı. Sansaryan Han'da Birinci Şube'den Parmaksız Hamdi'nin işkencelerinden canını zor kurtardı.

13 ay tutuklu kaldı.

Yoldaşı Sabahattin Ali'nin öldürülmesi davasını üstlendi.

Türkiye Sosyalist Partisi'ni 28 Ağustos 1950'de yeniden kurdu. Partisi yine kapatıldı; Asım Bezirci, Atillâ İlhan gibi arkadaşlarıyla yine cezaevine tıkıldı. En büyük suçları Kore'ye asker gönderilmesini protesto etmekti!

Çocukluk ve okul arkadaşları DP'nin bakanları olmuşlardı; ancak o bir gün bile yardım istemedi. Cezaevine düşen solcuların avukatlığını yaptı. Bazı gazetelerde "Avukatınız Diyor ki" köşesini hazırladı. Ve 22 Eylül 1958'de öldü. Daha 54 yaşındaydı...

Diyeceksiniz ki Esat Adil'in eşinin hikâyesi nerede?

Cumhuriyet'in ilk öğretmenlerinden Macide Hanım gözaltılar, cezaevleriyle dolu bu hayatı kaldıramadı. Akıl hastası oldu. Bakırköy'de yattı.

Oğlu Adil Müstecaplıoğlu annesini şöyle anlatıyor:

"Babamın politik mücadelesinin yarattığı sıkıntılar, normal bir aile yaşamının olmayışı annemde psikolojik rahatsızlıklar doğurmaya başlıyor..."

Macide Hanım'ı "Türk"-"Kürt" diye ayırabilir miyiz?

Yapmayınız. Kimlik siyaseti Türkiye'yi nerelere sürükledi...

Türkiye'de insanlar etnik değil siyasal kimliklerinden dolayı eziyetler çekti.

Bu ülkede...

Solcu iseniz...

Sosyalist iseniz...

Sizi bekleyen sadece ölüm'dür!

Adınız Mustafa Suphi ise, bir gece 14 yoldaşınızla birlikte Karadeniz'de boğulursunuz.

Adınız Şefik Hüsnü ise, yıllarca hapislerde çürütüldüğünüz yetmez; sürgünde sokak çocuklarına taşlatılarak kalp krizi sonucu öldürülürsünüz.

Sansaryan Han ya da Ankara DAL veya Türkiye'nin dört yanındaki işkence tezgâhlarında can verirsiniz, "İntihar etti" diye kayıtlara geçirilirsiniz.

Ya da adınız faili meçhul kayıtlara düşürülür.

Bir gece vakti kaybedilirsiniz; mezarınız bile bilinmez olur.

Nurhak'ta, Kızıldere'de, Mirik Mezrası'nda; Şişli, Beyazıt, Taksim meydanlarında katledilirsiniz.

Darağaçlarına çıkarılırsınız. Öyle ki, yaşınız büyütülerek asılırsınız.

Maraş'ta anne karnında bile öldürülürsünüz.

Çorum'da 80 yaşındaki babanızla birlikte tüm sol organlarınız kesilerek yok edilirsiniz.

Madımak'ta abla ve ağabeylerinizle birlikte 12 yaşında yakılırsınız. 14 yaşınızda cebinizde oyun oynadığınız bilyelerle vurulursunuz. 19 yaşınızda sokakta kıstırıp sopalarla öldürülürsünüz.

Hapisler, sürgünler, işsizlikler, aç bırakılmalar sıradan kalır tüm bunların yanında.

12 Eylül Darbesi'ne boyun eğmeyen 1.300 aydının imzaladığı "Aydınlar Dilekçesi", 15 Mayıs 1984'te Çankaya Köşkü'nde Kenan Evren'e verildi. İmzacılar yakınlarıyla vedalaştı; çünkü hapse girmeleri an meselesiydi.

Dünyaca ünlü iki oyun yazarı Harold Pinter ve Arthur Miller, "Aydınlar Dilekçesi"ne destek için Türkiye'ye geldi. Pinter ve Miller, İstanbul'daki aydınlarla tanışmak istedi. O zor günlerde ancak 52 aydın bulunabildi. Arthur Miller, bir araya geldiği aydınlara kaç kişinin hapse girdiğini sordu: "Hapse girenler ayağa kalkabilir mi?"

50 kişi ayağa kalktı. Miller ve Pinter şaşırdı. Salonda bulunanlara, kaç yıl hapis yattıklarını sordular. 5 yıldan az yatanlar

utanarak söyledi. Çünkü çoğunluk 10 yıla yakın cezaevinde kalmıştı.

Türk aydını hep eziyet gördü; kırıldı, biçildi...

Birini yazmama izin verin...

Dr. Hikmet Kıvılcımlı...

Yarım asırlık yaşamına 20,5 yıllık hapis sığdırdı!

1925'te 10 yıl kürek cezası aldı. Bir yıl hapis yattıktan sonra çıkan afla serbest kaldı.

1927'de 3 ay yattı.

1929'da 4 yıl 6 ay 15 gün yeni bir mahkûmiyet aldı. Cumhuriyet'in 10. yılı nedeniyle çıkarılan afla 1933'te özgür kaldı.

1938'de Nâzım Hikmet'le birlikte yargılandığı Donanma Davası'nda 15 yıl hapis cezasına çarptırıldı, 12 yıl yattıktan sonra afla özgürlüğüne kavuştu.

12 Mart 1971 Askeri Darbesi'nde adı, radyoda arananlar listesinde anons edildi. Hastaydı, bir daha cezaevine girerse sağ çıkamayacağını biliyordu. Alanya-Kıbrıs üzerinden Lübnan'a kaçtı.

5 ay sonra 11 Ekim 1971'de Belgrad'da öldü.

17 yaşında gönüllü olarak Kurtuluş Savaşı'na katılan; Yörük Ali Efe çetesinde Kuvayı Milliye fedaisi olan ve Köyceğiz Kuvayı Milliye askeri kumandanlığı görevinde bulunan Dr. Hikmet Kıvılcımlı hastane odasında günlüğüne şöyle yazdı:

"13. sondalı, bıçaklı ameliyattan geçtim. Bunlardan dördü narkoz altında, dokuzu uyutulmadan tam olarak işkenceyle geçti. 'Emniyet Birinci Şube bıraktı, prostat aldı işkenceyi' diyorum gülerek acı acı. Demek bir alınyazısı olsa, benimki ömür boyu işkence yazılmış." (24.4.1971)

Dr. Hikmet Kıvılcımlı siyasal hayatı boyunca eline silah almadı. Hiçbir yere bomba atmadı. Şiddetten hep uzak duran bir düşünce suçlusuydu.

Yaşamı boyunca Erdoğan'ın boyu kadar kitap yazdı; çeviri yaptı. Partiler, dernekler, sendikalar kurdu. Bir gün bile ağzını açıp "Ben şu kadar yıl cezaevinde yattım," diye "mağduriyet şovu" yapmadı.

Susarak konuşan erdemli bir kuşağa mensuptu...

Bu ülkede...

Solculuk-sosyalistlik zordur, ölümün nefesi hep ensenizdedir!

Bugün... Öyle bir tarih anlatıp yazıyorlar ki, bu ülkede sadece "Kürt kimliği" nedeniyle insanlar öldürüldü, eziyet gördü.

Kendilerinden görmediklerinin ne adını anıyorlar ne posterlerini taşıyorlar.

Deniz Gezmiş'i Sevmiyorlar

Bu bölüme Deniz Gezmiş'le başladık...

Yine onunla bitirelim...

PKK-HDP idam sehpasında "Yaşasın Türk ve Kürt halklarının bağımsızlık mücadelesi. Kahrolsun emperyalizm," diyen Deniz Gezmiş'in posterini niye taşımıyor biliyor musunuz?

Sorunun yanıtını yakın tarihimizdeki bir yürüyüşü anlatarak bulabilir miyiz?

Tarih: 29 Ekim 1968.

Yer: Ankara.

Cumhuriyet'in kuruluşunun 45'inci yıldönümü.

Devrimci Öğrenci Birliği (DÖB), Ankara Üniversitesi Talebe Birliği (AÜTB), Türkiye Milli Gençlik Teşkilatı (TMGT), Orta Doğu Teknik Üniversitesi Öğrenci Birliği (ODTÜÖB) temsilcileri ortaklaşa bir yürüyüş için toplandı.

Yürüyüş Samsun'dan Ankara'ya doğru yapılacak, 10 Kasım'da Anıtkabir'de Ata'nın huzuruna çıkılarak sonlandırılacaktı.

Uzun tartışmalar sonucunda adına karar verildi:

"Tam Bağımsız Türkiye İçin Mustafa Kemal Yürüyüşü."

Yayınladıkları bildiride neden yürüdüklerini şu sözlerle duyurdular:

"1919'da başlayan Mustafa Kemal devrimi kendisinden sonra gelen yöneticiler tarafından amacından saptırılmış, Cumhuriyet'in bütün kurumları yozlaştırılmıştır. Bugün Türkiyemiz dünyada ilk anti-emperyalist ve anti-kapitalist devrimi gerçekleştiren Mustafa Kemal'e rağmen yabancıların desteklediği karşıdevrimcilerin etki alanına girmiştir. Biz Mustafa Kemal gençliği olarak, saptırılan devrimi rayına oturtmaya azimliyiz, kararlıyız. Bugün başlayan yürüyüşün amacı budur."

Tarih: 30 Ekim 1968. Saat: 08.30.

Gençler yürüyüşün başlangıç yeri olan Samsun'a ulaştı.

Saat 13.30'da Atatürk anıtının önünde bir dakikalık saygı duruşunda bulundular. İstiklal Marşı'nın ardından Türk bayrağını açarak yola koyuldular.

24 devrimciydi Samsun'dan yola çıkan...

Bir avuçken gün geçtikçe deniz olacaklar, kalabalıklaşacaklardı. Ellerinde "Tam Bağımsız Türkiye İçin Mustafa Kemal Yürüyüşü" yazılı bez pankart vardı.

20 kilometre yürümüşlerdi ki, önleri kesildi. 15 polis, kanunsuz yürüyüş yaptıkları iddiasıyla gençleri Samsun Emniyet Müdürlüğü'ne götürdü. Ertesi gün sabah saatlerinde adliyeye sevk edildiler.

Turhan Feyizoğlu'nun *Deniz* adlı kitabından öğreniyoruz: Hâkim karşısına çıkan öğrencilerden Bozkurt Nuhoğlu duruşmada, "Sayın yargıcım, burada bizi, 24 genci değil, Mustafa Kemal'i, O'nun ilkelerini yargılıyorsunuz," dedi.

Serbesttiler. Türkülerle marşlarla devam ettiler yürüyüşe. Hedefleri günde ortalama 60 kilometre yürümekti.

Yolda en büyük desteği öğretmenlerden aldılar. Köylüler daha yirmili yaşların başındaki bu aydınlık gençleri evlerinde ağırladı, erzak yardımında bulundu; gençler de onlara memleketin sorunlarını anlattı. Çorum'un Alaca ilçesinde gericiler tarafından parçalanan Atatürk büstünün inşaatına taş taşıdılar.

Gün geçtikçe sayıları arttı.

Dinci yobazların, gericilerin yürüyüşteki gençlere saldıracağı, Anıtkabir'de olaylar çıkaracağı konuşuluyordu. Anıtkabir'e gitmekten vazgeçmediler.

10 Kasım 1968'de saat 13.30'da, yanlarında getirdikleri çelenkle Ata'nın huzurunda buluştular. Anıtkabir özel defterine şunu yazdılar:

"Büyük Önder, Amerikan emperyalizmine karşı ikinci Milli Kurtuluş Savaşımızda izindeyiz. Milli Kurtuluş Savaşımız yok edilemez. Onu yok etmek için bütün Türk milletini yok etmek gerekir. Tam Bağımsız Türkiye İçin Mustafa Kemal Yürüyüşçüleri"

Yürüyüşün öncü gençlerinden 21 yaşındaki Deniz Gezmiş, Mustafa Kemal Atatürk ve devrimleriyle ilgili ne düşünüyordu? İdamla yargılandığı mahkemede, 17 Temmuz 1971 Cumartesi günkü duruşmada şu savunmayı yaptı:

> (...) Biz elli sene evvel Kurtuluş Savaşı vermiş bir ülkenin çocukları olarak Kurtuluş Savaşı'nın gerçek tahlilini yapmaya her zaman muktediriz. Biz, yine çok iyi biliriz ki, Türkiye Kurtuluş Savaşı'nı yapmak için Samsun'a çıkanlara İstanbul Örfi İdaresi'nce ve mahkemelerince idam cezası vermiştir... Ve yine bilmekteyiz ki, Osmanlı İmparatorluğu'nun yüzlerce generalinden ancak birkaçı Kurtuluş Savaşı'na iştirak etmiştir. Ve yine bilmekteyiz ki, Kurtuluş Savaşı yapıldığı sırada İstanbul'da bu-

lunanlar bunları yapanlara eşkıya demiştir. Türkiye'nin kurtuluş ve bağımsızlık savaşından ne şekilde bağımlı hale geldiğini de belirtmek gerekmektedir... İddianamede, bir gerçek tahrif edilmek isteniyor, bu hususu da belirtmek ve düzeltmek isterim. 'Fikir özgürlüğünü ve Anayasa'yı paravan yapanlar önceleri Atatürkçü geçinirken, onun fikir ve şahsiyetini de küçük görmeye başladılar' şeklinde ve 'Sadece Mustafa Kemal tarafını beğeniyorlardı' şeklinde bir cümle mevcut. Bunu kesin olarak reddediyorum; asla kabul etmiyorum. Diğer yurtseverler de bunu kabul etmez; bu kasten tahrif edilmek isteniyor, gerçekler örtülmek isteniyor. Bu cümle art niyetle hazırlanmıştır. Bu memlekette Mustafa Kemal'e gerçekten sahip çıkanlar varsa onlar da bizleriz. Onun istiklali tam, prensibi ve ideali tam, yanlış zapta geçti, onun istiklali tam, Türkiye idealini yalnızca biz devam ettiriyoruz... Ayrıca iddianamede Türkiye halkının birtakım etnik gruplardan teşekkül ettiği iddiaları ve bunu bizim yaptığımız, ortaya attığımız ithamları mevcut bulunmaktadır. Birinci Türkiye Büyük Millet Meclisi'nin kararlarında ve Misak-ı Milli'de şu vardır:

Misak-ı Milli sınırları içinde iki kardeş kavim yaşar; Türk ve Kürt kavmi yaşamaktadır. Birinci Büyük Millet Meclisi'nin kararı böyledir. Türkiye'de iki kardeş kavmin ve unsurun yaşadığını kabul etmektedir. Bunu kabul etmek bölücülük değildir. Bölücülük olarak kabul edildiği takdirde Birinci Türkiye Millet Meclisi ve Mustafa Kemal'i de bölücü olarak kabul etmek gerekir. Bu iki kardeş unsur Birinci Kurtuluş Savaşı'nı müştereken başarmışlardır. Güney cephesinde düşmanla omuz omuza savaşmışlardır. Bu ikisine birden biz Türkiye halkı diyoruz ve bu iki kardeş unsur ikinci bağımsızlık savaşını da müştereken başaracaklardır. Asıl bölücüler bu gerçeği kabul etmeyenlerdir.

Emperyalistlerle yatağa girenlerin Deniz Gezmiş'i sevmemesi şaşırtıcı değildir...

Görmek kavramaktır...

Kimlik siyaseti görme kabiliyetini yok ediyor; körleştiriyor; emperyalizme kul yapıyor.

Olan bu...

Dördüncü Bölüm

SOLCU BİLİNEN SAĞCILAR SAĞCI BİLİNEN SOLCULAR

Prof. Dr. Binnaz Toprak CHP milletvekiliyken dedi ki:

"(CHP'de) eski ulusalcı çizgi mi baskın çıkar, yoksa sağa açılımla merkez parti olma adımları devam eder mi? Bekleyip göreceğiz. Tercihim, CHP'nin Avrupa'daki sosyal demokrat partiler gibi olması. Ama Avrupa'da da sosyal demokrat partiler düşüşte, sağ yükselişte... Marksist ütopya öldü, sınıflar yerine kimlikler öne çıktı. Sosyal demokrat partilerin kendilerini yeniden kurgulayabilmeleri kolay değil."

Eee ne yapacağız?..

Kolları kavuşturup bekleyecek miyiz?..

Çok sevdiğim bir söz var:

Gözlerini hayata umutsuz kapatan kişi tüm ömrünü boşa yaşamıştır.

"Bizim Mahalle"ye kötücül bir ruh halinin sinmekte olduğunu görüyorum: yenilgicilik!..

Yenilgicilik, umutsuzluk hastalığıdır! Kavram olarak 20'nci yüzyıl başında doğdu.

Rus-Japon Savaşı sırasında, Rusya devrimcisi ve burjuvazisi bir olguda hemfikir oldu: Çarlığın yıkılması için ülkelerinin savaşta yenilmesini istiyorlardı!

Sovyet Devrimi'nin önde gelen isimlerinden Grigori Zinovyev, bu kavrama *Rusya Komünist Partisi Tarihi* kitabında yer verdi:

> Yenilgicilik, yalnızca işçi partisi içindeki iki hiziple (Bolşevikler ve Menşevikler) değil; hemen bütün liberal burjuva toplumla ilgili bir olgudur. Bu olgu, çarlık tarafından baskı altında tutulan burjuvazinin, özel bir yol izlediğini gösterir: Burjuvazi, iç siyasette ödünler koparabilmek için dış savaşta kendi hükümetinin yenilgisi yolunda çalışmaya hazırdır. Dolayısıyla, 1904 yılında burjuvazinin önemli bir bölümü Rusya'nın yenilgisini istiyordu; böylelikle otokrasiden belli ödünler koparabileceğini, toprak sahipleriyle bunların başka türlü asla razı olmayacakları bir iktidar paylaşımına gitmeyi umut ediyorlardı.

Rusya'da ülkelerine bağlı devrimciler bu umutsuzluğa karşı durdular. Esas olan "emperyalizmden" medet ummak değildi. Kendi ülkenin insanına ve onun mücadelesine inanmaktı. Peki...

Şu an Türkiye'deki siyasi-iktisadi krize ya da savaş olasılığına sevinip, "AKP-Erdoğan başımızdan gitsin de, nasıl giderse gitsin," demek doğru mu?

"Ne olursa olsun" anlayışı doğru olabilir mi? Yenilgicilik kavramı kabul edilebilir mi? Hayır! Mevzubahis olan vatandır.

O halde... Binnaz Toprak'a dönersem. Ne yapacağız? Neyin mücadelesini vereceğiz?

CHP, ideolojik olarak kendini esir alan bu "teslimiyetçi" anlayışından kurtulmadığı sürece yok olacaktır.

Prof. Toprak'ın "eski" dediği Marksist öğreti "yeni toplumcu model" olarak dünya sahnesine tekrar çıkıyor. Binnaz Hoca ezberinden kurtulamıyor; Avrupa'daki sosyal demokrat partilerin düşüşte olmalarıyla, CHP'nin bekleneni verememe sebebinin aynı ekonomik sisteme / vahşi kapitalizme boyun eğmekten kaynaklandığını değerlendiremiyor! Bu nedenledir ki...

Binnaz Hoca'yı ne zaman ekranda görsem "kimlik siyasetinden" bahsediyor.

Atladığı şu: Bir ekonomik model, siyaseti ve kültürü derinden etkiler. Her ekonomik modelin kutsadığı insan tipi ve değerler sistemi vardır.

Vahşi kapitalizm / neoliberalizm; kendisine karşı çıkacak toplumsal muhalefeti bölmek için, muhafazakârlık ve etnik kimliklere dayalı siyaseti destekledi. Aynı nedenle sendikasızlaştırmayı ya da terör yasalarını vs. savundu. Dinin ya da etnik kimliklere dayalı siyasetin 1980'lerden sonra yeniden doğuşu rastlantısal olabilir mi?

Bu "neden-sonuç ilişkileri" bilinmeden analiz yapılabilir mi? Yapılmaz.

Ülkemizde teorik yetersizlikten dolayı muazzam bir kafa karışıklığı yaşanıyor. Hele...

Ulusalcılık konusunda yazı kaleme alıyor veya konuşuyorsanız; en azından yeni siyasal düzenler kuran; 1648, 1789, 1848, 1871 Avrupa devrimlerini bilmeniz şart.

Yani; burjuvazinin tarih sahnesine çıkışını (1648 ve 1789) ve büyük ihanetini (1848 ve 1871) bileceksiniz.

En basit anlatımıyla ulusalcılık; sanayileşme sonucu burjuvazinin / kapitalizmin tarih sahnesinde yer almasıyla ortaya çıktı.

Bu bir devrimdi:

– Ticaretin, feodal mülkiyet karşısındaki zaferiydi.

– Aydınlanmanın-modernleşmenin, dogmatizme karşı zaferiydi.

– Millet'in, bölgecilik karşısındaki zaferiydi.

– Birey'in, ümmet karşısındaki zaferiydi.

– Rekabet'in, lonca karşısındaki zaferiydi.

Bu ulusal devrimin amacı; ülke sınırları içindeki halklara bağımsızlıklarını vermek değil; eşitlik, özgürlük, kardeşlik temelinde tüm halkları; tek bir dil, tek bir bayrak, tek bir devlet, tek bir gümrük altında, tek bir pazar aracılığıyla yani ortak bir kültürde toparlamaktı.

Biraz daha açayım; burjuvazinin yaptığı devrimle, ulus-devlet sorununu nasıl çözüme bağladığını Almanya örneğinde anlatayım...

Almanya'daki feodalite her bölgede birer prenslik ya da krallık adı altında hüküm sürüyordu. Her biri bağımsız varlığını, –ekonomik ve siyasi olarak– koruma güdüsüyle hareket ediyordu. Her biri, gümrük tarifeleri, para-banka sistemleri, lonca işleyişlerini kendi belirledikleri kurallarla yürütüyordu. Bu durum prenslikler arasında çatışma ve sürtüşme nedeni oluyor ve gelişmekte olan burjuvazinin hareket alanını sınırlıyordu.

Alman burjuvazisi açısından türdeş bir pazarın oluşması kaçınılmazdı. Öncelikle Prusya liderliğinde, gümrük birliği kuruldu! Zamanla prensliklerin çoğunluğunun katılımıyla ulusal pazar genişledi. Ardından Almanya, uluslaşma sürecini tamamladı.

Demek ki, bir topluluğun uluslaşmasının nedenini, bizzat toplumun maddi varlık koşullarının üretiminde aramak gerekir.

İngiltere, Amerika Birleşik Devletleri, Fransa, İtalya yakın-benzer süreci Almanya'dan daha önce yaşadı. Peki sonra ne oldu?

Burjuvazi, 1848-1871 arası yoksulların ve emekçilerin ayaklanmasından korkup monarşiyle/Kilise'yle anlaştı ve devrimi sattı!

Gelişme koşulları farklılık taşısa da benzeri Türkiye'de de oldu. Kemalist Devrim; sırtını emperyalizme dayamış Ortaçağ dogmalarına son vermeyi hedeflemiş bir burjuva devrimdi.

Fransız Devrimi başta olmak üzere, her aydınlanmacı demokratik devrimin hedefi; nasıl feodalizm ve onun en büyük dayanağı dinciliği yok etmekse, Kemalist ideolojinin hedefi de toprak ağalığıyla şeyhlerin-şıhların Ortaçağ karanlığını yıkmaktı. Halkı gericiliğin prangalarından kurtaracak, toplumsal hayata bilimi hâkim kılmak isteyen aydınlanmacı bir hareketti.

Ama Türk burjuvazisi Kemalist Devrim'i sattı! Devrimcilerle burjuvazinin yolu böyle ayrıldı.

Burjuvazi dincilikle uzlaştı. Sonuç, bugündür. Çünkü...

Dincilik, Ortaçağ'dır.

Yitik akıl'dır... Kul'luktur... Dogmatizm'dir...

Dolasıyla çürüme'dir.

Tam bu sebeple, ekrana çıkarttıklarına "diktatör Atatürk" dedirtip, ne kadar "demokrat" olduklarına seviniyorlar. Ortaçağ cahilliktir. Ahlaksızlıktır.

Bugün Türkiye'deki özgürlük sorununun kaynağı; ulusalcılar değil, feodaliteyle işbirliği yapanlardır.

Evet... Binnaz Hoca, dünyayı esir alan 30 yıllık neoliberal hegemonyadan kendini kurtaramıyor. Oysa... Sosyal bilimcilerin amacı; olayları/olguları anlayarak-anlamlandırarak ileriye dönük kestirimlerde bulunmaktır. Yani, dünyanın nereye gittiğine yanıt bulmaktır.

Binnaz Hoca ise, neoliberalizmin Türkiye'deki son temsilcisi Erdoğan'ı –sıcak paranın ve özeleştirmelerin yarattığı göreli iyileştirmeler etkisiyle– başarılı görüyor! Bu kafa kaybetmiştir; geleceği yoktur.

Ancak kabul edelim ki bu kafa zihinleri altüst ediyor.

Bu sebeple kimi okurlar uyarıyor:

– "Ulusalcı demeyin!"

– "Sol demeyin!"

– "Devrimci demeyin!"

Niye?.. Bu kavramlar lekeliymiş!.. Halkta karşılığı yokmuş!..

İki dönek; Murat Belge ve Halil Berktay, *Taraf* gazetesinde 2011'de yazmışlardı; "Artık sosyalizm-komünizm adını kullanmamak gerekir!" Yeni bir "ad" arıyorlardı. Bulamadılar. Aradıklarını hiç sanmıyorum!

Gelin... Kendimizi nasıl "adlandıracağımıza" bir bakalım...

Marks Moda Yaptı

Anlamak her şeyden önce tarihsel zorunlulukları görebilmeyi gerektirir.

"Sol" denince aklınıza ne geliyor; sosyalist, komünist, sosyal demokrat vs. Hepsi, 18'inci yüzyıl Aydınlanması'nın ürünüydü.

Bu sözcükler arasında büyük ve önemli farklar yok; birbirinden ayrı anlam yüklenmeleri daha çok pratikten geliyor. Şöyle...

Biliyorsunuz "sol" ve "sağ" kavramları; Fransız Devrimi'nden sonra meydana gelen meclisteki oturma düzeninden kaynaklandı. İlericiler solda, muhafazakârlar sağda oturuyordu.

"Sosyalist" sözcüğü ilk kez 1827 yılında Robert Owen taraftarlarının çıkardığı bir kooperatif yayınında kullanıldı. Modern anlamda sosyalizmden ve sosyalist toplumdan bahseden bu "ütopik sosyalistler" oldu. Evet...

"Sosyalist" sözcüğünün kaynağında ortaklık vardı; ve İngilizce dernek-cemiyet anlamındaki "association" sözcüğüyle aynı anlam grubundandı.

Sonraki yıllarda ne oldu?..

Marks ve Engels "Komünist Manifesto"ya neden "Sosyalist Manifesto" demedi? Niye kendilerini "sosyalistlerden" ayırdılar?

Engels, "Komünist Manifesto"nun 1890 yılı basımına yazdığı önsözde "Ona bir Sosyalist Manifesto diyemedik," dedi ve gerekçesini yazdı: "Birincisi; o zamana kadar sosyalizm adına bilinen sistemler, özellikle İngiltere'de Owenist ve Fransa'da Fourierists, ütopyacı sosyalistlerdi ve artık giderek ölmekte olan tarikatlara inmiş durumdaydılar. İkincisi, bu zamanda ortaklıkta pek çok sosyalist reçete ve öneri vardı. Fakat bunların tümü sermayeye ve kâra hiç zarar vermeden sosyalizm kurma peşindeydiler."

Komünist Manifesto, Avrupa'daki 1848 Devrimlerinden hemen önce yayınlandı ve bir dünya devrimi çağrısı ve inancını dile getirdi.

Marks ve Engels, ortak-evrensel anlamına gelen Latince "komünist" adını, "moda" yaptı!

Ancak, "komünist" isim modası 1871 Paris Komünü'yle erozyona uğradı. "Sosyal demokrasi" ismi doğdu!..

Kuşkusuz bu isim eklektikti; "sosyal" ve "demokrasi" sözcüklerinin yan yana getirilmesi imkânsızdı. Fakat, Alman Sosyal Demokrat Partisi'nin büyük başarısıyla isim yaygınlaştı; model oldu. Öyle ki... Rusya'da Lenin'in partisinin adı bile, Rusya Sosyal Demokrat İşçi Partisi'ydi!

Birinci Dünya Savaşı'nda Avrupa sosyal demokrat partilerin şoven tutumu "sosyal demokrasi"yi gözden düşürdü. Sosyal demokrat partiler demode oldu! Lenin, 1917 Nisan Günleri'nde "sosyal demokrat" adını attı; "komünist" adını tekrar dünya gündemine getirdi.[45]

---

45 Sovyetler Birliği 1990'da dağılınca "komünist" sözcüğünü bazı partiler değiştirdi ve tekrar "sosyal demokrat" adını aldı.

Görünen o ki... İsimlere ısınma nasıl politik başarının sonucuysa, isimlerden soğuma da politik başarısızlık sonucu gerçekleşiyor.

Aslında ismin pek önemi yok. İşin özü, kapsadığı değer/teori. Teori'nin bilinmediği ya da doğru anlaşılmadığı toplumlar/kişiler, pratiğe bakarak, iyi-kötü örnekleri değerlendirerek sol kavramları benimsiyor veya reddediyor!

İngiliz Casus

Bu kavramlar/sol terminoloji ülkemizde ne derece doğru biliniyor?..

Yıl: 1850... Osmanlı'da "sosyalizm" ve "komünizm" sözcüklerini ilk yazan, İstanbul'da *Ceride-i Havadis* gazetesini çıkaran İngiliz casusu William Churchill oldu! Osmanlı pazarını İngiliz mallarına açmak için her türlü spekülasyonu yapan sözde "gazeteci"...

Yıl: 1871... Osmanlı basını, Marks'la tanıştı. *Hakayık-ül Vekayi*, Paris Komünü'nün başında kimin olduğunu açıkladı: "Paris'teki eşkıyanın kumandanı, Karl Marks denilen ve hâlâ Londra'daki Enternasyonal nam cemiyetin reisi bulunan pehlivandır."

Başkent İstanbul'da bunlar yaşanırken, "Doğu Sorunu" Marks'ın ilgisini çekiyordu; 1853 yılı itibarıyla *New York Daily Tribune*, bu konuyla ilgili çok makale yazdı: "Kapitalizm, Avrupa kıtasını altüst edecektir; Türkler devrimci tavır almazlarsa parçalanıp Anadolu'ya hapsedilecekler."

Ömrü yetseydi Marks Osmanlıca öğrenecekti. Osmanlı münevverleri ise daha Marks'ı tanımıyordu!

Aradan yıllar geçti... Bugün Londra Highgate mezarlığında yatan Marks, bizim topraklarda "tercüme aydınları" tarafından bu kez yanlış anlatılıyor![46]

Marksizme dair yargılar/kafa karışıklığı, Marks'ın kendi düşüncelerinden ziyade, onun yazılarına ait yorumların temel alınmasından kaynaklanıyor.

---

46 Kasıtlı çarpıtma yapan döneklere ne diyeceğiz? Her fırsatta Kemal Tahir'in tedrisatından geçtiğini belirten yandaş *Star* gazetesi yazarı Aziz Üstel'in 30 Kasım günü köşesinin başlığı şuydu: "Naziler de sosyalistti." (30 Kasım 2011) Anlamaya dayanan bir dönemi yaşıyoruz. Neymiş, "Nazi Partisi'nin açılımı Nasyonal Sosyalist İşçi Partisi'dir. Yani, sosyalist sözcüğü adlarında geçer." Bizde teori bilinmez. Sadece "alıntı" yapılmak için ezberlenir! Faşizmin ne olduğunun bilindiğini mi sanıyorsunuz. Her totaliter-despot iktidar faşist mi? Nazilerin "sosyalist" kavramının "toplumculuk" olduğunu bilmiyor mu Aziz Üstel? Hitler, Almanya'da esen sosyalist rüzgârdan etkilenen insanları partisine kazanmak için bu adı özellikle seçiyor. Aynı AKP'nin "adalet" adını alması gibi!..

Soğuk Savaş bitti. Bugün... 2008'de dünya büyük ekonomik krize girince başta kapitalistler; kapitalizme kapsamlı eleştiri getiren ve Komünist Manifesto'da küreselleşmeyi ve ardından çıkacak krizi öngören Marks'ı doğru yorumlamaya başladı!

Türkiye'de yine yaprak kımıldamıyor!..

Ekonomi profesörleri...

Gazetelerin ekonomi yazarları...

Marks konusunda kafa karışıklığı yaratmaya devam ediyorlar. Örneğin...

Marks'ı tartışırken merkezi ekonomik sistemden bahsetmek niye? Oysa...

Ne Sovyetler Birliği ne de Çin ekonomik modelinin Marks'la bir ilgisi var.

Marks, sadece kapitalizmi eleştirdi; sosyalizmin iktisadı ve ekonomik kurumlarıyla ilgili özgül açıklamalar yapmadı.

Bilmiyorlar!.. Sovyetler Birliği'nin "merkezileşmiş sosyalist ekonomi" teorisi Marks'ta yoktur! Marks-Engels genellikle antikapitalizm üzerine çalıştı, yazdı. Onlara göre tarihi süreç belliydi; kapitalizmin bir üst aşaması sosyalizmdi!..

İyi de... Kapitalist bile olmamış Rusya'da 1917'de "erken doğum" gerçekleşti; ne yapacaklardı? 1871'deki 70 günlük Paris Komünü deneyimi dışında ortada ders alınacak pratik yoktu. O da barikatlarda çatışmayla geçmişti!

Lenin, sosyalizmi bu ağır koşullar altında nasıl inşa edecekti? Trajiktir... Önce bekliyorlar; "Avrupa'da da sosyalizm kurulacak" diye. Ne gezer! Onlar da Kızıl Ordu'yu bekliyor; "gelse de sosyalizmi kursa" diye!

Sonuçta Moskova'da iş başa düştü; "prematüre bebek" yaşatılmaya çalışıldı. Yetmezmiş gibi savaşlar ülke ekonomisini perişan etmişti. Öyle bir ülke düşünün ki, 1920'de 4.877 işletmeden sadece 2.984'ü çalışıyordu.

Lenin, Yeni Ekonomik Politika'yla (NEP) yolu çizdi, hedefi belirledi: Hızlı sanayileşmeyle, yüksek kalkınma hızına ulaşmak. Bir ülkeyi Ortaçağ ve cehalet çizgisinden alıp, modern endüstri ve mekanize/makineli tarıma geçirmek tek hedef oldu. Emperyalizmin nefesi enselerindeydi.

Tarihte hiçbir ihtilal için, hiçbir yeni düzen için, ekonomik mücadele bu kadar önemli ve bu kadar ölüm kalım sonucu olmadı. Tarihte hiçbir zaman ihtilalciler bu kadar iktisatçı olmak zorunda kalmadı.

Daha kuruluş aşamasında yüksek kalkınma hızı; Sovyetler Birliği işçi sınıfının omzuna zorunluluğun yüklediği büyük şanssızlık oldu. Oysa teoride, sosyalizmin daha hızlı kalkınma sağlamak diye bir tanımı bile yoktu. Pratik, teoriyi sarstı...

İlk bozulma bu güçlükten kaynaklandı; köylüye, işçi tulumu giydirerek ya da emekçi okulları açılarak "sınıf bilinci" verilemedi. Küçük mülkiyet anlayışı yok edilemedi. Kâğıt üstünde hoş duran "eşit işe eşit ücret" uygulaması sorunsuz olmadı.

İtibarıyla ilk ayrılıklar/kapışmalar/ölümler iktisattan kaynaklandı. Kapitalist restorasyondan/sağ sapma'dan korkulması, isimdaş Vladimir Gromon-Vladimir Bazarov gibi iktisatçıların idam edilmelerine neden oldu.[47]

Bugün... Fransız Devrimi'nin tüm "suçu" nasıl Robespierre'e yıkılıyorsa, Ekim Devrimi'nin tüm "günahı" da Stalin'e yıkılıyor. Kolaycılıktır bu. Ne derseniz deyin, Lenin'in ortaya attığını gerçekleştiren; zorluklardan bir düzen kuran adamdır Stalin... Stalin iki büyük dünya harbine ve içsavaşa rağmen "prematüre bebeği" yaşattı; bebeğin sütünü, ekmeğini verdi; okullarda okuttu; meslek sahibi yaptı; kimseye muhtaç olmayacak bir hayat yaşattı.[48]

Detaya girmeyeyim, bu pratik çökünce kimilerine göre, "bilimsel sosyalizm" de çöküverdi!

Demem şu: "Merkezi ekonomi" Marks'ta yoktu!

Sosyalizm denince akla gelen merkezileşmiş ekonominin teorisyeni solcu bile değildi; asker kökenli İtalyan iktisatçı Prof. Dr. Enrico Barone'ydi (1859-1924)!

Evet... Lenin ve sonra Stalin; içsavaş ve Birinci Dünya Savaşı'nın yoksullaştırdığı topraklara, ekonomik dinamizm/verimlilik getirmek ve kalkınma hızına ulaşmak için Gramsci'nin deyimiyle, Marks'ın *Kapital*'ine karşı devrim yaptılar! Ve...

---

47 Bu ekonomistlerin suçları, iktisatta denge düşüncesini savunmaktı; denge piyasa demekti; piyasa ise kapitalizm!

48 İsrail'de, Rusya'dan gelen Yahudiler üzerine yapılan araştırmada şu gerçek açığa çıktı. Rus Yahudiler, Avrupa'dan gelen Yahudilerin ruh haline sahip değildi. Rusya'dan gelenler soykırım sendromundan etkilenip, aşağılık duygusu yaşamaksızın hayatlarına devam ediyordu. Bu tutumlarını şöyle açıklıyorlardı: "Biz Hitler'e karşı savaştık ve onu yendik!"
Sadece İsrail'deki Rus Yahudiler için geçerli bir ruh hali değil bu. Sovyetler Birliği'nin Hitler'i yenmesi bugün Rusya'da hâlâ büyük bir gurur kaynağı. İkinci Dünya Savaşı dünyada tek kahraman lider çıkardı; Stalin! Başta CIA olmak üzere Batılı istihbarat teşkilatları, sosyalizmin sembolü haline gelen Stalin'i gözden düşürmek için tarihte görülmemiş bir psikolojik harp başlattı. Başardılar; Batı'da Stalin artık cani bir diktatördü!

İtalyan Prof. Dr. Barone'nin merkezi sistem modelini benimsemek zorunda kaldılar.

Marks, ilgisi olmadığı bu pratik üzerinden değerlendirilemez. Bu Marks'ı bilmemektir.

Bu nedenle... Dönekler hâlâ solun lekeli olup olmadığını tartıştırıyorlar.

Türkiye'de, neoliberalizmin mezar kazıyıcısı olması gerekenler vahşi kapitalizmin "yeni sağcılık" teorilerini benimseyip; etnik, dinsel, cinsiyete dayalı kimlikler üzerinden siyaset yapıyor!

Sol'un değerlerini keşfetmesi gerekenler Cemaat'i keşfediyor!

Sol'un değerlerini keşfetmesi gerekenler AKP'yi keşfediyor!

Sol'un değerlerini keşfetmesi gerekenler HDP'yi keşfediyor!

Sonuçta...

"Sol" ya da başka bir ismin önemi yoktur; önemli olan kapsadığı değerlerdir:

Eşitlik... Özgürlük... Kardeşlik...

Bu Kemalist Devrim programıdır...

Bu sol'dur.

Solcular-Milliyetçiler

Diyorlar ki...

"Böyle sol olur mu; milliyetçiler-solcular yan yana gelir mi?"

"Gelir" dediğinizde "Nişantaşı-Cihangir solcuları" ayağa kalkıyor: "Faşistler!.."

Liberal New York "aydınlarının" zehirlediği kafalardan başka türlüsü beklenmez!

Bunlar... "Türk'üm" diyene ırkçı diyor.

"Ulusalcıyım" diyene faşist diyor.

Bu "piyasa" yetiştirmeleri her yanda var. Öyle ki...

Dünyadaki gelir dağılımı adaletsizliğini gözler önüne seren *Kapital* adlı kitabın etkisini azaltmak için yazarı Marksist Thomas Piketty'ye bile "ulusalcı" dediler. Küreselleşme taraftarları "ulusalcılığı" küçümseme aracı yaptı! Sadece bu olsa...

Türkiye'de "ulusalcılık" Ergenekon Davası'nın temel sebebi sayıldı! İnsanlar yıllarca Silivri zindanında yatırıldı. Neyse, bu konuya hiç girmeyelim..

Soruya dönersek... Bakın milliyetçiler ile solcular nasıl yan yana geliyor?..

Milliyetçiler, halkçılar, sosyalistler dün bu topraklarda iç içeydi. Üç kavram da Osmanlı dönemi ürünü. Veled Çelebi, Necib Asım, Bursalı Mehmet Tahir, Yusuf Akçura, Sadri Maksudi, Mehmet Emin Resulzade, Ömer Seyfettin bilinmeden Türkçülüğün kökeni anlaşılabilir mi?

Ziya Gökalp'i Türkçülüğe yönelten Ahmet Vefik Paşa'nın *Lehçe-i Osmani* ya da Mustafa Kemal'i derinden sarsmış Askeri Mektepler Nazırı Süleyman Hüsnü Paşa'nın yazdığı *Tarih-i Âlem* bilinmeden Türkçülük hakkında söz edilebilir mi?

Türk Yurdu ve *Halka Doğru* dergilerinde milliyetçiler, halkçılar, sosyalistler birlikte çalışmadı mı?

"Köycü Doktorlar" Dr. Reşit Galip, Dr. Hasan Ferit (Cansever), Dr. Fazıl (Doğan) bilinmeden Türkçülerin halkçılık kökü anlaşılabilir mi?

Ya... TKP lideri Mustafa Suphi kavranmadan?

Hepsi... Avrupa sermayesinin Osmanlı pazarını yok etmesine karşı mücadele vermedi mi? Hanedanın yerini vatanın alması için mücadele vermedi mi?

Bu nedenle, emperyalizme karşı savaşmak için Müdafaa-i Vatan Cemiyeti'ni kurmaları, Ankara'ya gitmeleri tesadüf olabilir mi?

Fakat... Bugün bir araya gelmek pek kolay değil. Çünkü...

İkinci Dünya Savaşı ve ardından Soğuk Savaş; milliyetçileri-solcuları karşı karşıya getirdi. Önce Nazi Almanyası ve ardından ABD-NATO, Türkiye'deki düşünsel hayatı "kanlı bıçakla" ikiye böldü. Örneğin...

Çok yakın arkadaş Sabahattin Ali ile Nihal Atsız'ın yolları ayrıldı.[49] Keza Atsız'ın sınıf arkadaşı Pertev Naili Boratav da *Atsız Mecmuası*'ndaki yazılarına son verdi. Hasan Âli Yücel, *Filiz*'de yazdığı "Ülkü ve Hayat" makalesine övgüler düzdüğü öğrencisi Reha Oğuz Türkkan'la karşı karşıya geldi.

"Soğuk Savaş" birbirine "yoldaş" diyenleri düşman yaptı... *Gök-Börü*, *Çınaraltı* ya da *Akbaba* gibi yayın organlarında birlikte çalışanların gün geldi, birbirleri hakkında yazmadıkları hakaret kalmadı.

Kimi ırkçılığa kadar savruldu...

Kimi istihbarat örgütlerinin maşası haline geldi...

---

49 Görünürdeki neden, Sabahattin Ali'nin yazdığı *İçimizdeki Şeytan* romanıydı! Nihal Atsız'a göre, Sabahattin Ali'nin "şeytan" dediği milliyetçilerdi. Atsız bunun üzerine yazdığı *Dalkavuklar Gecesi* kitabında başta Sabahattin Ali olmak üzere herkese saldırdı!

Kimi Washington veya Moskova'nın emir eri oldu...
Ayrılıklar her kesimin içinde de yaşanmaya başladı...
Turancı Pantürkçüler ile vatancı Türkçüler bile ayrıldı...
Herkes birbirine düşman yapıldı!..
Kimine göre, Sovyetler Birliği sayesinde Türkiye sosyalist olacaktı.
Kimine göre, Hitler ya da ABD sayesinde "büyük Turan" gerçekleşecekti.
Kimine göre, Türkiye için en büyük tehlike "komünizm"di.
Kimine göre, Türkiye için en büyük tehlike "faşizm"di.
Türkiye gerçeklerinden koptular/koparıldılar.
Soğuk Savaş ürünü Gladio'nun tetikçileri kan dökmeye başladı.
Gün geldi: 12 Eylül 1980 Askeri Darbesi hepsini cezaevlerine tıktı. Doğu Perinçek ile Yaşar Okuyan Mamak Cezaevi'nde birbiriyle konuşma olanağı buldu! Bugün, Vatan Partisi çatısı altında birleşerek ezberleri bozdular!
Solcular ile milliyetçilerin yan yana gelmesi hemen "kimilerini" rahatsız etti.

İşte... Fırat Yılmaz Çakıroğlu...
Konya Akşehir, 1991 doğumlu. Ailenin tek çocuğu.
Öğretmen annesinin tayininden dolayı ilkokulu Diyarbakır'da; ortaöğrenimini Almanya'da ve liseyi Akşehir'de okudu. Ege Üniversitesi Edebiyat Fakültesi son sınıf öğrencisiydi. Bölüm birincisiydi. Akademisyen olmak için formasyon dersleri alıyordu. Basketbolcuydu. Okul arkadaşıyla sözlüydü. Çok sevdiği bir kedisi vardı...
İdealistti. Edebiyata düşkündü. Ege Üniversitesi Ülkü Ocakları sorumlusuydu.
Tarih: 17 Ekim 2014.
Ege Üniversitesi'nin Atatürkçü Düşünce Topluluğu ve ülkücü gençler "Ege'de birlik var" pankartı arkasında yürüdü... Fırat Yılmaz en önde!..
Keza... Yakılan Atatürk heykelleri ve yakılan Türk bayrakları üniversitedeki ülkücüler ile devrimci öğrencileri aynı safta buluşturdu. Ülkücüler, devrimci Türkiye Gençlik Birliği'yle kol kolaydı. Fırat Yılmaz en önde!.. Atatürk ve Türk bayrağında birleşmişlerdi.
Fırat Yılmaz, katledildi. Tarih, 20 Şubat 2015'ti.

Fırat'ı *Sözcü* gazetesinde yazdıktan sonra annesi Özlem Hanım'dan mektup aldım:

"Zor günler yaşıyorum, nasıl atlatırım, bu acıyla nasıl başa çıkabilirim bilmiyorum. Fıratım benim tek çocuğumdu; Fidanım kurudu. Acısını yaşarken tek düşündüğüm şey, Fıratımın sadece benimsediği ideolojiyle anılmasıydı. Çünkü ben, hem vatanını ve Atatürk'ü seven hem de Atamızın ilke ve inkılaplarına bağlı bir çocuk yetiştirdim. Bunun arka planda kalmasına hiç gönlüm razı olmazdı. Yazınız beni çok mutlu etti; tüm duygularıma ortak olduğunuz ve bunları benim adıma daha geniş kitlelere ulaştırdığınız için minnettarım. Bu yalnızlığın ortasında kalabalıklara anlatmak istediğim ve dilim döndüğünce anlatmaya çalıştığım her şeye ortak olduğunuz için mutluyum..."

Bugün... Fırat Yılmaz'ın öldürülmesi "Cihangir solcuları" için bir şey ifade etmiyor.

Peki... Kendini "milliyetçi" sananlara ne demeli? İleri sayfalarda ayrıntılı yazacağım ama burada iki cümle ekleme yapmalıyım.

Milliyetçilik, 1789 Fransız İhtilali'yle dünyaya yayıldı. Türkiye'de her siyasal çevrenin kendi milliyetçilik tanımı olsa da, terminolojik anlamı net: "Ulusal pazarını/piyasanı korumak."

Milliyetçilik, iktisat temelli bir kavram. Yazdım; Almanlar, İtalyanlar ulusal birliklerini bu amaçla kurdular; dil birliğini bu amaçla sağladılar.

Adında "milliyetçi" kavramı bulunan parti, bugüne kadar, ulusal pazarını korumak için ne "hareket" yaptı?

Örneğin... Özelleştirme adı altında ülkenin değerleri peşkeş çekilirken hiç sesini duydunuz mu?

Aksine... Hükümet oldukları dönemde; Petrol Ofisi, Zirai Donatım Kurumu, Et-Balık Kurumu, SEK, Petkim, Turban, SEKA, Sümer Holding, Çantaş, Tungaş, Ankara Halk Ekmek, Öbitaş, Pancar Ekicileri Birliği, Maksan, Man Kamyon, Dosan Konserve, Balıkesir Pamuklu Dokuma, Aydın Tekstil, Güven Sigorta, Türk Otomotiv, Ankara Sigorta, Deniz Nakliyatı TAŞ, Metal Kapak, Ege Et, Tüstaş, Asil Çelik, Köy-Tür, Toros Gübre vd. satıldı.

IMF yasaları adı altında çıkarılan pancar ve tütün kanunlarıyla yüz binlerce köylüyü perişan ettiler.

Tarımın yok edilmesine dayanamayan Tarım Bakanı Hüsnü Yusuf Gökalp partisinden istifa etti.

Ulaştırma Bakanı Enis Öksüz yolsuzluklara karşı çıktığı için görevinden alındı.

1960'lardan beri partili olan Sadi Somuncuoğlu ve Abdülhaluk Çay'ı bakanlıktan ve partiden kovdular ve ülkeyi 50 milyar dolar zarara uğratan hortumcuları korudular.

Kemal Derviş politikalarıyla milliyetçilik nasıl yan yana geldi?

Hangi anti-emperyalist mücadelenin içinde oldular?

Meselenin özü aynı:

Halkçı olmayan, ne milliyetçidir ne de solcu!

Bugün... Milliyetçiler ile solcuları, halkçılık birleştiriyor.

Altı Ok'undan biri halkçılık olan parti, bu birlikteliğin neden öncüsü olmaz?

Hiçbir çabaları yok; tek söyledikleri; "solcular ve milliyetçiler nasıl bir araya gelir?"

Gelir kardeşim...

Sadece solcular, milliyetçiler değil, Müslümanlar da bir araya gelir. Nasıl mı?..

Müslüman Solcular

Tespit 1) Melami Şeyhi Terlikçi Salih sürgünde oldukları Sinop'ta Türkçü Mustafa Suphi'yi etkileyerek sosyalist olmasını sağladı! Sonra Mustafa Suphi, Türkiye Komünist Partisi'nin ilk genel başkanı oldu.

Tespit 2) Günümüz anti-kapitalist Müslümanlar hareketinden Mehmet Lütfü Özdemir 2013 yılında *Rıza Şehri* adlı romanını yayımladı. Romanda; İstanbul'da taksicilik yapan Ali, bankadan aldığı krediyi ödeyemeyince tek varlığı olan evini kaybeder ve bunun sonucu intihar eder. Sonra gözlerini çölde açar ve buradaki yeşillikler içindeki Darüsselam adlı şehre gider. Bu şehirde para geçmiyordur; özel mülkiyet-sınıflar-sömürü yoktur; herkes dayanışmacıdır, yardımseverdir ve herkes işini Allah rızası/toplum için yapıyordur...

Darüsselam; barış yurdudur ve kaynağı Kuran'dır. "Biz ezilenleri yeryüzünde önder kılmak istiyoruz." (Kasas/5)

Samimi Müslümanların talebi, "dünyevi cennet" kurmaktır.

Bugün milliyetçiler, halkçılar, solcular bir araya geldi/geliyor/gelecek...

Ya Müslümanlar? Unuttunuz mu? Hedefi daraltıp, cepheyi genişletmek gerekmiyor mu?

100 yıldır milliyetçiler, Müslümanlar hep iç içe oldu. Peki... Müslümanlar ile solcular/sosyalistler arasına zamanla aşılması güç duvarlar neden örüldü?

Sormak isterim:

"Peygamber'den sonra İslam, sağcılığa doğru kaymaya başladı," diyen "Hodaperestan-i Sosyalist" (Allahperest Sosyalist) Ali Şeriati'yi benimsemeyen solcu/sosyalist olabilir mi?

Nurettin Topçu'suz, Cemil Meriç'siz, Melami Şeyhi Mecdi Tolun'suz, II. Abdülhamit'in süt kardeşi Nuri Bey'siz bir sol/sosyalist hareket olur mu?

Sezai Karakoç vd. yok sayılabilir mi?

Üsküdar'daki İstanbul Düşünce Evi'nin ya da Soğuk Savaş'ın ürünü Komünizmle Mücadele Derneği mirasını reddetmek için kurulan, Kapitalizmle Mücadele Derneği'nin kapısı çalınmadan ittifaktan bahsedilebilir mi?

Lüks otel iftarlarının alternatifi olan Yeryüzü Sofralarına oturmadan birlikte mücadeleden bahsedilebilir mi?

Yönümüz aynıdır; "mahallelerimiz" değişiktir sadece. O halde... Adacıklara hapsolmamak gerekir; Müslümansız mazlumlar ittifakı kurulamaz.

Kurulmaması için ne oyunlar yapıldı!..

Bir örnek...

Suriyeli Mustafa Sıbai'nin *İslam Sosyalizmi* kitabını 1969 yılında çeviren bir yayınevi, sosyalizme tepkisi nedeniyle kitabın belli bölümlerini çıkararak-sansürleyerek yayımladı!

Bu ilk değildi... İlki Osmanlı döneminde oldu:

Hint Müslümanlardan Şeyh Müşir Hüseyin Kıdvay'ın, İngiltere'de çıkardığı *İslam ve Sosyalizm* kitabı ilk düşmanca yazılmış kitaptı. Kimler tercüme edip Osmanlı'ya getirdi bu kitabı? İngilizlerin adamı Cemaleddin Afgani'nin müritlerinin çıkardığı *Sebilürreşad* dergisi, dört gün boyunca neden sayfalarını bu kitaba açtı?

Hâlâ solcu düşmanlığı yapanların İngiliz Askeri Haberalma Servisi'nin 1920 yılına ait gizli raporlarını açıp okumaları gerekir. Bu belgelerde Müslümanları sosyalistlere karşı nasıl harekete geçirdikleri açık açık görülmektedir. "Komünistlerde kadınlar ortaklaşa kullanılan maldır," yalanı Londra üzerinden Osmanlı'ya geldi!

İşte tüm mesele budur...

Mesele; Müslümanları tek taraflı bir propagandaya/manipülatif okumaya maruz bırakmaktır.

Ayrımı iyi yapmak şart:

Dinciliğin doğması yeni değildir.

Dincilik, İslam öncesi Arap/Bedevi cahiliye dönemine dönmektir...

Dincilik, devrimi geri çevirme hareketidir...

Yani dincilik; putçu, tefeci, kölecilerin iktidarı tekrar ele geçirmesidir...

Hz. Muhammet tehlikenin farkındaydı. Tehlike, bedevi kültürüydü.

Kuran, Bedevileri bu nedenle sert biçimde eleştirdi:

– "Bedeviler inkâr ve nifak bakımından daha ileri ve Allah'ın peygamberine indirdiği hükümlerin sınırlarını tanımamaya daha yatkındır." (Tevbe/97)

– "Bedevilerden geri kalanlar sana, 'Bizleri mallarımız ve ailelerimiz alıkoydu, bizi bağışla' der. Kalplerinde olmayan şeyi ağızlarıyla söylüyorlar." (Fetih/11)

– "Bedevilerden öylesi vardır ki (Allah yolunda) harcayacağını angarya sayar." (Tevbe/98)

İslam'ın ilk yıllarında, kendini "zekât vermemek" gibi karşı çıkışlarla gösteren "Bedevizm", Hz. Muhammet'ten sonra hayat biçimini İslam'a dayattı. "Sünnet" adı altında Bedevilerin âdetleri İslam'a dolduruldu! Siyasi sahtekârlıklarla Hz. Muhammet gibi "ölüler sürekli konuşturulmaya" başladı; "hadis enflasyonu" yaşandı ve iktidarın bedenine göre İslam'a "yeni elbise" giydirildi!

Sonuçta Emeviler, İslam'ı "saltanat teolojisine" dönüştürdü!

Abbasiler döneminde akılcılık bir dönem etkisini gösterse de, zamanla "hadisçi demagoglar" tarafından Bedevi akılsızlığı yeniden iktidara oturtuldu. Uzatmayayım:

Dincilik, İslam'ı bayağılaştırmaktır...

Dincilik, sürüleşmektir...

Bugün dinci Bedevilik, Vehhabi-Selefilik adı altında yine gündemdedir.

Bugün sol-Müslüman ittifakın görevi; günlük siyasetin aracı haline getirilen İslam'ı, Bedevi Vehhabiliğin elinden çekip kurtarmaktır. Müslüman sosyalist Ali Şeriati diyor ki:

"Onların hak yolunda olduklarına dair kendilerince ayet ve hadislerden bin bir türlü delilleri vardır. Ancak tüm bu delillere yakın ve güvene karşın geri kalmışlık tüm görkemiyle karşımızda durmaktadır. Sonuçtaysa kendilerine karşı bir kuşkuları, bir şeyler yapma, kendilerini değiştirme, kusur ve hastalığın nerede olduğuna bakma çabaları yoktur. Bu yüzden, ineğe tapan, Allah'a tapandan ileri geçer; Allah'a inananın ise haberi olmaz."

Cahiliye artığı Bedeviler bu sözlere kuşkusuz yanıt vermedi, ama ne yaptılar biliyor musunuz; "Kravat takan; yemeği kaşıkla yiyen kâfir birinin sözü dinlenmez!"

Tabii ki Ali Şeriati'yi hapse atarlar. Şaşırmamak gerekir...

Bu anlayış sonucu Emevilerden beri İslam, dünyanın her yanında devlet katına hapsedildi.

Bu dinci gericiler; Müslümanlığı, Allah'a değil iktidarlara/egemenlere biat eder hale getirdi!

Tevhid dini, şirk dinine dönüştürüldü...

Kuşkusuz buna yenik düşmeyenler de oldu. Örneğin...

Dün; "İttihad-ı İslam" diyen Namık Kemal gibi Jön Türkler!

Dün; saltanatın gölgesindeki gelenekçi Müslümanlara karşı çıkıp Kurtuluş Savaşı için Anadolu yollarına düşen Mehmet Âkif gibi aydın Müslümanlar!

Evet... Bugün de milliyetçiler, halkçılar, solcular ve "adil düzen" savunucusu Müslümanların katılacağı –Sultangaliyev'in yaptığı gibi– yeni bir "sosyalist Müslüman Doğu halklar" ittifakına ihtiyaç var.

Zalim Muaviye'nin sömürü ve lüks düşkünü yönetimine isyan ettiği için Rebeze Çölü'ne sürülen sahabi Ebu Zerr el-Gifari'nin yoludur bu ittifakın yolu...

Davutoğlu için, hurafeye inandırılan cahili kandırmak kolay. Buyurmuş ki: "CHP/solcular, İslam'a, Hz. Muhammet'e saldıranlara sahip çıkıyor!"

Ayıptır. Bu 100 yıllık koca bir İngiliz yalanıdır...

EFENDİ-2 Müslümanların Büyük Sırrı ve *Bu Müslümanlar O Müslümanlara Benzemiyor* kitaplarımda bu konulara değindim. Sadece mini bilgi vereyim...

Müslüman Komünistler

Adı, "Kerim Sadi" mi?..

Yoksa, "A. Cerrahoğlu" mu?..

"Nevzat Cerrahlar" olabilir mi?..

Ya da "Ahmet Nevzat Cerrahoğlu" mu?..

Pek bilinmez gerçek adı; –nüfus cüzdanı örneği bendedir–: Ahmet Nevzat Cerrahlar.

Bir aydın düşünün... 50 yıllık yazı yaşamı boyunca hep "müstear" isim kullanmak zorunda kalsın!

Çünkü, solcuydu; sosyalistti. Marksizm'le ilgili onca kitaba ve çeviriye imza atmış bir entelektüelin yaşamı, bu topraklarda solun ne derece baskı altında olduğunun somut gerçeğidir.

Geçen yıl Beyoğlu Sahaflar Festivali'nde bir deste haline getirilmiş kitaplarını görünce, şaşırdım. Onca yıl sahaflarda tek tek bulabildiğim kitapları deste halindeydi. Öğrendim ki, bir akrabasının evinin bodrum katında bulunmuştu.

Neler yoktu ki kaleme aldıkları arasında; "İnsaniyet Kütüphanesi"nden "Karl Marks"a; "İş Ücreti Nedir"den "Ekonomicilik Efsanesi"ne kadar onlarca broşür-kitap yazdı, çıkardı.

Keza... "İslamiyet ve Sosyalizm Bağdaşabilir mi?"; "Muhammet ve İslamiyet" gibi eserlerinde bugün hâlâ tartışılan, "Sosyalizm dine karşı mıdır?" gibi sorulara yanıtlar verdi.

"Kerim Sadi"yi en sert eleştirenlerin başında Hikmet Kıvılcımlı geliyordu. Hayır, mesele İslam'ın, sosyalizmle bağdaşıp bağdaşmaması meselesi değildi. Tartışma konusu, Marksizm'i bilip bilmemekti! Yoksa, Hikmet Kıvılcımlı da İslam ile sosyalizm arasındaki ilişki konusunda aynı görüşteydi. Öyle ki...

Tarih: 15 Ekim 1957.

Eyüp Büyük Camii Meydanı'ndaki konuşması nedeniyle Dr. Kıvılcımlı hakkında "dini siyasete alet ederek komünizm propagandası yapmak" iddiasıyla dava açıldı!

"İslam'ın büyük prensibi: '*Leyse lil insane illa ma sea:*' (Yani: İnsan için, çalışmaktan, emekten başka her şey yalandır.) Bugün insanlığın yarattığı değer emek üzerine kurulur. Türkiye'de emeği, insanın çalışmasını kim temsil ediyor: Vatan Partisi..."

Bu sözleri nedeniyle Dr. Kıvılcımlı, 5 Kasım 1957'de tutuklandı. Aynı gerekçeyle İstanbul 1. Sulh Ceza Mahkemesi, 30 Aralık 1957'de Vatan Partisi'ni kapattı.

Ne diyorlar, "Komünistler ile Müslümanlar yan yana gelemez!" Hadi oradan...

Size bir ismi daha tanıtmam lazım...

Abdülaziz Mecdi Tolun.

İstanbul'da Fatih Türbedarı Ahmet Amiş Efendi'nin sohbetinden etkilendi. Vahdet-i Vücud felsefesiyle tanışması hayatının yönünü değiştirdi.

Yaptığı iyilikleri –gösteriş olur endişesiyle– göstermeyen; yaptığı kötülükleri ise –nefsiyle mücadele etmek amacıyla– açığa vuran "Horasan Erenleri" Melamilerden etkilendi.

Dinciliğe karşı çıktıkları için ağır bedeller ödeyen Ömer Sıkkini, Bünyamin Ayaşi, İsmail Maşuki, Hamza Bâli, Nur'ül Arabi gibi "kutup"ların yoluna girdi. Derisi yüzülerek öldürülen Melami ozan Nesimi ne diyordu: "Ben Melamet hırkasını / Kendim giydim eğnime / Ar ü namus şişesini / Taşa çaldım kime ne..."

Abdülaziz Mecdi Tolun, kitaplar yazdı; kitaplar çevirdi.

İttihatçı'ydı. 1908'de Balıkesir'den İttihat ve Terakki Fırkası listesinden mebus seçildi.

"Kerim Sadi", yazdığı "İslamiyet ve Osmanlı Sosyalistleri" adlı broşür kitabında Abdülaziz Mecdi'nin (Tolun), sosyalizmi nasıl anladığı ve ne dereceye kadar kabul ettiğini şöyle yazdı:

> "Mecdi Efendi, Batı dünyasındaki ekonomik, sosyal ve ahlaki çöküntüyü tenkit ediyor; kapitalist medeniyete çatıyor ve hadislere dayanarak sosyalizm ile İslamiyet'i belli sınırlar içinde ve işçi sınıfının aktüel meseleleri bakımından uzlaştırmaya çalışıyordu.
>
> Mecdi Efendi'ye göre işçinin haklarını korumak insanlık icabıdır. İşçi sınıfının haklarını korumaya ve kafalarını aydınlatmaya çalışan Osmanlı sosyalistleri, insanlığa karşı önemli bir görev yerine getirmiş oluyorlardı. (...)
>
> Onun inancına göre, memleketimizde sosyalizm bundan ileriye adım atamazdı. Atarsa hem sosyalistler hem memleket bundan zarar görürdü. (...) Görülüyor ki, Mecdi Efendi sosyalizmi mutedil ve aşırı olarak ikiye ayırıyor ve İslam dininin mutedil sosyalizmle rahatça bağdaşabileceği tezini savunuyor. İslam'da sosyalist esaslar bulan Mecdi Efendi'ye göre, Osmanlı sınırları içinde, mutedil bir sosyalistlik gerçekleşebilir ve gerçekleşmelidir."

Peki...

Abdülaziz Mecdi Tolun, Melamiler içinde sosyalizme inanan tek kişi miydi?

Hayır! Kerim Sadi, Hikmet Kıvılcımlı gibi kadri kıymeti bilinmeyen bir diğer Marksist; Abidin Nesimi'ydi. *Yılların İçinden* adlı anı kitabında Melamilerin siyasal amacını yazdı: "Balkanlarda ya sosyalist bir federasyon ya da İslami bir sosyalist Melami federasyonunun kurulması gerekliydi."

Abidin Nesimi'ye göre; Melamilerin İstanbul'daki şeyhi Terlikçi Salih, Sadrazam Mahmut Şevket Paşa'ya yapılan suikast dolayısıyla tevkif edilip Sinop'a sürüldü. "Sinop'ta (geleceğin TKP lideri) Mustafa Suphi ile konuştu ve Mustafa Suphi'yi etkiledi.

"Melamilik ve Melamiler" araştırmasını ilk yapan kişi, tasavvuf dünyasını en iyi bilen tarihçi Abdülbaki Gölpınarlı'ydı. Polis raporuna göre, TKP'ye katılan ilk öğretim üyesiydi. 1944 "Komünist Tevkifatı"nda cezaevine atıldı. Duruşmalarda "Müslüman sosyalist" olduğunu hiç saklamadı...

Bunlara rağmen...

Davutoğlu 100 yıllık İngiliz yalanına sarılıyor.

Solcular ile Müslümanların bir araya gelmesinde şaşılacak bir durum yok. Daha... "Sağ" ve "sol" kavramları yokken bir arada mücadele ediyorlardı.

Tüm mesele şudur: Sağcılar, solcular, milliyetçiler değil...

Yoksullar, acı çekenler, namuslular yan yana gelmesin; mücadele etmesin; işte bunu istemiyorlar.

Hep yazarım, hep söylerim: Sağcılık-solculuk yoktur, vicdansızlık-ahlaksızlık vardır; emperyalizm vardır, sömürü vardır!

Bu gerçeklerin görülmesini istemiyorlar.

Tüm hakikatleri başka kalıplara sokuyorlar. Örneğin...

Koca Yaşar Kemal'i sadece "Kürt" kimliği üzerinden anlatıyorlar!

Bellek Siliciler

Yaşar Kemal, *Demirciler Çarşısı Cinayeti* eserine "O iyi insanlar, o güzel atlara bindiler çekip gittiler," cümlesiyle başlar ve aynı cümleyle bitirir!..

Dünyayı dolaşan genç bir adam günün birinde güzel bir şehre gelir. Bu şehrin insanları dünyanın en konuksever insanlarıdır. Atları da dünyanın en güzel atıdır. Tüm şehir halkı mutludur. İnsanlara ve atlara hayran kalan genç adam bir süre sonra bu mutluluk şehrinden ayrılır. Yıllar sonra, yaşlılığında yine o şehre gelir ve gördüklerine inanamaz. Her şey değişmiştir; o iyi insanlardan ve güzel atlardan eser kalmamıştır. Ovalar, çayırlar, ahırlar bomboştur. Herkes mutsuzdur; selamını bile alan yoktur. Gezgin adam yaşlı bir adama yaklaşıp sorar: "Ne oldu?" Yaşlı adam şöyle der: "O iyi insanlar, o güzel atlara binip çekip gittiler."

Evet...

Adaletin, eşitliğin, özgürlüğün olduğu altın çağ geride kalmıştır; mert, yiğit, onurlu, çalışkan, yardımsever insanlar çekip gitmişlerdir. Geride kalan, kokuşmuş bir düzendir!..

Evet...

Yaşar Kemal kimine göre, natüralist köy romanı yazarı.

Kimine göre, çağdaş Türk edebiyatının en büyük yazarı.

Kimine göre, Anadolu'yu tüm folkloruyla dünyaya taşıyan evrensel yazar.

Yaşar Kemal tüm eserlerinde bozulmayı/yozlaşmayı/çöküşü ve itibarıyla güzelliğin, iyiliğin, sevginin nasıl yitip gittiğini yazdı.

Akçasazın Ağaları ya da *Binboğalar Efsanesi*'ni açıp bakın; kapitalist düzenin 1950'lerde başlamasıyla yitirilen değerler çırılçıplak karşınıza çıkar.

Yaşar Kemal kapitalizmin, insanı ve doğayı nasıl yok ettiğini hayatın tüm gerçekliğiyle gözler önüne serdi. En büyük değer para'ydı artık...

Yaşar Kemal sadece insanın, kurumların çürümesini/yozlaşmasını yazmadı.

Herhalde Türk edebiyatında; dağları, ovaları, bataklıkları, ağaçları, otları, böcekleri, kuşları, köpekleri yani tüm doğayı romanlarında şiirsel bir dille anlatan bir başka yazar yok.[50]

Evet...

Yaşar Kemal'in romanlarında bozulan sadece insan değildir; "temiz, yabanıl el değmemiş büyük bir tanrı bahçesi" doğa'nın yok edilişi de anlatılır. Çukurova'nın simgesi artık ulu kartal değil, sivrisinektir!

İlerici Derviş Bey sanki bugünleri görmüştü: "Yakında bir kuru toprak kalacak bir de bomboş bir gökyüzü. Ne ot, ne çiçek, ne çalı, ne kurt, ne börtü böcek..."

Evet...

Yaşar Kemal, kapitalizmin Türkiye'deki gelişmesinde çok büyük katkısı olan Çukurova bölgesindeki bu zorunlu dönüşü tüm ideolojik yönleriyle destansı bir dille yazdı.

---

50 Hiç unutmam; bir "tarihçi-gazeteci" televizyon ekranında, "Adam sayfalarca bir yaprağın düşüşünü yazıyor, böyle roman olur mu?" diye isim vermeden Yaşar Kemal'i eleştirmişti! Zavallı sanıyordu ki, roman sadece konu'dur! Geçelim. Türkiye'nin kalite çıtası maalesef bu derece düştü!

Bugün Türkiye kadın mücadelesine tanık oluyor. Yaşar Kemal'in romanlarındaki kadın kahramanlar unutulabilir mi?

"Gizli kahramanları" yörük/Türkmen/Alevi kadınlardır! Ağaların evlerini basan, beyleri yok eden ve İnce Memed gibi eşkıyalara sahip çıkan hep bu yiğit kadınlardır.

Ve evet...

"İnce Memed"siz Yaşar Kemal anlatılabilir mi?

"İnce Memed"siz Yaşar Kemal anlaşılabilir mi?

Bugün emperyalizmle "gerdeğe girerek" Yaşar Kemal övgüsü yapılabilir mi? O çelimsiz görünümlü, başkaldırının sembolü "İnce Memed" sadece sömürüye karşı çıkmaz, Ortaçağ ideolojisiyle/hurafesiyle de kavga etmez mi?

İçinde "mücadele" sözcüğü geçmeden, düzen eleştirisi yapılmadan Yaşar Kemal anlatılabilir mi?

Yaşar Kemal'e göre İnce Memed, "mecbur adam"dır!

Mücadeleye mecbur kalmıştır: Haksızlığı sessizce kabul edemez; kadere boyun eğmez! Bu nedenle Battal Ağa, İnce Memed'e şöyle der: "İnsanoğlunun içinde bu kurt oldukça, insanoğlu ne olursa olsun yenilmeyecek."

Bir Köroğlu'dur ya da bir Dadaloğlu'dur "İnce Memed"...

Yaşar Kemal, tüm eserlerinde sömürüye-yozlaşmaya karşı insanları mücadeleye çağırır: "Ne olursa olsun, her biçim sanatın birinci işi başkaldırmaktır. İşte kökeninde başkaldırı olan sanat, çağımızın ilerici insanlığıyla başkaldırdıkça kalıcılığını gerçekleştirecektir."

Romanlarında şu gerçeği yazdı: Feodal şiddet; daha vahşi, fakat bireysel; kapitalist şiddet dolaylı, fakat kitleseldir. Bu canavarı alt etmenin (Örneğin *Akçasazın Ağaları* romanında olduğu gibi) iki türlü yolu vardı:

Birincisi, Pir Sultan Abdal ve Dadaloğlu şiirleri okuyan Arzuhalci Ali Efendi'nin gelenekçi direnme yolu. İkincisi, Traktör İşçileri Sendikası Başkanı Habip Usta'nın çağdaş devrimci yolu.

Yaşar Kemal birlikten yanadır.

Yaşar Kemal yoksullardan yanadır.

Yaşar Kemal mücadeleden yanadır.

Yaşar Kemal devrimden yanadır.

Şimdi... Bugün... Yine aynı oyun... Yine aynı imaj çalışması sahneye kondu:

İçini boşaltarak yüceltme!

Nâzım Hikmet mi dediniz; bunlara sorarsanız, romantik bir şairdir. Sanırsınız, aşk nedeniyle 13 yıl hapis yattı!

Aziz Nesin mi dediniz; bunlara sorarsanız salt bir gülmece yazarıdır. Sanırsınız onca zulüm görmesinin nedeni espri yeteneğiydi!

Şimdi aynı sözleri Yaşar Kemal için sarf ediyorlar! Övgü yarışındalar ama içini boşaltarak yapıyorlar bunu. Birileri de sadece kimlik politikasına alet etmeye çalışıyor!

Kim mi yapıyor bunu: bellek siliciler!..

Nedir Kemalist Devrim?

Diyorlar ki:

"Kemalist Devrim" diye yazıp duruyorsunuz.

"Ulusalcılık" lafını dilinizden düşürmüyorsunuz.

Muhafazakârların CHP'de olmasına karşı mısınız?"

Bu son derece yanlış sorudur...

Öncelikle bu dil kirliliğinden kurtulmak gerekiyor. "Muhafazakârlıktan" ne kastediyorsunuz? Dinine inanan samimi Müslümanları mı?

Bir yanlışlık kasıtlı olarak bilinçlere şırınga edildi.

Erkan Mumcu anlatmıştı; yaptıkları bir araştırma sonucuna göre; Refah Partisi dışında camiye en çok giden seçmene CHP sahipti!.. İnanç konusunda bir sorun yok, olamaz da.

CHP neye karşı çıktı ki...

Camiye mi?.. Kuran Kursu'na mı?..

İmam hatibe mi, ilahiyat fakültesine mi?..

Kadınlara seçme-seçilme hakkı verirken "Başörtülüler oy kullanamaz ve seçilemez," mi dedi? "Başörtülü kızlar okullara giremez," mi dedi?.. Aksine Halkevleri'nin kadınlara başörtüsü desteği yapmasını CHP kongre kararı olarak benimsedi.

Türkiye'nin geniş muhafazakâr kesiminde –üç-beş radikali saymazsak– Atatürk düşmanlığı göremezsiniz. Devrimlere karşı çıkanı göremezsiniz. Hangi muhafazakârlar Latin harflerine, takvime, ölçü birimlerine, kadın haklarına vs. karşı ki?..

"Seçmen CHP'lileri dinsiz görüyor; kesinlikle oy vermez," lafı koca bir yalandır. Beceriksiz CHP'lilerin başarısızlıklarının kılıfıdır...

"Muhafazakârlıktan" kastedilen...

Neoliberalizmin siyasi dayanağı "yeni muhafazakârlık" ise mesele başka...

– Küresel ekonomik dayatmaları savunmaktır bu.

– Vahşi kapitalizmin payandası olmayı savunmaktır bu. "Muhafazakârlık" kültürel; "yeni muhafazakârlık" siyasi-ekonomik tanımdır. Yani... "Yeni muhafazakârlık"ın tanrısı serbest piyasadır / para'dır...

Bugün...

Kemalist Devrim'in muhafazakâr kültürel değerlerle hiçbir sorunu yoktur. Fakat, geniş kitleleri yoksullaştıran "yeni muhafazakârlık"la sorunu vardır.

Örneğin... Başörtülü emekçilerin sömürülmesine karşı çıkar; sigortalı olup sendikalara girme mücadelesini destekler.

Evet... Kültürel muhafazakârlık ile küresel sömürünün dayattığı "yeni muhafazakârlık" farkını bilmek gerekir.

Evet... Kemalist Devrim'in kapısı, anti-kapitalist Müslümanlara, Muhammet İkbal'lere, Ali Şeriati'lere sonuna kadar açıktır...

Diyorlar ki...

"Kemalist Devrim... Kemalist Devrim diye yazıp duruyorsunuz; Kürtlerin CHP'de olmasına karşı mısınız?" Bu da son derece yanlış sorudur.

Bu soru da vahşi neoliberal ideolojinin yürüttüğü kimlik siyasetinin sonucudur.

Ne yazık ki, 36 yıldır kullana kullana bu kirli dili dayatıp kabul ettirdiler ve tüm sorunları "milli kimlikler" üzerinden tartışır olduk.

Örneğin... Kemalist Devrim dönemi; "topraksız köylü kalmayacak" şiarıyla, toprak reformu yapma, tarımsal üretimi artırmak için zirai aletler dağıtma ve köylüyü aydınlatma gibi yapılanlar üzerinden değil; sürekli gerici isyanları gündemde tutarak, şeyh-şıh iktidarı övgüsüyle anlatılır oldu!

Bugün... Kemalist Devrim'in feodalizmle mücadelesi neden hiç telaffuz edilmiyor?

Feodalitenin iktidarına laf etmeyenler marabayı nasıl özgürleştirebilir?

Kasıtlı olarak kafa karışıklığı yaratıyorlar.

Bugün... Muhafazakârlar gibi, Kürtlerin de kültürel sorunu yoktur.

Ancak büyük bir ekonomi sorunu vardır ve bu yoksulluk bir etnisite grubunun değildir. Yoksul Kürtlerin, yoksul Türklerin ve yoksul muhafazakârların halinin konuşulmamasını isteyenler, kimlik siyasetini kullanarak toplumsal muhalefeti bölmektedirler.

Bu düğümü çözmeyi ancak vatandaşlık ilkesini benimseyen Kemalist Devrim başarabilir.

Bu da "Biz sizin kardeşiniziz," demekle olmaz.

Kamucu iktisat politikalarınızla yoksul Kürt'ü, yoksul muhafazakârı kazanacaksınız. Örneğin...

Suriye sınırındaki –tüm Kıbrıs adası büyüklüğündeki– kimyasal ilaçlarla zehirlenmemiş toprağı, doğal tarım alanına açacaksınız. Yoksulları buna ortak edeceksiniz. vs...

Evet... Kürt meselesini PKK-feodalite ekseninden çıkaracaksınız.

Evet... Muhafazakârlığı AKP-MHP ekseninden çıkaracaksınız.

Kültürel farklılıkları zenginlik gören ve kimlik siyasetini reddeden Kemalist Devrim; kolektif yaşamı kabul eden tüm vatandaşları CHP çatısı altında toplar.

Fransız Devrimi Korsikalı Napoléon'u lider olarak çıkardı. Anadolu devrimi Selanikli Mustafa Kemal'i lider olarak çıkardı. Bu kültürel etnik kimlikler hiç ön plana çıkmadı.

Devrimlerin düşmanı kimlik siyasetidir.

Bunu dayatan neoliberalizmin amacı da devrimleri önlemektir.

Bugün... Türkiye'de her politik sorunu etnisite üzerinden konuşmak en büyük gericiliktir.

Tarım yok edildi, konuşamadık.

Kamu işletmeleri satıldı, konuşamadık.

İş cinayetleri çığ gibi arttı, konuşamadık.

Sendikalar bitirildi, sosyal güvenceler yok edildi, konuşamadık.

Sağlık sistemi bozuldu... Eğitim sistemi bozuldu... Gıdalar bozuldu... Hiçbirini konuşamadık.

Kadın cinayetleri arttı... İntiharlar arttı... Fuhuş arttı... Uyuşturucu bağımlılığı arttı... Tutuklu-hükümlü sayısı arttı... Ve yoksulluk arttı... Hiçbirini konuşamadık.

Tüm insani değerlerimiz vahşi kapitalist pazara düşürülüp alınır satılır meta haline getirildi. Sesimizi çıkaramadık.

Sadece kimlik siyaseti üzerinden tartışma yaptırıyorlar!

Bu nedenle..."CHP'ye Kemalist Devrim heyecanı gerekiyor," dediğimizde meseleyi politik etnisiteye getiriyorlar:

– "Ama muhafazakârlar gelmez."

– "Ama Kürtler gelmez."

İşte bu kafa CHP'yi bu hale getirdi.

Ya da Atatürk'ün/Kemalist Devrim yolu...

İşte Darbeci Solcular!

Diyorlar ki...
Solcular askerlerle bir araya gelir mi?
Gelirseniz; "darbeci" damgasını yiyorsunuz!..
Fikir hayatımızda zihniyet zorbaları tarafından terör estiriliyor.
Bir düşünce ya da bir hareket karalanmak mı isteniyor; onu hemen "darbecilikle" suçluyorlar! Türkiye düşünsel bir kısırlık yaşıyorsa, bu kaba yaklaşımın da büyük etkisi var.

Oysa..."Darbe" dediğiniz nedir?.. Hangi koşullarda nasıl doğmuş, nasıl örgütlenmiş ve neye karşı yapılmış, bunların iyi bilinmesi gerekiyor. Biraz açayım...

İngiliz Oliver Cromwell 40 silahlı askerle 20 Nisan 1653'te kralın oluşturduğu ve istediği zaman dağıtabildiği meclisi (Uzun Parlamento) basıp şöyle dedi:

"Siz ki fitneci, fesatçı, meclis üyeleri, siz ki iyi bir hükümet olmak dışındaki her şeysiniz! Kiralık sefil yaratıklar, zavallılar, ülkenizi en küçük şahsi çıkar adına satılığa çıkaranlar, birkaç kuruş için Tanrı'ya ihanet edenler, içinizde bir parça da olsun erdem kalmadı mı? Bir parça vicdan da mı yok? Atım kadar bile dindar değilsiniz! Altın sizin yeni Tanrınız olmuş! Satılığa çıkarmadığınız bir değer bile kalmadı. Sizi çıkarcı sürüsü, bulunduğunuz bu kutsal meclisi, varlığınızla kirletiyorsunuz! Bu şeytan ocağını yönetmeye geldim. Şimdi derhal defolun rüşvetin köleleri! Acele edin, gidin!"

Darbeci Cromwell mutlakıyete son verdi; anayasal monarşi kurup kuvvetler ayrılığı ilkesini benimsedi.

Peki... Yaklaşık dört asır önce Cromwell'in yaptığı darbe kötü müydü?

Peki: 27 Mayıs 1960 Askeri Darbesi kötü mü?

İzah edeceğim. Önce önyargılarınızı kırmam gerekiyor.

Tarih: 24 Nisan 1974...

Eurovision Şarkı Yarışması'nda Portekiz'i temsil eden Paulo de Carvalho'nun "E depois do adeus" (Elvedadan Sonra) isimli parçasının, gece Ulusal Radyo'da çalınmasıyla kimi askeri garnizonlarda hareketlilik başladı. Şarkı parolaydı...

Portekiz ordusu içinde örgütlenen düşük rütbeli –çoğunluğu yüzbaşı– askerlerden oluşan Silahlı Güçler Hareketi, yarım asırdır –Salazar'la başlayan– otoriter bir diktatörlüğe son vermek amacıyla tanklarla sokaklara çıktı.

Lizbon Çiçek Pazarı'nda halk, kırmızı karanfilleri tank namlularına sokarak darbeye destek verdi. Ve bu hareketin adı "Karanfil Devrimi" oldu. Başbakan Caetano ve Devlet Başkanı Tomás iktidarlarını bırakarak Brezilya'ya kaçtı.

Karanfil Devrimi, demokratikleşmeyi amaçlayan anayasa hazırladı ve yürürlüğe soktu. Bu darbe, "25 Nisan Özgürlük Günü" olarak Portekiz'de hâlâ kutlanmaktadır.

Türkiye'de "Hürriyet ve Anayasa Bayramı" vardı; anımsıyor musunuz? 27 Mayıs 1960 Askeri Müdahalesi'nin hediyesi anayasa ve özgürlükleri kutlamak için yapılıyordu. Bu bayram sonra kaldırıldı.

Ne demek istediğime yavaş yavaş geliyorum...

Türkiye'nin gündeminde Anayasa Mahkemesi var! Erdoğan mahkemenin verdiği kararlara saygı duymadığını açıkladı; ve satır arasında mahkemenin Fethullah Gülen'in örgütü "Paralel Yapı"nın kontrolünde olduğunu belirtti.

Erdoğan'ın Anayasa Mahkemesi kararlarına karşı çıkması şaşırtıcı değil. Anayasa Mahkemesi'nin kuruluş amacı, Erdoğan gibi otoriter diktatörlük isteyen iktidarlara karşı rejimi/sistemi korumak! O halde...

1950'li yılların ikinci yarısını anımsayınız...

Sadece bir örnek vereyim; Başbakan Adnan Menderes TBMM'de, kendi partisinin 15 milletvekilinden oluşan "Tahkikat Komisyonu" kurdu; kuvvetler ayrılığı prensibine aykırı olan bu komisyon, gerekirse bir partiyi veya bir gazeteyi kapatabilecekti! Hedefinde CHP vardı. Çoğu kimse bu günleri anımsamıyor. Neler yaşanmadı ki...

Bugünlerde... Çıkıp TV ekranında konuşuyorlar:

100 yıllık demokrasi tarihimizde iki şaibeli seçim varmış; biri 1913'teki "sopalı seçim", diğeri 1946'daki "hileli seçim"miş!

Ah bu İttihatçılar yok mu?..

Ah şu CHP'liler yok mu?..

Peki... 1957 seçimlerinde ne oldu? Söylemezler, yazmazlar. Türkiye'yi askeri müdahaleye götüren o süreci hiç anlatmazlar.

Fakat... Tarih unutmaz. 57 yıl önceye gidelim...

İktidardaki Demokrat Parti genel seçimi 7 ay önceye çekti.

Halk 27 Ekim 1957'de sandık başına gitti. Seçim saat 17.00'de bitecekti. Saat 14.30'da devletin tek radyosu; oy verme işlemleri sürerken DP'nin kazandığı illeri açıklamaya başladı! Şaka değil gerçek bu...

CHP lideri İsmet İnönü, Devlet Bakanı Fatin Rüştü Zorlu'yu telefonla aradı, "Sizden bu suçun işlenmesine engel olmanızı talep ediyorum," dedi.

Bakan Zorlu, "Beyefendi" Adnan Menderes'e gitti, İnönü'nün söylediklerini aktarıp radyo yayınının durdurulmasını istedi. "Beyefendi" sert çıktı: "Radyo sonuçları açıklamaya devam etsin!"

CHP bu kez Yüksek Seçim Kurulu'na başvurdu. Radyo yayını durduruldu. Fakat DP zaten istediğini almıştı; kimi CHP'liler "DP kazandı" diye sandığa gitmedi!

Bu arada radyoevinden yabancı gazetecilere, "İsmet İnönü'nün yazılı açıklaması" diye bir kâğıt verildi. Sözde İnönü, "Seçimi kaybettik; en fazla 120 milletvekili çıkarabiliriz," demişti! BBC'den France Press'e kadar yabancı gazeteciler haberi doğrulatmak için İnönü'nün yanına gidince, şaşıran sadece yabancı gazeteciler değildi; İnönü ülkesi adına utandı. Devlet, yalan söylemekle kalmıyor, yalan belge düzenliyordu!

Bitmedi. 1957 seçimlerinin İsmet İnönü'nün isimlendirmesiyle "kütük marifeti" var! Seçmen kütükleri hazırlanırken, CHP'li seçmenler "kütük"ten yok ediliverdi! Yerlerine DP'li seçmenlerin adı hem de birkaç kütükte yer aldı. Yani bir DP'li birkaç sandıkta oy kullandı. DP kurduğu seyyar ekiplerle bu seçmenlerini sandık sandık taşıdı. Seçime "iyi organize" olmuşlardı; organize işler konusunda marifetliydiler! CHP'li kimi seçmenler kütükte isimlerini göremeyince oy kullanamadan evlerine döndü.

Hayır daha bitmedi...

Seçimden hemen sonra oy usulsüzlükleri bazı şehirlerde olayların çıkmasına neden oldu. Örneğin Gaziantep'te... 27 Ekim gecesi seçimi CHP'nin 700 oy farkla kazandığı ilan edildi. Hatta DP'nin gazetesi *Zafer* bile bu sonucu yazdı. Ertesi gün köylerden "sayılmamış, unutulmuş oylar" getirildi ve bin kadar oyla seçimi bu kez DP'nin kazandığı açıklandı!

CHP'liler haklı olarak il seçim kuruluna itiraz etti. İtirazları kabul edildi. Oylar, tutanaklar, gerekli belgeler adliye binasına götürüldü; pazartesi inceleme başlayacaktı. O gece adliye binası yandı! Bütün oylar yok oldu! DP'nin galibiyeti resmiyet kazandı!

Şehirde gergin bir hava oluştu. 29 Ekim Cumhuriyet Bayramı töreninde Gaziantepliler belediyeye yürüyüp seçimleri protesto etti. Vali kitlenin üzerine itfaiye araçlarıyla su sıktırınca olaylar çıktı. Belediye tahrip edildi.

Polisin halkı dağıtmak için ateş açmasıyla, DP binasından da kitleye mermiler yağdırıldı. Olaylarda bir komiser muavini ile bir çocuk yaşamını yitirdi; çok sayıda kişi yaralandı.

Zırhlı askeri birliklerin şehre girmesiyle olaylar yatıştı. Ardından şehirde "CHP'li cadı avı" başladı. Gözaltına alınıp tutuklananlar arasında kimler vardı bilir misiniz:

Gazeteci Mehmet Barlas'ın babası Cemil Sait Barlas...

Gazeteci Zeynep Göğüş'ün babası, Hasan Celal Güzel'in dayısı Ali İhsan Göğüş...

CHP'liler halkı isyana teşvik iddiasıyla Yozgat Cezaevi'nde beş buçuk ay yattı! Avukatları Prof. Dr. Turhan Feyzioğlu'ydu.

Oy rezaleti yüzünden sadece Gaziantep'te olaylar çıkmadı. Mersin'de de oy hırsızlığı olaylara neden oldu. DP'nin oy hilekârlığının ortaya çıkması halkın sokağa çıkmasına sebep oldu. Olayları askerler bastırdı. Bu arada... CHP'li Mahmut Boytunç, DP'liler tarafından öldürüldü. Resmi makamlar "katil" diye, Zeki Budur ve Murat Sevim adlı DP'lileri tutukladı. Katilin aslında DP Mersin Milletvekili Hüseyin Fırat olduğu yolunda söylentiler çıktı. Cinayetle ilgili haberlere yayın yasağı getirildi!

İstanbul, Ankara, Sivas, Giresun, Kütahya, Kayseri, Çanakkale, Samsun gibi birçok şehirde oyların çalındığı iddiası halkı sokağa döktü.

Olayları bastırmak için şehirlerin üzerinden uçaklar alçaktan uçuş yaptı. İsmet Paşa, "savaşta bile askeri uçakların sivil halk üstüne dalış yapmadığını" söyledi.

Seçimin üzerinden 5 gün geçti. Türkiye sakinleşmedi. Bu nedenle... 1 Kasım 1957'de TBMM açılışında Ankara'da olağanüstü güvenlik önlemleri alındı. Başkentin caddelerinde tanklar vardı. Yollar asker kordonu altındaydı. Gençlik Parkı'na, Güven Parkı'na askerler yığıldı.

Aslında tüm bu gerginliğin nedeni meclis tutanaklarına yansıdı: 1957 seçimlerinde DP bir önceki 1954 seçimlerine göre 9 puanlık büyük oy kaybetti. Bunu bekliyorlardı. Bu nedenle işi sıkı tutmuşlardı. Ne olursa olsun kazanmayı amaçlamışlardı.

Sonuçta... DP, 1957 seçiminde CHP ile artık başa baştı;

CHP'nin yüzde 41'ine karşılık yüzde 47'lik oyu vardı. DP'nin bu oyların ne kadarında kütük marifeti vardı, bilinmiyor.

Bilinen; Türkiye'nin 27 Mayıs 1960 Askeri Müdahalesi'ne böyle seçim şaibeleriyle de sürüklendiğidir.

27 Mayıs; bu tür hürriyeti kısıtlayıcı DP icraatları sonucu gerçekleşti. Ve...

1961 Anayasası'yla sağlanan hukuk devleti, kuvvetler ayrılığı ve yargı bağımsızlığı gibi ilkeleri güvence altına almak için Anayasa Mahkemesi kuruldu.

Bugün 27 Mayıs'ı yerden yere vuranlar, 27 Mayıs ürünü Anayasa Mahkemesi'ne övgü düzüyor!

Aslında acı olan şu: Mevcut Anayasa Mahkemesi, hükümetin/Meclis'in faaliyetlerinde "Anayasa'ya uygunluk" arıyor. Peki, hangi anayasayı referans alıyor: 1961'in özgürlükçü anayasasını kaldıran 1982 Anayasası'nı! Ne kadar gericileştiğimizi görüyor musunuz?

O halde... Kafamdaki soruyu tartışmaya açabilirim...

İnsanoğlu iki temel sorunu hâlâ çözemedi:

Özel mülkiyet sorunu ve demokrasi.

Mülkiyet meselesi bu yazının direkt konusu değil; biz gelelim demokrasiye...

Çünkü, kavram salt sandıkla özdeşleştiriliyor. Yanlış.

Sandık'ın fetiş/tapınılır hale getirilmesine karşı dururum.

İnsanlık tarihinde büyük dönüşümler sandıkla olmamıştır.

İnsanlık tarihinde büyük dönüşümler yozlaşmış meclislere karşı durularak gerçekleşmiştir.

Sandık'ın demokrasinin sembolü gösterilmesine gülüp geçerim. Tarihi gerçekler ortadayken, yine bir seçim yalanına ortak ediyorlar ve buna "demokrasi şöleni" diyorlar!

Demokrasi amaç değildir. Demokrasi araç'tır.

Temel amaç özgürlüklerdir.

Demokrasi nihai hedef değildir; sadece özgürleşmenin aracı'dır. Nihai hedef, özgürlük'tür.

Bizim gibi ülkelerde "araç" kitlelere, "amaç" diye yutturuluyor.

1946'dan beri yapılan seçimler, Türkiye'yi sürekli gericileştiriyor. Ne yazık ki sandık, 70 yıldır Türkiye'de gerici bir rol oynuyor. Popülizme yenik düşen bu siyasal sistem; popülizmi, vasatı, bayağılığı, kalitesizliği iktidar yapıyor.

21'inci yüzyılda bir siyasal iktidarın, 1982 Anayasası'nın bile gerisinde olan yasaklayıcı taleplerini konuşup tartışıyoruz. Erdoğan, "Ben sandıktan çıktım, istediğimi yaparım," diyor; başka bir söz dinlemiyor ve buna "demokrasi" diyor!

Biz istediğimiz kadar, "Sandıktan çıkan siyasal irade, her istediğini yapamaz," diyelim.

"Ölçü sandık değil, özgürlüklerdir," diye feryat edelim.

Örnekler verelim; "Sandık, siyasal açıdan hiçbir güvencenin olmadığı Afganistan ya da Pakistan'da bile var," diyelim.

Erdoğan; otoriter, irrasyonel, anti-demokratik tutumlarını sürdürüyor. Zaten, –hatırlayınız– demokrasi onun için durağa gelince inilecek bir tramvaydı!

Yani...

Kimi darbe özgürlükleri getiriyor; kimi sandık özgürlükleri yok ediyor!

Mesele, siyasal sistemin biçimine değil, özüne bakmak; hangisi özgürlük sağlıyor?

Daha geçtiğimiz yıllarda...

Askerleri darbeci görenlerin, sivil darbecilere yol verdiğine tanıklık etmedik mi?

TBMM'nin İtibarı

Dış yüzeyleriyle / imajla yaşayan, içi boş insanlar dönemindeyiz. Her şeyden az bilen insanlar dönemindeyiz.

Medya, bunları bize "uzman" diye tanıtıyor. Oysa bunların bir kararı-görüşü yok; ezberlediklerini tekrarlıyorlar.

Bilinir ki, tekrarlama Ortaçağ'da vardır!

Durağanlık, sürüleşmedir...

Aydın ise doğurur... Düşünceyi propagandaya alet etmez. Bu sebeple...

Hep tartışmaktan yanayım. Bu, bizim düşünme yeteneğimizi / öğrenme kabiliyetimizi diri tutar. Çünkü ancak özgür zihin fetheder.

Yeni'yi, eskileri tekrar ederek kuramazsınız.

Şunu diyorum:

Demokrasi sandık fetişizmine dönüştürüldü ve bu Türkiye'yi gericileştirdi!

İktidarın, Cemaat'in ya da muhalefetin hoşuna gidecek veya gitmeyecek diye yazı kaleme almam. Bu aydın olma sorumluluğudur. Ve insanı ayakta tutar.

Bu girişten sonra şunu diyebilirim:

Meclis'e karşı değilim. Fakat...

Meclis'in dekor haline getirilmesine karşıyım!

Otoriter diktatörlükte meclis dekoratif'tir... Almanya'da Hitler, İtalya'da Mussolini, İspanya'da Franko, Portekiz'de Salazar, Yunanistan'da Metaxas, Yugoslavya'da Dragas Cvetovic gibi faşistlere "Milli irade desteklemiştir," diye saygı mı duyacağız? Böyle halk egemenliği olur mu?

TBMM'ye itibarını iade etmek için çabalıyorum...

Sadece bir tek adamın/Erdoğan'ın dudağından çıkacakları onaylayacak bir meclis kabul edilebilir mi?

2 bin 500 yıl önce demokrasiyi eleştirmiş olan Platon/Eflatun'a gel de hak verme: "Güzel sözlü demagoglar, kötü de olsalar, başa geçebilirler. Oy toplamasını bilen herkesin, devleti idare edebileceği zannedilir."

Maalesef, Türkiye'de meclis dekordur... Bunu toplumsal hayatı gericileştiren sandık yapmaktadır.

Baksanıza... Bin yıllık tarihimizde hırsızlık hiçbir zaman bu kadar aleni olmadı ve sandık bunu onayladı! Bu çürümedir.

Bunun üzerine hiç konuşmuyoruz... Sadece...

Aldatıcı bir seçim yenilgisi ya da zaferi üzerine kafa patlatıyoruz. Kimse görmüyor mu; cahillik etrafımızı sarmış durumda!

Şu medyanın haline bakın...

Edebiyatın, sinemanın, müziğin haline bakın...

Sokakta karşılaştığınız insanların kabalıklarına bakın...

Nereye baksanız vasatlık, kalitesizlik, bayağılık...

Halkın yanında olmak başka, halkın gerçeklerini tartışmak başkadır. Bunları birbirine karıştırmayalım.

Halkı "ayaktakımı" diye küçümseyenlerden değilim kuşkusuz. Ama kişiyi insanlıktan çıkaran; cehalete sürükleyen; ölçüsüz hale getiren bu düzenle hesaplaşmak gerektiğine inanıyorum.

Vicdanı, ahlakı önemsemeyen Cahiliye Dönemi'nin hurafesini inanç kabul eden bu toplumsal yapı Ortaçağ'a özgüdür. Halk dalkavukluğuna yenilmemeliyiz. Halkı bu karanlık atmosferden kurtarmalıyız; insanı yüceltmeliyiz.

İnsanımızı uçurumdan çıkarmak, bu ülkenin aydınlarının tarihsel görevidir. Oysa...

Sandık fetişizmi herkesi esir aldı ve herkes popülist rüzgârlara kendini kaptırdı. Bu tür kurnaz propagandadan ve kışkırtmadan yorulduk, bezdik.

Kimse insanlarımızın bu acıklı halini, hilekâr bir halk popülizmiyle açıklamasın...
Bakın ne anlatacağım...

Oy Verenin Beyni

– Adı, William de Kooning (1904-1997)...
Amerika'nın tanınmış ressamlarındandı. Soyut ekspresyonist kadın serisi tabloları meşhurdur. Amerikalıların yüzde yetmişinin aptal olduğunu söylemişti!..
– Adı, Günter Grass (1917-2015)...
Alman yazar *Teneke Trampet* romanıyla tanındı. Nobel ödülü kazandı.
Almanların yüzde sekseninin aptal olduğunu söylemişti!..
– Adı, Aziz Nesin (1915-1995)...
Büyük Türk yazarını tanımayanınız yoktur.
Türk halkının yüzde altmışının aptal olduğunu söylemişti!..
Diğer iki ismin hangi nedenlerle böyle düşündüklerinin ayrıntısına girmeyeyim.
Usta sanatçımız Müjdat Gezen, Aziz Nesin'in bu sözünün 1982 Anayasa Referandumu'na dayandığını açıkladı:
"İzmir Torba'da şenlik vardı, İlhan Selçuk ve Aziz Nesin'le birlikte panele katılmıştık. Panelin konusu mizahtı. Birisi kalktı 'Nasrettin Hoca'nın torunları olarak zeki insanlarız değil mi?' diye sordu Aziz Nesin'e. O da 'Yüzde 60'ı aptaldır,' dedi. Sonra kuliste kendisine sordum neden böyle bir şey söylediğini. O da 'Evladım, yüzde 92 diyecektim dilim varmadı' dedi. O zaman referandum yapılmıştı ve oy verenlerin yüzde 92'si Kenan Evren'e oy vermişti. Bu söz oradan kaldı..."

Bu girişi yapmamın nedeni; Erdoğan'ın 7 Haziran 2015 genel seçiminden umduğunu bulamayıp Türkiye'yi ısrarla 1 Kasım'da erken genel seçime götürmesidir.
"Ne ilgisi var?" demeyiniz... Bu süreçte...
Terör arttı... Dolar arttı... Vahim olaylar arttı...
Bu olumsuz gelişmeler herhangi bir Batı demokrasisinde hükümetin düşmesine neden olur.
Türkiye'de ise, AKP ve itibarıyla Erdoğan, tek başına hükümet kurmak için erken seçime gitti ve kazandı.
Bir açıklaması olmalı.

Şehit Yüzbaşı Ali Alkan'ın cenaze töreninde ağabeyi Yarbay Mehmet Alkan şöyle feryat etti:

"Buradaki vatan evladı daha 32 yaşında. Vatanına, sevdiklerine doyamadı. Bunun katili kim? Bunun sebebi kim? Düne kadar 'çözüm' diyenler ne oldu da sonradan 'savaş' diyor?"

Soru, aslında yanıttır...

Kahraman askerimiz Yarbay Alkan iktidarın neden erken seçimi zorladığını net olarak açıkladı. Evet, dünün açılımcıları bugün neden savaş istiyordu?

Sanırım... Konunun özüne geldik...

AKP ve itibarıyla Erdoğan, bu derece olumsuzluklara rağmen seçmenin neden kendilerini tercih edeceğini düşündü? Neye güveniyorlardı?

Bu sorunun sosyoloji gibi toplum bilimleri açısından açıklaması var. Fakat... Bu soruya başka açıdan yanıt vereceğim...

Yaşamın merkezi beyindir.

Beyin işlevlerine göre üç bölgeye ayrılır.

Birinci bölge; beynin alt kısmını oluşturan beyin sapıdır. Beyin sapı; solunum, dolaşım ve sindirim gibi istemdışı çalışan sistem merkezlerinin bulunduğu yerdir. Burası yaşamsal önem taşır; örneğin, solunum durursa yaşam sona erer.

İkinci bölge; beyin sapından sonra gelen ve beynin orta bölgesini oluşturan limbik yapılardır. Limbik yapılar asıl olarak, içgüdüsel/duygusal dürtüler/tepkiler/davranışlardan sorumludur. İçgüdüsel davranışların temel amacı; beslenme, korku ve üreme gibi biyolojik yaşamın sürdürülmesidir.

Üçüncü bölge; beynin en üst tabakasını oluşturan, entelektüel/akılcı işlevlerden sorumlu olan beyin kabuğudur, yani korteks.

Bu önemli üç bölge birbirinden bağımsız değildir. Aralarında sinir uzantılarıyla bağlantılar vardır ve üst merkez, alt ve orta merkezleri kontrol eder.

Hadi... Seçmene ayıp olmasın; balıktan örnek vereyim:

Zaten çok küçük (insan beynine oranla bir nokta kadar) olan balıkların beyninde en büyük alanı beyin sapı oluşturmaktadır. İçgüdüleri yöneten limbik yapılar çok az yer kaplamaktadır. Akıldan sorumlu beyin kabuğu/korteks ise yok denecek kadar azdır. Yani...

Balıkların beyni, yaşamak için zorunlu dolaşım-solunum gibi işlevleri yapmaya yarar. "Balık bellekliler" bu nedenle kolayca oltaya gelir!

Tabii ki seçmen balık değil. Peki ne?..

Kediden, köpekten bahsedelim. Beyinlerinde en büyük alanı, limbik yapılar kaplamaktadır. Yani, korku-kaçmak-saldırmak gibi içgüdüsel refleksleri öne çıkar.

Ve gelelim insana... Anlama, algılama, sorgulama, eleştirel düşünme, akıl yürütme, neden-sonuç ilişkisi kurabilme, kendisinin ve başkalarının deneyimleriyle tarihten ders alabilme gibi entelektüel / akılcı yeteneklerle ilgili korteksini geliştirmezse, içgüdüsel / duygusal dürtüleriyle hareket eder.

Eğitim ailede / çevrede başlar, okulda yoğunlaştırılır ve değişik kanallar aracılığıyla ömür boyu sürer. Uygulanacak eğitime göre korteks ya gelişimini tamamlar ya da gelişemez, körelir.

Aziz Nesin'e göre; insanımızın yüzde altmışının korteksi gelişmemiştir! Yani... Aklını kullanabilen, özgür düşünebilen, kendi kararını kendi verebilen, sorumlulukla yaşamını düzenleyebilen, özgüven sahibi, kişilikli bireyin tek kılavuzu vardır: bilim ve akıl.

Evet... Entelektüel (akılcı) yaşamı sağlayan beyin kabuğu gelişmemişse, seçmen korku gibi içgüdüsel saiklerle oy kullanır!

"Aman Ergenekon darbe yapmasın" gibi!..

"Aman istikrar bozulmasın," gibi!..

"Aman din elden gitmesin," gibi!..

Bu nedenle AKP kurmayları, seçmeni terörle korkutarak iktidar olacağını hesapladı ve oldu.

Birileri buna "demokrasi" diyor!..

Freud, Hitler Almanyası için "İstenmeyen Medeniyet" diyordu ve kavramı şöyle tanımladı: "Cumhuriyet'in yasalarını ve kurallarını çiğneyerek en ilkel kan içgüdülerini hayata geçirmek!.."

"İnsanı dehşet içinde bırakan bu ortama Alman halkı destek verdi, yapacak bir şey yok," denilebilir mi?

Hep yazıyorum; arıyorum!..

Seçimlerin gericileştirdiği tezi bunun sonucudur.

Bu aramayı birlikte yapmalıyız. Geleceği başka türlü kuramayız.

Eleştirmek ile şikâyet etmek arasında fark vardır.

Eleştireceğiz, ama bunu, arayıp bularak yarını inşa etmek için yapacağız.

Sandığın gericileştirdiğini umutsuzluk sonucu kaleme almadım. Tersine... Türkiye'de en tehlikeli olan, umutsuzluğun kimlik haline getirilmesidir! Reddederim.

Bilirim: Siyasette başarı önemlidir; ama başarı sonsuz değildir; zafer yalnızca bir adımdır ve adımı atamayacak olanlar sorumluluğu hep başkalarının sırtına yükler; umutsuzluk aşılar. Bundan kaçınırım.

Bugün en çok ihtiyacımız olan cesarettir.

Demem o ki: Sandığa / seçime endeksli bir mücadele dönemine son vermek gerekir; her gün-her saat mücadele şarttır.

Sandık oyununa gelmemek ve sandığa yenilmemek esastır. Başka yol yoktur.

Geçmişimizi unuttuk... Hatırlatmama izin veriniz...

Düşünce-Eylem Kabızlığı

Tespit 1)

– Savaş kaybedildi...

– Anadolu işgal altında..

– Yunan İzmir'e çıktı; işgal genişliyor...

– Savaş Divanı bağımsızlıkçı Türk subaylarını idama mahkûm ediyor...

– Vatanı savunan yurtseverler bin bir yalanla asılıyor...

– İstanbul münevverleri tartışıyor; "İngiliz mandası mı iyidir, Amerikan mandası mı?"

– Kimileri Yunan işgaline karşı İtalyan işgalini savunuyor...

– İngiliz Binbaşı Noel ayrılıkçı Kürtleri örgütlüyor!

– Şeyhülislam Mustafa Sabri, "Ordunun görevi oruç tutmaktır," açıklaması yapıyor! Zabitler oruç tutmayanların peşinde koşuşturuyor!

– İstanbul basını İçişleri Bakanı Ali Kemal'in istifa edip etmediği haberleriyle oyalanıyor.

Ve... Diğer yanda...

– Milli bir galeyan var; ardı ardına mitingler yapılıyor.

– Dörtyol'da, İzmir'de, Antep'te, Maraş'ta, Urfa'da tüfekler patlıyor. Ödemiş Jandarma Komutanı Yüzbaşı Tahir, "Yiğit Ordusu"nu kuruyor...

– Fakat... Bu heyecanın, bu direnişin, bu umudun örgütlenmesi ve bir merkezden yönetilmesi gerekiyor.

– Sarışın bir Kurt'un önderliğinde Bandırma Vapuru yola çıkıyor...

– Erzurum Kongresi... Sivas Kongresi... Anadolu ve Rumeli Müdafaa-i Hukuk Cemiyeti... İstanbul'da panikte; padişah kapattığı meclisi tekrar açarak Anadolu'daki milli örgütlenmenin önüne geçmek istiyor. Padişah gölgesinde seçimler yapılıyor; Osmanlı Bankası Yönetim Kurulu üyesi Hamit Bey, İtibar-ı Milli Bankası eski genel müdür yardımcısı Hasan Ferit Bey, Prof. Ahmet Selahattin Bey, Dışişleri eski müsteşarı Reşat Hikmet Bey, Şeyhülislamlık eski müsteşarı Kemal Efendi vd. mebus oluyor!

– Osmanlı Meclis-i Mebusanı'nı kurtuluşun umudu gören kimileri Mustafa Kemal'e ihanet ediyor. Mustafa Kemal seçilenleri Ankara'ya davet ediyor; birlikte mücadele etme çağrısını yineliyor. Dinlemiyorlar; işgali Meclis-i Mebusan'ın sonlandıracağına inanıyorlar.

– Tarih: 16 mart 1920. İngilizler İstanbul'u işgal ediyor. Kimi mebusları Malta'ya sürüyor. Meclis-i Mebusan kapatılıyor.

– Tarih: 23 Nisan 1920. Büyük Millet Meclisi Ankara'da açılıyor. Ve...

O meclis insanlık tarihinde bir ilke imza atarak; "tek dişi kalmış canavarı" Anadolu topraklarından kovuyor.

– Osmanlı Meclis-i Mebusanı'nı Malta sürgünü mebusları ancak bu zafer sonrası 1922'de Türkiye'ye dönebiliyor...

Tespit 2)

Sosyalist Dr. Hikmet Kıvılcımlı yine yazdıklarından ötürü Elazığ Cezaevi'ndedir...

Bir düşün insanı dört duvar arasında ne yapabilir; okur, inceler ve yazar!

Edebiyat-ı Cedide... Servet-i Fünun...

II. Abdülhamit döneminde/ 1896-1901 yılları arasında yayımlanmış Batı edebiyatı etkisindeki Osmanlı münevverlerinin bir edebiyat hareketiydi/dergisiydi.

Dr. Kıvılcımlı cezaevine girdiği 1929'dan çıktığı ekim 1933'e kadar bu dergiyi inceledi. 1935'te *Edebiyat-ı Cedide'nin Otopsisi* adlı kitabını çıkardı.

Dr. Kıvılcımlı eleştirilerinde hep sert oldu. Cemil Meriç, Dr. Kıvılcımlı'nın bu tavrıyla ilgili, "Çığlıkta ahenk aranmaz," diye yazdı.

Tabu yıkıcı Dr. Kıvılcımlı *Edebiyat-ı Cedide* çevresi için şunu yazdı:

– Bir avuç seçkin azınlığın, adeta bir yarı aydınlar hizb-i kalil (oligarşisinin) temsilcisi..

– Yabancı hayranı; tercümeye büyük aşkla bağlılar ve hep iğreti bir çalma duygusu içindeler...

– Halk yığınlarından kopuklar...
– Geleceğe dair hiçbir umutları yok..
– Yeni ve ilerici düşünceleri yok...
– Batılı olmak isterken hiçbir şey olamamışlardı!

Edebiyat-ı Cedide çevresi hep gericilerin hedefinde oldu; ilk kez sol'dan bir eleştiri aldı. Dr. Kıvılcımlı şöyle yazdı:

"Şurası doğru ki, Edebiyat-ı Cedidecilerle karşıtları arasında bir çatışma, hatta hayli çarpışma oldu. Fakat bu çatışmalarda devrimle gericiliğin dövüşünü aramak 'öküzün altında buzağı aramak'tan daha boş olur... Kozmopolit burjuva züppeliği ile derebeyi serdengeçtiliği arasında; salon çıtkırıldımcılığı ile medrese ham sofuluğu arasında ipipillah, sivri külah bir klik savaşı..."

Dr. Kıvılcımlı'ya göre, konu lümpenliği, düşünce kabızlığı vardı bu tartışmalarda...

İki tespit yaptım... Gelelim sonuca...

Bıktım kabız tartışmalardan!

Bıktım sürekli endişeli hallerden!..

Bıktım sandık fetişizminden!..

Bıktım oy tahakkümünden!..

Hele... "Aman oyumuzu ziyan etmeyelim..." deyicilerden!..

– Osmanlı Meclis-i Mebusan'a boyun mu eğelim?

– "Meclis'te yeterli parmağımız yok," diye insanımızın bozulmasını; ülkemizin bölünmesini mi seyredelim?..

– Günlerimizi; konu lümpenliğiyle, düşünce kabızlığıyla, umutsuzlukla, çaresizlikle mi geçirelim?..

Bıkmadan soracağım:

– Demokrasi neden salt sandığa indirgeniyor?

– Demokrasi neden salt meclisteki parmak hesabına indirgeniyor? Oysa...

Demokrasi amaç değil; araçtır.

Demokrasi, özgürleşmenin aracı'dır.

Bizde "araç" ne yazık ki "amaç" diye yutturuluyor. Her yuttuğumuzda ülke biraz daha yozlaşıyor, kalitesizleşiyor, bayağılaşıyor. Savaşa doğru gidiyor...

Gerçek şu ki sandık, 70 yıldır Türkiye'yi gericileştiriyor.

Bilinmelidir ki: Ölçü sandık değildir. Fakat... Profesyonel politikacılar... Siyaset mühendisleri... Algı yönetmenleri... Politikayı gelir kapısı yapanlar... El ele vermişler hepimizi oyalıyorlar, uyutuyorlar, kandırıp duruyorlar.

Sahte gündemlerin peşine takılmamak lazım...
İçi kof tartışmalarla zaman geçirmemek lazım...
"Sandık", "baraj" tahakkümüne boyun eğmemek lazım...
Demokrasinin/özgürlüklerin oy'a değil, mücadeleci ruha ihtiyacı var.
Asıl demokrasi görevi budur...
Asıl özgürlük mücadelesi budur.
Bu tarihi sorumluluk hepimizin omuzlarındadır.
Unutmayınız, insan yaptığı şey'dir!..

Beşinci Bölüm
CEMAAT'İN BAHÇELİ DOSYASI

Geçen yıl bir akşam...

Bizim ev, Birleşmiş Milletler gibiydi; yabancı konuklarım vardı. İtalyan, Alman, Fransız ortak yapımı bir belgesel hazırlıyorlardı: "Papa'yı Vurmak!"

Fransız ARTE, Alman ZDF, İtalyan RAI televizyon kanallarında gösterilecekti belgesel.

Sitemli konuştum. Çünkü...

Johannes Paulus (II. Jean Paul) suikastıyla ilgili yapılan tüm haberler-belgeseller geliyor salt bir konuya kilitleniyordu: "Türk Bozkurtlar!"

Avrupalılar, "Türk Bozkurtlar" hikâyesini çok seviyor! Sonuca/tetikçiye kilitleniyorlardı.

Evet... Papa'yı Mehmet Ali Ağca vurdu. Ama... Papa suikastında tek mesele tetikçi Mehmet Ali Ağca mı?

Dedim ki: Gelin meseleyi en başından alalım; Papa I. Johannes neden Vatikan'da 33 gün yaşayabildi? Kalp krizinden öldüğü açıklandı! Neden otopsi yapılmadı? Özel doktoru Prof. Giovanni Rama'nın cesedi görmesine niçin izin verilmedi?

I. Johannes, Venedik patriğiydi. Papa VI. Paulus öldükten sonra kurulan kapalı papa seçimi toplantısında; muhafazakâr kardinallerle, yenilikçi kardinaller arasında çıkan anlaşmazlık dolayısıyla –favori olmamasına rağmen– her iki taraf tarafından da kabul edilen papa adayı olarak seçildi. Peki 33 günde; 26 Ağustos 1978 ile 28 Eylül 1978 tarihleri arasında ne oldu?

Meselenin öncesi var; Venedik kardinali olduğunda İtalyan Mason Locası P2 (Propaganda Due) ile sürtüşmesi vardı; "Papazlar Bankası" olarak bilinen Venedik'teki "Banco Cattolica del Veneto"nun satılmasına tepki göstermişti. Vatikan'ın mali müşavirleri bankayı, P2'nin bankası olan "Banco Ambrosiano"ya 5 milyon dolar rüşvet karşılığı satmıştı.

Papa I. Johannes'in sürpriz şekilde papa olması başta P2 olmak üzere kimi çevrelerde şok etkisi yaptı. Korktukları gibi Papa I. Johannes, göreve başlar başlamaz, hemen Vatikan'daki karanlık işlerin peşine düştü.

Örneğin, Vatikan Bankası'nın başkanı Başpiskopos Paul Casimir Marcinkus'un ilişkilerini araştırınca Vatikan'ın neredeyse tüm kardinal ve piskoposlarının bu işe battığını gördü!

Vatikan mali danışmanı Michele Sindona kara para aklama uzmanıydı; Latin Amerika diktatörleriyle CIA'nın Avrupa'daki kesişme noktasıydı.

Sonuç?.. 33 gün sonra gelen talihsiz kalp krizi!..

Belgeselcilere dedim ki: "Madem 'Papa'yı Vurmak' belgeselini yapıyorsunuz işte buradan başlayın..."

Devamını anlattım...

Papa II. Jean, 16 Ekim 1978'de göreve geldi.

32 ay sonra... Tarih: 13 Mayıs 1981.

Mehmet Ali Ağca, Vatikan'ın San Pietro Meydanı'nda Papa II. Jean'a iki el ateş etti. Papa yaralandı; Ağca yakalandı.

CIA, suikastı KGB'nin yaptırdığı dezenformasyona başladı! Bunların başında 1968-73 yılları arasında Ankara'da görev yapan Duane Claridge vardı; ve ne tesadüf Papa'ya suikast olduğunda Roma'da görevliydi!

Bir diğer CIA görevlisi, yine Ankara'da görev yapan Paul Henze'di!

Dayanakları Papa'nın Polonyalı olmasıydı! Güya, Polonya'da Lech Walesa önderliğinde işçiler sosyalist yönetime karşı muhalefete başlamıştı ve papa en büyük destekçileriydi! Bu yorumun karşı tezi de geçerli olamaz mı; "KGB destekçimiz Papa'yı öldürdü," diye ayaklanma güçlendirilmez mi?

Peki, "Türk Bozkurtlar" ile KGB ilişkisini kim, nasıl kurmuştu? Bu yalandı. Ama. Duane Claridge gibi CIA ajanlarının Türkiye'deki MHP'lilerle ilişkisi sır değildi.

"Ruzi Nazar'ı araştırsanıza," dedim belgeselcilere! Kızıl Ordu saflarında savaşırken esir düşüp nasıl anti-komünist olup CIA'da çalışmaya başladığını; ABD'de hangi Türk subaylarıyla görüştüğünü; Türkiye'de görev yaparken Türk milliyetçiliğinin özünü nasıl değiştirip meseleyi sadece anti-komünizme indirgediğini anlattım...

Mehmet Ali Ağca gibi Türk tetikçilerin etkilendiği *Hergün* gazetesini kimlerin çıkardığını, yayın politikalarını kimlerin belirlediğini, Papa aleyhinde neler yazıldığını söyledim.

Belgeselin prodüktörü Alman'dı; belgeselin rejisörü Alman'dı. Bu nedenle, "Papa aleyhine haber yapan *Hergün* gazetesinden

Enver Altaylı gibi MHP'liler ile Alman istihbaratının ilişkisini niye hiç araştırmıyorsunuz?" diye sordum.

Ağca'nın Papa suikastındaki görevini biliyoruz; peki ya, Alman istihbaratı/BND'nin elemanları Dr. Hans E. Kannapin ya da Fritz Michel'in rolü neydi? Ya Duane Clarridge gibi CIA ajanlarının? Varsa yoksa "Türk Bozkurtlar"!.. Kızgınlığım buna...

Geliyorlar Türkiye'ye, bin kez "Türk Bozkurtlar" belgeselleri-filmleri yapıyorlar. Yahu... Bu tek olgu Papa Suikast'ını aydınlatabilir mi? Vatikan'ın karanlık ilişkileri bilinmeden, perde arkasındaki "kukla oynatıcıları" ortaya çıkarılmadan suikast çözülebilir mi?

İtalyan P2 Mason Locası kurucusu ve başkanı Kont Licio Gelli bilinmeden bu suikast anlaşılabilir mi? Locadaki takma ismi "kuklacı"ydı. Faşist Mussolini taraftarıydı; Franco'nun yanında İspanya'da Cumhuriyetçilere karşı savaştı. Hitler'in adamı Hermann Göring'in güvenini kazandı. Savaş sonunda CIA için çalışmaya başladı. 1970'lerde İtalya'da merkez sağcılar ile komünistlerin hükümet kurmasını CIA'dan aldığı paralarla –terörü artırarak– önlediği açığa çıktı. Tetikçi olarak kullandığı Francesco Pazienza ile Stephano Delle Chiaie'nin Abdullah Çatlı ve ekibiyle ilişkisi olduğu yazıldı; Gladio'nun tetikçilerinin bağlantıları bilinmeden bu suikast aydınlatılabilir mi?

P2 kurucusu Gelli, "gerilim stratejisi" uzmanıydı...

Tarih: 17 Mart 1981.

Polisler Gelli'nin villasını bastı; devleti ele geçirmeyi planlayan 962 kişilik P2 listesi bulundu.

İtalya ve Avrupa'nın gündemi buydu. Ve fakat... Ağca'nın 13 Mayıs'ta sıktığı kurşunlarla İtalya'da gündem bir anda değişiverdi!

Meraklı olanlar bu olayları *Reis; Gladio'nun Türk Tetikçisi* kitabından okuyabilir... Belgeselci konuklara sonuç olarak dedim ki: Buzdağının deniz üstündeki kısmını "görmek" kolaydır; önemli olan denizin altındaki "derin" bölümüdür!.. Kandırılmış, kullanılmış ve işleri bitince bir köşeye fırlatıp atılmış zavallıları değil; asıl "kukla oynatıcılarının" belgeselini yapmak gerek...

Kim mi bunlar?..

"Oyun Masası"ndaki Tetikçi

Tarih: 4 Şubat 2015...

Haluk Kırcı, denetimli serbestlik kapsamında Bursa Cezaevi'nden tahliye edildi.

Medyada bir kafa karışıklığı var; Haluk Kırcı ne zaman cezaevinden çıksa, Bahçelievler Katliamı Davası'ndan tahliye olduğu sanılıyor! Oysa...

Kırcı, 7 kez idam cezası aldı...

- 12 Nisan 1991'de 3713 sayılı TMK değişikliğiyle ölüm cezası alıp 10 yıl yatanların tahliyesi sağlandı. 11 yıldır hapiste olan Kırcı, 26 Nisan 1991'de Bursa Cezaevi'nden çıktı. "Yanlış oldu; 7 kez idam cezası alan birinin, ceza aritmetiğine göre 36 yıl yatması gerekir," denildi. Haluk Kırcı aranmaya başlandı. Bu nasıl aranmaysa evlendi; şahitliğini Mehmet Ağar yaptı.

- 25 Ocak 1996'da yakalandı; Susurluk Çetesi işbaşındaydı, aynı gün firar etti!

- 10 Ocak 1999'da yakalandı... Bu kez...

- 22 Aralık 2000'de "Rahşan Affı"yla idam cezası kaldırıldı. Ölüm cezaları ağırlaştırılmış müebbete çevrildi. İnfaz indirimi yapıldı; 30 yıl, 25 yıla düşürüldü.

- 18 Mart 2004'te Haluk Kırcı tahliye edildi. Fakat...

Yine yanlış hesap yapıldığı için tekrar aranmaya başlandı. Çok geçmedi, Ukrayna'da yakalandı. 4 Şubat 2005'te Kartal Cezaevi'ne kondu.

- 28 Mayıs 2010'da tahliye oldu.

Çok geçmedi; 8 Şubat 2011 tarihinde tekrar cezaevine girdi.

Bu son cezaların Bahçelievler Katliamı'yla ilgisi yoktu. Çünkü... Haluk Kırcı'nın Susurluk Çetesi Davası'ndan kesinleşmiş 4 yıl; ve bir işadamını cezaevine çağırıp tehdit ederek 5 milyon dolar istemesi nedeniyle 6 yıl 8 aylık mahkûmiyet kararı vardı.

Ayrıca... Bahçelievler Katliamı cezaları 2012'de çıkarılan 6352 sayılı 3. Yargı Paketi'yle "affa" uğratıldı! Türkiye'de "bir görünmez el" yıllardır bu davanın üzerini örtmeye çalışıyor.

Yaşları 20 ile 26 arasında değişen yedi üniversitelinin katledilmesinin üzeri örtülmek isteniyor. Bakınız... İntikam peşinde değiliz. Adalet arıyoruz. Bu arayış Haluk Kırcı için de geçerli. Anadolulu 20 yaşındaki bir genç kimler tarafından nasıl "ölüm makinesi" haline getirildi?

Kim bu Haluk Kırcı? Tetikçiliğe giden yolu kimler döşedi?

Erzurum'da Kırcı ailesinin dördüncü çocuğu olarak 1958'de doğdu. Babası elektrikçiydi. Ortaokulda annesini kaybetti. Kadere isyan etti; "Eğer Allah varsa, o kadar orospu dururken neden benim annemi yanına aldı?" Üç yıllık okulu beş yılda bitirebildi. Demir doğramacı yanına çırak verildi. Yapamadı.

Ağabeyi sayesinde Genç Ülkücüler Derneği'ne gidip gelmeye başladı. "Yeni bir kimlik kazanmıştım," diye yazacaktı yıllar sonra. 15'inde belinde silah taşımaya başladı. Kavgacıydı; lisede "okula gelmemesi" şartıyla mezun edildi. Üniversite sınavını kazanamadı.

Ankara'ya geldi; Ülkü Ocağı referansıyla Gazi Eğitim Enstitüsü'ne kaydettirildi.

Ankara'da ilk eylemi Bahçelievler Son Durak'taki bir solcu kooperatifine bomba atmak oldu. "Bomba Amerikan malı"ydı!

Kısa sürede Ankara'daki eylemci gençlerin önde gelen ismi oldu. Kod adı "İdi Amin"di.

Alparslan Türkeş'in korumalığını da yaptı; çantasını da taşıdı. Keza... MHP genel merkezi Bahçelievler'deydi; bu semti solculardan "temizlemek" için Kredi Yurtlar Kurumu Nene Hatun Yurdu'na yerleştirildi.

Sonra... Bahçelievler Katliamı'nda yedi solcu genci katlettiler.

Haluk Kırcı, *Zamanı Süzerken* kitabında şöyle yazdı:

"Hiçbirimiz bilgilenmenin, kültürün, öğrenmenin, aydınlanmanın gerçek savaş olduğunun farkında değildik. 'Oyun masası' öyle kurulmuştu; bu oyunda bu sayılanlara yer yoktu. Hatta bütün bunlardan uzaklaşmak oyunun başlıca kuralıydı. Oyunun hedefi; oyuncuları, sembollerle ve totemlerle uğraştırarak birer keskin inançlı yapmak ve yok etmekti."

Haluk Kırcı kitabında "oyun masası"nın kimler tarafından, nasıl kurulduğunu yazmadı.

Ben yazayım...

"Oyun Masası"ndaki CIA Ajanı

Adı, Ruzi Nazar...

Özbekistan'ın Margilan şehrinde 21 Ocak 1917'de doğdu...

Ailesi ipekçilikle uğraşıyordu.

Liseyi bitirdikten sonra Komünist Parti'nin gençlik örgütünde çalışmaya başladı.

Taşkent'te Planlı İktisat Teknikumu'nda ekonomi okudu. Sonra, Pedagoji Enstitüsü'ne devam etti. *Genç Leninci* dergisinde çalıştı.

1939'da Kızıl Ordu'ya alındı. Piyade asteğmendi.

İkinci Dünya Savaşı'nda Odessa'daydı. Almanlara esir düştü. Hitler'in kurdurduğu "Türkistan Lejyonu"na katıldı. Alman Propaganda Bakanlığı'nın radyosunda çalıştı.

Savaş sonrasında Almanya'da ABD istihbaratçılarıyla temasa geçti. (ABD Başkanı Theodore Roosevelt'in oğlu) Amerikan Askeri Ataşesi (sonra CIA istasyon şefi olarak Ankara'ya atanacak) Archibald Roosevelt aracılığıyla ABD'ye gitti.

New York'ta CIA'nın kurduğu Amerika'nın Sesi radyosunda görev yaptı.

Archibald'ın ablası Ethel Roosevelt aracılığıyla resmen CIA görevlisi oldu. Yıl, 1954'tü. (Bu aileden Kim Roosevelt, CIA'nın Ortadoğu ve Güney Asya şubelerinin başında yer aldı.)

Ve yıl: 1955...

Ruzi Nazar, Teksas Arlington'daki evinde Amerikan Harp Akademisi'ni bitiren ve Washington'da NATO Daimi Komitesi'nde görev yapan Binbaşı Alparslan Türkeş'le tanıştı.[51]

Ruzi Nazar, ABD'de Türkeş aracılığıyla, CIA'da istihbarat eğitimi alan Yüzbaşı Fuat Doğu ile tanıştı.[52]

Çok geçmedi... Yıl 1959...

Ruzi Nazar, ABD'nin Ankara Büyükelçiliği'ne istihbarat görevlisi olarak atandı. Ankara Bahçelievler'de eski Genelkurmay başkanlarından birine ait bahçeli bir ev kiraladı.

6 ay sonra 27 Mayıs 1960 müdahalesi oldu...

İlk önemli görevi; 27 Mayıs'ın lideri Cemal Gürsel'e başyaveri Agasi Şen aracılığıyla ulaşarak, "ihtilalin kudretli albayı" Türkeş'in, "sol cunta" Cemal Madanoğlu ekibi tarafından öldürülmesini önlemek oldu.

Ruzi Nazar, 1962 ve 1963'teki Talat Aydemir ayaklanmalarına yakından tanıklık etti. Yeni MİT Yasası'ndan, Komünizmle Mücadele Derneklerinin[53] kurulmasına kadar çok alanda faaliyet gösterdi.

Ruzi Nazar, Türkiye'de çalıştığı 11 yıl boyunca çok önemli ilişkiler kurdu. Örneğin, işadamı Ayhan Şahenk, –kiminle evleneceğini danışacak kadar– yakın arkadaşı oldu!

MİT Müsteşarı Fuat Doğu ile birlikte TSK'daki solcu subayları tasfiye eden, idamlara ve aydın kıyımına yol açan 12 Mart 1971 Askeri Darbesi'ni başardıktan sonra Washington'a döndü. Kısa bir süre sonra Almanya'ya gönderildi.

---

51 Bu görüşmede ileride 27 Mayıs 1960 harekâtına katılacak Askeri Ataşe Agasi Şen de vardı. Ve Türkeş yurda dönünce Çankırı'ya "özel savaş öğretmeni" olarak atanacaktı.

52 Fuat Doğu, 1962'de MAH –yeni adıyla MİT– başkanı olduğunda Ankara'daki binayı CIA ajanlarıyla birlikte kullandı.

53 Bu derneğin Erzurum'daki kurucuları arasında Fethullah Gülen de vardı.

Bir gün...

Ruzi Nazar'ın Almanya Bonn'da kapısını Enver Altaylı çaldı. *Yeni İstanbul* gazetesinde çalışırken tanışmışlardı. Türkeş ve Fuat Doğu gibi ortak tanıdıkları vardı.

Enver Altaylı, 1963'teki Talat Aydemir Ayaklanması'na katıldığı için kovulan Harp Okulu öğrencilerdendi. Ardından Fuat Doğu tarafından MİT'e alınmıştı ve kod adı "Ümit"ti. Uzmanlaşması için Almanya'ya gönderilmişti.

Enver Altaylı, MİT'ten "ayrıldıktan" sonra, 1973'ten 12 Eylül 1980 Darbesi'ne kadar geçen süreçte, Türkeş'in en yakınındaki isim oldu.

Almanya'da MHP'nin parti müfettişliğini yaptı.

İstanbul'da MHP'nin günlük gazetesi *Hergün*'ün genel yayın yönetmeni oldu.[54]

Enver Altaylı gazeteci olarak Mart 1980'de gittiği Bonn'da, her daim yaptığı gibi ABD Büyükelçiliği'nde Ruzi Nazar'ı ziyaret etti.

Nazar, akşam eve gelmesini istedi. Yemekten sonra Nazar, Altaylı'ya şöyle dedi:

"Türkiye'de yakında darbe olacak. Ama bu aşağıdan cunta harekâtı değil. Yüksek komuta kademesinin yani Genelkurmay başkanı ve dört kuvvet komutanının yöneteceği bir darbe. Terör ve anarşiye karşı olağanüstü tedbirlerin yanı sıra yeni bir sistem getirecekler."

Bugün artık biliniyor ki Gladio'nun Türk tetikçileri darbenin meşruiyeti için daha çok kan döktü. Askeri darbeden sonra bu tetikçilerin kimileri hapis yattı, kimileri yeni görevler için yurtdışına kaçırıldı.

Örneğin... Alman istihbaratı (BND) görevlisi olup, MHP (ve Ilıcakların *Tercüman* gazetesi) ile yakın ilişkisi olan Dr. Hans E. Kannapin ve Fritz Michel kendileriyle çalışması için Enver Altaylı'ya teklif götürdü. Tanışıklıkları eskiydi... Altaylı 9 Şubat 1976 günü, Paris'ten Türkeş'e yazdığı mektupta temaslarını anlatmaktaydı:

– "4 Mayıs 1976 günü Dr. Kannapin Köln'e gelecek, burada beni Alman iç istihbarat teşkilatı Türkiye masası başkanıyla tanıştıracak."

---

54 Enver Altaylı yazdığı *Ruzi Nazar: CIA'nın Türk Casusu* adlı kitabını, *Hergün*'de birlikte çalıştıkları Taha Akyol aracılığıyla Doğan Kitap'tan çıkardı. *Hergün*'ün, Papa ve Abdi İpekçi suikastındaki azmettirici rolü hiç araştırılmadı. Düşünün ki, İpekçi'nin gazetesi *Milliyet*'e Taha Akyol köşe yazarı yapıldı!

– Bay Kannapin'e telefon ettiğimde o da sordu; 'Türkeş Bey mayıs ayında gelecek mi?' diye. Albayım, mayıs ayında gelmeyi düşünüyor musunuz? Ruzi Bey de aynı soruyu yöneltti."

Ruzi Nazar, Michel ve Dr. Kannapin... Alman Nazi generali olup İkinci Dünya Savaşı'ndan sonra CIA'nın ve BND'nin kuruluşunda yer alan Reinhard Gehlen'in öğrencileriydi.

Uzatmayayım...

"Oyun masası"ndaki Ruzi Nazar emekli oldu. Sonra nerede ortaya çıktı dersiniz?

Fethiye'deki Alevi Mezarlığı'nda!..

Bir hayat düşünün ki:

Gençlik yıllarında komünist...

1939'da Kızıl Ordu'nun neferi...

Nazilere esir düşmesiyle anti-komünist olan istihbaratçı...

Uzun yıllar CIA ajanı olarak dünyanın dört bir yanında görev yapan casus...

Soğuk Savaş başlangıcında 11 yıl Türkiye'de görev alan; Türk milliyetçiliğinin esaslarını kökten değiştirerek, milliyetçileri anti-komünist çizgiye getirerek kardeşi kardeşi kırdıran darbe planlayıcısı...

Afganistan'daki CIA operasyonunun kilit adamı...

Sovyetler Birliği dağıldıktan sonra CIA'nın Türki cumhuriyetlere hâkimiyet için kullandığı en değerli eleman... Sonra... Sonrası kayıp!

Bu bilinmeyen adam geldi –ve belki de kaçtı demeliyiz– gizlice Antalya Side'ye yerleşti. Ve 30 Nisan 2015'te öldü.

Sonrası inanılmaz!

Tarih: 19 Nisan 2015.

Fethiye Belediyesi'ne ait huzurevine 98 yaşında bir yaşlı erkek getirildi.

Getiren 65 yaşındaki oğluydu. Babasını, Antalya Manavgat'ın yazlık beldesi Side'den getirmişti. Fakat...

Huzurevinin 98 yaşındaki yeni misafiri ağır hastaydı. Fethiye Ağır Hasta Bakım Empati Merkezi'ne yatırıldı. Aradan 11 gün geçti. Hasta yaşlı adam, 30 Nisan gece yarısı öldü.

Babasını büyük bir gizlilik içinde huzurevine yerleştiren oğul, bu kez aynı gizlilik içinde mezar yeri aramaya başladı.

Sonunda... Fethiye'de "Alevi Mezarlığı" olarak bilinen Foça Mahallesi'ndeki mezarlığa gizlice defnettirdi.

Bu sessiz sedasız defin işleminde, huzurevi müdürü Âdem Güngör ile özel cenaze hizmeti veren Zeki Özden ve iki mezarlık görevlisi vardı!

Nedense... Oğul, cenaze işlemini Foça Mahallesi muhtarı İlker Can ile bu iki kişi dışında herkesten gizledi.

Öyle ki... Fethiye Belediyesi ile mezarlıklar müdürlüğü dahi konudan habersizdi. Gömüldüğüne dair hiçbir resmi kayıt ve tutanak yoktu! Resmi belgelerde böyle bir defin yoktu! Üstelik...

Mezarın başındaki tahtada ne bir isim ne de bir numara vardı!..

Ölüm belgesindeki bazı yerler boş bırakılmıştı!..

Gizlice defnedilen Ruzi Nazar'dı. 21.01.1917 doğumluydu; baba adı, Camşid Umirzakoğlu idi ve anne adı belgede yoktu ama Tacinisa'ydı. Diplomat değil, CIA ajanıydı... Demek sahte kimlik taşıyordu, normal.

Ölen kişi CIA ajanı Ruzi Nazar'dı. Ve onu gizlice Fethiye'deki Alevi Mezarlığı'na defnettiren kişi 65 yaşındaki oğlu Erkin Nazar'dı!..

Babasını; ABD ya da anne-babasının mezarının bulunduğu/doğduğu Özbekistan topraklarına değil de neden alelacele ve gizlice Türkiye'ye gömdü? Veya...

Ruzi Nazar, bir Alman Nazi subayının kızı Ermelinda Roth'la evliydi; neden eşinin yanına ABD'de defnedilmedi?

Ayrıca... Cenaze neden hızlı defnedildi? Ruzi'nin kızı Sylvia (Zülfiye) Nazar ve torunları Jack, Clara, Lily ile damadı Darryl McLeod'un gelmesi neden beklenmedi?[55]

Erkin Nazar babasının ölümünü; Türkiye, Özbekistan, Almanya ve ABD'deki "istihbaratçı çalışma arkadaşlarına" da neden haber vermedi? Keza...

Alparslan Türkeş'in çocukları aile dostuydu; onların da haberi yoktu.

MİT ajanı Enver Altaylı, Ruzi Nazar'ın manevi oğluydu; hakkında övücü kitap yazdı. Bir adım ötede Manavgat'ta oturuyordu; o bile cenazeye çağrılmadı.

Tüm bu gizlilik nedendi?.. Soğuk Savaş döneminde Türkiye'deki darbelerin, provokasyonların, suikastların arkasındaki isimlerden biri olarak bilinen CIA ajanı Ruzi Nazar'ın bu son yolculuğunun sırrı, gizemi neydi?

---

55 Sylvia Nazar'ın, Nobel ödüllü matematikçi John Nash'in hayatını yazdığı kitap, filme uyarlanmış, Oscar kazanmış ve ülkemizde *Akıl Oyunları* adıyla gösterilmişti. Keza, "gazeteci" de olan Sylvia Nazar, bu kitabıyla dünyanın en önemli gazetecilik ödüllerinden Pulitzer'e aday gösterilmişti!

Türkiye üzerinde büyük oyunları planlayanlardan Ruzi Nazar'ın yaşamı gibi ölümü de sırlarla doluydu.

Ruzi Nazar'ın kodlarını ve şifreleri çözmek zor...

"Oyun masası"nda Türkler yok mu sanıyorsunuz?

Birini yazayım...

"Oyun Masası"ndaki Hitlerci İşadamı

Gazete köşesinde öldüğü gözüme çarpan...

98 yaşındaki bir adamı yazmalıyım.

Gazeteler "işadamı" ya da "eski siyasetçi" diye verdi haberi. Oysa cenaze sıradan bir cenaze değildi! Uğur Mumcu'nun "Murat Bayrak bilmecesi çözülmeden 12 Eylül öncesi ve sonrası yeterince anlaşılamaz," sözü geldi aklıma.

Sadece bu mu? Hakkında anlatılacak çok bilgi vardı...

Adı, Murat Bayrak...

Dünyanın Bolşevik Devrimi'yle yeni döneme başladığı 1917'de Yugoslavya Krallığı'nda doğdu. Gençliği, Hitler'in dünyayı savaşa doğru götürdüğü döneme denk geldi.

Murat Bayrak, Nazi oldu.

Hitler'in Yugoslavya'yı işgal etmesine destek verdi. Boşnaklardan kurulu 13. SS Waffen Dağ Tümeni'nde görev yaptı. İşgale direnen Titocu sosyalistlerle mücadele etti.

Naziler kaybedip de Yugoslavya sosyalist olunca Türkiye'ye kaçtı. Yugoslavya'da kalsa kurşuna dizilecek olan Bayrak, nasıldır bilinmez, Türkiye'de kısa sürede tül fabrikası sahibi olacak kadar zenginliğe kavuştu!

Türkiye'ye Nazi altınlarıyla mı gelmişti?..

Özgeçmişinde Almanca, İngilizce, Fransızca ve Yugoslavca bildiği yazan Bayrak, Hitler'in "ari ırk" teorilerini hatırlatırcasına "Üstün yetenekli insan para kazanır," sözünü sıkça söylerdi.

Sancak Tül'ün patronu Murat Bayrak siyasetle de yakından ilgilendi.

1960'lı yılların sonunda "ülkücü komandoları" finanse edenlerden biriydi.

1973 seçimlerinde Adalet Partisi'nden Çanakkale milletvekili adayı oldu. Onu siyasete sokan Demirel'in eski bakanı Bitlis doğumlu Refet Sezgin'di.

Bayrak, camilere tül yardımı yaparak milletvekili seçildi.

Seçilir seçilmez Demirel'i eleştirmeye başladı; Demirel'i "yeteri kadar sağcı" bulmuyordu.

Bayrak'a göre sol, şiddet dahil her yol kullanılarak bastırılmalıydı...

Murat Bayrak'ın gündeme gelmesi ne milletvekili olması ne de tül ticaretiyle oldu: Devlet kredisiyle Ayvalık Sancak Tatil Köyü'nde kurduğu "ülkücü komando" kampıydı.

O dönem kampın foyasını *Cumhuriyet* gazetesinden Hikmet Çetinkaya meydana çıkardı. Bir tekne kiraladı, kampa yaklaştı ve olan bitenin fotoğrafını çekti. Kampın eski görevlilerini bulup konuştu. Murat Bayrak'ın "adamları" ülkücü gençleri kampa taşıyor; kampta silah kullanmayı, yakın dövüş yapmayı öğretiyorlardı. Gençler kamuflaj kıyafetleri giyiyor, postallarla geziyor, başlarında kep taşıyorlardı. Bayrak'ın Yugoslavya'da Nazi olduğu günlerdeki gibi giyiniyorlardı!

Kampı; MHP lideri Türkeş'in dışında –bugünlerde kurucusu olduğu AKP'ye demokrasi eleştirileri yapan– Nevzat Yalçıntaş gibi dönemin anti-komünistleri ziyarete geliyordu!

Bayrak'ın fabrikasında asayişi de bu kampta yetiştirdiği komandolar sağlıyor, iş görüşmelerini onlar yapıyor, "sendika" ya da "grev" diyeni dövüyorlardı.

Elazığ'da Ecevit'e saldıranlar, İzmir'de CHP Milletvekili Süleyman Genç'i bıçaklayanlar bu kamptan çıkmıştı.

Bayrak, komandolarını gizlemeye pek de gerek duymuyordu. Örneğin... AP'nin Çanakkale İl Kongresi'ne bir manga komandoyla gidip bilerek gazetelere haber oldu. Bayrak konuşmasında, solculara karşı sertleşmediği için genel başkanını "AP'nin başında bir Demirel kâbusu mevcuttur," diyerek yerden yere vurdu. Komandoların korkusundan kimse de yerinden kalkıp tek söz söyleyemedi.

Hitler'in köpeği olacak da, Murat Bayrak'ın olmayacak mı?

Murat Bayrak'ın dikenli tellerle çevrili Ayvalık'taki tül fabrikasını komandoların yanı sıra kurt köpekleri koruyordu. Bayrak'ın en sevdiği köpeğinin adı "Paşa"ydı.

Bir gün... İşçiler ile komandolar arasında yaşanan gerilimde; kimine göre komandoların ateşiyle, kimine göre işçilerin korunma refleksiyle vurulan Paşa öldü. Bayrak fabrikanın ortasına köpeği için bir anıt-mezar yaptırdı. Mezar taşında şu yazıyordu: "Burada komünist köpeklerin kurşunuyla ölen milliyetçi asil kurt (Pacha) yatıyor. (10.9.1976)"

Bu arada... Bayrak bir de siyasi ayrılık yaşadı: AP'den MHP'ye transfer oldu. Ayrıca...

MİT'çi Enver Altaylı'nın, Taha Akyol'un yönettiği *Hergün*'de yazmaya başladı... Türkeş'in dış ilişkilerini organize etti.

Alman *Der Spiegel* dergisi, eski Nazi ve aşırı sağcı Alman Bavyera Başbakanı Franz Josef Strauss'un bağlantılarını deştiğinde Türkeş ve Bayrak'la yaptığı görüşmeler, mektuplaşmalar buldu.

Bayrak 2 Mayıs 1978 tarihinde Strauss'a yazdığı mektupta şöyle diyordu:

> Gerçekten de Türkiye büyük tehlikeyle yüz yüzedir. Bu tehlikenin en somut kanıtlarından biri, tarihte ilk kez Sovyet Genelkurmay Başkanı'nın resmen Türkiye'yi ziyaret etmiş olmasıdır. Bu öyle bir gelişmedir ki sonunda Türkiye'nin Batı ittifakından ayrılmasına yol açabilir...

Bayrak'ın milliyetçiliği; azılı bir komünizm düşmanlığı ve yüksek dozda Batı hayranlığına dayanıyordu. Örneğin...

Ecevit, ABD'ye kafa tutarak haşhaş ekim yasağını tanımayınca "Amerikalı dostlarımızla derhal sıkı temas kuralım," diyerek ayağa kalktı.

Onun milliyetçiliğinin ana çizgisini Avrupa Ülkücü Türk Dernekleri Federasyonu eski Genel Başkanı Lokman Kondakçı şöyle anlatacaktı: "En fanatik solcu düşmanı Murat Bayrak'tı; sola karşı her metotla mücadele etmeyi savunurdu..."

12 Eylül 1980 Askeri Darbesi'ne gelindiğinde Murat Bayrak MHP Genel İdare Kurulu üyesiydi. Darbe; tüm MHP yönetimini tutuklarken tek isme dokunmadı: Murat Bayrak!

12 Eylül'ün Ankara Sıkıyönetim Savcısı Nurettin Soyer'e bunun sebebini soran Uğur Mumcu şu yanıtı aldı: "MHP'ye para yardımı yapan bütün işadamlarını sorguladım, ama emniyetten bize Murat Bayrak'la ilgili kayıt gelmediği için soruşturma açamadık."

Sadece emniyetten değil, askerden de bir soruşturma talebi gelmemişti. Ve Bayrak, 12 Eylül'de elini kolunu sallayarak ABD'ye gitti.

Uğur Dündar'a verdiği röportajda yurtdışına çıkışta bir sorun yaşasa, "Birileri gelip beni helikopterle alırdı," diyecek kadar destekçilerine güveniyordu.

Sola karşı en sert eylemleri öneren Bayrak, tereyağından kıl çeker gibi sıyrılıp gitmişti.

Ne diyor çok bilmişler: "12 Eylül, terörü bitirmek için yapıldı!" Terörü yaratan onlardı oysa!

Murat Bayrak, ABD'den sonra Almanya'nın Bonn şehrine yerleşti.

Uğur Mumcu onu yine buldu. Almanya'da sağcı bir gazetenin basın kartını taşıdığını yazdı.

Bayrak'ın sırları asıl bundan sonra patladı...

Frank Terpil ve Edwin Wilson iki eski CIA ajanıydı...

CIA'dan sonra Delex International isminde bir şirket kurmuşlar, dünyadaki terör örgütlerine silah satıyorlardı.

Derin ABD'nin bu iki eski ajanı bir süre sonra "sistemin dışına" çıktı. Silah kaçakçılığı yaparken ABD karşıtı kimi yasadışı örgütlere de silah satmak gibi "hata" yaptı!

FBI, bu iki istihbaratçının New York'taki ofisini bastı. Ve...

CIA ajanı Terpil'in ajandasında "Sancak Tül" yani Murat Bayrak'la bağlantılarını gösteren deliller buldu. Terpil, Murat Bayrak'a silah gönderdiğini itiraf etti.

Evet... Anti-komünist Bayrak'ın komando kamplarında örgütlenen gençlerin silahları eski CIA'cılardan geliyordu...

Zaman değişiyordu...

Ülkücülerin yerini İslamcılar alıyordu...

Uğur Dündar'a 3-6 Aralık 1986'da verdiği röportajda Bayrak'ta ciddi değişimler göze çarptı.

Türkiye'de "kimileri" gibi Bayrak da "ülkücülüğü" bırakıp "İslamcı" olmuştu! Artık Atatürk ve Cumhuriyet karşıtıydı.

Bir dönem "derin devlet" için komando yetiştiren Bayrak, "Diyanet İşleri dediğiniz yer, devletin muayyen ideolojisine uşaklık etmektedir," diyerek Siyasal İslamcı karaktere bürünüvermişti!

Murat Bayrak'ın; Almanya'da "Anadolu İslam Cumhuriyeti" ilan eden, tahta tüfeklerle gösteriler düzenleyen, "Kara Ses" lakaplı Cemalettin Kaplan'ın arkasındaki isim olduğu ortaya çıktı. Kaplan'a Almanya'da oturma izni alan ve onu finanse eden, eylemlerini şekillendiren isimdi. Zaten... Kaplan da Bayrak için "Kader arkadaşıyız," ifadesini kullanıyordu.

Uğur Dündar'a verdiği röportajda, "Planımız gereğince Türkiye'ye döneceğim. Ordumuz yok ama aslında şart değil. Humeyni İran'a döndüğünde onu karşılayanların silahı var mıydı?

Daha sonra silahı Şah'ın ordusundan sağladı," diyen Bayrak, hedefinin Türkiye'nin İslamlaşması olduğunu ortaya koyuyordu.

Sonuçta... Murat Bayrak başarısız oldu. Ve...

Yerine Fethullah Gülen'ler sürüldü... Dönem "Ilımlı İslam" dönemiydi...

Uzun yıllar ortalıkta görünmeyen Murat Bayrak 2012 yılında sessizce Türkiye'ye geldi.

Sesi bir daha hiç çıkmadı; o artık "Gladio emeklisi"ydi!

Geçtiğimiz yıl çocuklarının miras kavgasıyla gazetelere manşet oldu. Bayrak'ın serveti 15 milyarı bulmuştu.

98 yaşında hayata veda etti.

Gazetelerden bekledim ki Bayrak hakkında bilgiler yazılsın... Unutulup gitmişti...

Murat Bayrak'ın;

– ABD'lilere "Askerlerle değil, muhafazakârlarla yol alın," teklifinde bulunduğu 45 sayfalık rapor; veya

– Dev-Yol davasında Oğuzhan Müftüoğlu'nun Murat Bayrak'ın CIA ile bağlantısını anlattığı savunması; ya da

– samimi ülkücülerin Murat Bayrak'ın kendilerini nasıl kışkırttığını söylemeleri unutulup gidecek mi?..

Nazi Selamı

Stefan Lux'ü bilir misiniz?

Yahudi asıllı; Çek vatandaşı bir gazeteci, şair ve yazar.

Birçok kişi adını bile duymamıştır.

Costa-Gavras'ın *Amen* filmini izlemeseydim belki ben de Lux'ten haberdar olmayacaktım. Filmde Lux ilk sahnede görünür. Cebindeki tabancasını kontrol eder, Milletler Cemiyeti binasına girer. Uzun koridorlardan geçer. Toplantı salonuna girer. İçeride dünyada olan bitene dair soğuk ve sıkıcı konuşmalar yapılmaktadır. Diplomatların şaşkın bakışları altında çıkardığı bildirileri dağıtır. Ve salondakilerin hepsinin yüzlerine haykırır:

"Adım Stefan Lux. Ben bir Yahudi'yim. Yahudiler Almanya'da katlediliyorlar. Ve dünya buna aldırmıyor. İnsanların yüreklerine ulaşmanın başka bir yolunu bulamadım."

Cebinden çıkardığı silahı kalbine doğrultur ve ateş eder!

Lux, 47 yaşında o salonda hayata gözlerini yumdu.

Tarih 3 Temmuz 1936'ydı.

Gazeteci Lux'ün amacı, Avrupa'nın ortasında Yahudilere cadı avı başlatılırken dünyanın buna sessiz kalmasını protesto etmekti.

Size bu hikâyeyi neden mi anlattım? Kimin eli kimin cebinde bilmeniz için...

Geçen yıl İngiltere'yi Nazi selamı sarstı!

İngiltere'nin en çok satan tabloid gazetesi *The Sun*, Kraliçe II. Elizabeth'in 1933 yılında "Nazi selamı" verirken çekilen görüntülerini manşetten yayımladı. Ortalık karıştı.

Görüntülerde o dönemde yedi yaşında olan İngiltere Kraliçesi II. Elizabeth, kız kardeşi Margaret, Ana Kraliçe ve Elizabeth'in amcası eski Kral Edward görülüyor. Ekip Nazi selamı verirken bayağı eğleniyor.

Elizabeth'in görüntülerini izlerken aklıma birkaç yıl sonra kalbine kurşun sıkan Stefan Lux'ün canlandırıldığı o film geldi. Çünkü, Batı'nın Hitler'in yükselişini nasıl izlediğini, nasıl destek verdiğini düşündüm.

İkinci Dünya Savaşı üzerine yapılan hemen her çalışmada İngiltere ve Fransa Hitler'e en hafif ifadeyle sessiz kalmakla eleştirilir. Hitler Doğu Avrupa'yı "Lebensraum" (hayat sahası) olarak nitelerken, bu iki ülke de onun sırtını sıvazladı.

İngiliz Bakan Halifax 1937'de Almanya'yı ziyaret etti. Bu ziyaretin anlamı; Hitler'in, Doğu Avrupa'ya yürümesi halinde İngilizler ses çıkarmayacaktı!

Nihayetinde Hitler Avusturya'yı aldıktan sonra, bu ülkenin Hitler'le işbirliği yapmasını iki ülke de suskunlukla geçiştirdi. Sovyetler Birliği'nin "Hitler'e karşı birlik olalım," önerisini iki ülke de reddetti. Öyle ki... Çekoslovakya'nın kaderinin çizildiği Münih Konferansı'na Sovyetler Birliği'ni çağırmayarak asıl düşmanlarının kim olduğunu gösterdiler.

Hitler'i iktidara getirmek ve soykırıma destek için Hugo Boss'tan Deutsche Bank'a Alman sermayesinin, Rockefeller Foundation'dan Standard Oil'e uluslararası finans kuruluşlarının nasıl çalıştığını da hatırladım.

Hitler'i Nobel Barış Ödülü'ne aday gösterenleri unutmak mümkün mü?

Nazilerle ittifak yaptığı ve milyonlar katledilirken sessiz kaldığı için adı "Hitler'in Papası"na çıkan Papa XII. Pius'u unutmak mümkün mü?..

Kraliçe Elizabeth'in "Nazi selamı"na şaşıranlara şaşırıyorum. O kareler sadece ve sadece bilinen bir gerçeğin izdüşümüdür. Bakınız...

Hitler'in ölüm kamplarını bilmeyen yoktur.

Peki... Hitler bu insanlık dışı uygulamayı kimlerden öğrendi: İngilizlerden! 1899-1902 arasındaki İkinci Boer Savaşı'nda ilk toplama kampını "akıl edenler" İngilizler oldu! Afrikalı kadın ve çocuklar için 45 ve Afrikalı erkekler için 64 toplama kampı kurdu. Bu kamplarda 22 bini çocuk 48 bin Afrikalı öldü. Bu rakam savaşta ölen askerlerin iki katıydı! Bunları artık kimse anımsamak istemiyor!

Ne diyordu Eduardo Galeano *Aynalar* kitabında:

"Adolf Hitler'in dostlarının hafızaları çok zayıf, ama onlardan aldığı yardım olmasaydı Nazi macerasının gerçekleşmesi pek mümkün olamazdı."

Neymiş... İngilizler Nazi selamına büyük tepki göstermişler!

Hadi ya...

NATO Kafası

Adı, Soner Polat...

1958'de Van'da dünyaya geldi.

Deniz Harp Okulu'ndan 1979'da mezun oldu.

Deniz Harp Akademisi, Silahlı Kuvvetler Akademisi ve NATO Savunma Koleji'nden mezun oldu. Deniz Kuvvetleri İstihbarat Daire başkanı oldu. Genelkurmay İstihbarat Daire başkanı oldu.

Deniz Kuvvetleri Lojistik başkanlığını yaparken 11 Şubat 2011'de Balyoz'dan tutuklandı! 3,5 yıl hapis yattı. Cezaevindeyken tümamiral rütbesinden emekli edildi.

Türkiye İçin Jeopolitik Rota adlı kitabı yazdı. NATO'daki subayların duygu ve düşünceleriyle ilgili çarpıcı anısını paylaştı:

> 1993 yılıydı. Roma'da NATO Savunma Koleji'nde bir panel için hazırlık yapıyorduk... Diplomatik dil bir kenara bırakılmıştı. Herkes düşündüklerini serbestçe dile getiriyordu...
>
> – Seminer danışmanı İngiliz albay, Türkiye'nin NATO'da olmasına rağmen aslında Batı ülkesi olmadığını coğrafi olarak Doğu'da yer aldığını, dini ve kültürel özellikleriyle bir Asya ülkesi olduğunu söyledi.
>
> – Seminer üyelerinden Alman diplomat, Türklerin Kürtlere ağır baskı yaptığını, onlara demokratik haklar vermediğini, PKK'nın özgürlük savaşçısı olduğunu belirtti.

İngiliz havacı yarbay, Türkiye'nin sivil bir ülke olmadığını ifade etti. Söylediği bir söz ilginçti: 'Türkiye'nin Güney sınırı tartışmalıdır.'

– Amerikalı deniz piyade albayı, önce Osmanlı haremiyle girip yersiz-uydurma hikâyeler anlattı. Daha sonra Ermenileri ne kadar çok sevdiğini, Türklerin Ermenileri öldürerek kötülük ettiğini söyledi.

– Kanadalı havacı albay, Kıbrıs'ın gerçekte Türk işgali altında olduğunu ve Türk ordusunu Kuzey Kıbrıs'ta işgal gücü olarak gördüğünü belirtti.

– Yunanlı Albay, Türk tehdidinden bahsetti ama Allah'tan mükemmel (!) İngilizcesiyle söylediklerinden kimse bir şey anlamadı.

– Norveçli bayan diplomat, ülkesindeki Kürtlerin Türkiye'de görmüş oldukları baskı nedeniyle psikolojik tedaviye ihtiyaç duyduklarını; İslam'ın Batı yaşam tarzını tehdit ettiğini vurguladı.

– Sempatik bir İtalyan albay vardı; yemeklerde hep benim masama gelirdi; iyi anlaşıyorduk. Söze Fatih Sultan Mehmet'in Toronto çıkarmasıyla başladı. Türklerin o dönemdeki kötülükleri nedeniyle İtalya'da annelerin hâlâ çocuklarını *"Mamma, li Turchi"* (Anneciğim Türkler geliyor) diye korkuttuğunu ballandırarak anlattı...

Koleje davet edilen istisnasız tüm devlet adamları, akademisyenler, gazeteciler ya doğrudan Türkiye'yi ve Müslüman ülkeleri hedef alıyor ya da imalı ve iğneli sözler ediyorlardı...

Sanıyor musunuz ki, tek düşman PKK!..

Sanıyor musunuz ki, tek düşman IŞİD!..

Mesele başka...

Bunu görmemek için kör ya da saf olmak gerekir!

Batı, Türkiye ile ilişkilerinde iyi niyetli değildir.

Konjonktürel yakınlaşmalar oluyor ama bu kesinlikle kalıcı dostluğa dönüşmüyor.

Hangi örneği vereyim... AB Bulgaristan ve Romanya'yı içine alıyor, Türkiye'yi ise yıllardır oyalayıp duruyor.

Gerçekle artık yüzleşmeliyiz; "maskeli balo" bitmelidir!

Bu, –özellikle Batı gölgesinde yaşayan kimi Türk medyası eliyle dayatılan– "celladına âşık" rolü terk etmeliyiz.

"Terör" dersiniz; "insan hakları" diye karşımıza dikilirler.

Kerkük'te, Telafer'de Türkmenler katledilir, sesleri çıkmaz.

Ne zaman teröristleri sınır ötesinde de kovalarsanız, "Bu bir ülkenin içişlerine müdahaledir," diye karşı çıkarlar. Diyemezsiniz ki: "Irak'ta, Afganistan'da ne işiniz vardı!"

"Ermenilerle büyük acılar yaşandı," dersiniz; "Soykırımı kabul et," diye dayatırlar.

"Kıbrıs'ın can güvenliği," dersiniz; "İşgalci," derler. Ama Dağlık Karabağ işgaline tek söz etmezler.

"Ege'deki Türk adalarının işgaline göz yumamayız," dersiniz, "Barbarlar Yunanistan'la savaşmak istiyor," diye yalan söylerler.

Türkiye'yi Irak, İran ve Suriye gibi komşularına düşman ettirirler.

Patrikhaneyi desteklerler, ekümenik statüsü için ayağa kalkarlar, "Elhamdülillah Müslüman'ım" diyeni radikal dinci ilan ederler! Türkiye'deki irticayı sanki kendileri koruyup kollamadı.

Hangisini yazayım... Hepsini biliyorsunuz.

Ne yazık ki... Sovyetler Birliği dağıldıktan sonra Türkiye, gerçekçi bir tehdit analizi yapamadı. Dünya 1990'lardan itibaren köklü değişimler-dönüşümler yaşarken Türkiye bilindik –Batı'ya/NATO'ya dayalı politik– askeri ezberini hiç bozmadı.

İşte... Bu nedenle kafamızın üstüne çakılıp duruyoruz.

İşte... Bu nedenle Fethullah Gülen'in dış bağlantıları ve kumpasları yıllarca anlaşılmak istenmedi.

Neden... Cemaat, Deniz Baykal ya da MHP'nin ayakları bu topraklara basan milletvekillerini "seks kasetleri" ile safdışı etti.[56]

Neden... Cemaat kimileri için özel dosyalar hazırladı. Örneğin...

Cemaat Bilgi Bankası

Emperyalizmin emrinde olanlar gerçekleri hep çarpıtır. Örneğin isimsiz-adressiz bir mail gönderirler...

56 MHP'nin Nurcularla ilişkisi 1970'li yıllarda başladı; Türkeş, Hüsrev Altınbaşak'la görüştü ve "Yazıcıların" desteğini aldı. Demirel'e yakın "Okuyucuların" lideri Zübeyir Gündüzalp, olanları duyunca, hasta halde olmasına rağmen Ağabeyler Konseyi'ni Kirazlı Mescit'te topladı. MHP'ye haddini bildirme kararı aldılar. Araştırmayı Bekir Berk yaptı, metni Mustafa Polat kaleme aldı ve *Tarihi Vesikaların Işığı Altında İslami Hareket ve Türkeş* adlı bir kitap ortaya çıktı. Türkeş'i yerden yere vuran bu kitap, Nurcuların ilk siyasi kitabıydı. Kavga çıktı; MHP'liler kitabın basıldığı matbaaları bastı. Fethullah Gülen, Nurcu Abilerine ilk muhalefet bayrağını MHP'ye yönelik savaşın hizmete yakışmadığını ifade ederek açtı! Gülen ile MHP ilişkisi, 12 Eylül Askeri Darbesi'yle soğudu ve AKP kurulduktan sonra bozuldu. "Seks kasetleri" kumpasıyla düşmanlığa dönüştü. Fakat son dönemde ilişkilerin yeniden kurulduğu belirtiliyor.

Önce başka notlar yazmalıyım ki konunun derinliğini fark ediniz...

Tarih: 23 Ağustos 2009.

Radikal gazetesinin haber başlığı şuydu:

"Yalnız kurt Şahin Ermeni avında!"

Ergenekon kapsamında tutuklanan Eski Özel Harekât Dairesi Başkan Vekili İbrahim Şahin'in evinde yapılan aramada bordo ajandasından kimi notlar çıkmıştı.

Biri şuydu: "Ermeni yetimlere her yıl 200 altın tahsisat bağlanmasını sağlayan Adana Valisi Cemal Paşa'nın kardeşine 12 yaşında bir kız çocuğu verirler. Ama o evlatlığa tecavüz eder, kız hamile kalınca onu karısı yapar. Kızın adı Saadet'tir. Ve bu Saadet, MHP lideri Devlet Bahçeli'nin büyükannesidir..."

Tarih: 4 Nisan 2011.

Silivri'deki 13. Ağır Ceza Mahkemesi 112'nci celsesinde sorgusu yapılan İbrahim Şahin'e bordo ajandadaki bilgiler hiç sorulmadı! Evinde çıkan kimi yazılar soruldu.

Sanık İbrahim Şahin: Eğer bir kâğıdın üzerinde Bismillahirrahmanirrahim, Bismillahi Ekber, Bismillahi Teala yazıyorsa, benim bu kitap yazma çalışmalarım için hazırladığım şeyler. Diğerlerini bilmiyorum yani diğerlerini görmedim. Ama yani benim hazırladığım elimdeki şeylerde her sayfanın üzerinde Bismillahirrahmanirrahim vardır konuyla ilgili, Kuran-ı Kerim'den o konuyla ilgili ayetler vardır. Diğerlerini kabul etmiyorum gösterilmediği için de bilmiyorum zaten..."

Bordo ajandasındaki bilgiler İbrahim Şahin'e mi aitti?

Dava sürecinde bordo ajanda Şahin'e neden hiç gösterilmedi?

Devlet Bahçeli'nin seceresine yönelik bilgilerin kaynağı kimdi?..

Biraz geriye gidelim...

Tarih: 6 Temmuz 1997.

Devlet Bahçeli, MHP 5. Olağanüstü Kongresi'nde genel başkan oldu.

Bahçeli'nin soyağacına ilişkin bilgiler el altından dolaştırılmaya başlandı.

Birini özetleyerek aktarmak istiyorum:

"Şimdi yazacaklarıma eminim inanamayacaksınız. Çünkü ben de ilk duyduğumda inanamamıştım. Adana Nüfus Müdürlüğü'nden emekli olan bir uzak akrabamı ziyarette, Devlet BAHÇELİ ve ailesi hakkında inanılmaz şeyler söylemişti. O zaman son derece hızlı bir ülkücü olan ben, bütün bunları peşinen reddetmiş ve o nüfus memuruna sert çıkıp, ülkücü harekete düşman olduğunu, bu tür uydurma şeyleri ulu orta söylememesi gerektiğini ifade etmiştim. Ancak bir süre sonra tekrar karşılaştığımızda, kanıtlarının artık elinde olduğunu, evine gidersem kanıtlayacağını söylemişti...

Merakımı yenemedim, adamla evlerine gittim. Bir tomar silik fotokopi kâğıdı çıkardı. Başladı anlatmaya:

Devlet BAHÇELİ; Salih ve Samiye oğlu, 1948 Osmaniye Hasanbeyli nüfusuna kayıtlı.

Anne Samiye BAHÇELİ... Ökkeş ve Melek kızı. 1341 Osmaniye Hasanbeyli nüfuslu. Samiye Hanım'ın kızlık soyadı, KIRIKKANAT...

Melek KIRIKKANAT: Hacı Hüseyin ve Melek kızı. 1318 Osmaniye merkez nüfuslu.

Ökkeş KIRIKKANAT: Halil ve Emiş'ten olma Osmaniye merkez nüfuslu.

Devlet BAHÇELİ'nin babasının soy kütüğü:

Salih BAHÇELİ: Turan ve Ayşe'den olma. 1320 Osmaniye Hasanbeyli.

Turan SOYLU: Ahmet ve Raziye'den olma 1278 Osmaniye merkeze kayıtlı.

Yani BAHÇELİ ailesi, SOYLU soy ismini değiştirmişti..."

Güya "nüfus memuru" jandarma onbaşısıyken tezkere bırakan Salih Bahçeli'nin ilk evliliğini Osmaniyeli Hacı Osman Çalıkoğlu'nun kızı Gülsüm'le yaptığını anlatmıyordu! Bu evliliğinden Turan ve Nurten adlı iki çocuğu vardı.

Herhalde aradığı, o nüfus kütüğünde yoktu!

Emekli "nüfus memuru", sürekli anlatıyordu. Ve "genç ülkücü" şaşırarak dinliyor, arada yorum yapıyordu:

"'Ülker BAHÇELİ: Turan ve Muhterem'den olma. 1958 Osmaniye Hasanbeyli nüfusuna kayıtlı. Ülker Hanım evlenince soyismi ÇERÇİ oluyor. Ve karışıklık başlıyor:

Lyudmyla ÇERÇİ: Mikola, Tetyana'dan olma. 1977 Osmaniye Merkez'e kayıtlı...'

İşte buna inanmam mümkün değildi. Ancak ihtiyarın elinde tuttuğu kütük fotokopisinde her şey kayıtlıydı. Devlet BAHÇELİ'nin yeğenleri ERMENİ olamazdı, buna inanmam çok zordu... Nüfus memurunun yüzüne ters ters baktım ama onun susacağı yoktu. 'İstersen anne tarafını takip edelim,' dedi...

'Nezihat SOYLU: Süleyman ve Fatma'dan olma, 1941 Osmaniye Merkez nüfusuna kayıtlı.

Nezihat Hanım evlenince soyismi ne oluyor dersin; BOZDUĞAN...

Coron Catherine BOZDUĞAN kimdir dersin? Robert ve Hilda'dan olma 1969 doğumlu Osmaniye Merkez nüfusuna kayıtlı... Moda tabirle Devlet Bahçeli'nin kuzen çocukları..."

Nüfus memuru elindeki "belgeleri" okumayı sürdürüyordu; "genç ülkücü" şoke olmaktan kurtulamıyordu:

"Devlet BAHÇELİ'nin annesinin kızlık soyadı KIRIKKANAT'tı. 'İstersen Osmaniye Merkez'deki akrabalarına bir bakalım,' dedi:

'Süheyla KIRIKKANAT; İsmail ve Cemile'den olma 1949 doğumlu. Süheyla Hanım sonra Hatay'a aktarmış kaydını. Reyhanlı nüfus memurluğunu araştırırsan, Süheyla Hanım'ın gerçek soyisminin HIZAL olduğunu göreceksin.

Bu ailenin çocuklarına koydukları isimlere bakalım:

Guse Selis HIZAL; Mehmet Fırat ve Seyhan Sönmez görünüyor ebeveyn.

Enver Jan HIZAL; Nadiye ve Fırat'ın iki yaşındaki oğulları. Yine Hatay Reyhanlı nüfusuna kayıt ettirmişler...'

Beynim kitlenmişti artık... Kâğıtları bir tarafa bırakıp bana çay getirdi. Sonra oturup devam etti:

'Bu HIZAL ailesinde Sabiha Hanım önemli bir isim. 1941 doğumlu, İslam ve Havva'dan olma. Ne güzel isimler değil mi? Tam Müslüman gibi. Bakalım Sabiha Hanım'ın soyismi neye dönüşüyor: Sabiha APİŞ! Şimdi bu Apişlerin peşine düşelim...

Meryem APİŞ; Ahmet Bekir, Faize, 1949, Hatay Reyhanlı..

Meryem Hanım'ın da soyismi değişiyor, ŞAPSO oluyor.

Bak şimdi bu ŞAPSO ailesi nasıl dönüp dolaşıp Bahçeli'nin anne tarafının bir kolu olan BOZDUĞAN'larla birleşecek. Dümdüz okuyorum dikkatle dinle...'"

Nüfus memuru sayfalarca okuyor...

Bahçeli'nin seceresi uzayıp gidiyor. Sıkıldım artık!

Peki, bilgiler doğru muydu? Bilmem!

Bildiğim bu yazı karakteri bana yabancı değildi!

"Genç ülkücü" metindeki soyisimleri, aynı polis memurları gibi büyük harfle yazmıştı!

Sanırım... Bu metnin yazılış biçimi Ergenekon-Balyoz davalarını yakından bilenlerin gözünden kaçmamıştır! Böyle sayfalarca yazılar vardı.

Sanırım siz de sıkıldınız. Son bir örnekle nokta koyayım.

"Araştırmacı nüfus memuru" sırf "ülkücü genci" ikna için, ailenin evlenen kızlarının gittiği, –Balıkesir Manyas veya Mardin Ömerli– gibi nüfus kütüklerinde bile inceleme yapmıştı!

Yetmemiş... Nüfusu yüz binleri aşan Bahçeli'nin ailesi Fettahoğlu'nun aile soyağacını çıkarmıştı! Şöyle diyordu:

"'Bu FETTAHOĞLU ailesinde AKSAY ve ÇANGA soyadları önemli. Bak şimdi bu zincir bizi nereye çıkaracak:

Ayşe Nezihe ÇANGA: Mustafa ve Fatma'dan olma, 1936 Adana Kozan nüfusuna kayıtlı. Nezihe Hanım'ın esas soyismi ÇAMURDANOĞLU. Hatta sonra OĞLU kısmını çıkartıyorlar, sadece ÇAMURDAN kalıyor. Al bakalım sana birkaç tane aynı kütüğe kayıtlı ÇAMURDAN soyisimli kişi:

Derya Erike ÇAMURDANOĞLU: Mustafa Ökkeş ve Ayşe Aysel'den olma 1957 doğumlu. Adana Kozan nüfuslu.

Anita Deniz ÇAMURDANOĞLU: Gürkaynak ve ERİKA'dan olma. 1959. Yine Adana Kozan.

AGNES MARIE MADELEINE ÇAMURDAN: FRANÇOIS JEAN PIERRE VE MARIE LOUISE CHARLOTTE ANDREA'dan olma, Adana-Kozan nüfusuna kayıtlı.

Selçuk Emre ÇAMURDAN: Mehmet Cihan ve AGNES MARIE MADELEINE'den olma 1985 doğumlu Adana Kozan nüfusuna kayıt ettirilmiş...'

Rıfat Orhan ÇAMURDAN: Mehmet Cihan, AGNES MARIE MADELEINE'in çocuğu. Adana-Kozan doğumlu 1980...'

Yine beynim uyuşmuştu. Türkçülük, ülkücülüğün sembol isminin aile kökenindeki isimler içimi 'cız' ettirmişti. Artık kafam karman çorman olmuştu. Allah'tan bunu kimse bilmiyor diye sevindim ilk başta. Ama bu dürüstçe bir davranış değildi. Hem ailesindeki Ermeniler, Hıristiyanları bilmeyen biz ülkücü gençlik bu adamın ardından nasıl hâlâ gidebilirdik ki?.."

Sanırım asıl meseleye geldik...

Bu kadar ayrıntılı araştırmayı kimler yaptı?

Bahçeli'nin seceresi kimleri yakından ilgilendiriyordu?

Sanırım yanıta geliyoruz... Bu "polis" kaynaklı soyağacı bilgilerinden önce Cemaat'in yayın organında şu haber çıktı:

Tarih: 25 Mart 2000.

Cemaat'in yayın organı *Aksiyon* dergisi Bahçeli'nin soyağacını kaleme aldı:

"Bahçeli, bir zamanlar merhum Türkeş'in ısrarıyla üyesi olduğu MHP'nin genel başkanı seçildi. MHP'nin başkanı olduktan sonra, seçimle başbakan yardımcılığına kadar yükseldi. Bahçeli'nin başbakan yardımcısı olmasıyla Türkiye çok farklı bir aileyle tanışmaya başladı. Herkesin ilgisini çeken ancak hakkında pek bir şey bilmediği bu aile, Fettahoğulları'ydı...

Fettahoğulları ailesi 42 yerleşim yerinde mevcudiyetlerini sürdürüyorlar. Bu illerin çoğunda kendilerine ait evleri bulunuyor. Amaç: bulundukları her ilde bir 'Fettahlı Evi' açmak. Sayıları bir milyonu buluyor... Yaklaşık 14 yüzyıl suskun kalan Fettahoğulları, 1980'den itibaren yavaş yavaş toparlanmaya başladılar. Bahçeli'nin etkili bir biçimde siyaset sahnesine girmesiyle FET-DER Türkiye'nin dört bir yanındaki mensuplarına birleşelim çağrısında bulundu...

Anadolu'ya yayılan Fettahoğulları'na, Osmanlı'nın hâkimiyetiyle birlikte Gülek Boğazı'ndan Halep'e doğru uzanan kervan yolunun güvenliğinin sağlanması görevi verilir. Bu tarihte Fettahoğulları beylerinin resmi sıfatı Gâvur Dağı Ayanlığı'dır...

1854 yılında Gâvur Dağları eteğinde Adana valilik kervanı saldırıya uğrar. Saldırıda 40'a yakın asker ölür. Saldırıyı yapanlar Gâvur Dağları eşkıyaları olmasına rağmen kabak Fettahoğulları'nın başına patlar.

Fettahlı Ağca Bey'in oğulları Ahmet ve Mehmet beylerin idamı Bahçe'de babalarının yapmış olduğu caminin önündeki çınar ağacında infaz edilir. İdam edilen Fettahlı Mehmet'in eşi bir erkek çocuk dünyaya getirir. Çocuğa dedesinin ismi olan Ağca Bey adı verilir. Ağca Bey dünyaya gelen çocuğuna Turan adını verir, Turan da bir çocuğuna Salih ismini verir ve Salih de doğan çocuğuna Devlet adını verir... İdam olayından sonra, coğrafi yapısından dolayı Torosların Ergenekonu olarak kabul edilen Bahçe nahiyesinden Fettahoğulları parçalanarak ayrılıyorlar.

Devlet Bahçeli'nin, Bahçe'den her geçişinde arabasını durdurup sessizce Fatiha okuduktan sonra yoluna devam ettiği aile mensuplarınca dile getirilir..."

Aksiyon'daki haberin özeti bu...

Görülüyor ki... Cemaat medyası Bahçeli'nin seceresiyle yakından ilgili...

Ortada daha "Ergenekon" adı bile yokken Bahçeli'nin ailesinin "Torosların Ergenekonu" olduğunu ortaya çıkarmışlardı!

Cemaat, Bahçeli'nin soyuyla neden ilgiliydi?

Biliyoruz ki... Ergenekon kumpası sürecinde bir gerçek ortaya çıktı:

Cemaat, "maskesidusenler.com" gibi tam 35 site kurup insanlara ait –doğru-yanlış– bu tür soy-kütük bilgilerini sızdırdı. Örneğin...

Genelkurmay Başkanı Yaşar Büyükanıt'ın dedesinin Yahudi olduğu bilgisi gibi.

Keza... Doğu Perinçek'ten Veli Küçük'e kadar Ergenekon sanıklarının aslında Ermeni oldukları[57] Cemaat kalemşorları tarafından yazıldı!

Bugün mahkeme kararıyla kumpas olduğu ortaya çıkan "Kafes Eylem Planı"nda ne yazıyordu:

– Çeşitli kentlerde bulunan azınlıklara ilişkin isim, adres ve telefon kayıtları...

– Farklı şehirlerdeki kiliseler ile sorumluların kimlik bilgileri, telefon numaraları...

– Kınalı, Heybeli, Burgaz, Büyükada'daki toplam 212 *Agos* gazetesi abonesinin kimlik, adres ve telefon bilgileri...

– 3.073 yabancı uyruklu öğrenci hakkında kimlik bilgileri, burs durumu, iş durumuyla ilgili bilgiler... vs.

Biliyoruz ki "kafes" Cemaat kumpasıydı. Ama...

Mesele kapanmıyor; bu ayrıntılı bilgileri neden toplamışlardı? Açığa çıktı ki, zamanı gelince "kumpas" maksadıyla kullanmak için!

Peki... Devlet Bahçeli hakkında "Cemaat'in Bilgi Bankası"nda –doğru-yanlış– daha ne bilgiler var? Ben olsam...

Emniyette azınlıklar masasına bakan ve halen Silivri Cezaevi'nde yatan Cemaatçi polis müdürü Ali Fuat Yılmazer'e "Cemaat'in Bilgi Bankası"nı sorardım...

Evet... MHP'ye seks kasetlerinden önce soyağacı tezgâhı yapıldı!

Bu hakikat ardından şu soru kaçınılmaz olarak akla geliyor.

---

57 *Chronicle* dergisi, Haziran 2009; 12.6.2009 *Zaman* gazetesi; Mehmet Baransu ve Tuncay Opçin imzalı *Pirus/Devşirme Orduların Son Savaşı* kitabı vd.

Cemaat, Bahçeli'yi bu tür bilgilerle tehdit edip ele mi geçirdi? Bunu şundan soruyorum...

Çoğu kişi Bahçeli'nin "Erdoğan'ın can simidi" olduğunu söylüyor. Bu değerlendirme eksiktir.

Şundan...

Tanık: Bahçeli

Tuğrul Türkeş'in, önce seçim kabinesinde yer alıp ardından AKP'li olmasını hiç önemsemiyorum! Tuğrul Türkeş'in soyadı dışında politikada önemi de yoktur. Yaşanan kısır siyasetin cilveleridir.

Meral Akşener'in önce meclis ve sonra milletvekili adayı yapılmamasını önemsemiyorum!

Fakat... Sinan Oğan'ın MHP'den atılmasını önemsiyorum.

Azeri kökenlidir Oğan. Doktorasını Moskova Devlet Uluslararası İlişkiler Üniversitesi'nde yaptı. Azerbaycan Devlet Ekonomi Üniversitesi'nde dekan yardımcısı olarak görev yaptı.

Azerbaycan tarafından "Devlet Nişanı" ile taltif edildi.

Avrasya Stratejik Araştırmalar Merkezi Rusya Ukrayna Araştırmaları Masası başkanlığı yaptı. TÜRKSAM'ı kurdu. Ekoavrasya Derneği "Türk Dünyasına Hizmet" ödüllerinin sahibi.

Türkiye-Azerbaycan Parlamentolararası Dostluk Grubu genel sekreterliğini yaptı.

Devlet Bahçeli, Oğan'ı önce 7 Haziran seçimlerinde milletvekili adayı yapmadı; sonra da MHP'den attırdı. Niye? Avrasyacı olup AB ve ABD'nin bölge politikalarına karşı çıktığı için mi?..

Gözden kaçmasın...

Sinan Oğan'ın MHP'den kovulduğu gün HDP Eruh Belediye Eş Başkanı Hüseyin Kılıç özyönetim/özerklik ilan edince gözaltına alındı. Tutuklandı. PKK talebi doğrultusunda özerklik ilan eden HDP'nin Hakkâri; Diyarbakır Sur, Silvan, Lice ve Van Edremit belediye eş başkanları da aynı nedenle tutuklandı.

Ardından HDP eş başkanı Demirtaş özerklik talebini dile getirdi. Ortalık birbirine girdi. Tahmin ettiğiniz gibi en büyük tepkiyi MHP gösterdi. Peki...

Demirtaş, özerklikle ilgili sözünü yeni mi etti? "Kürtler artık kendi coğrafyasında siyasi irade olacaktır," demedi mi?

Demirtaş, "Gelecek yüzyılda Kürdistan statüsü olacak. Belki federal devletleri, belki bağımsız devletleri olacak" sözünü yeni mi etti? Hayır!

Partilerinin programlarında bile yazıyor:

– "Partimiz, yerinden ve yerelden yönetime dayalı bir demokratik özerklik işleyişinin gerçekleştirilmesi için mücadele eder.

– Partimiz, merkezi idarenin yerel yönetimler üzerindeki vesayetini, demokrasinin kazanılmasının önünde önemli bir engel olarak görür."

Evet... Demirtaş'ın sözleri yeni değil.

Asıl mesele ne biliyor musunuz? "Özerklik talebi"yle ilgili açılan davalarda HDP kimi tanık gösterecek: Devlet Bahçeli'yi!

Belki de "Bizi Devlet Bahçeli kandırdı," diyecekler!

Şaşırdınız mı?.. Şaşırmayınız!..

Tarih: 10 Aralık 1999.

57. hükümetin Başbakan Yardımcısı Devlet Bahçeli, Kopenhag Kriterlerini eksiksiz yerine getirme şartını kabul ederek Avrupa Birliği'ne Türkiye'yi aday gösteren üyelik protokolüne imzayı bastı.

Bir gün sonraki *Hürriyet*'in haberi şöyleydi:

> Her fırsatta Türkiye karşıtı gösteri yapan PKK sempatizanı Kürtler, dün AB Zirvesi'nin yapıldığı Helsinki'de Türkiye'nin topluluğa alınması için eylem yaptılar. Finlandiya ve İsveç'te yaşayan yaklaşık 1.000 Kürt, Türkiye'ye adaylık statüsü verilmesini istediler. Gösteriyi organize edenler, "Türkiye'nin AB'ye dahil olması halinde Kürt sorununun çözüleceğine inanıyoruz," dediler. Kent merkezinde toplanıp bölücü başı Abdullah Öcalan'ın posterlerini ve PKK bayraklarını açan göstericiler, AB zirvesinin yapıldığı Helsinki Konferans Merkezi'ne kadar yürüdüler.

Bugün... HDP ile yan yana gelmek istemediğini sürekli tekrarlayan ve iktidarı AKP'ye kaptıran Devlet Bahçeli'nin yolu kimlerle kesişiyor?

Devlet Bahçeli'nin kabine/koltuk arkadaşı Mesut Yılmaz 16 Aralık'ta, "AB'nin yolu Diyarbakır'dan geçer," diyecekti!

Öyle ya... AB'nin "olmazsa olmaz" dört vazgeçilmezinden biri, azınlıklardı.

AB sadece ana dilde eğitim değil, yerel yönetimlerin güçlendirilmesi altında özerkliği dayatıyordu!

Evet... AB dayattı; Devlet Bahçeli'nin içinde yer aldığı 57. hükümet; "Katılım Ortaklığı Belgesi"/"Ulusal Program"a imza attı.

Devlet Bahçeli sözde "Uyum Yasası"nın bazı maddelerine karşı çıktı; ama TBMM'nin yedi ayrı komisyonuna gönderilen yasa teklifleri, MHP'lilerin komisyon ve ardından meclis genel kurul çalışmalarını kolaylaştıran tutumları nedeniyle beş gün içinde geçti!

Evet, sonra yasanın iptali için Anayasa Mahkemesi'ne başvurdular fakat ne aksilik (!), 20 gün geciktikleri için mahkeme başvuruyu reddetti!

Hangisini yazayım...

Türkiye'nin 1966 yılından beri imzalamadığı, –ayrı devlet kurma hakkı dahil azınlık haklarını tanıyan– "İkiz Sözleşmeler"e hükümet adına imza koyması için, BM Daimi Delegesi Volkan Vural'a kim talimat verdi! 2000 yılında Ankara'ya dönen Vural'ın, Başbakanlık AB Genel Sekreterliği'ni kurup, 2003 yılına kadar AB genel sekreteri olarak görev yapması tesadüf mü?

Kim kimi kandırıyor?.. Bahçeli'nin, AKP'nin 4 Haziran 2003'te yasalaştırdığı "İkiz Sözleşmeler"e niye hiç sesi çıkmadı?

Ah ülkücü kardeşim!

Bana niye kızıyorsun?

Enis Öksüz, Abdulhaluk Çay, Sadi Somuncuoğlu, Hüsnü Yusuf Gökalp gibi dönemin bakanlarına ya da Ülkü Ocakları başkanlığı yapmış Ali Güngör gibi ağabeylerine git sor; MHP'den neden atılmışlar ya da istifa etmek zorunda bırakılmışlar?

Aydınlar Ocağı'nın ödeneğini bile kim kestirdi bilmez misin?

Partideki büyük ayrışmayı görmüyor musun?

Sadece "Yeni CHP" yok; "Yeni MHP" de var!

Bana kızma!..

1973 ve 1977 seçim bildirgesinde "Türk Devleti'ni 1995 yılında uçuruma itmek isteyen Ortak Pazar / AB köleliğine kesinlikle karşıyız," diyen Alparslan Türkeş'i oku, öğren!..

Sonra düşün... Devlet Bahçeli 57. hükümette yer aldıktan sonra, 5 Kasım 2000'de yapılan MHP 6. Olağan Kongresi'nde AB'ye tam üyeliği niye parti programına koydurdu?

Mesele çok derindir kardeşim. Daha yazayım mı?..

PKK destekçisi Çekiç Güç'ün süresini altı kez kim uzattı?

Barzani "Kürdistan'a Hoş Geldiniz" tabelasını ilk ne zaman astı?

Öcalan'ın idamına, IMF teslimiyetine, küreselleşme politikalarına filan girmeye gerek var mı?

Karen Fogg e-mail'lerini; Ege, Kıbrıs ödünlerini hatırlatayım mı?

"Mankurt olma," deyince tepki gösteriyorsun!

Yüzleşmen gerekiyor gerçeklerle...

Türk bayrağının yakılmasını, göklerden/direklerden indirilmesini protesto ettin mi? Hayır!..

Türk kimliğinin-kavramının Anayasa'dan çıkarılmak istenmesini protesto ettin mi? Hayır!..

Devlet nişanından, devlet kurumlarından Türkiye Cumhuriyeti ibaresinin kaldırılmasını protesto ettin mi? Hayır!..

Andımızın kaldırılmasını protesto ettin mi? Hayır!..

Atatürk heykellerinin parçalanmasını protesto ettin mi? Hayır!..

23 Nisan, 19 Mayıs milli bayramlarının kaldırılmasını protesto ettin mi? Hayır!..

Bu ülkenin parsel parsel özelleştirme adı altında satılmasını protesto ettin mi? Hayır!..

Soma katliamını protesto ettin mi? Hayır!..

Doğa katliamlarını protesto ettin mi? Hayır!..

Kaçak sarayı protesto ettin mi? Hayır!..

Kuzey Irak'ta Türkmenlerin katledilmesini protesto ettin mi? Hayır!..

Süleyman Şah Türbesi'nden kaçılmasını protesto ettin mi? Hayır!..

Ülkenin parçalanma projelerini protesto ettin mi? Hayır!..

Peki neyi protesto ettin?

Sadece... Bu ülkenin yüz akı sanatçısı Bedri Baykam'ı protesto ettin!..

Beyoğlu Piramit Sanat Galerisi'nde Almanya, Fransa, Japonya ve ABD'den sanatçıların eserlerinin de yer aldığı "Çırılçıplak" başlıklı sergiyi "ahlaki değerlere" aykırı bulup Taksim'e/sokağa çıktın! Bir de "Sevgililer Günü" kutlamalarını protesto ettin!

"Bizler; Türk Milliyetçileri, Türk İslam Ülkücüleri, Türk milletinin ahlak değerleriyle ters düşen ve sanat adı altında perdelenmek istenen bu çirkin sergiyi kabul edemeyiz."

Demek:

Türk kavramının yok edilmesi, Türk bayrağının yakılması, Atatürk heykelinin parçalanması, Andımızın-ulusal bayramlarımızın kaldırılması, "ahlaki değerlere" uygunmuş ki sesin çıkmadı!..

Ey benim MHP'li kardeşim...

Türklüğü sadece "bacak arasına" indirgediğinin farkında değil misin!..

Bak sana ne anlatacağım?..

Bu yazacaklarımı MHP'nin "parti okulu"nda bulamazsın.

Unutturdular sana çünkü...

Gagavuz Türk'ü Hıristiyan'dır.

Yunanistan'daki Karaman Türk'ü Hıristiyan'dır.

Karaim ya da Hazar Türk'ü Yahudi'dir...

Altaylar Tengrici'dir.

Saha-Yakut Türkleri Şaman'dır.

Uygur Türk'ü Budist'tir.

Azeri Türk'ü ya da İran Türk'ü Şii'dir.

Anadolu Türkmen'i Alevi'dir.

Ne sandın? "Türk milliyetçisi" denilince aklına sadece Müslüman Sünni mi geliyor?

"Türk milliyetçiyiz," diyerek kimin ahlakını kime dayatıyorsun?

Bak kardeşim!

Dünyada ilk "Türk Derneği", Macaristan-Budapeşte'de 1908 yılında açıldı. Üniversitelerde ilk Türkoloji kürsüsü 1870 yılında Budapeşte'de kuruldu.

Macar Türklerini bilir misin? Turan fikrinin nereden doğduğunu sanıyorsun?

Bugün... Sadece Devlet Bahçeli'yi bilmekle olmaz Gábor Vona'yı da bileceksin!

Hâlâ Necip Fazıl mı okuyorsun; oysa Attila József'i okumalısın!

Hadi Yusuf Akçura'yı, Sultan Galiyev'i bildiğini düşüneyim; Turar Rıskulov'u ya da Ethem Nejat'ı bilir misin?

Sahiden "sağ" nedir, "sol" nedir, hiç kafa yordun mu?

Tarihindeki Türk milliyetçi hareketler sömürgeciliğe karşı çıkarken, senin neoliberalizme / vahşi kapitalizme karşı sesin neden hiç çıkmıyor?

Evet sen kardeşim!..

"Türk milliyetçileri" adını kullanarak kimin ahlakını dayatıyorsun? Kızma bana... Bak sana bir Türk efsanesini hatırlatayım.

Cengiz Aytmatov'u bilirsin. Kırgız Türk'ü...

Türk birliğinin yılmaz savunucusu.

Dünya edebiyatına armağan ettiğimiz Lenin ödüllü usta bir kalem...

1980 yılında yazdığı bir romanı var: *Gün Olur Asra Bedel*.

Okudun mu? Kişinin, öz köküne yabancılaşmasını anlatır. Bunu Türk "Mankurt Efsanesi"ne dayandırır. Şöyle...

Juan-Juan adlı barbar bir toplum, tutsak ettiği kişileri işe yarar köleler haline getirmek için belleklerini silerek "mankurt" haline getirirmiş!..

Bir insanı "mankurt" yapmak istediklerinde bak ne yapıyorlar:

- Tutsak kişinin saçları iyice kazınıyor.
- Kafasına devenin boyun derisi gerdirilerek geçiriliyor.
- Tutsak başını yerlere vurmasın diye bir kütüğe bağlanıyor.
- Yürek parçalayan çığlıkları duyulmasın diye elleri ayakları bağlı olarak ıssız bir yerde sıcak güneş altında dört beş gün aç susuz bırakılıyor.
- Sıcağın etkisiyle deve derisi büzülüyor ve bir mengene gibi kafayı sıkıştırıyor.
- Deve derisinin artık kafa derisiyle bütünleşmeye başlamasıyla kazınan saçlar yeniden uzamaya başlıyor.
- Fakat, deri kafaya o kadar yapışıyor ki, zaten sert olan deve derisi sıcağın etkisiyle iyice sertleşiyor ve uzayan saçlar deriyi delip uzamasına devam edemiyor.
- Bu nedenle saçlar kafanın dışı yönünde değil, içine doğru uzamaya başlıyor.
- Sıcaktan büzüşen deve derisinin kafatasına yaptığı baskı ve kafanın içinde ters yönde uzayan saçların kafatasını delip, beyne doğru ilerlemesiyle tutsak büyük acılar çekiyor.
- Beşinci günün sonunda tutsakların çoğu ölüyor.
- Sağ kalan tutsak zamanla kendine geliyor; yiyip içerek gücünü toparlıyor.
- Ama o artık bir insan değildir; ölünceye kadar geçmişini hatırlamayan "mankurt" olmuştur. Artık hafızası yoktur...

Kim olduğunu, hangi soydan geldiğini, anasını, babasını ve çocukluğunu bilmez hale geliyor.

Düşünememektedir... İnsan olduğunun farkında değildir. Ağzı vardır, dili yoktur; kaçmayı dahi düşünmeyen, hiçbir tehlike arz etmeyen bir köledir sadece. Bilinci, benliği olmadığı için, sadece efendisine boyun eğen bir köle...

Evet... Mankurt için önemli olan tek şey efendisinin emirlerini yerine getirmektir...

Hikâye budur...

Akıl yoksunluğunu ifade eden "mankurtlaşma" artık bir kavram olarak kullanılmaktadır. Anadolu'da "mankafa" derler!..

Kimbilir... Belki de...

Cengiz Aytmatov "Bozkurtları" uyarmak istemektedir...

Anlayana...

Gel kardeşim, sana nasıl ülkücü olacağının misalini vereyim...

Kim Bu Kurnaz Tilki?

Adı; İsmail Hakkı Olcay Ünver...

Tanır mısın? Adını duymuşluğun var mı? Sanmam...

ODTÜ'den 1979'da inşaat mühendisi olarak mezun oldu. Ankara Belediyesi'nde kanalizasyon inşaatında çalışırken, ODTÜ'de mastır yaptı.

NATO bursuyla ABD'ye gidip Teksas Üniversitesi'nde doktora yaptı. Su uzmanı oldu! Bir devlet kurumu olan Aşağı Colorado Nehri Kurumu'nda çalıştı. ABD'de faaliyet alanı sulama olan IRRISCO şirketine danışmanlık yaptı. Türkiye'ye dönünce Güneydoğu Anadolu Projesi'nin (GAP) başına getirildi.

GAP'ın başında 13 yıl kalarak rekor kırdı... Ayrıca:

– Dünya Su Konseyi'nde (DSK), başkan yardımcılığı yaptı.

– Uluslararası Su Kaynakları Birliği'nde (IWRA), genel sekreterlik yaptı.

– Uluslararası Hidrolik Enerjisi Birliği'nde (IHA), konsey üyeliği yaptı.

Uzatmayayım; kimi Washington'da olmak üzere bazı vakıflarda görev yaptı.

Time dergisi tarafından 1999'da "Avrupa Vizyoneri" seçildi.

Neden seçilmesin? İsrail ve ABD'lilerin dikkatini GAP'a çekmek için 13 yıl uğraştı; 28 heyet gezdirdi. Niye İsrail ve ABD demeyiniz.

AB'nin, Türkiye'yi birliğe alma şartlarından biri neydi:

"Şayet birliğe katılırsan, Fırat ve Dicle havzasına giren bölgelerdeki suların idaresi yalnız senin elinde olmayacak; içinde AB ülkeleri ve İsrail'in bulunduğu konsorsiyuma verilecek!"

Hadi AB ülkelerini anladık da, AB üyesi bile olmayan İsrail ne işti?

Evet, yavaş yavaş konuya geliyoruz; bu GAP'ta bir sır var...

GAP Türkiye'nin hayaliydi...

GAP dünyanın ikinci, Türkiye'nin ise en büyük entegre projesiydi.

GAP'ın elektrik üretiminden başka bir diğer önemli ayağı sulamaydı; yani tarımdı.

Hedef, susuz Güneydoğu topraklarını suyla buluşturarak tarım üretimini geliştirmekti. Adıyaman, Batman, Diyarbakır, Gaziantep, Kilis, Siirt, Şanlıurfa, Şırnak ve Mardin'in yoksulluğunu-işsizliğini bitirmekti. Öyle ya, tarım gelirleriyle kişi başına gelir yüzde 209 artacaktı! Böylece proje tamamlandığında bölgedeki feodal yapı kırılacaktı.

Evet proje gerçekleştirildiğinde, Türkiye enerji ve tarımda çok önemli sorunlarını çözmüş ve dışa bağımlılıktan kurtulmuş olacaktı. GAP umuttu...

Kollar sıvandı. Devlet oluk oluk para akıttı. Örneğin; tarımsal ürünün gelişimini saat saat takip etmek için, 9 şehre 75 uydu izleme istasyonu kuruldu.

Neler neler yapıldı. Sonra ne oldu?..

1,8 milyon hektar alan sulanacaktı; sadece yüzde 13'ü sulanabildi!

Sonra anlaşıldı ki, sulama tekniği de yanlıştı; dünyanın bıraktığı ilkel bir metotla, açık tarlada salma sulaması yaparak toprağın tuzlanmasına sebep olunmuştu! Keza..

Drenaj kanallarının yapımı ihmal edilmişti! Tarlaların yanından geçen kanallar vardı ama tarlaya su vermiyordu. Toprak çoraklaşmıştı. Maddi zarar, 1 milyar 700 milyon dolardı!

Yanlış sulama kasıtlı mı yapıldı? *Time* dergisinin su uzmanı "Avrupa Vizyoneri" neden hata yapmıştı?

GAP'tan sorumlu Devlet Bakanı Abdüllatif Şener, GAP'ın başındaki Olcay Ünver'i görevden alınca medya yazdı: "Takunyalı Bakan, bir laik bürokratı görevden aldı!"

Su uzmanı Ünver hemen ABD'nin Ohio Kent State Üniversitesi'nde iş buldu. Oradan BM'ye transfer oldu. Artık, BM'nin Dünya Su Değerlendirme Programı (WWAP) koordinatörüydü!

GAP'ı susuz bırakan, yanlış sulama yaptıran bürokratın yükselişi ilginçti.

Bitmedi.

Ülkücü kardeşim meseleyi daha iyi anlaman için gel sana birini daha tanıtayım...

Adı, Prof. Dr. Hüsnü Yusuf Gökalp...

Sanırım tanırsın...

Atatürk Üniversitesi Ziraat Fakültesi'ni bitirdi.

Akademisyendi. Pamukkale Üniversitesi Gıda Mühendisliği bölüm başkanlığı yaparken MHP'den vekillik teklifi aldı. Milletvekili oldu ve ardından 57'nci koalisyon (DSP-MHP-ANAP) hükümetinde Tarım ve Köyişleri bakanlığı (28 Mayıs 1999-18 Kasım 2002) yaptı.

Bakan koltuğuna oturunca ilk yaptığı, GAP Yüksek Kurulu'nda neden tarım bakanlarının yer almadığını sorgulamak oldu. Türkiye'nin en büyük tarım projesi tarım bakanından habersiz yürütülüyordu!

Bakan Gökalp, GAP'ta nelerin döndüğünü merak etti; araştırdı. Sonucu Bakanlar Kurulu'nda söyledi: "GAP'ta sulama projeleri yıllardır İsrail, ABD ve AB ülkeleri tarafından engelleniyor."

Bakan Gökalp bu oyunu bozmak istedi. Turgut Özal tarafından kapatılan Su Ürünleri Genel Müdürlüğü, Toprak Su Genel Müdürlüğü, Gıda İşleri Genel Müdürlüğü, Zirai Mücadele ve Karantina Genel Müdürlüğü, Tarımsal Garanti ve Yönlendirme Kurulu'nun tekrar açılmasını istedi. Su Konseyi Kanunu ve Tarım Kanunu çıkarmak için büyük mücadeleler verdi. Fakat... Bakanlar Kurulu'nu aşamadı.

Bakan Gökalp'e tek destek veren sadece Başbakan Bülent Ecevit'ti. Ama onun da sözü koalisyon hükümetinin Bakanlar Kurulu'na geçmiyordu.

Prof. Dr. Gökalp, "Yapmak istediklerim İsrail'in, ABD'nin ve AB'nin işine gelmedi. Yapmak istediğim her şey Bakanlar Kurulu'nda engellendi," diyerek MHP'den istifa etti.

Evet. Ülkücü kardeşim! Bana hiç kızma...

Köyünde kasabanda olanları biliyorsun.

Sonra ne oldu? Türk tarımına can veren Ziraat İşleri Genel Müdürlüğü, Zirai Mücadele Genel Müdürlüğü, Hayvancılığı Geliştirme Genel Müdürlüğü, Gıda İşleri Genel Müdürlüğü, Veteriner İşleri Genel Müdürlüğü, Su Ürünleri Genel Müdürlüğü, Toprak-Su Genel Müdürlüğü vd'yi kim niye kapattı?

Süt Endüstrisi Kurumu, Et Balık Kurumu, Zirai Donatım Kurumu, TÜGSAŞ, TİGEM; Tekel, Çaykur, TMO, Yemsan, Sümerbank ve şeker fabrikalarından hangilerini yazayım; güzide kuruluşlar özelleştirme adıyla üç kuruşa satıldı.

Gübre ve tohumda ithalata yönelindi. Özellikle sebze tohumluğunda dışarıya bağımlı hale gelindi. İthal mısırdan (modifiye genetik) şeker ithali için pancar ekimi bile yasaklandı! Sularımız, topraklarımız satıldı.

IMF ve Dünya Bankası'nın, "Tarıma desteği kaldırın," diretmesine boyun eğildi. 33 milyon dönüm verimli toprak, tarım arazisi olmaktan çıkarıldı. Her 5 köylüden 3'ü haciz kıskacı altına sokuldu.

Sonuçta, tarımsal ürün miktarı azaldı ve tüketim dışalımla karşılanır hale geldi.

Evet, niye böyle oldu?

Bak!.. 1980'li yıllara kadar Avrupa tarım ürünleri ithalatçısıydı. Fakat geliştirdikleri –insan sağlığına zararlı GDO'lu– "endüstriyel tarım"la gereksinimlerinin çok üstünde üretim yapmaya başladılar. Stoklarını dolduran bu ürünleri satmak zorundaydılar. Bunun için, dünya borsa fiyatlarını çevre ülkelerinin çok altına düşürmek gibi oyunlar yaptılar.

İşte Türkiye'de tarımın yok edilmesine sebep bugün marketlerde sıklıkla gördüğünüz endüstriyel tarımsal ürünlerdir!

Hangisini yazayım; imalat sanayiini mi, bankacılığı mı?

Bunları sadece Erdoğan'lar, Davutoğlu'lar mı yaptı?

Meseleye daha geniş perspektiften bakman gerekmiyor mu?

Büyük oyunu kavramaya çalış...

Bak!..

– Ruhi Kılıçkıran... 22 yaşındaydı. Osmaniyeliydi. Ankara Üniversitesi İlahiyat Fakültesi ikinci sınıf öğrencisiydi. Site Öğrenci Yurdu'nda kalıyordu. Öldürüldü. Tarih, 4 Ocak 1968'di...

– Ertuğrul Dursun Önkuzu... 21 yaşındaydı. Tokat Zileliydi. Ankara Erkek Teknik Yüksek Öğretmen Okulu öğrencisiydi. Okulun üçüncü katından atılarak öldürüldü. Tarih, 23 Kasım 1970'ti...

– Süleyman Özmen... 23 yaşındaydı. Çorum Sungurlu doğumluydu. Ankara Ziraat Mühendisliği Yüksek Okulu son sınıf öğrencisiydi. Vurularak öldürüldü. Tarih, 21 Mart 1970'ti...

– Yusuf İmamoğlu... 25 yaşındaydı. Bursa, İnegöllüydü. İstanbul Üniversitesi Edebiyat Fakültesi son sınıf öğrencisiydi. Vurularak öldürüldü. Tarih, 8 Haziran 1970'ti.

– Alpaslan Gümüş, 3 Kasım 1975...

– Yaşar Özcivlez, 6 Kasım 1975...

– İsmail Tığlı, 21 Kasım 1975...

– Fahir Doğan, 17 mayıs 1976...

– Hüseyin Büyükgöz, 25 Eylül 1976...

Hangisini yazayım; öldürülen ülkücüler listesi uzayıp gidiyor...

İlk öldürülen ülkücü Süleyman Özmen'in ardından ağıt yakılmıştı:

"Vur Bozkurtum tilkiye

Vur kurtulsun Türkiye..."

Kimdi "tilki"? Senin gibi Anadolu çocuğu değil o kurnaz "tilki"...

İyi tanı bunları... Tanı da büyü... Ne diyor şair: "Bunlar, engerekler ve çıyanlardır; bunlar, aşımıza, ekmeğimize göz koyanlardır..."[58]

Neoliberalizm çöküyor; "tilkiler" Avrupa'da faşist partileri devreye sokuyor. Düne kadar "medeniyetin beşiği" diye sunulan Avrupa'nın dört köşesinde ırkçılığı ve ilkelliğiyle ünlü aşırı sağ partiler seçimlerde büyük çıkış gösteriyor. Hitler'in ruhu dolaşıyor Avrupa'da!

Almanya'da Hitler'in Nasyonal Sosyalist Partisi simgeleriyle yürümekten çekinmeyen Nationaldemokratische Partei Deutschlands (Almanya Ulusal Demokratik Partisi) bunlardan biri...

Fransa'da Front National (Ulusal Cephe) bunlardan biri...

Ya İngiltere'ye ne demeli? Irkçı, göçmen karşıtı politikalarıyla tanınan UKIP (Birleşik Krallık Bağımsızlık Partisi) bunlardan biri...

Yanı başımızdaki Yunanistan... Hrisi Avgi (Altın Şafak Partisi) bunlardan biri...

Macaristan, Finlandiya, Avusturya gibi ülkelerde ve Avrupa'nın yanı başında Gamalı haçlarını sergilemeye çekinmeyen Ukrayna'da olanlar zaten belli...

Faşizmin Avrupa'daki bu yeniden yükselişinin sebebi ne?.. Kimileri... Kısa bir süre öncesine kadar bunu salt göçmen akışına bağlıyordu. Bu yanıltıcı; çünkü göç hep vardı.

Şimdi olan; büyük ekonomik kriz. Yoksullaşan Avrupalı, yiyeceğini göçmenlerle paylaşmak istemiyor!

Dünyanın bu büyük merkez ekonomilerinde 1980'lerden beri şişirilmiş finans balonları bir bir patlıyor. Yoksulları ve emekçileri ezen, büyük sermaye kesimlerini kayıran, kolay zenginleşmeye, ranta, spekülasyona dayalı acımasız neoliberalizm bitiyor.

Vahşi kapitalizm zaten toplumsal tepki çekiyordu. Bu tepkinin önemli bölümü daha önce merkez sağa-merkez sola kayıyordu. Şimdiye dek tepkiler dizginlenebilmişti; çünkü neoliberal düzen işlediğinden, merkez politik partiler iktidardaydı.

58 Ahmed Arif, "Adiloş Bebenin Ninnisi" şiiri.

Fakat... Paranın iktidarı bitti. Neoliberalizm yalnızca iktisaden çökmüyor, siyaseten de çöküyor.

"Tilkiler" yeni kurnazlıklar peşinde...

Aman dikkat...

Temel meselenin bu "tilkiler" olduğunu unutma!

Altıncı Bölüm
DAVUTOĞLU'NUN BİLİNMEYENLERİ

Yıl: 1979...

15 lise öğrencisi... 18-20 yaşlarındaydılar.

Başlarında Faysal Abi'leri vardı.

Kaz Dağlarına kampa gidiyorlardı. Ne kampı olduğu vapurda toplu namaz kılmalarından belli oldu; spor yapacaklardı ama asıl dini eğitim alacaklardı.

Yol bittiği için yolun bir bölümünü yürüdüler ve orman içine gizlenmiş kamp yerine ulaştılar. Otağ gibi büyük bir çadırda hep birlikte kaldılar.

Çadırın sahibi arkadaşları Murat Ülker'di. Sabah akşam yedikleri kutu kutu Ülker bisküviler de onun hediyesiydi!

Kampın rutini şuydu; sabah ilahilerle uyanıyor; dağ suyuyla aptes alıp, toplu namaz kılıyorlardı. Kahvaltıdan sonra dini eğitim alıp Kuran-ı Kerim okuyorlardı. Herkes sırayla ezan okuyordu.

Öğleden sonra ilmihal hocası; kadın sesinin, müziğin günah olduğu gibi açıklamalar yapıyordu!.. Coşkuluydular, 6 ay önce İran'da İslam devrimi gerçekleşmişti! Sanıyorlardı ki, İran dalgası Türkiye'yi de hemen etkileyecek ve devrim sürecekti! Kendi aralarında tartıştıkları, devrimin "silahlı mı silahsız mı" olacağıydı!

Çadır etrafında nöbet tutuyorlardı ellerindeki derme çatma tüfeklerle! Büyükleri tembih etmişti; "Domuzlara karşı kendimizi korumak için silahla nöbet tutuyoruz," diyeceklerdi.

İçlerinde en disiplinli ve çalışkan olan, Murat Ülker'in İstanbul Erkek Lisesi'nden sınıf arkadaşı Ahmet Davutoğlu'ydu!

Okulu o yaz bitirmişlerdi...

Çok sevmelerine rağmen ağabeylerini kızdırmamak için kampta futbol oynamıyorlardı. Oysa, "438 Davutoğlu", İstanbul Erkek Lisesi'nin arkasındaki moloz taşlı bölümde her teneffüs futbol oynuyordu. Sınıfları okul şampiyonluğunu bile kazanmıştı! İyi futbolcuydu; kıvraktı.

Kampta din konusunda içlerinde en bilgili olan da Davutoğlu'ydu; kamptaki öğrenci arkadaşları bir şey yapmaya kalktığında, hemen "mekruhtur" (haram) diyerek kampın neşesini kaçırıyordu! Disiplinliydi.

Davutoğlu'ndan sonra kampın diğer çalışkan ismi; İstanbul İmam Hatip Lisesi'nden Numan Kurtulmuş'tu. Aynı yaştaydılar; 20...

1979'daki Kaz Dağları Kampı'nın iki genç ismi bugün Türkiye'yi yönetiyor:

– Başbakan Ahmet Davutoğlu...

– Başbakan Yardımcısı Numan Kurtulmuş...

20 yaşlarının verdiği delikanlılıkla siyasi görüşlerini saklamıyorlardı. Öyle ki... İstanbul Erkek Lisesi tümüyle sol görüşlü öğrencilerin egemenliğindeydi. Bir gün...

Başbakan Davutoğlu yıllar sonra New York seyahati sırasında gazetecilerle lise yılları anısını paylaştı: "İstanbul Erkek yatılısı, o yıllarda sağ-sol diye bölünmüştü ama, bizim gibi, Batı düşünce sistemiyle Doğu'nun geleneklerini birleştirmeye çalışan çocuklar yüzde 10 bile değildi, ağabeyler o günlerin sol sloganlarıyla her şeye hâkimdiler. O zaman 14-15 yaşındayım, yine böyle beyin yıkama toplantılarından biri, sürekli onlar konuşuyor, bizler dinlemek zorundayız, sonra işte laf olsun diye biz küçüklere de söz verdiler, ben de kalktım, Mehmet Âkif Ersoy'un Çanakkale şiirini başından sonuna ezbere, bağırarak okudum, sonuna kadar dinlediler, devamında fena dövdüler."

Dövme olayı gerçek miydi?

Sınıf arkadaşı Murat Ülker, babası *Sabri Ülker'in Hayat Hikâyesi* kitabına o günleri şöyle anlattı:

> Ahmet Bey'le aynı sınıftaydık. Okulumuzda, zaman zaman olaylar çıkıyordu. Olayları çıkaranlar da iki ayrı grup oluşturmuştu. Ahmet Bey'le biz, aynı grupta yer alırdık. Boykota benzer olaylar olurdu. Okul idaresi bu durumdan çok tedirgindi. Yöneticilerimiz, öğrenciler arasındaki olayları önlemek için çareler aramış, daha sonra "Gruplardan birini bertaraf edelim," kararı alınmış. İşte bu nedenle, velim olan Halit Hoca'yı da okula çağırıp, beni şikâyet etmişler. Okul yönetimi, olayların elebaşı olarak Ahmet Bey ile beni görmüş. Hatta o kadar ki, "Bu iki öğrenciyi okuldan atarsak, olaylar yatışır," demişler. Bu anlattığım olaylar, İstanbul Erkek Lisesi'nin son sınıfında meydana geliyordu. Velim Halit Hoca, aynı zamanda İstanbul Erkek Lisesi Okul Aile Birliği yönetiminde de görev almıştı.

Okul idaresinin bizi suçlaması üzerine, deneyimli eğitimci Halit Hoca, "Peki, bu öğrencilerin ders durumuna ve notlarına bir bakalım," demiş. Öyle ya, olay çıkaran, derse devam etmez, dolayısıyla notları da kötüdür. Halit Hoca'nın bu teklifi üzerine, okul idaresi notlarımıza bakmış, Ahmet Bey'in her dönemde takdiri, benim de bazen takdirim, ama sürekli teşekkürüm var. Tabii bu manzara karşısında iş değişmiş. Bizleri, okuldan uzaklaştıracak halleri de yok. Ne yapalım, ne edelim demişler, Ahmet Bey'in babası ile babamı okula çağırmaya karar vermişler. Babam ile Ahmet Davutoğlu'nun babası da okula gelmiş. Lise müdürü, kendilerine aynen şunları söylemiş: "Biz, çocuklarınızı bu okuldan mezun edeceğiz. Diplomalarını vereceğiz. Derslerinde çok başarılılar. Onların mutlaka iyi bir üniversiteye girmeleri lazım. Ama lütfen, çocuklarınızı okuldan alın, evde oturup çalışsınlar, kursa gitsinler, üniversiteye hazırlansınlar. Ben, bu çocukları, her şart altında mezun edeceğim." Okul müdürünün, babalarımıza yapmış olduğu bu teklife rağmen, Ahmet Bey de, ben de okula devam etme konusunda ısrarlı olduk. Her gün muntazaman okula gittik. Bu arada, babalarımız da, "Nasıl bilirseniz, öyle yapın," dediler. Bir bakıma, bize destek oldular. Biz, haksız durumda değildik. Çünkü olayları çıkaran bazı gruplara karşı tavır alıyorduk. O dönem, öğrenciler arasında hem Kürtçülük hem de solculuk cereyanları vardı. Bu cereyanların içinde olan çocuklarla çatışıyorduk, ama hepsi bizim arkadaşımızdı. O grupların içinde bugün hâlâ görüştüğümüz kişiler var. Bunlardan biri, Peyami'dir. Aradan yıllar geçtikten sonra, Peyami bana, "O gün seni görseydim vuracaktım," demişti. Çünkü o günün atmosferi öyleydi. Bu olaylar sırasında, bir arkadaşımızı da maalesef kaybettik. Karşıt grup, sürekli dersleri boykot eder, forum düzenlerdi. Onların yapmış olduğu forum, bakınız nasıl bir şeydi: Karşıt gruptakiler, "Biz konuşalım, herkes bizi dinlesin," derlerdi. Anlattıkları bir şey de yoktu. Yanlışlarını görür, "Yapmayın," derdik, onun üzerine patırtı çıkardı. Aslında kimse kimseyi dövmezdi, ama dersler de kaynardı. Tabii bu olaylar karşısında okul müdürünün başı ağrıyordu. Müdür bey, ısrarla bizim okuldan uzaklaşmamızı istiyor, "Onlar giderse, ben forum düzenleyenleri idare ederim," diyordu...

Davutoğlu, hayatını anlattığı *Hoca* kitabında bu dayak olayından bahsetmedi...

Akademisyen Koray Çalışkan twitter hesabından yaptığı açıklamada, "Benim bildiğim sağcılıktan değil başkasının Pinpon raketini 'izinsiz aldığından' bir tokat yemişliği var. Şimdi ise solcuları o dövdürüyor..." ifadelerini paylaştı.

Lise yıllarında sınıfta arkadaşıyla güreşirken paltosunu yere düşürdüğü için tokat yediğini biliyordum. Ama...

Bunların bir önemi yok.

20 yaşlarında Davutoğlu eylem yaptı mı?

Kaz Dağları Kampı'ndaki arkadaşlarının çoğuyla MSP'nin İstanbul'daki gençlik toplantılarında tanışmışlardı. Bu lise grupları, Fatih gibi kimi semt evlerinde toplantı yapıyordu. Dini bilgilerden çok, o günlerde dünyayı sarsan İran İslam Devrimi'yle ilgiliydiler. Humeyni'ye hayrandılar. Dönemin modası; devrimin ana felsefecisi olarak kabul edilen ve İslami Marksizm tarzı düşünceler yürütmesiyle ünlenen yazar Ali Şeriati'ydi; kitapları elden düşmüyordu!

Eylem yapmıyor değillerdi.

Merak ettiğim; öğrencilik yıllarında İran'da İslam devrimi oldu; Davutoğlu İstanbul'daki destek gösterilerinde yer aldı mı?

Kamp arkadaşının katıldığını biliyorum...

Kurtulmuş'un Konsolos Baskını...

Numan Kurtulmuş...

Kaz Dağlarındaki yaz kampından sonra İstanbul Üniversitesi İşletme Fakültesi'ni kazanmıştı.

Tarih: 4 Kasım 1979.

Humeyni'nin "Büyük Şeytan" olarak nitelendirdiği ABD'nin Tahran Büyükelçiliği İranlı öğrenciler tarafından basıldı. 52 Amerikalıyı esir aldılar. Rehineler gözleri ve kolları bağlı şekilde Tahran sokaklarında gezdirildi ve bunun görüntüleri tüm dünyaya yayıldı.

Bu tür görüntüler hemen her gün tek kanallı TRT ekranındaydı. İran İslam Devrimi, dünyada olduğu gibi Türkiye'deki Müslüman gençliği de derinden etkiledi.

ABD'nin rehin elçilik görevlilerini kurtarma girişimi başarısızlıkla sonuçlandı. "İran yalnız değildir" mesajı vermek isteyenler dünyanın dört yanında eylem yaptı.

Numan Kurtulmuş da bir grup arkadaşıyla Beyoğlu'ndaki ABD İstanbul Konsolosluğu'nu işgal etmek istedi. Kurtulmuş'un başında olduğu Müslüman gençleri polis zor durdurdu.

Kayıp Sicil kitabımda yazdım; anti-emperyalist/anti-kapitalist, İslamcı Marksist Dr. Ali Şeriati okuyan Müslüman gençler, nasıl İran devrimi karşıtı yapıldı? İslam devrimcileri, Suudi Arabistan çizgisine sokulup, nasıl Vehhabi çizgisine getirildi? Mücadeleleri bir mezhebe nasıl indirgendi? Türkiye'deki İslamcı entelektüeller "ulemaya" nasıl yenildi?

İslam Devrimi'ne sıcak bakan anti-emperyalist olanlar ya öldürüldü ya da dönüştürüldü.

Dönüşüme uğrayanlardan biri de Numan Kurtulmuş oldu!

ABD'de Temple Üniversitesi School of Business Management ve ABD'de Cornell Üniversitesi New York State School of Industrial-Labor Relations'nda bulundu!..

Hey gidi yıllar... Başbakan Yardımcısı olunca şunu dedi:[59]

"Bir tarafta Irak, bir tarafta Suriye'nin dağılmış hali ve bu bölgedeki yaklaşık en az 10-15 yıldır sürdürülmeye çalışılan İran'ın başını çektiği bir Şii ile ona karşı, Türkiye'nin önderlik yaptığı Sünni kuvvetler arasında bir bölgesel çatışmayı ortaya çıkarmaya çalışan bir perspektifle karşı karşıyayız!"

Neyse... Numan Kurtulmuş ve arkadaşları İstanbul'da ABD Konsolosluğu'nu basmaya kalkıştıklarında Davutoğlu da yanlarında mıydı?

Keza, Papa II. Johannes (II. Jean Paul) Paulus'un Türkiye'yi ziyaretini protesto eden Müslüman eylemciler arasında var mıydılar? Ben bunu merak ediyorum!

Bir de Murat Ülker ile dostluklarını...

Hayatlarındaki kimi benzerlikler ilginç...

Soyadlarını Neden Değiştirdiler?

Ahmet Davutoğlu AKP il başkanlarına hitaben yaptığı konuşmada ilk soyadlarının "Kalkan" olduğunu; Soyadı Kanunu çıktığında "oğlu" eki yasaklandığı için "Davutoğlu"nu alamadıklarını söyledi.

Allah... Allah... Soyadı Kanunu 2 Temmuz 1934 tarihli Resmi Gazete'de yayımlandı. Kanun böyle bir yasaktan bahsetmiyor!

---

59 Kaz Dağları'ndaki kampta bir isim daha vardı: Göktürk İnan. İstanbul Erkek Lisesi öğrencisiydi; Ahmet Davutoğlu ve Murat Ülker'in arkadaşıydı. İTÜ'yü bitirdi ama mühendislik yapmadı. Münih'te "Qebap" diye fast food yerleri açtı; sonra kapattı. Ülker'e iş yaptı. Hatta Murat Ülker'le "Avrasya Bir Vakfı"nı kurdu, vs. Göktürk İnan sessizce kamp arkadaşı Başbakan Yardımcısı Numan Kurtulmuş'a danışman yapıldı!

Soyadı Nizamnamesi'nin 6'ncı maddesinde aynen şöyle yazıyordu: "Soyadı ya yalnız olarak veyahut (oğlu) ile birlikte kullanılır."

Biliyoruz ki... Şükrü Saraçoğlu, Ahmet Ağaoğlu gibi birçok insan soyadına "oğlu" eki aldı. İki sınıf arkadaşının soyadı kaderi aynı oldu; Murat Ülker'in ailesinin soyadı, "Berksan"dı "Ülker" oldu. Ahmet Davutoğlu'nun ailesinin soyadı "Kalkan"dı, "Davutoğlu" oldu![60]

Konu konuyu açıyor.

Beyaz Müslümanların Büyük Sırrı / EFENDİ 2 kitabımda Ülker ailesini de yazdım. "Biz Sabetayist değiliz," diye açıklama gönderdiler.

Aradan zaman geçti... İsrail'de yaşayan Erroll Gelardin, "Eniştemiz olurlar," diye şu bilgileri paylaştı:

> Ülker Fabrikası; Beşler Bisküvi Fabrikası'nda çalışan Asım Berksan, merhum kayınpederim Hayim Vitali Nahum, Palasko (Rum) ve Asım'ın kardeşi Sabri Berksan beyler tarafından Sirkeci'de ufak bir odada kurulmuştur. Kayınpederim Hayim Vitali Nahum'un anlattıklarını size anlatacağım. Kırım Tatarlarından gelen bir ailenin çocukları olan Berksanların büyük ağabeyleri Asım, Beşler'de işçiyken orada çalışan bir Musevi kızına âşık olmuş ve Vitali Bey'in araya girmesiyle bu iki fakir genç evlenmişler.
>
> Beşler'in işi bozulduğunda kendilerine geçim yolu arayan Vitali Bey'in arkadaşı Asım'a yaptığı teklif üzerine Ülker Şekerleme diye bir işyeri kurmuşlar ve şekerleme işinin üstadı olan Rum asıllı Palasko adlı biriyle de anlaşmışlar ve dört ortak olarak işe başlamışlar.
>
> Zamanla zenginleşmeye başladıklarında Palasko işten ayrılmış ve üç ortak olarak, kolektif şirket halinde işe devam edilmiştir. İşler daha da iyileştiğinde Berksanlar soyadlarını Ülker'e çevirmişlerdir. Sabri Ülker Bey'in beyan ettiği gibi kendisi Ülker'i kurmamıştır. Ülker'i kuran Hayim Vitali Nahum ve Asım Ülker'dir. Sabri Bey'i, Asım Bey kardeşi olduğu için ortak yapmıştır. Sabri Bey, o sıralarda üniversite öğrencisiydi. Hiçbir şekilde fabrikayla alakası yoktu. Ülker'i büyütebilmelerinin yegâne sebebi Hayim Vitali Nahum'un kendi çevresinden faizle para bulmasından dolayıdır.[61]

---

60 Davutoğlu'nun büyük kızı Sefure, Sabri Ülker'in (kızı Ahsen'den) torunu Ahmet Özokur'la evliydi. Yusuf ve Vera adında iki çocukları vardı. Çift 9 Mart 2015'te boşandı.

61 Odatv, 10 Ocak 2011.

Hep yazarım... Kim kendini ne hissediyorsa öyledir; ve hepsi saygındır; hepsi bu toprakların zenginliğidir. Aksini düşünmeme ne vicdanım, ne ahlakım ne de siyasal görüşüm elverir.

İnsanların tarihleriyle yüzleşmek istememeleri bu ülkede bilim yapılmayacağı anlamına gelmez. Neyse... Ne Ülker ne de Davutoğlu'nun Taşkentli kimliği bu kitabın konusu değil...

Merakımı çeken şu: Davutoğlu'nun hayatında hep abartının olması!

Sözcü gazetesindeki köşemde Davutoğlu'nun ABD ve Malezya'dan teklif aldığını, Malezya'yı tercih ettiğini yazmıştım. Yanlış yazmışım! Tezi beğenilmemiş olacak ki, ABD'den teklif filan gelmemiş. Malezya'ya da Davutoğlu kendi başvurmuş!

Malezya için destek şart; çünkü o tarihe kadar bir tek makalesi yok; ilk makalesini 1993'te doçent olmak için Malezya'da yazdı. İddiaya göre Malezya İslam Üniversitesi'ne Cemaat desteğiyle kabul edildi!

Davutoğlu'nun Cemaat ilişkisi eskiden çok iyiydi. Örneğin...

Davutoğlu'nun (Yusuf Sönmez'le) *Filistin, Küresel Bunalım, Stratejik Derinlik, Teoriden Pratiğe* ve *Türkiye Sohbetleri* adlı kitapları Küre Yayınları'ndan çıktı. Küre, Cemaat'in yayınevi!

Bir de bölüm yazarlığı yaptığı "Osmanlı Medeniyeti" kitabı var ki o da Cemaat'e ait Klasik Yayınevi'nden çıktı.

Bugün... "Aman Allahım ne değerli Hoca," diye nasıl övgüler düzülüyor!

Dün... Marmara Üniversitesi'nce de "yetersiz" bulunduğunu tahmin edebiliriz. Çünkü burada profesör olamayınca Cemaat desteğiyle "profesör" yapılarak (Oflu inşaatçı Âdem Çelik'in vakfına ait) Beykent Özel Üniversitesi'ne gitti...

Akademisyen dünyasının ilişkileri kimi sislerin dağılmasına neden olur. Birini yazmalıyım...

Ne kadar teşekkür etsem azdır; CHP milletvekilleri Silivri Cezaevi'nde bizi hiç yalnız bırakmadılar; bir hakikat mücadelesi yaptılar; kazandılar.

Tarih: 12 Aralık 2012.

CHP heyeti içinde Prof. Dr. Binnaz Toprak da vardı; "Hocam Zafer Toprak Marksizm'e inanmaya devam ediyor mu?" diye sordum. Binnaz Toprak gülümseyerek, "Çıkınca kendin sorarsın," dedi.

Prof. Dr. Zafer Toprak'tan çok şey öğrendim; eserleri başucu kitabımdır; öğretmenimdir. Fakat... *Hürriyet* gazetesine verdiği röportaj beni şaşırttı.

"Davutoğlu'nun *Stratejik Derinlik* kitabındaki argümanları tarihçi gözüyle nasıl buluyorsunuz?" sorusuna verdiği yanıtı okuyunca dondum kaldım. Şöyle diyordu:

"Akademik olarak anlamlı bir çalışmadır. Uluslararası ilişkiler bağlamında da Türkiye'de bir boşluğu doldurmuştur. Çünkü uluslararası ilişkiler bağlamında geleneksel bir söylemin dışına çıkılması gerekiyordu."

Boğaziçi Üniversitesi Atatürk İlkeleri ve İnkılap Tarihi Enstitüsü'nün kurucu başkanı; 30 bini eski Türkçe olmak üzere 120 bin kitabı bulunan ve akademi dünyasının en saygın hocalarından Prof. Dr. Zafer Toprak bile zamana yenik mi düştü? "Balon patlatan" tarihçi Toprak, "balon şişirenler" kervanına mı katıldı?

Biliyorum ki, bu içi boş kitap övgüsünde akademi kriterleri yoktur ve mutlaka başka bir nedeni olmalıdır; Zafer Toprak eğer kitabı okuduysa böyle konuşmaz; bundan eminim.

Peki sebebi ne olabilir?

Bu sırrı çözmeye "cinayet mahalli" Boğaziçi Üniversitesi'nden başlayabiliriz...

Adı; Ali Sarıkaya...

Medya, Davutoğlu'nun, Erdoğan tarafından AKP genel başkanlığına ve başbakanlığa getirileceğini ne zaman öğrendi?

Dışişleri Bakanı Davutoğlu'nun danışmanı Ali Sarıkaya'nın 11 Ağustos'ta Başbakanlık başmüşavirliğine atanmasıyla!

10 gün sonra da Erdoğan, Davutoğlu adını açıkladı!

Yani, Ali Sarıkaya bu kadar önemli bir danışmandı; Davutoğlu'nun arkasındaki "1 numaralı" kişiydi. Zaten üniversiteden beri hep yanındaydı; sırdaşıydı.

Parantez açayım; özellikle yandaş medya Davutoğlu'nun Boğaziçi Üniversitesi'nde öğretim üyeliği yaptığını yazıyor. Yanlış! Davutoğlu yüksek lisans ve doktorasını bu üniversitede yaptı; hiç çalışmadı. Bir tür asistanlık modeli var; "tahsisi kadro" deniyor; doktora eğitimi bitince kadro otomatik olarak düşüyor; onu bile yapmadı.

Biliniyor ki Davutoğlu, Boğaziçi Üniversitesi'nde yetersiz bulunduğu için öğretim üyesi yapılmadı ve Malezya'ya gitti.

Dün "yetersiz" bulunan Davutoğlu'na bugün övgü yarışında değerli hocalarımız! Hele bunlardan biri Zafer Toprak olunca... Peki niye?..

Davutoğlu-Ali Sarıkaya ilişkisi hoca-öğrenci ilişkisi değil. Çünkü, Ali Sarıkaya'nın hocası AKP'li değil, CHP'li!..

Ali Sarıkaya Boğaziçi Üniversitesi'nde yüksek lisans yaptı. Tez konusu: "Rethinking the peculiarity of Turkish experience with Islamism." Tez konusu için şöyle diyordu: "Bu tez, Türk siyasetinde siyasi İslam'ın kendine özgü gelişimini inceliyor. İslamcı hareketlerin güçlenmesinin Müslüman ülkelerin demokratikleşmesinin önünde ciddi bir engel oluşturduğuna dair genel bir görüş vardır. Tez, Türkiye'deki demokratik kurumların siyasi İslam sorunuyla başa çıkmadaki gücünü göstererek bu görüşü sorgulamayı amaçlıyor."

Güzel!.. Peki, Ali Sarıkaya'nın tez hocası kimdi:

Prof. Dr. Binnaz Toprak!

Tez sürecinde Ali Sarıkaya ve Binnaz Toprak kaç kez yan yana gelip hangi tartışmaları yaptı? Binnaz Hoca onayladığı tezdeki bulgular için bugün ne düşünüyor acaba?

Binnaz Toprak öğrencisiyle ne kadar övünse az; koskoca Türk dış politikasının perde arkasındaki isim... Zafer Toprak övgüsünde aile ilişkilerinin ne derece katkısı var?.. Akademi dayanışması mı bu? Geçelim...

Yıldızını Demirel Parlattı

Davutoğlu'yla ilk çalışan politikacı bilinenin aksine Süleyman Demirel'di...

Davutoğlu'nu tanımanız için bir ismi bilmeniz gerekiyor: Feridun Sinirlioğlu!

İstanbul Erkek Lisesi'nden tanışıyorlar. Üç sınıf büyüktü Sinirlioğlu... Sonra ilişkileri Sinirlioğlu'nun yüksek lisans yaptığı Boğaziçi Üniversitesi'nde devam etti.

Sinirlioğlu çalışma hayatına 1982'de Dışişleri Bakanlığı'nda başladı. 1996-2000 yılları arasında Cumhurbaşkanlığı başdanışmanı yapıldı.

Bir gün... Sinirlioğlu, Cumhurbaşkanı Demirel'e İsrail-Filistin gerilimine çözüm konusunda rapor hazırlayacak tek kişinin Davutoğlu olduğunu söyledi. Davutoğlu devletle ilk kez bu aracılıkla tanıştı; raporu yazdı.

Sinirlioğlu da 2002'de büyükelçi olarak İsrail'de görevlendirildi. 5 yıl kaldı.

Davutoğlu'nun yaşamındaki Sinirlioğlu gibi ayrıntılar hep dikkat çekici. Örneğin, yazdığı kitabının önsözünde ilk cümle şuydu: "Prof. Dr. Bernard Lewis'e şükranlarımı sunarım. Bu kitabı yazmamı o sağladı." Prof. Lewis ve kitabını çeviren Prof. Dr. Norman Vuckoviç de Yahudi'ydi.

Sır değil; Davutoğlu'ların "Neo Osmanlı" (Yeni Osmanlıcılık) tezi bir İsrail projesidir.

Davutoğlu'nun Boğaziçi Üniversitesi'nde tez hocası Prof. Dr. Şerif Mardin'di. "Alternatif Paradigmalar" adlı doktora çalışması için üç ay Mısır'daki Amerikan Üniversitesi'nin kütüphanesinde çalıştı!

İsrail ile ilişkilerin en iyi olduğu 28 Şubat döneminde Davutoğlu, "Silahlı Kuvvetler Akademisi" ve "Harp Akademileri"nde öğretim üyesi olarak ders verdi!

Tarih: 16 Kasım 2002.

Abdullah Gül hükümeti kurma görevini aldıktan sonra aradığı ilk isimlerden biri Davutoğlu oldu. Refah Partisi'nin dış politikasından sorumlu olduğu ve Erbakan'ı ABD'ye götürdüğü o dönemlerde Gül'ün yardımcılarından biri Davutoğlu'ydu.

Davutoğlu RP'de çalışmayı kabul etmedi; dışarıdan destek veriyordu. Başbakan Gül'ün başdanışmanlık teklifini kabul etti. Gül'ün makam odasının arkasındaki iç odada çalışıyordu.

Davutoğlu sonra Başbakan Erdoğan'la çalıştı...

Peki... Siyasete dair hiçbir pratiği yoktu ve buna rağmen Davutoğlu, AKP'nin dış politikasını belirleyen birinci adam nasıl oldu? *The Economist* dergisi onun hakkında "perde gerisindeki etkili adam" diye boşuna yazmadı!

AKP hükümetinin parlamento dışından kabinede görev alan ilk bakanı da Davutoğlu oldu. Evet. Tüm bunları nasıl becerdi?..

Fikri donanımı olmayan Erdoğan'ın, olayları kavramsal metotlarla açıklayan Davutoğlu'yla eksikliğini giderdiği düşünüldü. "Hoca" biliyordu. Oysa...

Kitaplardaki soyut ile yaşamın somut gerçekleri karşı karşıya gelince Davutoğlu'nun çuvalladığını herkes gördü. Soyutlaştırılan Türkiye dış politikasını gerçeklerden uzaklaştırdı. Şunu demişti Davutoğlu:

"Dedelerimizin coğrafyası bizim kuşağımızın coğrafyasından çok daha genişti. Torunlarımızın coğrafyası da bizim coğrafyamızdan çok daha geniş olacaktır."

Görüldü ki, Erdoğan bilmiyordu ve ne yazık ki bilmediğini de bilmiyordu; bildiğini sandığı "Hoca" da bilmiyordu!

Kim biliyordu? "Kuklacı" kimdi?

Bloomsbury Grubu...

Bazı İngiliz yazarlar, sanatçılar, filozoflar ve aydınların oluşturduğu bir gruptu. Çoğu Cambridge Üniversitesi mezunuydu. Burjuva ailelerin çocuklarıydı ama çürüme olarak değerlendirdikleri burjuva hayat tarzını reddeden solculardı. Aktivist değillerdi.

1912'de perşembe günleri bir araya gelen ekip, daha sonra birlikte yaşamaya başladı. Birinci Dünya Savaşı'ndan sonra ünlendiler. 1930'lardan sonra düşünce dünyasını derinden etkilediler.

Grubun 10 kişilik çekirdek üyesi vardı:

Yazar Virginia Woolf, siyaset kuramcısı Leonard Woolf, sanat eleştirmeni Clive Bell, (Virginia Woolf'un kızkardeşi) ressam Vanessa Bell (oğulları şair Julian Bell İspanya İç Savaşı'nda 1937'de faşistler tarafından öldürüldü), yazar E. Morgan Forster, ressam Roger Fry, ressam Duncan Grant, gazeteci-yazar Desmond MacCarthy, yazar Lytton Strachey ve ekonomist John Maynard Keynes (lakabı Pozzo'ydu)...

İçlerine kimseyi almaya pek gönüllü değillerdi. Bu nedenle Keynes'in eşi Rus balerin Lydia Lopokova isteksizce kabul edildi. (Picasso, resimlerini yapmıştır.)

John M. Keynes (1883-1946)...

Karl Marks ve Adam Smith'ten sonra dünyada en çok bilinen ekonomist. İkisinin de yolundan yürümedi; iktisat biliminde bir "orta yol" buldu...

Keynes'in dünyada tanınır olmasına, 1929 Büyük Bunalımı neden oldu. Ve... Bugün olduğu gibi, ekonomide ne zaman durgunlukla mücadele gündeme gelse akla hep Keynes geldi!

Çünkü o, ekonomiye müdahaleyi savundu. Krize girendurgunlaşan ekonominin kendiliğinden eski haline gelmesinin imkânsız olduğunu belirterek, "devlet müdahalesini" savundu.

Yani; vahşi kapitalizmin bir aldatmaca olduğunu ispatladı.[62]

Keynes, sosyal demokrat ekonomistlerin piri'dir!

---

62 Nitekim "Her şeyi piyasa belirler" diyen vahşi kapitalizmin/neoliberalizmin "kıblesi" ABD, 2008 kriziyle batan banka ve finans kurumlarını kurtararak Keynes'in haklılığını yine ispatladı! Rahmetli Erhan Göksel, ABD finans kuruluşlarını kurtardıkça telefonla beni arardı; "ABD sosyalist devletçi oldu," diye espri yapardı. Polisler tarafından dinlenen bu konuşmalarımızı Savcı Zekeriya Öz Odatv İddianamesi'ne koydu! Türkiye böyle saçmalıklar yaşadı!

Kapitalizm içine gömülmüş "sosyalizm"dir!

2008 kriziyle birlikte Batı tekrar "kapitalizmin tamircisi" Keynes'e sarıldı. Bu konuda Batı'da çok tartışma yapıldı; "devletin tekrar serbest piyasaya girdiğini" yazdılar.

Geçen yıl Türkiye'nin gündemine de Keynes geldi. Yok canım gündeme ne CHP'nin getirmesi; CHP Keynes'i ağzına bile almıyor!

Merkez Bankası eski Başkanı Durmuş Yılmaz, faiz-enflasyon ilişkisi konusunda Cumhurbaşkanı Erdoğan'a yanıt verirken, "O zaman Keynes'in kitaplarını yakalım," dedi.

Yanıt AKP'nin Ekonomi Bakanı Nihat Zeybekçi'den geldi: "O hâlâ Keynes'te mi kalmış, hâlâ yakmamış mı o kitapları."

Vay be!..

AKP'nin Ekonomi Bakanı Zeybekçi Keynes'in kitaplarını yakmayı savunuyordu!

Aslında Zeybekçi bir ezberi tekrarlıyordu; "Keynesian Revolution" (Keynes Devrimi) 1950'li ve 60'lı yıllarda Batı'da, altın günlerini yaşadı. 1970'lerde (özellikle petrol kriziyle) ekonomileri durgunluğa girince, (sosyal demokratlar da dahil) Batı, 1929 krizini unuttu ve tekrar "muhafazakâr devrim" dedikleri vahşi kapitalizmin/neoliberalizmin ipine sarıldı. Fakat hayat 2008 kriziyle, Keynes'i tekrar gündeme getirdi!

Ve fakat bu tartışmalar sırasında...

"Keynes'in kitabını yakma" taraftarı AKP'nin Ekonomi Bakanı Zeybekçi'nin bir sırrı ortaya çıkmasın mı? İngiltere South London College'de ekonomi eğitimi aldığını özgeçmişine yazmıştı. Meğer yalanmış! Gerçek olmadığı anlaşılınca, bu okulu özgeçmişinden çıkarttı ama bu arada bakan koltuğundan oldu!..

Bu olay bana şunu anımsattı...

Rüşvetçiler-Hırsızlar Listesi

Bu gökkubbe altında sır kalmıyor...

Tarihten bir kesit sunmak istiyorum:

– Çandarlı Kara Halil Paşa, Osmanlı askeri örgütünün ilk adımı sayılan "Yaya" sınıfını kurduğunda, adını listeye yazdığı hemen herkesten rüşvet aldığı için yargılandı mı? Hayır!.. Oğlu Vezir Ali Paşa da, İstanbul kuşatmasını kaldırması için Sultan Bayezit'i razı etmesi karşılığında rüşvet aldı, yargı önüne çıkarıldı mı? Hayır!..

– Rüşvet alanlara büyük tepki gösteren Sultan III. Murat Osmanlı tarihinde ilk rüşvet alan padişah oldu. İsfendiyaroğlu Şemsi Paşa'dan 40 bin altın aldı. Yargılandı mı? Hayır!..

– Kanuni Sultan Süleyman'ın rüşvetçiliğiyle meşhur sadrazamı Rüstem Paşa hiç yargı önüne çıkarıldı mı? Hayır!..

– Mısır Valisi olabilmek için tüm devlet katını rüşvete boğan Mahmut Paşa yargılandı mı? Hayır!..

– İran Serdarı Mustafa Paşa ordugâhında bütün alt görevleri satıyordu. Yargılandı mı? Hayır!..

– Yahudi banker Hirsch'ten rüşvet alan Nafia Nazırı Garabet Artin Davut Paşa yargılandı mı? Hayır!..

– Aldığı özel yat rüşveti karşılığında Mısır Valisi İsmail Paşa'ya "Hıdiv" unvanı veren Sultan Abdülaziz yargılandı mı? Hayır!..

– Sadrazamlığı 50 bin altına satın alan Topal Recep Paşa yargılandı mı? Hayır!.. (Kellesini ayaklanan halk aldı!)

Bu örnekleri neden veriyorum?..

Yazacağım.

Fakat birkaç örnek olay daha sıralayayım...

– Asker maaşlarının ayarı bozuk sikkeyle ödenmesi için 200 bin akçe rüşvet alan Rumeli Beylerbeyi Mehmet Paşa yargılandı mı? Hayır!..

– Huzuruna gelen davacıdan birkaç bin akçe alıp lehine karar veren; ancak davalı kendine daha fazla rüşvet verirse bu kez onun lehine hüküm veren Lazkiye Kadısı Mehmet yargılandı mı? Hayır!..

– 1875 mali krizinde elindeki senetleri bir gün önceden satarak kendine çıkar sağlayan Sadrazam Nedim Paşa'nın soruşturması yargı önüne çıkmasına neden oldu mu? Hayır!..

– Taraflardan rüşvet almadan dava görmeyen Yenişehir Naibi Bekir yargılandı mı? Hayır!..

– Kimi makamları rüşvet karşılığı satan Şeyhülislam Mehmet Ataullah Efendi yargılandı mı? Hayır!..

– Her yıl gemi inşa ettirmek için devlet kasasından ödenek alıp, görevde kaldığı 25 yıl boyunca bir tek gemi yaptırmayan ve 3 milyon sterlin değerindeki bir servete sahip olan Bahriye Nazırı Hasan Paşa yargılandı mı? Hayır!..

– Zimmetine geçirdiği 7 milyon 500 bin dolar ile ABD'de yatırım yapan Sultan II. Abdülhamit'in akıl hocası Arap İzzet Paşa yargıya hesap verdi mi? Hayır!..

– "Oğlan Pezevengi" lakabıyla tanınan, rüşvetçiliğiyle ünlenen Anadolu Kazaskeri Muslihüddin yargılandı mı? Hayır!..

– Okuma-yazma bilmemesine rağmen rüşvet vererek Anadolu Kazaskeri olan ve verdiği rüşvetlerin parasını fazlasıyla rüşvet alarak çıkaran Hocazade yargılandı mı? Hayır!..

– İngilizlerden rüşvet yiyen Sadrazam Sinan Paşa yargılandı mı? Hayır!..

– Sultan III. Mehmet'i etkilemesi için İngilizlerden rüşvet alan padişahın akıl hocası Sadeddin Efendi yargılandı mı? Hayır!..[63]

– Napoléon'dan rüşvet alan Osmanlı'nın Paris Elçisi Halet Efendi yargılandı mı? Hayır!..

– Mevkufati Kara Abdullah tarafından rüşvetçilikleri Divan önünde ortaya dökülen Rumeli Kadızadesi Memikzade ile Anadolu Kazasker İmamzade ayrıca yargıda hesap verdiler mi? Hayır!..

– Sattığı devlet mallarının parasını cebine indiren Derviş Aşçı Dede İbrahim yargılandı mı? Hayır!..

Örnekleri uzatabilirim. Ama gerek yok. Söylemek istediğim şudur...

Devlet adamı olarak yalan söyleyip, hırsızlık yapıp, rüşvet yiyip adaletten kaçabilirsiniz.

Dün... Böyle çok devlet adamı oldu; okuduk.

Kuşkusuz bugün de oluyor; görüyoruz.

Kimileri yargı önüne çıkarılıyor mu? Hayır!..

Ama... Yargıdan kaçsanız da, –yukarıda örneklerini gördüğünüz gibi– tarih yazıyor kardeşim!

Yargıdan kaçabilirsiniz fakat tarihten kaçamazsınız.

İşte bak:

Kâtip Çelebi yazdı...

Peçevi yazdı...

Naima yazdı...

Şânizade yazdı...

Koçi Bey yazdı...

Kantemiroğlu yazdı...

Uzunçarşılı yazdı...

Orhun Yazıtları bile yazdı...

Evet, adaletten kaçabilirsiniz ama tarihten kaçamazsınız.

Gerçekleri başka kalıplara soksanız da tarihten kaçamazsınız.

---

63 Bu Sadeddin Efendi, aldığı rüşvetleri defterine yazan Sadrazam Hadım Hasan Paşa'nın defterini ele geçirerek idamına sebep oldu! Hırsız hırsızı iyi tanıyor!

Asıl hükmü yargı değil, tarih verir!

Benim okuduğum, benim bildiğim...

Yargı kararı olsun veya olmasın; tarih hırsıza "hırsız" diyor!

Tarih ispatlamıştır ki; hiçbir zorba iktidar ve kişi, gerçeğin üzerini kapatamamıştır. Tarihin yüce mahkemesinin "hırsız hükmü" bir insana verilecek en büyük cezadır; yedi göbek soyu damgayı temizleyemez.

Kimse tarihin yüce mahkemesinden kaçamamıştır.

Devlet adamının ciddiyeti rüşvet gibi gayriahlaki durumlar karşısında sergilediği tutumla ortaya çıkar. Şimdi... Gel de Atatürk'ü anımsama...

Bahriye Nazırı Mahmut Muhtar Paşa 17 yıl sonra Yüce Divan'da yargılandı.

Üstelik... Zarara uğrattığı Osmanlı hazinesiydi; hesap soran Cumhuriyet oldu!

Mahmut Muhtar Paşa, Osmanlı sadrazamlarından Ahmet Muhtar Paşa'nın oğluydu. Hatta, babası sadrazamlık yaptığı dönemde oğlunu kabineye alınca, hükümete "baba-oğul hükümeti" denildi. Yani, karşınızda yine bir "baba-oğul" var!

1912'de Times Iron Works adlı İngiliz şirketine 60 bin sterline 3 vapur siparişi verildi. Anadolu Demiryolu Kumpanyası'ndan alınan 20 bin altın ilk taksit olarak ödendi.

İngiliz şirketi batınca para buhar oldu. Çünkü şirket parayı almadığını iddia ediyordu! Rüşvet parası olabilir miydi bu 20 bin altın?

Konu 1914'te Osmanlı Meclisi Mebusan'ın gündemine geldi; ama hasıraltı edildi.

Yıl: 1929.

Muğla Milletvekili Yunus Nadi'nin yaptığı Meclis Anayasa ve Adalet Komisyonu Mahmut Muhtar Paşa'yı suçlu buldu.

29 Haziran'da Eskişehir'de toplanan Divan-ı Âli (Yüce Divan) 3 Kasım'da kararını verdi:

Mahmut Muhtar Paşa suçluydu! Söz konusu 20 bin altını ödemeye mahkûm edildi. Mahmut Muhtar Paşa karısı Prenses Nimetullah ile Mısır'a kaçtı. Tüm varlığına el konuldu.

Atatürk Türkiyesi buydu.

"Eski Türkiye" ile "Yeni Türkiye" farkıdır bu...

"Yeni Türkiye"den de "iki örnek olay" vermek şart.

Mukayese için!..

Örnek olay 1:

Yorumsuz aktaracağım...

30 Aralık 2002: İstanbul Büyükşehir Belediyesi'nce 4,5 km uzunluğundaki Otogar-Bağcılar Hafif Metro Projesi'nin yapım kararı alındı.

26 Nisan 2004: İBB Başkanı Kadir Topbaş üst yöneticilerine imza karşılığı tebliğ yayınladı: "İhale onay belgesi tarafımdan imzalanmayan hiçbir mal ve hizmet alımı ile yapım işi ihaleye çıkarılmayacaktır."

30 Aralık 2004: Usulsüz olarak sürekli uzatılan ihale sonuçlandı. Hafif metro inşaatı, 173 milyon dolara Gülermak-Doğuş ortak girişimine verildi.

21 Mart 2006: Şimdi sıkı durun: Tamamen ayrı bir metro projesi olan; 15,8 km uzunluğundaki, proje bedeli 1 milyar 180 milyon doları bulan Bağcılar-Başakşehir-Olimpiyatköyü Metro Projesi'nin, (mevcut hattın devamı nitelemesiyle) ihalesiz bir şekilde aynı yüklenici Gülermak-Doğuş ortak girişimine yaptırılması kararı alındı!

17 Eylül 2007: İhalesiz işlemle ilgili Devlet Denetleme Kurulu'nu harekete geçirmesi amacıyla Cumhurbaşkanlığı'na başvuruldu.

22 Ekim 2007: Beyoğlu Cumhuriyet Başsavcılığı'na "ihaleye fesat karıştırma" iddiasıyla suç duyurusunda bulunuldu.

24 Temmuz 2008: Cumhurbaşkanlığı Genel Sekreterliği, dilekçeyi İçişleri Bakanlığı'na gönderdi. Bakanlık, İstanbul Valiliği'ne talimat verdi. Valilik müfettiş görevlendirdi. Müfettiş usulsüzlüğü tespit etti. Valilik, Beyoğlu Cumhuriyet Başsavcılığı'na suç duyurusunda bulundu.

13 Mayıs 2009: Beyoğlu Cumhuriyet Savcılığı görevsizlik kararı vererek, dosyayı İstanbul Cumhuriyet Başsavcılığı'na gönderdi.

10 Haziran 2009: İstanbul Cumhuriyet Başsavcılığı karşı görevsizlik kararı vererek dosyayı tekrar yetkili ve görevli Beyoğlu Cumhuriyet Başsavcılığı'na gönderdi.

30 Ekim 2009: Beyoğlu Cumhuriyet Başsavcılığı iki yılı aşkın bir zaman geçtikten sonra Kadir Topbaş'ın da şüpheli konumunda bulunduğu "ihaleye fesat karıştırma" soruşturmasını başlattı.

15 Şubat 2010: Beyoğlu 7. Asliye Ceza Mahkemesi iddianameyi kabul ederek dava açtı. (Dosya no: 2010/31).

28 Mayıs 2010: Savcının Topbaş ile ilgili soruşturma izin istemine İçişleri Bakanı, işi kapatmak için, "şikâyetin işleme konulmaması" kararını verdi.

22 Aralık 2010: İçişleri Bakanı'nın bu kararı Danıştay 1. Dairesi'nden döndü.

4 Nisan 2011: Danıştay kararı üzerine İçişleri Bakanı mecburen mülkiye başmüfettişi görevlendirdi. Ön inceleme sırasında Topbaş'ın müfettişe yanlış bilgi verdiği ortaya çıktı. Bakan soruşturma izni vermedi.

15 Kasım 2011: Danıştay 1. Dairesi, İçişleri Bakanı'nın bu kararını da kaldırdı. Milyar doları aşan bir işin ihalesiz olarak verilerek kamunun zarara uğratıldığını belirtti.

17 Eylül 2012: Bu arada dava başladı. Mahkemenin belirlediği ilk bilirkişi rapor tanzim etmeden dosyayı iade etti. Ardından; konusunun uzmanı olmayan iki kişi bilirkişi olarak görevlendirildi. Bunların da davanın konusunu bir yana bırakıp, başka tali bir konuyu incelediği ortaya çıktı!

1 Ekim 2012: İstanbul 21. Asliye Ceza Mahkemesi Türkiye hukuk tarihinde pek rastlanmayan bir şekilde davayı durdurma kararı verdi.

2 Kasım 2012: İstanbul 8. Ağır Ceza Mahkemesi, İstanbul 21. Asliye Ceza Mahkemesi'nin "davanın durdurulması" kararını kaldırdı.

12 Şubat 2013: Danıştay'ın kararı üzerine savcılık sonuçta Topbaş ile ilgili iddianame düzenledi.

22 Şubat 2013: İstanbul 21. Asliye Ceza Mahkemesi'nde Topbaş hakkında "Cumhuriyet tarihinin en büyük yolsuzluk davası" açıldı.

1 Mart 2013: Davanın ilk duruşması yapıldı. Sanık Topbaş duruşmaya gelmedi.

27 Mart 2013: Davanın ikinci duruşması yapıldı. Sanık Topbaş yine gelmedi. Zorla getirilmesinin düşünülmesine karar verildi.

10 Mayıs 2013: Duruşmaya sanık Topbaş yine gelmedi. Mahkeme zorla getirme kararı yerine iki duruşma arasında günsüz olarak gelmesine karar verdi. Ayrıca dosyanın; Sayıştay uzman denetçilerinden oluşturulacak bir bilirkişi heyetinin incelemesi için Ankara Nöbetçi Asliye Ceza Mahkemesi'ne gönderilmesine karar verdi.

25 Temmuz 2013: Ayrıcalığa rağmen sanık Topbaş iki duruşma arasında yine gelmeyince mahkeme "zorla getirme" kararı verdi.

2 Ağustos 2013: Ankara Nöbetçi Asliye Ceza Mahkemesi dosyayı ne Sayıştay'a ne de Sayıştay'ın uzman denetçisine inceletti. Üç kişilik başka bir bilirkişi heyeti oluşturdu. Bu heyet kamu zararı için başka bir teknik bilirkişi heyetinin oluşturulmasını belirterek dosyayı iade etti.

8 Ekim 2013: Sanık Topbaş, özel duruşmada mahkemeye ifade verdi.

10 Ekim 2013: Sanık Topbaş'ın sorgusunu gerçekleştiren ve davayı karar aşamasına getiren mahkeme hâkimi İstanbul 23. Ağır Ceza Mahkemesi başkanlığına atandı!

18 Kasım 2013: Mahkemeye atanan yeni hâkim duruşmayı erteledi. (Bu hâkim Cemaat kumpası sonucu açılan Poyrazköy Davası'na bakan mahkemeden geldi.)

23 Ocak 2014: Mahkeme "dördüncü kez" bilirkişi raporu aldırılmasına karar verdi.

25 Eylül 2014: Duruşma yapıldı.

25 Aralık 2014: Duruşma yapıldı. Bilirkişiye ek süre verildi.

19 Ocak 2015: Dördüncü kez bir bilirkişi raporu mahkemeye sunuldu. Rapor içeriği baştan başa tutarsızdı. Heyetten beş kişiden üçünün de daha önce Topbaş'ın yargılandığı davalarda gerçeğe aykırı bilirkişilik yapan kişiler olduğu ve Topbaş'a "Abi" dedikleri ortaya çıktı.

23 Şubat 2015: Mahkeme, bilirkişi tayini konusunda tarafsızlık ilkesini kaybettiği gerekçesiyle HSYK'ya şikâyet edildi.

10 Mart 2015: Mahkeme, bu bilirkişi raporunu kaynak gösterip "şüpheden sanık yararlanır" diyerek sanık Topbaş hakkında beraat kararı verdi.

Bugün... Deniyor ki: "Topbaş'ı Cemaat kurtardı!"

Yazdığım gibi kararları elbet tarihin yüce mahkemesi verecektir.

Örnek olay 2:

Tarih: 16 Ocak 2007: Uluslararası Üniversiteler Spor Federasyonu İtalya'da yaptığı toplantıda 2011 Dünya Üniversite Kış Oyunları'nın Türkiye'de yapılmasına karar verdi.

Tarih: 28 Ocak 2009: Kayaklı atlama kuleleri için Erzurum, Kiremitliktepe uygun bulundu. Yer tespitiyle birlikte 200'e yakın çam ağacı kesildi. Ardından çevredeki yoksulların evleri yıkıldı. Oyunlar için Türkiye'de; Uludağ, Erciyes, Kartaltepe gibi hazır ve uygun standartlarda tesisler varken, Erzurum'un seçilmesini kimse anlayamadı. Öyle ki, şehirde yakıt olarak hâlâ kömür kullanılıyordu ve hava kirliliği sporcular için sakıncalı düzeydeydi. Ayrıca... TMMOB Jeoloji Mühendisleri Odası, rampa ve pistlerin yapılacağı alanların heyelan bölgesi olduğunu rapor etti.

Tarih: 5 Nisan 2009: Proje kapsamında 5 adet atlama kulesi ihalesini, Sarıdağlar İnşaat ve Tic. AŞ 57 milyon 100 bin TL bedelle kazandı. Şirket, şimdiye kadar çifte minareleriyle anılan Erzurum'un, artık atlama kuleleriyle adından söz ettireceğini açıkladı.

Tarih: 15 Mayıs 2009: TMMOB Jeoloji Mühendisleri Odası'nın jeoteknik kaygılarına rağmen, merkezi Ankara'da olan Sarıdağlar AŞ şantiye faaliyetlerine başladı.

Tarih: (?) 2010: Erzurum Emniyet Müdürlüğü, 965 milyon TL bütçeli olimpiyat kompleksleri ihalelerinde yolsuzluk yapıldığı ihbarı üzerine teknik takip başlattı. Soruşturma kapsamında Ankara'da faaliyet gösteren 6 inşaat şirketinin sahiplerinin ifadeleri talimatla alındı.

Tarih: 1 Ekim 2010: Sarıdağlar AŞ 20, 40, 60, 95 ve 125 metre yükseklikteki kayakla atlama kuleleri inşaatını tamamladı. 57 milyon ihale bedelli inşaat yapım 94 milyon liraya tamamlandı! Tesislerin, heyelan potansiyeli taşıyan alanlar üzerine yapılması yetmezmiş gibi, aynı bölgede, yeterli kar yağışının olmayacağı kaygısıyla su püskürtülmesi için iki adet gölet yapıldı. Mühendislerin göletlerde biriken suların heyelanları tetikleyebileceği kaygıları görmezlikten gelindi.

Tarih: 18 Aralık 2010: Atlama kulelerini test etmek için piste çıkan Türk sporcu 17 yaşındaki Samet Karta, K-95 kulesinden yaptığı atlayışta düştü.

Tarih 7 Ocak 2011: Olimpiyat tesislerinin açılışını Başbakan Erdoğan yaptı. Tribünlere asılan ve Erdoğan'ın resmi bulunan nüfus cüzdanı üzerinde şu yazılıydı: "Adı: Hizmet. Soyadı: Millet. Doğum Tarihi: 2011. Doğum Yeri: Erzurum Yakutiye."

Erdoğan, "27 Ocak'tan itibaren dadaşı, dadaşlığı tüm dünyaya tanıtma fırsatı bulacağız. Biz Erzurum'a inandık, Erzurum'a güvendik, bu büyük organizasyonu Erzurum'a kazandırdık. Allah'ın izniyle Erzurum'un da bu organizasyonu başarıyla tamamlayacağına kalbimizle inanıyoruz," diye konuştu. Erzurum valisi Sebahattin Öztürk, yapılan yatırımlar için Erdoğan'a teşekkür etti. Kış Oyunları'nın amblemi tanıtıldı; Erzurum Çifte Minare'ydi. Çift başlı kartal maskotunun adı ise "Kanka" idi!..

Tarih 9 Ocak 2011: Erdoğan, 25. Dünya Üniversiteler Arası Kış Oyunları'nın yapılacağı tesislerde incelemelerde bulundu; atlama kulelerinde Türk ve Sloven sporcuların atlayışlarını izledi. Yaptığı konuşmada, "Şu anda Türkiye'de hiçbir yerde olmayan tesislere Erzurum ilimiz sahip oldu; bu oyunlarla birlikte şimdi hedefimiz uluslararası kış olimpiyatlarının Erzurum'da yapılmasıdır; bunu da inşallah alacağız," dedi.

Tarih 27 Ocak 2011: 25. Üniversiteler Arası Kış Oyunları açılış konuşmasını Cumhurbaşkanı Abdullah Gül yaptı; "Doğu'nun kapısı Erzurum'da bu organizasyonun gerçekleşmesi Türkiye için büyük bir başarıdır," dedi. "Erzurum seninle gurur duyuyor" tezahüratları eşliğinde kürsüye gelen Başbakan Erdoğan, "Erzurum'a yakışanı gerçekleştireceğiz. Durmayacağız, emin adımlarla çok daha farklı bir Erzurum için yarınlara yürüyeceğiz," dedi.

Kenan Doğulu konser verdi. Olimpiyatlar başladı.

Tarih: 6 Şubat 2011: Oyunlar bitti. Türkiye, artistik patinaj buz dansında Alper Uçar-Alisa Agafonova çiftiyle bir gümüş kazandı.[64]

Tarih: 6 Ağustos 2011: 12 milyon TL'ye yaptırılan Kış Olimpiyatları yolu heyelan nedeniyle çöktü. Karayolunda dev çatlak ve yarıklar oluşması üzerine Karayolları 12. Erzurum Bölge Müdürü Şenol Altıok, müteahhit firmanın yakında yolu hizmete açacağını söyledi.

Tarih 12 Ocak 2012: Türkiye Gençler Şampiyonası'na hazırlanan milli kayakçı Aslı Nemutlu, antrenman yaparken, pist kenarında bulunan tahta bariyerlere çarparak hayatını kaybetti. Pist kenarına ağ değil de tahta konulması 17 yaşındaki milli kayakçının ölümüne neden olmuştu.

Tarih: 6 Temmuz 2013: Kayak milli takım sporcularının atlayış yaptığı pistlerde çatlaklar olması sonucu kamp erken bitirildi.

Tarih: 15 Temmuz 2014: Kamp yapan milli kayakçılar kulelerin iniş rampalarında yine çatlaklar oluştuğunu fark edip ilgilileri uyardı. Gençlik Spor Hizmetleri İl Müdürlüğü, AFAD ekipleri bölgeye geldi ve tüm sporcu ve görevlilerden tesisleri

---

64 Yarışmanın yapıldığı Erzurum Merkez Buz Pateni Salonu'nu Sarıdağlar AŞ yapmıştı.

boşaltmasını istedi. Saat 15.00 sularında deprem şiddetindeki heyelanla, atlama kuleleri önündeki pistler paramparça oldu. Milli sporcuların uyarması sonucu büyük faciadan dönüldü. Olay yerine gelen Sarıdağlar AŞ sahibi Ahmet Sarıdağ, "Bu bir doğal afettir," dedi.

Tarih 18 Temmuz 2014: Dünya Helal Birliği'nden Türkiye'de otel bazında ilk helal turizm hizmet belgesi alan Sarıdağlar AŞ sahibi Ahmet Sarıdağ, sahibi olduğu Alanya'daki beş yıldızlı Adenya Helal Otel'e gitti!

12 yılda Sarıdağlar AŞ'ye 40 kamu ihalesi veren Erdoğan tek söz etmedi.

Son bir örnek yazayım...

İlk Rüşvet Kaseti

17-25 Aralık operasyonundan çok önceydi.

Tarih: 6 Ocak 2001.

DSP-MHP-ANAP koalisyon hükümetini derinden sarsacak Beyaz Enerji Operasyonu başladı.

Türkiye'yi sarsan operasyona neden olan bir teyp kasetiydi. Kasetin üzerinde, 14 Eylül 2000 tarihi yazılıydı. Kasette; TEAŞ yönetim kurulu üyesi (devlet eski bakanı, ANAP'lı) Birsel Sönmez ile Kayserili Cıngıllıoğlu ailesinden Ali Cıngıllıoğlu arasında geçen rüşvet pazarlığı vardı.

Konu: Kayseri'ye kurulmak istenen Yamula Barajı ve Hidroelektrik Santralı Projesi'ydi.

Soma katliamıyla ne ilgisi var demeyin? Karşınıza kimler çıkacak...

Önce bir şirketi tanıyalım:

Kayseri Elektrik TAŞ, Kayseri'ye elektrik dağıtan bir şirket. Hissedarları arasında TEAŞ, Kayseri Belediyesi, Demirbank, Cıngıllıoğlu Holding, TES-İş Sendikası; TEK-BİR Koop ve gerçek kişiler var.

Gerçek kişiler konusunda çok spekülasyon var; bir yıl öncesine kadar devletin yüksek mertebelerinde oturan Kayserili politikacıların olduğu söyleniyor. Neyse!..

1926'da imtiyaz almış tek özel şirket olan Kayseri Elektrik TAŞ'nin, sözleşmesi 11 Ekim 1976 tarihinde bitti. Fakat, 19 Aralık 1984 tarih 3096 sayılı "Türkiye Elektrik Kurumu Dışındaki Kuruluşların Elektrik Üretimi, İletimi, Dağıtımı ve Ticareti ile

Görevlendirilmesi Hakkında Kanun"a sadece Kayseri Elektrik TAŞ'nin yararlanabileceği özel bir madde konularak (geçici 3. madde) imtiyaz hakkı yeniden verildi.

Bakanlar Kurulu'nun 12 Kasım 1989 tarihli kararıyla Kayseri'ye ilaveten Sivas'ın bir bölümü de kapsama alındı. İmtiyazı 70 yıl uzatıldı; 2059'da bitecekti.[65]

Biz rüşvet kasetine bakalım...

İşte bu şirket...

Kayseri Elektrik TAŞ, 200 MW kurulu gücünde Yamula Baraj ve HES Projesi'ni gerçekleştirmek amacıyla 14 Nisan 1986 tarihinde tesis kurma ve işletme izni verilmesi talebiyle Enerji ve Tabii Kaynaklar Bakanlığı'na başvurdu. Güzel...

Ancak bir yıl sonra...

– Üretim kapasitesini 200 MW'tan 100 MW'a düşürdü; işletme süresini 15 yıldan 20 yıla çıkardı!

– İlk aşamada 4,79 sent olarak belirlenen elektrik satış fiyatını, (sanki daha önce 5,65 sentmiş gibi göstererek, güya indirim yapılıyormuş gibi bir işlemle) 5,25 sent olarak değiştirdi!

En küçük bir santral sözleşmesinin devlete yıllık 200 milyon dolarlık zarar getirdiği düşünülürse, bu zararın büyüklüğü anlaşılır.

Sürpriz!.. Kamu zararına olan bu mutabakat sözleşmesini Enerji ve Tabii Kaynaklar Bakanlığı kabul etti. (26.6.1998 tarihli bu sözleşme Bakan Cumhur Ersümer'i Yüce Divan'a götürdü.)

Daha "Bismillah" demeden 83 milyon 613 bin 281 dolar zarar vardı. DSİ fiyatlarına göre yatırım maliyeti yüzde 66 daha yüksekti! Üstelik... Türkiye'nin öncelikli projelerinden değildi.

DPT projeyi pahalı bulduğu için onay vermiyordu. İtibarıyla, kamu elektrik üretim şirketi TEAŞ da bu şirketten elektrik alış anlaşmasına imza koyamıyordu.

İşte... Rüşvet bu nedenle devreye sokulmuştu.

Durun, bitmedi...

Kayseri Elektrik TAŞ şirketini tanıdık. Gelelim bir diğer şirkete:

Yamula Barajı elektrik üretimi için; Kayseri Elektrik TAŞ yüzde 31 hisseyle Kayseri Elektrik Üretim Sanayi ve Ticaret AŞ'yi (KEST AŞ) kurdu.

---

65 Bünyan ve Sızır santrallarının işletmesi kapsam dahilinde olduğu halde üretim imtiyazı kaldırıldı ama biz buna girmeyelim! Keza ilgili şirkete yönelik, Başbakanlık Teftiş Kurulu, Meclis KİT Komisyonu ve Ankara Cumhuriyet Başsavcılığı soruşturma raporları detaylarına da girmeyelim. Kafanız karışır.

Biraz önce okuduğunuz o karmaşık rakamları hesaplayan şirket!
Şirket yönetim kurulunda tanıdık bir isim vardı:
AKP'nin Enerji ve Tabii Kaynaklar eski Bakanı; Taner Yıldız!
Ayrıca Taner Yıldız, Kayseri Elektrik TAŞ genel müdürüydü.
Bir koltukta iki karpuz! Demek o kadar başarılıydı!..
Yıldız, 2002'de Kayseri milletvekili oldu. Sonra da bakan! 301 madencinin hayatını kaybettiği Soma'daki madenden sorumlu bakan!..
Yamula Barajı Projesi'nde özel sektör temsilcisi milletvekili olur da kamu temsilcisi olmaz mı; dönemin TEAŞ Özelleştirme Dairesi'nin bağlı olduğu Genel Müdür Yardımcısı Öner Gülyeşil de Recep Tayyip Erdoğan'la birlikte (Karslı olmasına rağmen) AKP listesinden Siirt milletvekili seçildi. Yani... Dokunulmazlık zırhını kuşandı. Yargılanamadı.
AKP'de enerji işini iyi bilen, TEAŞ eski Genel Müdürü Afif Demirkıran gibi üç dönemdir milletvekili olan eski bürokratlar var!..
Açın Beyaz Enerji Operasyonu'na bakın...
Cumhuriyet tarihinin en büyük yolsuzluk operasyonu, değiştirilen hukuki mevzuatlarla (DGM kapsamından çıkarılarak) nasıl sonuçlandırıldı?
Soruşturma Mavi Akım Projesi'ne nasıl ulaşamadı?
Kimse, "Soma'da 301 madenci şehit oldu; neden sorumlular istifa etmiyor?" diye sormasın. Bu ülkede "organik yapı" var; parti isimleri değişse de koltuklarda aslında hep aynı isimler oturuyor!
Ve diğer yanda...
Beyaz Enerji Operasyonu'nu yürütenlerin başına ne geldi:
- İçişleri Bakanı Sadettin Tantan koltuğundan oldu. Önerilen gümrüklerden sorumlu devlet bakanlığı teklifini kabul etmedi ve partisinden istifa etti.
- Jandarma Tümgeneral Osman Özbek'i sürdüler. İstifa etti.
- Emniyet Müdürü Emin Arslan'ı tezgâhla cezaevine attılar.
- Jandarma Albay Aziz Ergen'i Şırnak'a sürdüler.
- Savcı Talat Şalk'a, HSYK'de "kınama" cezası verdiler.
- Soruşturma açılmasına neden olan rüşvet kasetini ilk dinleyen ve sorgulamaları yapan (Taner Yıldız'ın telefonlarını dinleyen) Jandarma Albay Cemal Temizöz'ü hapse attılar...
Ben daha ne yazayım?..[66]

---

66 Romantik gerçekçiliğin büyük ustası... İnsanoğlunun vicdanı... Victor Hugo... Hırsız iktidarlara karşı hep mücadele etti. Mücadelesini etkin sürdürebilmek için milletvekilliğinden istifa etti. Evi taşlandı. Yargılandı, sürgüne gönderildi. Hiç geri adım atmadı... Yıllar sonra bizim Tevfik Fikret'in "Han-ı Yağma" dizeleriyle de karşımıza çıkacak şiiri yazdı:

Lüks Saat Merakı

Biliyorsunuz...

AKP'li dört eski bakan hakkında kurulan Meclis Soruşturma Komisyonu haberlerine yayın yasağı getirildi. Bu arada ekonomi eski bakanı Zafer Çağlayan'ın gümrük vergileri ödenmeden Türkiye'ye sokulan saatinin vergisini cezasıyla ödediği araya kaynadı.

Saat, Reza Zarrap'ın "hediyesi" miydi; Çağlayan'ın kendisi mi aldı; bilmiyoruz; yayın yasağı var! Benzer "Patek Philippe" markalı saat yıllar önce yine gündemdeydi. Yine konu, saatin "hediye" edilip edilmemesiydi! Ayrıca bu saatin gümrük vergisi de devletin örtülü ödeneğinden ödenmişti! Benzerliğe şaşırdınız mı? Gelin yıllar öncesine gidelim...

Salonda 592 sanık vardı.

Demokrat Partili siyasetçilerin, bürokratların yargılandığı Yassıada duruşmaları, 14 Ekim 1960'ta başladı.

Duruşmalar 9 ay 27 gün sürdü...

Dava konularından biri, Örtülü Ödenek Davası'ydı.

Neydi bu davanın konusu?

Bütçe yasası başbakanlara devletin gizli amaçları için belli bir parayı harcama yetkisi veriyordu ve buna "örtülü ödenek" deniyordu.

Başbakan Adnan Menderes'in on yıllık hükümeti döneminde devletin bu ödeneğini kendi kişisel ihtiyaçları ve amaçları için kullandığı iddia ediliyordu...

Örtülü Ödenek Davası 13 oturum sürdü. Mahkeme, Menderes'in on yıllık hükümeti boyunca kullandığı örtülü ödenek cetvellerini inceledi.

"Kodamanlar, haydutlar, hırsızlar, çabuk olun.
Koşun, gelin, ziyafet sofrasına kurulun,
Koşun herkese yer var.
Yiyin efendiler, ömür geçer çabucak;
Bu saf, alık, avanak, bu el koyduğunuz halk,
Sizindir kodamanlar!
Kurutun kaynakları, hazineyi boşaltın.
Yasalar sizden yana, yiyin, yalayıp yutun,
Tam zamanıdır şimdi.
Kalmasın tek metelik, çalın, gülün, oynayın.
Köylüyü, emekçiyi bitine kadar soyun.
Ve bulun neşenizi.
Çalın gülün oynayın..."

Binlerce ödeme tek tek kaydedilmişti.

Örtülü ödenek 1 numaralı cetvelde şu yazılıydı:

– Tarih: 3/7/1957

– TL: 1.400,00

– Konu: Başvekil'e gelen saatin gümrüğü.

Evet, Başbakan Menderes'e bir saat gelmişti; "hediye" miydi, kendisi mi almıştı; bilmiyoruz.

Bildiğimiz, saat yurtdışından gelmişti ve gümrük vergisi devletin örtülü ödeneğinden karşılanmıştı!..

Bir de Zafer Çağlayan'a kızıyorsunuz; adamcağız saatin vergisini cebinden ödedi! "Haberler çıkmasaydı, öder miydi?" diyerek lütfen kafa karıştırmayınız!

Neyse yayın yasağı var, biz rahmetli Menderes'le devam edelim...

Ekonomi eski bakanı Zafer Çağlayan'ın 700 bin liralık saatinin markası; Patek Philippe'ti.

Adnan Menderes'e yurtdışından gelen saatin markası neydi? Patek Philippe olabilir mi?

Yassıada tutanaklarında saat markası yoktu. Fakat bir ipucu var...

Tarih: 27 Ocak 2005

Gazeteci Yavuz Donat, *Sabah* gazetesindeki köşesini Adnan Menderes'in oğlu Aydın Menderes'e ayırdı.

– Aydın Menderes: Rahmetli kol düğmesi ve saate meraklıydı... Kaliteli saat takardı... Patek Philippe.

– Yavuz Donat: Patek Philippe saati nerede?

– Aydın Menderes: Yassıada'ya giderken kolundaydı... Bir gün dedi ki... 'Saatim kırıldı, bana yeni bir saat gönderin.'

– Yavuz Donat: Gönderdiniz mi?

– Aydın Menderes: Annemle Ulus'a gittik... Posta Caddesi'nden, Anafartalar'a çıktık... Orada kaliteli saat satan bir yerden, Singer marka bir saat aldık.

– Yavuz Donat: Kaç liraya?

– Aydın Menderes: Altın kaplamaydı... 1.000 lira verdik.

– Yavuz Donat: Singer marka saati nerede?

– Aydın Menderes: Son saati oydu... Bir gün, postadan bir torba geldi.. Babamın idamından sonra. İçinde idam gömleği, Singer saat, idam kararının özeti vardı.

– Yavuz Donat: Şimdi bunlar sizde mi?

– Aydın Menderes: Muhafaza ediyoruz... Bir düzenleme yapacağız... O zaman ortaya çıkaracağız.

– Yavuz Donat: Sahi, Adnan Menderes'in Patek Philippe saati "nasıl kırıldı"? Ve "kırık saat" acaba şimdi nerede?..

İngiliz Sotheby's müzayedesinde eski bir saatleri 1999 yılında 11 milyon dolara satıldı. Peki...

Tarih: 1 Nisan 2007.

Başbakan Adnan Menderes'in Antik AŞ'nin İstanbul'da düzenlediği müzayedede saati kaç liraya satıldı?

Biliyoruz ki, Adnan Menderes'in birden çok saati vardı.

Örneğin... Antik AŞ'nin 2007'de düzenlediği müzayedede, Adnan Menderes'e IWC saat firması tarafından hediye edilen ve arkasında "Adnan Menderes" imzası bulunan altın kol saati açık artırmada satıldı. 6 bin lirayla başlayan artırma 12 bin lirayla sonuçlandı.

Bu saatin gümrük vergisinin devletin örtülü ödenek parasıyla ödenmesi zor; çünkü bu saat 1958 imalatıydı. Oysa örtülü ödenekteki tarih, 3/7/1957 idi.

Adnan Menderes'in saatleri konusu çok uzundur. Öyle ki... Yine hediye edilen bir saatin çeşitli yerlerinde masonik semboller olduğu da iddialar arasındadır! Kafa karıştırmayayım. Sonuçta... Adnan Menderes idama bile kolunda saatiyle gitti. Bu saat, hayatı boyunca taktığı en ucuz saat markası Singer'di.

Yani... Bugün de... "Bir lokma bir hırka" diye iktidara gelip lüksün kölesi olanların anlayamadığı şu: Kefenin cebi yok!

O halde... Erdoğan'ın "Ulysse Nardin" ve "Franck Müller" gibi pahalı saat merakını nasıl değerlendireceğiz?

Kapatalım bu mevzuu artık...

Her rejim kendi ahlakını yaratır!

Şuna bakar mısınız lütfen...

Dokuz AKP'li

TBMM Yolsuzluk Soruşturma Komisyonu, AKP'li dokuz milletvekili üyenin ret oyuyla yolsuzluk ve rüşvet iddiasıyla görevlerinden istifa eden eski bakanlar Zafer Çağlayan, Muammer Güler, Egemen Bağış ve Erdoğan Bayraktar'ı Yüce Divan'a göndermeme kararı verdi.

Kim bu dokuz AKP'li?..

Meclis çatısı altında bugüne kadar ne yaptılar?..

Komisyon Başkanı Hakkı Köylü... 67 yaşında. Kastamonu Devrekâni doğumlu.

İstanbul Üniversitesi Hukuk Fakültesi'ni bitirdi. Kütahya Emet Cumhuriyet Savcılığı'na atandı. Gürün, Mardin ve İskenderun'da Cumhuriyet başsavcılığı; Edirne Cumhuriyet savcılığı, Erzurum ve Bursa Cumhuriyet başsavcılığı yaptı. 22.-23. ve 24. dönemde Kastamonu AKP milletvekili seçildi. Bu yasama döneminde bakın ne yaptı:

Hiçbir kanun teklifinde imzası yok.

Sözlü ya da yazılı olsun, hiçbir soru önergesi vermedi.

Ne genel görüşme, ne meclis soruşturma ve ne de meclis araştırma önergesine imza koydu.

İtibarıyla gensoru önergelerini desteklemesi söz konusu olamazdı.

Yasama görevi olarak en önemli icraatı, dört AKP'li bakanı Yüce Divan'a göndermemek oldu!

Yolsuzluk Komisyonu Başkan Vekili Yılmaz Tunç: 44 yaşında. Bartın Ulus'ta doğdu. İstanbul Üniversitesi Hukuk Fakültesi'ni bitirdi. Serbest avukat olarak çalıştı. AKP'den Pendik Belediye Meclisi üyeliğine seçildi. 23. ve 24. dönemde Bartın AKP milletvekili seçildi.

Ancak...

Henüz yazılı soru önergesi vermiş değil.

İlk imza sahibi olduğu genel görüşme önergesi yok.

İlk imzası olduğu meclis soruşturma önergesi yok.

İlk imzası olduğu meclis araştırma önergesi yok.

İlk imzası olduğu gensoru önergesi yok.

İşte Yolsuzluk Komisyonu'nun AKP'li sözcüsü Mustafa Kemal Şerbetçioğlu... 46 yaşında. Yozgat'ta doğdu.

İstanbul Üniversitesi Hukuk Fakültesi'ni bitirdi. Bursa'da avukatlık yaptı.

24. dönemde AKP'den Bursa milletvekili seçildi.

Yasama yılı faaliyetleri şöyle:

İlk imza sahibi olduğu kanun teklifi yok.

Yazılı ya da sözlü soru önergesi yok.

Hiçbir meclis genel görüşme önergesine imza koymadı.

Hiçbir meclis soruşturma önergesine imza koymadı.

Hiçbir meclis araştırma önergesinde de, gensoru önergesinde de ilk imzası yok.

Yolsuzluk Komisyonu'nun kâtip üyesi bir kadın milletvekiliydi: İlknur İnceöz... 42 yaşında. Aksaray'da doğdu.

İstanbul Üniversitesi Hukuk Fakültesi'ni bitirdi. Aksaray'da AKP'li belediyenin ve çeşitli kurumların avukatlığını yaptı. 23. ve 24. dönemde Aksaray milletvekili seçildi.

Meclis çatısı altında yaptıkları daha doğrusu yapmadıkları hiç şaşırtıcı değil:

Bir tek yazılı ve sözlü soru önergesi vermedi.

Genel görüşme teklifi vermedi.

Soruşturma önergesi vermedi.

Araştırma önergesi vermedi.

Gensoru önergesi vermedi...

İlk imzayı attığı kanun teklifi vermedi.

Gelelim... Yolsuzluk Komisyonu'nun AKP'li üyelerine...

Bilal Uçar: 46 yaşında. Denizli Acıpayam'da doğdu. İstanbul Üniversitesi Hukuk Fakültesi'ni bitirdi. İstanbul'da gazetecilik yapmayı başaramayınca Denizli'ye dönüp serbest avukatlık yaptı. 24. dönem AKP Denizli milletvekili oldu.

TBMM'de ne mi yaptı? Yazılı ya da sözlü önergesi yok.

İlk imza sahibi olduğu kanun teklifi ya da genel görüşme önergesi yok.

Hiçbir meclis soruşturma önergesinde, meclis araştırma önergesinde ve gensoru önergesinde imzası yok.

Mustafa Akış: 34 yaşında. Konya Beyşehir'de doğdu. Ankara Üniversitesi Hukuk Fakültesi'ni bitirdi. Serbest avukatlık yaptı. 24. dönem Konya AKP milletvekili oldu.

TBMM'ye verdiği yazılı ve sözlü soru önergesi yok.

TBMM'ye verdiği genel görüşme önergesi yok.

TBMM'ye verdiği meclis soruşturma önergesi yok.

TBMM'ye verdiği gensoru önergesi yok.

İlk imzayı attığı ne bir kanun teklifi ne de meclis araştırma önergesi var!

Ayşe Türkmenoğlu: 50 yaşında. Konya'da doğdu. İstanbul Üniversitesi Hukuk Fakültesi mezunu. Serbest avukatlık yaptı. 23. ve 24. dönemde AKP'den Konya milletvekili seçildi.

Yazılı ya da sözlü soru önergesi yok.

Genel görüşme önergesi yok.

Meclis soruşturma önergesi yok.

Meclis araştırma önergesi yok.

Gensoru önergesi yok.

İlk imzayı attığı kanun teklifi yok.

İsmet Su: 56 yaşında. Artvin'de doğdu. İstanbul Üniversitesi Hukuk Fakültesi'ni bitirdi.

Serbest avukat olarak çalıştı. 24. dönem AKP Bursa milletvekili oldu.

Artık ezberlediniz; yazılı ve sözlü soru önergesi yok.

Genel görüşme önergesi yok.

Meclis soruşturma önergesi yok.

Gensoru önergesi yok.

İlk imzayı attığı ne bir tek kanun teklifi ne de bir tek meclis araştırma önergesi var.

Yusuf Başer: 50 yaşında. Yozgat'ta doğdu. İstanbul Üniversitesi Hukuk Fakültesi'ni bitirdi.

Serbest avukat olarak çalıştı. 24. dönem AKP'den Yozgat milletvekili seçildi.

O da şaşırtmıyor...

Bugüne kadar Meclis'e sözlü veya yazılı önerge vermedi.

Bugüne kadar Meclis'e genel görüşme önergesi vermedi.

Bugüne kadar Meclis'e soruşturma önergesi vermedi.

Bugüne kadar Meclis'e gensoru önergesi vermedi.

Bugüne kadar Meclis'e sunulan araştırma önergesine ilk imzayı vermedi.

Sonuç?..

Dört AKP'li eski bakanı Yüce Divan'a göndermeyen dokuz AKP'li milletvekilinin meclis karnesi budur...

Yani: TBMM dekordur.

Oynanan, "cici demokrasi"dir.

Bizi de "seçmen" olarak bir parçası yapıyorlar, hepsi bu...

Hangi Erdoğan?

Tarih: 4 Temmuz 2003.

Başbakan Erdoğan: "Bedelli askerlik konusu hükümetin gündeminde bulunmuyor."

Tarih: 24 Mart 2004.

Erdoğan: "Bedelli askerlik göreve geldiğimizden bu yana bir taleptir. Bu talebin ne kadar ciddi olduğunu ancak belli bir müracaatın sonunda görürüz."

Tarih: 1 Temmuz 2005.

Erdoğan: "Bedelli askerlikle ilgili çalışmamız yok."

Tarih: 9 Aralık 2005.

Erdoğan: "Bedelli askerlik konusunu Genelkurmay'la görüşüyorum."

Tarih: 11 Aralık 2005.

Erdoğan: "Bedelli konusunda bazı vatandaşların talepleri var ama gündemimizde bu konu yok."

Tarih: 6 Nisan 2007.

Erdoğan: "Bedelli askerlik konusunda bir çalışma yok."

Tarih: 17 Nisan 2010.

Erdoğan: "Bedelli askerlik konusunda gelen mail'leri bence bir klasöre koysanız da bunu Silahlı Kuvvetler'e gönderseniz çok isabetli olur. Bu konuyu bir daha müzakere ederiz."

Tarih: 20 nisan 2010.

Erdoğan: "Yarın Genelkurmay Başkanı'yla görüşeceğim. Eğer şartlar uygunsa bedelli meselesine bakacağız."

Tarih: 23 Nisan 2010.

Başbakanlık'tan yapılan yazılı açıklamada bedelli askerlik konusunda "uygun şartların oluşmadığı" belirtildi.

Tarih: 10 Ekim 2010.

Erdoğan: "Benim bedelli askerlik konusunda taahhüdüm olmamıştır. Pişmemiş aşa kimse su katmasın. Böyle bir taahhüdüm olmadığı halde varmış gibi gösterilmesi beni üzer."

Tarih: 9 Kasım 2010.

Erdoğan: "Bedelli kesinlikle şu anda gündemde yoktur. Bunun bilinmesini isterim."

Tarih: 25 Şubat 2011

Erdoğan ATV'de katıldığı seçim öncesi programında, bedelli askerliğin değerlendirilmekte olduğunu, konunun seçim sonrası tekrar gündeme alınacağını söyledi.

Tarih: 17 Mart 2011.

Erdoğan: "Bedelli askerlik konusunu biz kalkarız referanduma taşırız ki halkımız bunun kararını versin. Çünkü ben şahsen böyle bir sorumluluğun altına Tayyip Erdoğan olarak giremem."

Tarih: 5 Haziran 2011.

Erdoğan "32. Gün" programında, "Şimdi sürekli olarak söylenen bedelli askerlik; biz bu adımı zaten attık. Bedelli askerlik artık zamanlamayla rahatlıkla çözülebilecek bir konu," dedi.

Tarih: 11 Eylül 2011.

Hükümet Sözcüsü Bülent Arınç: "Hükümetimizin gündeminde bedelli askerlik söz konusu değil."

Tarih: 3 Kasım 2011.

Savunma Bakanı İsmet Yılmaz, bedelli askerlikle ilgili çalışmaya "bayramdan sonra başlayacaklarını" söyledi.

Tarih: 16 Kasım 2011.

Erdoğan: "Bedelli askerlik işini bu hafta içinde olmazsa bile önümüzdeki hafta tamamlayıp hemen adımı atacağız."

Tarih: 17 Kasım 2011.

Erdoğan'ın isteğiyle bedelli askerlik yasa tasarısı Bakanlar Kurulu'nun imzasına açıldı. Tasarının ayrıntıları da belli oldu: Bedelli için alt yaş sınırı 30, bedelli ücreti 30 bin TL, süresi 21 gün olarak belirlendi.

Tarih: 21 Kasım 2011.

Erdoğan: "Bedelli askerlikte şu hususu vurgulamak zorundayım; bedelli askerlik 9 yıl boyunca AK Parti olarak bizim gündemimizde hep oldu."

Tarih: 20 Kasım 2013.

Erdoğan: "Bedelliyi çıkardık. Bedelliye müracaat edenler maalesef bizim planladığımız gibi olmadı. Gelmiyorlar. Beklentimiz bizim çok çok fazlaydı, maalesef olmadı."

Tarih: 21 Kasım 2013.

Bir gazetecinin "Dün akşam bedelli askerlik ile ilgili yaptığınız açıklamanız 'Yaş sınırı ve fiyatı düşük yeni bir bedelli askerlik mi geliyor?' şeklinde algılandı. Böyle bir çalışmanız var mı?" sorusu üzerine Erdoğan, "Ben, öyle bir şey söylemedim. 'Öyle bir teklif geldi. Bunu yetkili, ilgili mercilerle görüşebiliriz. Ona göre adımlar atılabilir' dedim," diye yanıt verdi.

Tarih: 26 Kasım 2013.

Savunma Bakanı İsmet Yılmaz, AKP Genel Başkan Yardımcısı Numan Kurtulmuş'un "25 yaşından büyüklerin 15 bin liraya bedelli askerlik yapmasına" ilişkin sözlerinin ardından açıklama yaparak, "Milli Savunma Bakanlığı'nda bedelli çalışması yoktur," dedi.

Tarih: 27 Temmuz 2014.

Erdoğan: "Bedelli askerlik şu anda gündemimizde yok. Daha sonra gündemimize girebilir mi? Girebilir."

Tarih: 31 Temmuz 2014.

Savunma Bakanı İsmet Yılmaz, "Bedelli askerlik konusunda, Cumhurbaşkanlığı seçimleri sonrası bu yolda yapılacak değerlendirmenin sonucuna bakacağız," dedi.

Tarih: 13 Ağustos 2014.

Savunma Bakanı İsmet Yılmaz, "Başbakan Erdoğan'ın Cumhurbaşkanlığı görevine başlamasının ardından ele alınacak ilk konular arasında bedelli askerlik var," dedi.

Tarih: 16 Ekim 2014.

Başbakan Davutoğlu, "Böyle bir konjonktürde bedelli askerlik mümkün değil; fakir çocuğunun askerlik yapması, zengin çocuğunun bedel ödeyerek askerlik yapmaması olmaz" dedi.

Tarih: 19 Kasım 2014.

Cumhurbaşkanı Erdoğan: "Şu anda bunun artıları var eksileri var, böyle bir dönemin içindeyiz. Birileri çıkıp zaman zaman bu işi kaşıyor. Bunlar doğru yaklaşım tarzı değil."

Tarih: 2 Aralık 2014.

Başbakan Davutoğlu: "Bakanlar Kurulumuz, 1 ocak 2015 itibarıyla 27 yaşını doldurmuş olan vatandaşlarımıza bedelli askerlik imkânı getiriyor. Bu vatandaşlarımız 18 bin lira ödeme karşılığında askerlik görevlerini yapmış sayılacaklar."

Tarih: 10 Aralık 2014.

Bedelli askerlik sabaha karşı saat 03.00'te kabul edilerek yasalaştı.

Bu niye böyle biliyor musunuz?

Biri kendini sahiden başkomutan mı sanıyor?

Cumhurbaşkanı olunca başkomutan olunuyormuş öyle mi?

Bilmez mi... O başkomutanlık kâğıttandır!

"Kâğıtta yazıyor" diye başkomutan olunmaz!

"Kâğıtta yazıyor" diye başkomutanlık yapılamaz!

Kâğıt nedir; Anayasa'dır.

Kâğıt nedir; kanun'dur.

"Anayasa'da yazıyor, kanunda yazıyor," diye başkomutan olunmaz.

Başkomutan olmak için başka şartlar gerekir.

Yazayım...

1922 yazı. Yer, Ankara.

Mustafa Kemal büyük kararın eşiğindedir ancak verdiği kararı kimse onaylamamaktadır.

Savunma Bakanı, "Yeterli silah yok," der.

İçişleri Bakanı, "İç karışıklıklar ve soygunlara son vermeden böylesine bir büyük askeri harekâta başlamak yanlış olur," der.

Maliye Bakanı, "Kasam boş, bir kuruş param yok," der.

Mustafa Kemal geri adım atmaz. Kararlıdır.

Yakın asker arkadaşlarıyla konuşur.

Ali Fuat (Cebesoy) Paşa'nın ordulardan birinin başına geçmesini ister. Ama o, "Ben şimdiye kadar bütün cepheye komuta ettim," diyerek teklifi kabul etmez.

Mustafa Kemal aynı öneriyi Refet (Bele) Paşa'ya yapar. O da, taarruzun başarılı olacağına inanmamaktadır. Kinayeli kinayeli, "Çok önemli bir şey mi olacak?" diye sorar.

Mustafa Kemal "Evet olacak?" diye yanıtlar.

Refet Paşa kestirip atar, "Ben inanmıyorum," diyerek öneriyi reddeder.

O güne kadar hiçbir fedakârlıktan kaçınmamış yakın çevresi Mustafa Kemal'i, en önemli karar anında yalnız bırakmaktadır...

Sadece bu isimler mi?

1922 yazı. Yer, Akşehir.

Mustafa Kemal asker kurmaylarıyla büyük taarruz hakkında toplantı yapmaktadır.

Yakup Şevki (Subaşı) Paşa, askeri okulda Mustafa Kemal'in öğretmenliğini yapmıştır. Şimdi İkinci Ordu Komutanı'dır. Taarruza sertçe karşı çıkar; "Milletin gücünü kumarda zar atar gibi harcamak bir cinayettir," der.

Mustafa Kemal, "Milletin gücü bu kadar mı Paşam?" diye sorar. Yakup Şevki Paşa aynı ses tonuyla "Evet" deyip kestirip atar.

Kolordu Komutanı Kemalettin (Gökçen) Sami Paşa da benzer sözler sarf ederek yedek güçlerin güçsüzlüğünü anlatır.

İsmet (İnönü) Paşa ve Fevzi (Çakmak) Paşa da silahların dengesizliğinden bahsederek taarruz zamanına karşı çıkarlar. Örneğin; Yunan ordusunun 50, buna karşılık Türk ordusunun sadece 10 uçağı vardır.

Mustafa Kemal soğukkanlıdır. "Taarruzun başarısına inanmayanlar istifasını versinler. Bütün sorumluluğu ben üstüme alıyorum," der.

Paşalar şaşırır. İsmet Paşa havayı yumuşatmak ister: "Paşam, siz görüşlerimizi sordunuz biz de söyledik. Ama emir verirseniz biz buna uyarız."

Ve... 26 Ağustos 1922'de büyük taarruz başlar.

Taarruzu Başkomutan Mustafa Kemal şahsen yönetir.

Büyük zafer gelir; düşman denize dökülür.

Elbette zafer kahraman Mehmetçik'indir.

Ama... Başkomutanlık da işte böyle bir rütbedir.

Bu nedenle bu savaşa Başkomutanlık Meydan Muharebesi adı verilir!

Yani... Başkomutanlık kâğıttan değildir arkadaş!
Gerçek Başkomutan... Savaş meydanlarındaki zaferlerden çıkar.
Tarih: 13 Eylül 1683.
Türk ordusunun, Viyana kapıları önünden başlayan geri çekilmesi 238 yıl sürer.
Geri çekilme yine bir eylül ayında son bulur.
Tarih: 5 Ağustos 1921.
Gericilerin muhalefetine rağmen Mustafa Kemal başkomutan olur.
Tarih: 13 Eylül 1921.
Sakarya Meydan Muharebesi ile Türk ordusu "makus talihini" yener.
Türk ordusunun geri çekilişi son bulur.
İlerleme başlar...
Ardından... Hatay ve Kıbrıs gelir.
Hedef, Misak-ı Milli sınırı içindeki Musul-Kerkük'tür.
Alınması Atatürk'ün vasiyetidir.
İsmet İnönü alamaz ve bu son vasiyeti Bülent Ecevit'e bırakır.
Sonra... Sonra iktidara AKP gelir.
Musul-Kerkük'te Türkler katledilir; nüfus-tapu kayıtları yakılır; "Kürdistan" ilan edilir.
IŞİD Musul'da şeriat devleti kurar. Türk ordusu dışında buralara girmeyen yoktur.
Yetmezmiş gibi... Kâğıttan başkomutanın emriyle Türk ordusu bir gece yarısı operasyonuyla Suriye'deki Süleyman Şah Türbesi'nden çekilir! Bu, Türk ordusunun 1921'den sonra ilk geri çekilmesidir. 238 yıl süren geri çekilme kâbusu yine başlamıştır işte!
Kâğıttan başkomutan olduğu sürece, Türk ordusunun geri çekilişi sürecektir!
Kâğıttan başkomutan olduğu sürece, Mehmetçik'in kafasına çuval geçirilmesi sürecektir!
Kâğıttan başkomutan olduğu sürece, Ege adalarımızın işgal edilmesi sürecektir!
Kâğıttan başkomutan olduğu sürece, F-16 uçaklarımızın sınır boylarında düşürülmeleri sürecektir!
Kâğıttan başkomutan olduğu sürece, Mehmetçik'in şehit olması sürecektir!

Tarih: 8 Ocak 1994.

Hz. Muhammet'in göğe yükseldiği Miraç Kandili'ydi.

Serhat Gencer 21 yaşındaydı; 1973 Kırıkkale doğumluydu. Çankırı Astsubay Okulu'ndan yeni mezun olmuştu. Foça'daki Amfibi Deniz Piyade Taburu'ndaki görevinden sonra Şırnak Maden Jandarma Karakolu'na gönderildi. İlk görev yeriydi.

O gece...

Astsubay Serhat Gencer, sivil hayatta imamlık yapan askeriyle namaz kıldı; Yasin suresini okudular. Sonra Serhat Gencer oturup mektup yazdı ve astsubay arkadaşına mektubu verirken şöyle dedi: "Rahmetli dedemi rüyamda gördüm; dedemi çok severdim, beni yanına çağırıyor. Ben de bu mektubu yazdım; eğer şehit düşersem bunu aileme ulaştır lütfen."

O gece...

Cudi Dağı'ndaki Maden Jandarma Karakolu PKK tarafından roket saldırısına uğradı. Saatler süren çatışma sonucu dokuz şehit verildi.

O gece...

Astsubay Serhat Gencer şehit düştü...

Şehit cenazesi Kırıkkale Kaletepe Mahallesi'ndeki evine getirildiğinde, kortejin en önünde elinde Türk bayrağıyla yürüyen 13 yaşında bir çocuk vardı: Serkan Gencer; şehit Serhat Gencer'in amcasının oğlu...

14 yıl sonra...

Tarih: 19 Temmuz 2008.

Serkan Gencer, ağabey bildiği Serhat Gencer'in yolundan yürüdü.

Jandarma Özel Harekât Komutanlığı'nda üsteğmendi.

O gece...

3 yıldır görev yaptığı Bingöl'ün Genç ilçesinde yol kontrolü yapıldığı sırada PKK'lıların açtığı ateş sonucu şehit düştü.

Gencer ailesi ikinci şehidini verdi...

Şehit Üsteğmen Serkan Gencer'in cenazesi Kırıkkale'ye gönderilirken Kaletepe Mahallesi yine Türk bayraklarıyla donatıldı.

Şehit üsteğmenin üç yaşındaki oğlu Burak Enes ne olduğunu anlayamıyor; annesi Nurgül'ün kucağından inmiyordu... Cenaze ağıtlarla evden götürülürken kortejde bayrak taşıyanların arasında bu kez, 20 yaşında Ömer Gencer vardı. Batman'da askerdi; ağabeyinin cenazesi için baba ocağına gelmişti.

Baba Arslan Gencer, "Allah devletimize ve milletimize zeval vermesin, oğlum yeğenimin kanını yerde bırakmadı ama şehit oldu," dedi.

4 yıl sonra...

Tarih: 29 Mayıs 2012.

Erdoğan AKP grup toplantısında, Astsubay Serhat Gencer'in şehit olmadan az önce ailesine yazdığı mektubu okudu: "Bu mektup ancak ben öldükten sonra elinize geçecektir. Beni asla unutmayın. Hep kalbinizin bir köşesinde saklayın. Şunu unutmayın, Allah'ın verdiği canı Allah'tan başkası alamaz. Yalnız size söylemek istediğim bir şey var. Ben Burcu'yu çok seviyorum. Bu sevgimi de mezara götürüyorum. Ben burada öldümse Allah yolunda, vatan namus millet yolunda öldüm. Gülün, asla ağlamayın. Eğer ağlarsanız ben yattığım yerde rahat edemem, dedeme de hepinizin selamını söylerim. Sizleri çok seviyorum. Hepinizi çok özledim. Yazacak başka bir şey de bulamıyorum. Oğlunuz Serhat."

Erdoğan mektubu okurken zorlandı; gözyaşlarını tutamadı. AKP grubunda başta Bülent Arınç olmak üzere birçok milletvekili gözyaşı döktü.

9 ay sonra...

Tarih: 28 Aralık 2012

Erdoğan bir televizyon röportajında Kürt sorununu çözmek için hükümetin İmralı'da hapis yatmakta olan PKK lideri Abdullah Öcalan'la görüşmeler yaptığını duyurdu. Daha sonra bu görüşme ve pazarlıklar "Çözüm Süreci" olarak adlandırıldı.

Aradan 10 ay geçti...

Tarih: 16 Kasım 2013.

Erdoğan, Mesut Barzani ve Şivan Perver ile Diyarbakır'da miting yaptı. Erdoğan konuşmasında "yeni bir Türkiye inşa ettiklerini" söyleyerek ilk kez "Kürdistan" sözünü telaffuz etti.

Dört gün sonra...

Tarih: 20 Kasım 2013.

Şehit Serhat Gencer'in babası...

Şehit Serkan Gencer'in amcası...

Kırıkkale Şehit Aileler Derneği Başkanı Mehmet Gencer, basın açıklaması yaparak, "Başbakan Erdoğan'ın PKK koruyucularıyla kol kola girmesini, bölücüleri baştacı etmesini" eleştirdi.

"Ben Türk'üm, sen kimsin... Sen nasıl Türklüğü ayaklar altına aldırırsın..." gibi sözlerine Erdoğan hakaret davası açtı. Dava Kırıkkale 4. Asliye Ceza Mahkemesi'nde görülmeye başlandı.

Şehit babası Mehmet Gencer geri adım atmadı...

8 ay sonra...

Tarih: 14 Temmuz 2014.

Mehmet Gencer eşi Nebahat Gencer ile, TBMM'den çıkan çözüm sürecine ilişkin yasayı protesto etmek için Kırıkkale PTT'sine giderek, Erdoğan'ın evinin adresine bir kilo kına gönderdi.

Kınayı geçen yıl Hacca gittiğinde Mekke'den getirdiğini açıklayan Gencer, "Her insana kına yakmak nasip olmaz. Mesela Tayyip Bey'in oğlu Burak'a çürük raporu verilerek askere gidememişti. Onun o haline üzülüyorum. Yazık, askerlik yapmadı ve asker kınası yakılamadı. Sakın yanlış anlaşılmasın. Çok iyi niyetli, samimi, art niyetsiz olarak, kalbimde en ufak bir kin ve nefret olmadan kınayı gönderiyorum. İnşallah yanlış anlamaz, çünkü bizler içi dışı bir ayna gibi insanlarız," diye ekledi.

Erdoğan'a gönderilen kına savcılık soruşturmasına konu oldu.

Tarih: 13 Ekim 2014.

Şehit babası...

Şehit amcası...

Şehit Aileleri Federasyonu başkanlığını da bir dönem yürüten Mehmet Gencer, basın açıklamasından dolayı 1 yıl 2 ay hapis cezasına çaptırıldı.

İşçi emeklisi Gencer nasıl ödeyecekse, ceza 7 bin 80 TL para cezasına çevrildi.

Sadece şunu yazabilirim Erdoğan'lar için:

Her şeyin fiyatını biliyorlar, değerlerini değil...

Tüm mesele bu...

Yedinci Bölüm

HEP AYNI ADAMLAR HEP AYNI ŞİRKETLER

Tespit 1)

Diyanet İşleri Başkanı Mehmet Görmez'in şu sözleri çok tartışıldı:

"Fransız İhtilali'yle birlikte insanlık başka bir arayış içine girdi. Dinlerin dışında daha seküler bir dünya kurmayı tasarladı. Fakat sekülerizm dinlerden kaynaklanan şiddeti de geride bırakarak dünyayı topyekûn bir savaşın içine soktu..."[67]

Başkan Görmez geçen yıl da *Vatan* gazetesinden Ruşen Çakır'a konuşmuştu:

> IŞİD gibi hareketleri salt dinle ve dini anlayışlarla izah edemeyiz... Bugün bu hareketlere katılan herkes modern eğitim kurumlarından gelmektedir. Bu eğitimin var ettiği zihinlerde özellikle modern düşüncenin temelini teşkil eden pozitivist anlayışlar ister istemez etkin olmuştur... Bugünkü şiddet eylemlerinin kaynağı İslam'dan ziyade İslam'ı algılamanın modern düşünce kalıplarıyla birleşmesinden gelmektedir. Çağdaş ideolojilerden ve hak arama yöntemi olarak silahı ve şiddeti esas alan hareketlerden etkilenmişlerdir...[68]

Bu sözleri sarf eden aynı zamanda bir ilahiyat profesörü...

Sormak lazım: Fransız Devrimi'nden önce insanlık şiddet yoluyla arayışlara girmedi mi?

Çok gerilere gitmeyeyim:

– Vehhabiliği nasıl değerlendireceğiz?

– Hindistan'daki Şah Veliyullah hareketi mi modernizmden etkilenmişti?

– Batı Afrika'daki Fulanilik'in kaynağı pozitivizm miydi?

– Sudan'daki Mehdilik hareketi materyalizmden mi etkilenmişti?

– Bunların referansları Voltaire ya da Comte miydi?

– Yoksa İmam-ı Rabbani'yi Marks mı etkilemişti?..

Demek bunları hümanizm ortaya çıkardı öyle mi?

"Görmez Efendi" siz ne diyorsunuz? İslam dünyası tam 13 asırdır birbiriyle savaşıyor!

---

67 14 Aralık 2015.

68 8 Aralık 2014.

Batı'yı sorunların kaynağı görmekten vazgeçiniz artık. Çünkü... Bu şiddet hareketlerinin referans kaynaklarını siz çok iyi biliyorsunuz?

Açıp Ahmet bin Hanbel'i (780-855) bir daha okuyunuz; Vehhabilik ya da IŞİD'in nereden doğduğunu anımsarsınız!..

Tespit 2)

Adı; Yücel Barakazi...

Bingöl'de AKP'den belediye başkanı seçildi.

Belediye başkan yardımcılığına ve belediye başkan vekilliğine kadın getirmeyi düşünmediğini açıkladı. "Dinen sakıncalı"ymış!..

Semra bint Nüheyk el-Esediyye kim? Bildiğini sanmam.

– Hz. Muhammet döneminde Medine'de muhtesip/denetleyici olarak görev yaptı.

– Çarşı ve pazar esnafını din kurallarına göre denetleyen Ümmü/Bayan Semra belinde kırbaç taşıyordu. Kurallara uymayanları, haksızlık-hırsızlık yapanları kırbaçla kadın-erkek demeden dövüyordu!

Demek ki, Hz. Muhammet döneminde bir kadın kendi kararını alıp kendisi uygulayabildi!

Kuran-ı Kerim'de nerede geçiyor; "Kadın çalışamaz ya da yönetici olamaz," diye. Yok.

Özbekistanlı Buhari'nin yazdığı bir hadisten ne fırtınalar koparılıyor. Güya...

İran Kisrası/Kralı Şireveyh, tahtını Buran adındaki kızına verince Hz. Muhammet, "Mukadderatını bir kadının eline veren millet felah bulmaz!" diye buyurmuştu!

Hz. Muhammet devrinde Müslüman kadın hayatın içindeydi. Çalışma-ticaret, siyaset ve savaşta erkeklerin yanı başındaydı.

Hz. Muhammet döneminde erkeklerle tartışabilen, onların yanlışlarını çekinmeden söyleyen, yol gösteren kadınlar vardı.

Hz. Muhammet'in kadınlarla istişare ettiğini Kuteybe bin Müslim kaydetmektedir. Örneğin, Hz. Ömer'in kızı Hafsa'nın evinde, Esma Bint Umeys ile tartıştığı ve Hz. Muhammet'in Ümmü Esma'ya hak verdiği bilinir.

Keza... İbn Sa'd, Hz. Muhammet'in eşi Seleme'nin kadın konusunda Hz. Ebubekir ve Hz. Ömer ile tartıştığını yazdı. Kadın hakları konusunda Ayşe ile Seleme'nin katkıları göz ardı edilebilir mi?

Siyasi tutukluların affı için aracılık yapan kadınların isteklerini Hz. Muhammet yerine getirmedi mi?

Hz. Muhammet'in ilk eşi Hatice ticaretle uğraşmadı mı? Mekke'nin en zengin tüccarlarından biri değil miydi? Hz. Muhammet, Hz. Hatice'nin üçüncü eşiydi.

Medine'de Yahudilere ait Kaynuka Çarşısı'nda ticaret yapan Müslüman kadınlar yok muydu? Hz. Muhammet'in eşlerinden Zeynep'in ayakkabı yapıp pazarda sattığı bilinmiyor mu?

– Dericilik yapan Ümmü Rayta'nın, "Zanaatımdan elde ettiğim ürünleri satıyorum bu sevap mıdır?" diye sorması üzerine, Hz. Muhammet "Elbette sevaptır," yanıtını vermedi mi?

– Ümmü Mübeşşir'in kendisine ait hurma bahçesi vardı.

– Ümmü Zafer ve Ümmü Umara gibi Müslüman kadın kuaförler erkeklerin bile saçlarını kesiyorlardı.

– Ümmü Muleyke ve Ümmü Esma güzel kokular satan "ilk Müslüman parfümcüler" değil miydi?

– Hz. Muhammet savaşta istihbarat için kadınları görevlendirmedi mi? Uhut Savaşı'nda Hz. Muhammet'in halası Safiyye gibi 14 Müslüman kadın görev yapmadı mı? Sütteyzesi Ümmü Süleym hamileyken katılmadı mı Huneyn Savaşı'na? Akabe'de Nesibe (Ümmü Ümare) kocası ve iki oğluyla savaşmadı mı? Omzundan yaralanmadı mı? İyileşip Uhut Savaşı'na katılıp bu kez vücuduna 12 yara almadı mı?

Hangisini yazayım...

Ümmü Esma, Yermük Savaşı'nda; Ümmü Hansa, Kadisiye Savaşı'nda savaştı. Hz. Muhammet'in süthalası Ümmü Hıram Kıbrıs'a çıkarma yapan İslam ordusu içindeydi; şehit düştü.

Müslüman kadınlar İslam hukuku gereği savaş ganimetlerinden pay da aldılar. Hz. Muhammet, Hayber'de savaşan Kuaybe, Sahle, Ümeyye gibi 20 kadına, Benu Nezar Kalesi ganimetlerini erkeklerle eşit paylaştırdı.

Esma bint Umeys doktorluk yapmadı mı? Habeşistan'dan öğrendiği ilaçları Hz. Muhammet'e vererek iyileştirdiği bilinmez mi? Peygamber'in öldüğünü muayene ettikten sonra ilk açıklayan o değil miydi?

İslam'da kadın düşmanlığı nereden çıktı?..

Dinciler kadınları neden "ikinci sınıf varlıklar" olarak görüyor?

Şurası bir gerçek:

Kadınlar Bedevi kültürünün/cahiliye dönemi uygulamalarına maruz kaldı ve ikinci sınıf insan yapıldı!

İslam kadın konusunda nettir; kadın, özgür iradesini kullanarak istediğini yapar ve yaptıklarının iyiliği de kötülüğü de kendisine aittir. Kadın istemezse kimseyle evlendiremezsiniz bile. Ama dinciler bunları duymak istemiyor. Öyle ya...

Bu gerçekleri ısrarla yazan, söyleyen İlahiyatçı Doç. Dr. Bahriye Üçok'u katlettiler.

Hurafeyle mücadele şarttır. Çünkü, hurafe dinden derindir.

Cahiliye döneminin Bedevi geleneklerini İslam sanıyorlar. Bir şehir medeniyeti olan İslam'ı, "köylülük Müslümanlığı"na indirgiyorlar. Böylece Ortaçağ'ı yıkmış İslam'ı, Ortaçağ karanlığına çekiyorlar.

Tespit 3)

İki Dersimli... İki Zaza...

Biri, Elazığlı Selahattin Demirtaş...

Diğeri, (Tunceli) Tarnoti/Ovacık Karaballı aşiretinden Çermu'nun torunu İsmail.

Demirtaş'ın, Ankara'da ellerde Türk bayrağıyla yapılacak "Teröre Hayır Kardeşliğe Evet" yürüyüşüne ilişkin, "Halkı tahrik edecek işlerden herkes kaçınmalıdır," sözleri tepkiyle karşılandı.

"Türk bayraklı kardeşlik mitingi halkı niye tahrik etsin; asıl mesele Türk bayrağına tahammülsüzlük," yorumları yapıldı.

Şimdi... Buraya bir virgül koyalım; bu konuya döneceğim.

Gelelim Dersimli İsmail'e...

Yıl, 1919... İzmir'in Yunanlılar tarafından işgali ABD'de bulunan Rumlar tarafından gösterilerle kutlandı. Bu arada kimi Rumlar taşkınlık yaparak Türk bayrağına hakaret etmeye ve yakıp yırtmaya başladı. Dersimli Çermu'nun torunu İsmail belindeki silahına davranıp, Türk bayrağını ayakları altına alan yedi Rum'u öldürdü, ikisini yaraladı. Amerikan polisinin elinden kurtulup Meksika'ya kaçmayı da başardı.[69]

---

69 Tarihimizde örnekleri çoktur. Osman Nevres... Namı diğer Hasan Tahsin. Tanırsınız; işgalci Yunan'a İzmir'de ilk kurşunu atan yurtsever... Yıl: 1911. Paris Sorbonne Üniversitesi'nde Siyasal Bilimler öğrencisi. İtalyanların Trablusgarp'a saldırmaları üzerine Avrupa'da Türkler aleyhinde propaganda yapılmaya başlandı; saldırgan İtalyanlar mazlum, savunmadaki Türkler ise zalim gösterildi. Osman Nevres, Trablus Savaşı'yla ilgili bir belgesel filmin Paris'in ünlü sinemalarından Olimpia'da oynadığını duydu. Heyecanla filmi seyretmeye koştu. Film başlayınca Osman Nevres yerinde duramadı. Çünkü, seyirciler perdede Türk askerlerini görünce yuhalıyor, İtalyan askerlerini alkışlıyorlardı. Osman Nevres

Bir yıl sonra...

Tarih: 18 Eylül 1920.

Büyük Millet Meclisi Birinci Dönem Dersim Milletvekili Hayri Bey, vatanseverlik duygularıyla Türk bayrağını korumak amacıyla hareket eden İsmail'i Meclis gündemine getirdi. Dersim'de bulunan ailesinin zor durumda olduğuna dikkat çekerek, İsmail'in vatanseverlik hissinin ödülü olarak ailesine bir miktar para yardımı yapılmasını ve uğrunda hayatını feda edecek derecede sevdiği bir Türk bayrağının Büyük Millet Meclisi tarafından kendisine verilmesini teklif etti.

Teklif, Meclis İkinci Başkanı tarafından 22 Eylül 1920'de Başvekâlete havale edildi.

Bakanlar Kurulu, talebi uygun buldu. Ayrıca böyle vatansever bir evlat yetiştirdikleri için İsmail'in ailesine teşekkür edilmesi kararı aldı. Bu karar, gereğinin yapılması için 31 Ekim 1920'de Dahiliye Vekâletine bildirildi.

Şunu sormalıyım:

Selahattin Demirtaş Türk bayrağına karşı mı?..

Erdoğan ve Davutoğlu, Demirtaş'a ağır sözlerle yüklendi. İki yıl önce ne kadar farklı konuştuklarını; Anayasa'yı değiştirip "Türk" adını çıkarmak istediklerini unuttuk mu sanıyorlar? Hatırlatayım...

Tarih: 24 Mart 2013.

Adını bilmezsiniz; Hilal Kaplan. AKP yandaşı köşe yazarı.

PKK ile barışık oldukları o "açılım" günlerinde bir televizyonda; Diyarbakır'daki Nevruz mitinginde Türk bayrağı açılmaması tartışmalarına değinerek, "Türk bayrağı isminin değişmesi de gündeme gelmeli. Mesela adı, Sayın Selahattin Demirtaş'ın dediği gibi 'devlet bayrağı' olabilir," dedi.

Çok tepki alınca... "Türk bayrağının adı değişsin," demediğini söyleyerek, "Anayasa'daki vatandaşlığın Türklük ekseninde

---

dayanamadı ve oturduğu sandalyeyi perdeye fırlattı. Beyazperde boydan boya yırtıldı. Fransızca "Işıkları yakın," diye bağırdı. Seyircilerin korku ve şaşkınlık içinde bağırmaları üzerine makinist filmi durdurdu ve ışıklar yandı.

Osman Nevres bağırarak şöyle dedi: "Benim sizlerden ne farkım var? Sorbonne Üniversitesi'nde okuyor ve sizin dilinizi konuşuyorum. Ben de Türk'üm. Türkler bu filmde gösterildikleri gibi vahşi ve zalim insanlar değillerdir. Onlar da en az sizin kadar uygardırlar." Osman Nevres daha fazla konuşamadı; birkaç polis salona girdi. Gözaltına alındı. Götürüldüğü karakolda şöyle konuştu: "Ben vatanını seven bir insanın yaptığını yaptım. Fransa hükümeti, Osmanlı Devleti aleyhindeki bu kampanyayı durdurmazsa aynı davranışı pişmanlık duymadan tekrar yaparım!"

tanımlanmamasının tartışıldığı bir zamanda, Türk bayrağı yerine, Türkiye Bayrağı demeyi daha uygun bulduğumu belirttim," dedi.

Yandaşların neler dediğine başka örnekler vermeye gerek var mı?[70] İki yıl önce AKP'lilerin Türkiye'ye yaşattıkları siyasi atmosfer başkaydı. Dönem değişti; ellerinde Türk bayrağıyla bugün Demirtaş'a yüklenip ne nutuklar atıyorlar; neler yazıyorlar.

Ne yazık ki bu ülkenin yarısına, bu ikiyüzlü siyaseti her seferinde yutturuyorlar.

Hadi... Selahattin Demirtaş'ın "Türk bayrağı" alerjisini anlayabiliriz; kimlik siyasetini öyle bir noktaya getirdiler ki "Türk" adından nefret ediyorlar!

– Seçim arifesinde– ellerinden bayrak düşmese de, kimi dinci AKP'lilerin de "Türk bayrağı" alerjisi yok mu? Yazmalıyım:

Bir dönem çok zorladılar; –hep yaptıkları gibi– uyduruk adamlara tarih yazdırdılar: "Türk bayrağındaki yıldızın beş uçlu olmasının nedeni, İslam'ın beş şartını simgelemesidir!"

Öyle olsaydı; 1842 yılına kadar yıldız sekiz köşeli olur muydu?

Sadece yıldız değil, hilal için de hurafe anlatıyorlar!

Türk bayrağındaki ay ve yıldızı, İslamiyet'le ilişkili göstermeye neden ihtiyaç duyuyorlar?

Şundan... İslam; insan, bitki, hayvan, gezegen, vb. kıyametle yok olacağı düşünülen varlıkların resmedilmesini yasakladı!

Dikkat ettiniz mi?.. Suudi Arabistan gibi Vehhabi ülkelerin bayraklarında bunlar yoktur.

Evet... Siz bakmayın ellerinde Türk bayrağı sallandırdıklarına... Ellerinden gelse Türk bayrağını da tasarlarlar. Vehhabi Katar bayrağı gibi "testere" koyarlar!

Bu nedenle kimileri Türk bayrağına "Şaman bayrağı" diyor!

Dikkat ediniz... Bu dinci çevreler "Al bayrak" dememeye çalışır! Öyle ya...

"Kırmızı" Arapçadan gelir; "al" ise, eski Türkçede –ateş kültüyle bağlı olduğundan– "alev"den türemiştir.

70 İşgal döneminde Osmaniye'de *Ferda* gazetesini çıkaran Mesut Fâni vardı. Fransızlar tarafından Osmaniye'de mutasarrıf da yapılmıştı. Gazetesinde şöyle yazıyordu: "Dört yüz senedir altında yaşadığımız bayrak denilen o kırmızı paçavradan ne fayda gördünüz? Bugün muazzam bir devletin şanlı bayrağı üzerimizde dalgalanıyor. Budalalık yapmayınız. Bari bundan istifade ederek mesut yaşayalım. Millet demek; bir bez parçasına nail olmak demek değildir." Bu hainler yazmakla bitmez...

Yani, Türk bayrağı esasen kırmızı değil, al'dır. Bizde aslen "kırmızı kan" değil "al kan" denmez mi?[71]

Yani... AKP'li kimi dincilerin de Türk bayrağına alerjisi vardır; Demirtaş, Türk bayrağının adına karşı çıkar; dinciler tamamına! Acı olan; halkımız bunların farkında bile değildir...

Yazalım o halde...

Doğum Hikâyesi

Yıl: 1744...

Yer: Arap Yarımadası'ndaki Der'iyye...

Suudiler göçmen kabilesiydi; deve yetiştiriyorlardı ve otlu bölge bulmak için Kûfe, Musul, Hayber gibi bölgelerde konaklayarak buraya gelmişlerdi.

1446'dan beri Der'iyye'de yaşıyorlardı. 70 hanelik küçük bir emirlikleri vardı.

1727 yılından itibaren kabile reisi Muhammet bin Suud idi.

Bir gün... Der'iyye'ye Suudilerin yaşamlarını kökten değiştirecek bir tanrı misafiri geldi.

Geleneksel Arap misafirperverliğine uygun olarak bu gelen kişiyi Abdullah bin Suveylim evinde ağırladı.

42 yaşındaki misafir, memleketi Uyeyne'den geliyordu.

Uyeyne Emiri Muhammet'in kız kardeşiyle de evlendirilmişti. Fakat...

Başta Hz. Ömer'in kardeşi şehit Zeyd bin Hattab'a ait türbe olmak üzere mezarları yıktırmak ve ağaçlarını kestirmek isteyince doğduğu yer Uyeyne'den gitmesi istenmişti. Daha önce de... Verdiği tebliğler rahatsızlık yaratınca Şam ve Musul'dan kovulmuştu. Misafir farklı bir din adamıydı.

"Hayat, Hz. Muhammet döneminde olduğu gibi yürütülmeli," diyordu. İtibarıyla... "Putperestlik" dediği evliyalara, türbelere, kandillere, mezarlara karşıydı.

Üşenip bir vakit namazı kaçıran kâfirdi ve cezası ölümdü!

Akla, soruya karşıydı; felsefeye karşıydı.

Tasavvufa/sufilere düşmandı.

Şiilere-Alevilere düşmandı.

Duyduklarına şaşıran Abdullah bin Suveylim, misafirinin

---

71 Türk mitolojisinde, renkler önemli bir yer tutar; al renk, kırmızıdan farklıdır, kutsaldır. Oğuz/Türkmen boylarının çok eskiden beri al renkli börkler giydiği bilinmektedir. Efelerin, zeybeklerin, seymenlerin başlarına bakın; alları görürsünüz.

fazla yorulmasını istemediği için yatağını hazırlattı.

Kendisi... Bu esrarengiz misafirin anlattıklarını aktarmak için Suudi emirin evine gitti...

Bir gün sonra... Der'iyye emiri Muhammet bin Suud, kardeşleri Muşari ve Suneyyen'i yanına alarak bu gizemli misafiri görmeye gitti. Sahi... Kimdi bu misafir? Suudilerin hayatını nasıl değiştirecekti?..

Misafir sahiden gizemli biriydi...

Örneğin... Her gittiği yerde adını değiştiriyordu:

Basra'da Abdullah... Bağdat'ta Ahmet... Kürtlerin yaşadığı köylerde Muhammet... Hamedan'da Yusuf'tu!.. Asıl adı Muhammet bin Abdülvehhab bin Süleyman bin Ali et-Temimi'ydi (1703-1792).

Orta Arabistan Necd bölgesinden Uyeyne kasabasında 1702'de doğmuştu.

Ailesi, İslam ilimleri konusunda tanınan "Alü Müşerref" soyuna mensuptu.

Temim Kabilesi'ndendiler.

Ailesi, İslam'ın Hanbeli mezhebine bağlıydı.

Dedesi Süleyman bin Ali et-Temimi önde gelen âlimlerden biriydi. Babası Abdülvehhab bin Süleyman kadıydı. İlk eğitimini babasından almıştı.

Hz. Ebubekir ve Hz. Ömer'e hayrandı.

Hocaları; Mecmaalı Abdullah bin İbrahim ve Şeyh Muhammet Hayat el-Sindi aracılığıyla İbn Teymiye (1263-1328) yoluna girdi.

Uyeyne'den kaç yaşında ayrıldığı ve nerelere gidip öğrenim gördüğü kesin değil. Mekke, Medine, Şam, Basra, Bağdat, Hamedan ve İsfahan gibi şehirlere gittiği söyleniyordu.

"Selefi" olmuştu... Amaç, gerçek yola/Asr-ı Saadet'e dönmekti. Bunun yolu, hariçten İslam düşüncesine karışan yabancı unsurların temizlenmesiydi!

Zamanla... Öğrendiği İbn Teymiye ekolünde değişiklikler yaptı. Görüşlerini 1738'de yazdığı "Kitabü't Tevhid" eserinde yazdı. Hz. Muhammet'in vefatından sonra İslam'a girmiş tüm yenilikler terk edilmeliydi. İslam'ın yorumunda, Kuran-ı Kerim ve Peygamber'in sünneti yeterliydi.

Ona göre, mezhepler ve diğer milletlerin kültürleri/felsefeleri İslam'a girerek homojenliği bozmuştu. Yani...

Felsefeye karşıydı. Tasavvufa karşıydı. Akla karşıydı.

Sadece Şiiliği değil, Sünni mezhepleri de reddediyordu.

Sünnileri "mühtedi" (dönme) olarak tanımlıyordu.

Kendi doktrinlerini kabul etmeyen tüm İslam mezheplerini "gayrimüslim" görüyordu.

El sıkıştılar: Muhammet bin Suud, "Vehhabilik" doktrinini kabul etti.

Abdülvehhab, dini otorite olacaktı...

Muhammet bin Suud, siyasi otorite olacaktı...

(Abdülvehhab ölene kadar bu "eş başkanlık" sürdü. Ölüm ardından dini ve siyasi iki otorite Suud liderliğinde birleşti. Bugün de bu hâlâ böyledir...)

Şunu eklemeliyim: Suudilerle el sıkışan Abdülvehhab tek başına değildi. Çeşitli bölgelerde müritleri vardı. Bu taraftarlar kendilerini tanımlarken "muvahhidin" (Allah'ın birliğine inananlar) ya da; "ehl-i tevhid" (birleşme ehli) diyordu.

Yani... "Vehhabi"; bu harekete karşı olanların/muhaliflerin kullandığı bir terimdi.

Diğer taraftan bir hareketi kurucusunun adıyla kavramlaştırmak alışılmış durumdu. Bu nedenle, Osmanlı, Batılı araştırmacılar ve seyyahlar bu ismi kullandı.

Suudi-Vehhabi ittifakı kan bağıyla da güçlendirildi; Muhammet Suud, kızını Abdülvehhab'a verdi.

Evet sonuçta... Abdülvehhab dini ekolünü, Suudilerin idaresi altında siyasi ve askeri cihatla birleştirmiş oldu!

Kuşkusuz... Birliktelik dinle sınırlı değildi; iktisadi yönü vardı... Bu ittifakın kurulmasında Suudilerin, tarımsal ve hayvancılıkta yetersiz kalıp yoksullaşmasının etkisi vardı.

Kutsal topraklarda bunlar olurken bu toprakların sahibi Osmanlı ne yapıyordu? Artık askeri fetih başarısı olmayan Osmanlı gerilemişti ve ekonomik çöküşü başlamıştı. Halk yoksulluk içindeyken Saray, "Lale Devri"ni yaşıyordu.

Osmanlı'nın Arabistan'daki bürokratları ise sadece ceplerini düşünüyordu. Cidde gümrüğü hasılatı, padişahların gönderdiği paralar, bedevilerin deve taşımacılığından aldığı ve Cidde Limanı'na ayak basan her hacıdan alınan 3 lira güvenlik parası gibi gelirler kavga nedeniydi. Suudiler bu gelirlere sahip olmak istiyordu!

Necd, Anadolu ve Suriye'den gelen tüccarların Arap Yarımadası'nın doğu sahillerine, Basra ve Hürmüz'e ulaşmalarında kullandıkları bir kavşak noktasıydı. Burada Hindistan ve Güney

Asya'dan taşınan ipek ve baharat ticareti yapılıyordu. Aynı zamanda burası İran ve Uzak Asya'dan gelen hacıların mola yeriydi.

Hac, farklı İslam coğrafyasından gelen Müslümanların Osmanlı sultanının hamiliğini ve hâkimiyetini gösteren en önemli semboldü.

Yani... Hicaz salt bir toprak parçası değildi; Osmanlı egemenliğinin dini yönünün sembolik merkeziydi.

Vehhabi-Suudi ittifakının gözü hem buraların rantını almak, hem de hac gibi sembolik değeri yüksek bir yeri işgal ederek İslam dünyasında siyasal güç elde etmekti!

Abdülvehhab'ın "Vehhabi" doktrini Arabistan'daki fakir Bedevilerin imdadına yetişmişti. Bu yardım karşılıksız değildi. Muhammet Suud, kayınpederine, aldığı ganimetlerin beşte birini verecekti...

Kolları sıvadılar..."Doğru inancı" kabul edinceye kadar herkesle savaşmayı görev bildiler. Yağma yapmaya, kelle kesmeye ve toplu kıyımlar gerçekleştirmeye başladılar. "İslam adına savaşma / cihat" fikri, Bedevilerin yağma ve ganimet toplama alanlarını genişletti.

Dört Oğlunun Kellesi Kesildi

Tabii ki asıl düşmanları Osmanlı'ydı...

Karşı karşıya gelmeleri için Osmanlı-Rusya Savaşı'nı bekleyeceklerdi...

Osmanlılar Sünni İslam dünyasının önde gelen devletiydi.

Bu nedenle Arap Yarımadası'nda hiçbir dini ve siyasal sorunla karşılaşmamıştı. Zorunlu olmadıkça Mekke şeriflerinin işine karışmıyordu. Askeri gücü bile oldukça sınırlı tutuyordu. Cidde'de sadece altı bölükten oluşan 600 askerlik bir birlik vardı ve bunların asıl görevi hac yolu güvenliğiydi.

Osmanlı yönetimi, "Vehhabi" faaliyetlerini Mekke Şerifi Galip'in İstanbul'a gönderdiği 1730 yılındaki mektubundan öğrendi... Öğrendi ama hiçbir adım atmadı; Abdülvehhab'ın gittiği yerlerde, Osmanlı halifesinin otoritesine meydan okumasını pek umursamadı.

Osmanlı yönetimi için bu hareket henüz başıbozuk-aşağılık isyancı "sergerde" bile değildi. Vehhabi-Suudi ittifakının, Arap Yarımadası'nın –geleneksel kabile hukukunu kullanıp– yağma ganimetlerini diğer kabilelerle paylaşıp savaşçı sayısını artırarak kısa zamanda güç kazanacağını kavrayamadı.

Osmanlı'nın kavrayamamasının bir diğer nedeni de, Vehhabiliği "Sünni" olarak değerlendirmesiydi! Osmanlı düşünce hayatı çoktan çöle dönmüştü. Aslında bu kavga bizim topraklarımızda Selefilerden çok önce başladı... Osmanlı'daki, akılcı "İbn Rüşdcü" Hocazade ile aklı reddeden "Gazalici" Molla Zeyrek arasında yapılan tartışmayı; felsefenin tutarsızlığını iddia eden "Gazalici" Molla Zeyrek'in kazanması, Müslümanlığın yozlaşmasının miladı oldu. Felsefesiz bir İslam'da sorumluluk yerini vazifeye bıraktı; ruh dünyasının akil adamlarının yerini, gözlerini kapayıp vazifelerini yapan görev adamları aldı. Vehhabiliği kendilerinden saymalarında şaşılacak bir yön yoktu! Oysa...

Vehhabi-Suudi ittifakı el sıkıştıkları 1744'ten bir yıl sonra Necd ve Ahsa'yı almasına rağmen, dönemin Mekke Müftüsü Ahmet Zeyni Dahlan meseleyi hâlâ dini görüp "Vehhabi mezhebi"ne karşı çıkan yazı kaleme alıyordu!

Osmanlı'nın aklı başına, Rusya savaşını kaybetmeye başladığında geldi.

Yıl: 1773. "Vehhabi-Suudi ittifakı, Riyad'ı alarak ilk büyük zaferini kazanmıştı.

Gerçi... Vehhabi-Suudi ayaklanmasıyla ilgili ilk (padişahın elyazısıyla verdiği) hatt-ı hümayun tarihi 1761 yılıydı. Ancak, Bağdat ve Şam'daki Osmanlı valileri isyanı bastırmada bir sonuca ulaşamadı. Bu arada...

Kurucu Muhammet bin Suud 1765'te öldü.

Yerine geçen oğlu Abdülaziz bin Muhammet babasının bıraktığı yerden, eniştesi Abdülvehhab'la birlikte Osmanlı'yla savaşa devam etti.

Topraklarını Kuveyt'in doğu kıyısından, Umman sınırına kadar genişletti; Şam, Bağdat sınırına dayandı. En acıklısı... 13 Mayıs 1802'de Kerbela'yı ele geçirip Hz. Hüseyin'in türbesini yağmaladılar. İki bin Şii'yi katlettiler.

Bir yıl sonra Mekke ve Medine'yi ele geçirdiler.

Abdülaziz 4 Ekim 1803'te, Kerbela'nın intikamını almak isteyen bir Şii tarafından öldürüldü.

Kerbela yağmasından sonra İran Şahı Fethi Ali, "Yeter artık Bağdat'a yürüyeceğim," deyince Osmanlı, harekete geçmeye mecbur kaldı.

Ordusunu Türklerin oluşturduğu Mısır'ın Valisi Kavalalı

Mehmet Ali Paşa'yı isyanı/kıyamı bastırmakla görevlendirdi. Tosun Paşa 1812'de Mekke ile Medine'yi ve İbrahim Paşa, 1818'de Suudi başkenti Der'iyye'yi geri aldı.

Öldürülen babasının yerine geçen Abdullah bin Suud ve dört oğlu yakalanarak İstanbul'a gönderildi. Osmanlı Şeyhülislamı Mekkizade Mustafa Asım Efendi'nin fetvasıyla başları kesilerek Boğaz'ın sularına atıldı. İstanbul'da üç gün bayram yapıldı...

19'uncu yüzyıl başında bitirilen Vehhabi-Suudi hareketi, 19'uncu yüzyıl sonunda yeniden diriltildi. Ve bunu yapan İngilizlerdi.

Borç içindeki Osmanlı'nın ne yaptığını da bilmek gerekiyor:

Suudiler Kuveyt'te sürgündeydi. Abdülaziz el-Suud, Osmanlı'dan toprak satın alarak yurduna geri döndü! Sonra İngilizlerle anlaştı. Osmanlı ordusuna savaş ilan etti.

Sonuçta... Suudi Arabistan Krallığı kuruldu.

Başkenti, ilk ele geçirdikleri Riyad oldu.

Sonrasını biliyorsunuz. Peki...

Vehhabi-Selefiye, Anadolu topraklarına ne zaman, neden sokuldu?

Nakbişendiliğin kimi kolları kimler tarafından Vehhabiliğe dönüştürülmek istendi?

Bugün bunu kimler yapıyor?

Bugün Sünni gelenek neden erozyona uğratılıyor?

Yazayım...

Hitler'e Dua Eden Said-i Nursi

Asr-ı Saadet peşindeki Vehhabilik, 19. yüzyılın ikinci yarısından itibaren Osmanlı Devleti ve uleması tarafından hem siyasi hem de dini olarak kabul görmemeye başladı. Daha önceki "bizdendir" anlayışı terk edildi.

Şânizade, Eyüp Sabri Paşa, Abdurrahman Şeref, Şeyhülislam İbrahim Efendi, Hüseyin Kâzım Kadri, Ömer Rıza Doğrul, Zakir Kadiri, İsmail Hakkı İzmirli ve hatta Said-i Nursi bile Vehhabilik konusunda yazılar kaleme aldı.[72] Fakat... Osmanlı münevverleri bir konunun üzerinde pek durmadı:

19'uncu yüzyıl başında biten Vehhabi hareketi, 19'uncu yüz-

72 Said-i Nursi'nin yazdıkları daha sonra "öğrencileri" tarafından çıkarıldı ve bu sansür aralarında tartışmalara konu oldu. Nurcuların Kürtçü kanadının dergisi *Med-Zehra*, çıkarılan bölümleri Ağustos 1993 sayısında yayımladı.

yıl sonunda yeniden nasıl dirildi? Bunun sebebi, İngilizlerdi.

Öyle ki... Avrupalılara göre Vehhabi hareketi "ilerlemeci" Protestan bir dini hareketti!

Batı'yı aydınlatmak maksadıyla Filibeli Ahmet Hilmi *İslam Tarihi* eserinde, Vehhabiliğin; bedevi, cahil, irticai bir hareket olduğunu yazdı. Sanki emperyalist Avrupa bunu bilmiyordu! Osmanlı münevveri emperyalistlerin siyasi çıkarlarını bir türlü anlamak istemiyordu!

Vehhabiliği reddediş Cumhuriyet döneminde de sürdü. En sert çıkışı Nakşibendi olan Hüseyin Hilmi Işık yaptı; Vehhabiliği İslam'a saldırı olarak değerlendirdi ve bunun İngiliz projesi olduğunu yazdı; RABITA'ya hep muhalefet yaptı.

Nakşibendiler, Vehhabiliğe karşı durdu. Zaten bir tasavvuf hareketinin Vehhabiliği kabul etmesi imkânsızdı.

Bilirsiniz, Anadolu topraklarında en güçlü Ehl-i Sünnet (Hanefi-Maturidi) tarikat Orta Asya çıkışlı Nakşibendiliktir. Bu tarikatı Moğol istilası büyüttü; Türk boyları arasında yayıldı. Bunda kurucu Muhammet Bahaeddin ve Nakşibendi Müceddidiye kolunun kurucusu İmam-ı Rabbani'nin etkisi vardı.

Hanefi-Maturidi çizgisi; 19'uncu yüzyılda Nakşibendi Halidiye kurucusu Kürt Halid Ziyaeddin Bağdadi'yle değişti; Şafi-Eş'arilik tarikata hâkim olmaya başladı. Bağdadi, Selefiliğe görüşünü yamamaya çalıştı.

Başta İstanbul uleması olmak üzere Anadolu'da sayıları az da olsa (Said Hadimi, Erzurumlu İbrahim Hakkı gibi) Hanefi-Maturidi çizgisini koruyan Türk Nakşibendiler oldu. Örneğin, Ahmet Ziyaüddin Gümüşhanevi, "hatalı mezhep" dediği "Selefiye" ve "kurucusu İbn Teymiye"ye karşı cemaatini uyardı.

İlginçtir; bu görüşler ve bunların yazılı olduğu kitaplar 2000 yılından sonra pek ortalara çıkarılmadı! Ve Diyanet İşleri Başkanlığı yayınlarında, Ehl-i Sünnet kollarından biri olarak, Maturiye, Eş'ariye yanına Selefiye'yi de ekleyiverdi!

Sonunda... Diyanet ilmihalinde Ehl-i Sünnet mezhepler arasında Selefiye artık birinci sırada yazılmaya başlandı!

Suudilerin faizsiz bankaları ve RABITA gibi örgütleriyle 12 Eylül 1980 Askeri Darbesi'yle hızla Türkiye'ye girmeleri tesadüf mü?..

Bir cenaze bu soruya yanıt verecektir...

Bir cenaze üzerinde Suudilerin "huruç harekâtını" anlatmak daha anlaşılır olacak...

Gazete ilanı şöyleydi: "Vefat eden Bediüzzaman Hazretlerinin talebelerinden Salih Özcan, Şanlıurfa Halilürrahman Döşeme Camii'ne defnedilecek..."[73]

Bir dönem yazı işleri müdürlüğü yaptığım *Sabah*, Said-i Nursi'den "Bediüzzaman Hazretleri" diye bahsediyordu! Neyse!..

Kim bu Salih Özcan?

Kim ki... Eyyubiler tarafından, Hz. İbrahim'in ateşe atıldığı yerde 1211 yılında yapılan külliyede toprağa veriliyor?

Bu "kutsiyet" Salih Özcan'ın Said-i Nursi'nin talebesi olmasından mı kaynaklanıyor? Çocuk olmayınız... Yazayım...

Salih Özcan 1929 Şanlıurfa'nın Şahinalan köyünde dünyaya geldi. *Bediüzzaman'ın Hariciye Vekili* adlı kitapta yaşamöyküsünü anlatırken, çocukluğunda Kuran-ı Kerim yasak olduğundan (!) gizli gizli okuduğunu söyler! Bu yalanını iki sayfa sonra tekzip eder; Urfa Askerlik Şubesi Başkanı Albay Hulusi Yahyagil'i üniformasıyla sık sık Yusuf Paşa Camii'nde gördüğünü ve Said-i Nursi'yle onun vasıtasıyla tanıştığını anlatır!..

Salih Özcan'ın yaşamında bu tür "ilginç" isimler hep olacaktır. Örneğin...

Seyyid Kutub'u bilirsiniz; Mısır'daki Müslüman Kardeşler'in önde gelen isimlerindendi. 1949'da ABD'ye davet edildi. O yıl solculara karşı, *İslam'da Sosyal Adalet* adlı eserini yazdı! İşte...

Salih Özcan 1955'te Hilal Yayınları'nı kurduğunda ilk bu kitabı yayımlandı. Türkçeye çeviren Diyanet İşleri Başkan Yardımcısı Yaşar Tunagür'dü. Kitabın çevrilmesini isteyen kimdi; MİT (MAH) Başkanı Kurmay Yarbay Fuat Doğu!

229 kitap çıkardılar. Said-i Nursi Risalelerini ilk kez Latin harfleriyle bastılar.

Hepsi maksatlıydı... Bir araya gelmelerinin sebebi vardı...

Said-i Nursi, İkinci Dünya Savaşı'nda Naziler kazansın diye dua etti. Bunun nedeni için bir adamı iyi tanımanız gerekiyor...[74]

73 *Sabah*, 3.8.2015.

74 Hitler'in/Nazilerin Türkiye'deki İslamcılarla ilişkisi hiç araştırılmadı. Örneğin, Özbek asıllı Nureddin Namangani önde gelen Nazilerden biriydi. Savaş sonrasında CIA ajanı Robert H. Dreher tarafından işe alındı! Münih'te görev yaptı. Sonra Türkiye'ye geldi ve Süleyman Hilmi Tunahan'ın "talebeleri" arasına katıldı!

Hitler'in İslam dünyasındaki "bir numaralı adamı" Kudüs Müftüsü Muhammet Emin el-Hüseyni'ydi.

"Arap halkı, Führer'in zaferine dek kanının son damlasına kadar birlikte olmaya kararlıdır." Bu amaçla Nazi yanlısı müftü Emin el-Hüseyni, Raşid Ali el-Geylani'yle birlikte Irak'ta 1941'te darbe yaptı.

Doğu Avrupa ve Balkanlar'da "Müslüman SS Birlikleri"nin kurulmasında önderlik etti.

Nazi propagandasının Arap dünyasındaki sesi bu müftü, savaş sonrası Nürnberg Savaş Suçluları Mahkemesi'nde yargılanması gerekirken "görünmez eller" tarafından kurtarıldı! Niye?

Çünkü; İkinci Dünya Savaşı'ndan sonra Arap dünyasında da solcu / ulusalcı / Baas hareketi sömürgecilere karşı mücadele bayrağını açtı. Örneğin... Bizim Cemal Paşa'dan dolayı "Cemal" adı konan Cemal Abdül Nasır, 1952'de Mısır'da darbe yaptı; Kral Faruk'u tahtan indirdi.

Hür Subaylar Hareketi içinde yer alan Abdülkerim Saad, Nasır'la ters düştü ve Mısır'dan kaçtı. Kimin yanına gitti dersiniz; Lübnan'daki eski Kudüs Müftüsü Muhammet Emin el-Hüseyni'nin! Ardından damadı oldu. Ve...

1956'da müftü Emin el-Hüseyni, damadı Abdülkerim Saad'ı, Said-i Nursi'nin yanına gönderdi.[75]

Müftü Emin el-Hüseyni ile Said-i Nursi arasında ilişki kuruldu; aracılar Abdülkerim Saad ile Salih Özcan idi!

Said-i Nursi, Salih Özcan için "Hariciye Vekilim" diyordu... Örneğin... Salih Özcan Ankara'da Pakistan Büyükelçiliği'yle ilişkiler kurdu. Eğitim Bakan Yardımcısı Ali Ekber Şah gibi devlet yöneticilerini Said-i Nursi'ye götürdü. Ve bu ilişkiler sonucu...

Tarih: 18 Mayıs 1962.

Suud Kralı Faysal başkanlığında Mekke'de toplantı yapıldı. Toplantıda müftü Emin el-Hüseyni, Salih Özcan ve Pakistanlı Mevdudi gibi konuklar vardı.

O gün sarayda; Râbıtatü'l-âlemi'l-İslâmî (Dünya İslâm Birliği) RABITA kuruldu. Amaçları; "İslam coğrafyasını tehdit eden solculara karşı Müslüman halkı korumak; ve o yıllarda İslam ülkelerinde aşırı boyutlara ulaşmış olan milliyetçilik hareketlerini frenlemek"ti!

---

75 Damat Abdülkerim Saad'ın getirdiği hediyelerden biri de kayınpederinin cüppesi ve sarığıydı!

Harekete geçtiler. Salih Özcan, Kral Faysal'dan aldığı izinle haftalık *İttihad* dergisini Türkiye'de ve Suudi Arabistan'da çıkardı.

Peki, Salih Özcan aslında Said-i Nursi'nin değil kimin "Hariciye Vekili"?..

Özcan, 1970'lerde MSP milletvekili oldu. 12 Eylül Askeri Darbesi'nden sonra, Erbakan ve arkadaşları cezaevindeyken ne yaptı dersiniz?

Kral Faysal'ın oğlu Muhammet Faysal'ı, Tevfik Belen'in evinde darbeci Kenan Evren ve arkadaşlarıyla buluşturdu! Keza...

Başbakan Bülend Ulusu'yu ziyarete gittiler ve Turgut Özal'ın çıkardığı yasayla Faysal Finans'ı kurdular! Salih Özcan yönetim kurulu başkan yardımcısı oldu; başkan ise Kral Faysal'ın oğluydu!

Salih Özcan darbecilerin gözbebeğiydi. 1982-84 yılları arasında yurtdışındaki imamların 1.100 dolar tutarındaki maaşını RABITA'ya ödetti!

O imamlar bugün iktidardadır!

Onlar yıllardır "Sünnilik" diye Vehhabiliği yutturuyorlar!

Yurtdışına Suudi parasıyla gönderilenler Türkiye'de hangi dini mezhebi öğretti? Öğretiyor...

Yeni toplumsal kimlik nasıl oluşturuldu/oluşturuluyor?

Evet... Bugün Türkiye'de Sünni inanç kendi köklerinden koparılıyor; tasavvuf, kelam, fıkıh ve İslam felsefesiyle harmanlanan Hanefilik kan kaybettikçe ülkemiz bir şiddet sarmalına yuvarlanıyor. Anadolu'dan akın akın IŞİD'e katılan ve İstanbul'da IŞİD tişörtüyle gezen gençler bu gelişmelerin sonucudur.

İşte tüm bu nedenlerle Salih Özcan, Hz. İbrahim Külliyesi'ne defnedilir. Bıraktığı görevi –Suudi Arabistan'da yetişmiş– yeğeni AKP Şanlıurfa Milletvekili Halil Özcan sürdürür!

Fethullah Gülen Cemaati'nin dışişlerinden sorumlu kıta imamlarından oluşan meclisin lideri konumundaki Mustafa Özcan da bahse konu Salih Özcan'ın yeğenidir.

Mesele budur! Bunları bilmeyenleri bakın ne hale getirirler?

CHP'ye Vurulan Hançer

Ekmeleddin İhsanoğlu adını biliyorsunuz...

Tarih: 28 Mayıs 2014.

MHP Genel Başkanı Bahçeli –medyanın yazmasıyla– sürpriz şekilde Çankaya Köşkü'ne çıkarak Cumhurbaşkanı Abdullah Gül ile görüştü!

Tarih: 16 Haziran 2014.

CHP Genel Başkanı Kılıçdaroğlu, Bahçeli ile görüştü. Ve...

Kılıçdaroğlu, CHP ve MHP'nin cumhurbaşkanlığı seçimindeki çatı adaylarını açıkladı: Ekmeleddin İhsanoğlu!

Aslında Ekmel Bey, 1983-1991 yılları arasında Suudi Arabistan'da İslam Kalkınma Bankası'nda görev yapan Cumhurbaşkanı Gül'ün adayıydı!

Gül neden Ekmel Bey'i önermişti? Mesele sadece Erdoğan'ın cumhurbaşkanı olmasını önlemek miydi? Başka...

Dış politika farklılıkları olabilir mi? Örneğin, Erdoğan, Suudi Arabistan'ın desteklediği Mısır darbesine karşıydı! Suudi Arabistan, –Erdoğan'ın sıcak baktığı– Mısır'daki İhvan-ı Müslimin'i terör örgütü ilan etti.

Suudi Arabistan, –Erdoğan'ın sıcak ilişkiler içinde olduğu– Katar'dan İhvan-ı Müslimin'e destek verdiği için elçisini çekti. Keza... *Eş-Şuruk* gazetesine göre; Katar, kanlı bıçaklı olduğu Suudi Arabistan'da darbe yapmak istedi. Başaramadı. Kral, bu nedenle istihbarat başkanı Prens Bender bin Sultan'ı görevden aldı.

Suudi Arabistan, Türkiye'deki istihbarat bürosunu kapattı. Ve... Suudi Arabistan, –yıllarca Ekmel Bey'le birlikte çalışmış– Dışişleri Bakanlığı'nın İKÖ'den sorumlu Genel Müdürü Adil bin Sirac Mirdad'ı Ankara'ya büyükelçi atadı.

Baş döndürücü değişiklikler...

Ekmel Bey, CHP ve MHP'nin çatı adayı mı dediniz! Geçiniz...

Çatı adayı açıklanınca "Bizim Mahalle"de heyecan dalgası oluştu; Ekmel Bey övgülerinde şirazeden çıkıldı! Akıl fukara olunca fikir ukala olur!..

Ekmeleddin İhsanoğlu'nun, 10 yıl İslam Konferansı Örgütü (İKÖ) genel sekreterliği yapmasının ne kadar önemli olduğunu vurguluyorlardı! İyi de... Şu basit soruyu sormuyorlardı:

Türkiye, İKÖ üyesi mi? Üyeyse, ne zaman nasıl oldu? Çekinceleri neydi? Bu soruların yanıtından önce şunu yazmalıyım; nedir bu İKÖ?

1969'da Michael Rohan adında bir Avusturyalının Mescid-i Aksa'yı kundaklamaya kalkıp Selahaddin Eyyubi'ye ait olduğuna inanılan mihrabı yakmasına tepki olarak İslam Konferansı Örgütü (İKÖ) kuruldu, açıklaması palavradır. Bu olay Hitler'in

Reichstag/Alman meclis binasını yaktırıp suçu muhalefetin üzerine atmasına benzemektedir.

İKÖ, Arap milliyetçiliğine ve solcularına karşı kurulan; referansını şeriattan alan bir yapıdır. Tamamen Suudi Arabistan kontrolündedir. Dolayısıyla ABD gölgesindedir...

Türkiye uzun yıllar İKÖ üyesi olmadı. Anayasa'nın değiştirilemez ve hatta teklif dahi edilemez ilk üç maddesi buna engeldi! Türkiye Cumhuriyeti; laik, demokratik, sosyal bir hukuk devletiydi.

İKÖ; İslam dinini temel alan siyasi bir örgütlenmeydi. Din birliğine bağlı bir dayanışma örgütüne katılım, Türkiye anayasasının laiklik ilkesine aykırıydı.

Anayasası'na laiklik kavramını koyan bir ülke, "İslam ümmeti" kavramını kabul edebilir miydi?

Şeriat kuralları, fıkıh laik bir ülkede referans kaynağı olabilir miydi?

"İslam Adalet Divanı", bir hukuk devleti olan Türkiye Cumhuriyeti'nde kabul edilebilir miydi?

İKÖ'nün; "İslam'a ve İslam ilke ve değerlerine bir yaşam biçimi olarak kesinlikle bağlılıkla kalınması" gibi bir deklarasyonunu Türkiye, Anayasası'nı ve iç hukuk düzenini çiğneyerek kabul edebilir miydi?

Tarih: 16 Haziran 2004.

Yer: İstanbul.

İKÖ Dışişleri Bakanları Toplantısı sonuç bildirgesinde Avrupa Birliği'ne sert çıkıldı. "AB'nin şeriat konusu içinde yer alan recm ve benzeri ceza uygulamalarını 'insanlık dışı' diye nitelendirmesini kınıyoruz. Bu, ülkelerin içişlerine karışmaktır."

Böyle bir metni Ekmel Bey'in başında olduğu genel sekreterlik hazırlayabildi; ama bunun altına Türkiye imza koyabilir mi? Alınan benzer dinci kararları alt alta yazayım mı? Üzülürsünüz; sandığın ülkeyi nasıl gericileştireceğine geleceğim...

Medya yazıyordu; neymiş Ekmel Bey çok aydınmış; adam recme "ülkelerin iç işleyişi" diyor; ne aydını!

Diyeceksiniz ki...

"Türkiye İKÖ'ye üye olmamasına rağmen bizi nasıl yıllardır kandırdılar?"

Bilin ki, "alicengiz oyunu"dur bunun adı...

Türkiye toplantılara; "fiili üye", "tam üye", "kurucu üye", "gözlemci üye" gibi farklı bir isimle katıldı! Bu nedenle her toplantıda genel sekreterliğine "çekince mektubu" sundu.

13 Mart 2008'de Dakar'daki İKÖ toplantısında, sadece bu sorunu gidermek için yeni bir kurucu antlaşma metni hazırlandı; ama Türkiye bunu bile onaylayamadı. Nasıl imzalasın, Anayasa'yı ihlal etmiş olacak! Yüce Divan tehlikesi var...

Aslında... İlk karışıklık 1969 Rabat toplantısıyla başladı. Fas Kralı II. Hasan'ın davetine Başbakan Süleyman Demirel olumlu yanıt verdi. Türk kamuoyunda tartışma başladı; toplantıya katılmanın laiklik ilkesi ve Türk dış politikasıyla uyuşmazlığı dile getirildi. Demirel toplantının siyasi bir toplantı olduğunu ve alt düzeyde "gözlemci" olarak gidileceğini açıkladı. Dışişleri Bakanı İhsan Sabri Çağlayangil toplantıya katıldı.

İKÖ kuruluşu sırasında ne oldu dersiniz?..

Türkiye, İKÖ içinde bir genel sekreterlik kurulmasına karşı çıktı. Sebebi İKÖ'nün bir danışma formu ötesine gitmesini; Birleşmiş Milletler gibi bir kuruma dönüşmesini istememesiydi. Bu nedenle, Cidde'deki Dışişleri Bakanları Toplantısı'na katılmadı. Keza, 1971'de 22 ülkenin katılımıyla kurucu antlaşmasının imzalandığı toplantıya gitmediği halde "üye" olarak var kabul edilmesi de ayrı bir şark kurnazlığıdır.

Sonuçta...

Türkiye, 4 Mart 1972'de İKÖ kuruluş yasasını imzalamadı. 1975'te katıldığımız Dışişleri Bakanları Toplantısı'nda devlet statümüz sihirli bir elin dokunuşuyla birden "üye ülke" oluverdi! Anayasa'nın 90'ıncı maddesi açık; bir antlaşmanın Türkiye için bağlayıcı olması için kanun çıkarmak gerekir. TBMM onayı şarttır. Açın bakın bakalım; TBMM gündeminde böyle bir kabul var mı? Yok.

"Sihirli eller" 12 Eylül Askeri Darbesi'yle devreye girdi.

İKÖ toplantılarında Türkiye, dışişleri bakanları tarafından temsil edilirken; 1981'de Mekke toplantısına Cumhurbaşkanı Kenan Evren gitti!

Bunun anlamı şuydu; Türkiye, ilk kez eşit düzeyde katılım sağlamıştı! Şaşırtıcı mı? Darbenin toplumu ve devleti nasıl dincileştirdiğini sanırım daha iyi anlıyorsunuz. "

Evren katılım sağlamakla kalmadı; 1984'te Kazablanka'daki toplantıda hem İKÖ başkan yardımcılığına hem de Ekonomik ve Ticari İşbirliği Daimi Komitesi (İSEDAK) başkanlığına getirildi!

Türkiye'yi dincileştirme döneminde İKÖ'nün bir yan kuruluşu olan İstanbul'da İKÖ'ye bağlı, "İslam Tarihi ve Kültürü Araştırma Merkezi" kuruldu. Anayasa'ya aykırı olmasına rağmen bunu sağlayan kimdi dersiniz? O dönem; İslam, Tarih, Sanat ve Kültür Araştırma Merkezi (IRCICA) Genel Direktörü Ekmel Bey!

Sonra "yol" ardına kadar açıldı...

Türkiye yine bir oldubittiyle; "amacı, üye devletlerin ve Müslüman halkların bireysel veya toplu olarak sosyal gelişimini ve ekonomik kalkınmasını şeriatın ilkelerine uygun olarak desteklemek" olan İslam Kalkınma Bankası "kurucu üyesi" oldu. Bunun için Bakanlar Kurulu kararı şarttı; alınmadı! Ne "tesadüf" değil mi; İKÖ'nün İslam Kalkınma Bankası'nda 8 yıl çalışan Abdullah Gül Çankaya Köşkü'ne çıktı!

Aynı teşkilatın genel sekreterliğinde 10 yıl bulunan Ekmel Bey, CHP sayesinde Çankaya Köşkü'ne aday gösterildi.

Kahire Lobisi

Ekmeleddin İhsanoğlu'nun babası Mehmet İhsan Efendi, Cumhuriyet'in ilanından sonra 1924 yılında Mısır'a gitti.[76]

"Şeyh İhsan"ın yakın çevresi –Mehmet Âkif, Âli Ulvi Kurucu, Ali Yakup Cenkçiler, İsmail Ezherli, Mustafa Runyun, M. Emin Saraç, Osman Saraç, Ömer Biçer, Ali İhsan Okur, Abdülkadir Şener ve Ali Özek vd.– yıllar içinde Türkiye'ye dönerken, eski Şeyhülislam Mustafa Sabri ve kendisi nedense ısrarla doğduğu topraklara dönmedi. Öyle ki...

İddiaya göre, Yozgat milletvekillerinin isteğiyle Demokrat Parti döneminde kendisine Diyanet İşleri başkanlığı görevi teklif edildiyse de bunu kabul etmedi!

İhsan Efendi 1961'de vefat etti ve Türk düşmanı, Cumhuriyet devrimleri karşıtı hocası Mustafa Sabri'nin yanına defnedildi.

Ekmel Bey'in babasının Mısır'daki bu çevresi Türkiye'den

---

76 Mısırlıların "Şeyh İhsan" dediği Mehmet İhsan Efendi'ye bu yolculuğunda (ulûm-ı Arabiyye, mantık, hikmet, fıkıh, hadis ve tefsir öğrendiği) hocası Mehmet Hulusi Efendi eşlik etti. Hemşeri idiler. Yozgat Müftüsü Hulusi Efendi, Büyük Millet Meclisi'nin 1. Dönem milletvekillerindendi. "Hâkimiyet milletindir," sözüne karşı çıkıp; kadınların erkek doktorlar tarafından muayene edilmesini savunan Bursa milletvekili Emin Bey'i dövmeye kalkışıp; Çapanoğlu Ayaklanması'nda rolü olduğu ortaya çıkınca Meclis'ten kovulmuştu. Mısır'a kaçan Mehmet Hulusi, Kılıçdaroğlu'nun "akıl hocası" Taha Akyol'un amcasıydı. Ve muhtemelen, Abdullah Gül'ün önerdiği Ekmeleddin İhsanoğlu adını Kılıçdaroğlu'na kabul ettirenlerden biri de Taha Akyol'du!

gelenlerin önemli durağı oldu. Çoğu kişi dini eğitimini burada ve buradaki bu çevrenin önerisiyle Suudi Arabistan'da aldı.

Babası İhsan Efendi'nin Kahire'deki çevresinin "ilim adamlarından" oluştuğunu düşünmek saflıktır. Bu çevredeki kişilerin anı kitaplarında var: Örneğin, kişiliğini pek sevmeseler de İngilizlerin gölgesindeki Müslüman Kardeşler'in kurucusu Hasan el-Benna da Kahire'deki bu grup içinde bulundu![77]

Hangisini yazayım...

Erdoğan'ın Çalınan Dosyası: Kayıp Sicil kitabımda Kahire'de bulunanlara değindim.

Orada yazmadığım bir aileyi de kısaca anlatayım ki, Ekmel Bey'in düşünsel dünyasının nasıl oluştuğunu görünüz...[78]

Tarih: 6 Eylül 2015.

Hürriyet gazetesini "ikinci Madımak" yapmak için yola çıkanların başında AKP İstanbul milletvekili ve partinin gençlik kolları genel başkanı Abdurrahim Boynukalın vardı. Kimdi bu genç adam?

İlişki ağları beni hiç şaşırtmıyor.

Kuşkusuz çoğunuz Abdulfettah Ebu Gudde adını duymadınız.

Kısaca, "Ebu Gudde" deniyordu! 1917'de Suriye Halep'te doğdu. Suriye'deki çeşitli medreselerde okuduktan sonra 1944 yılında Mısır el-Ezher'e gitti.

---

77 Hasan el-Benna'nın damadı Said Ramazan da ekip içinde. 1954'te Mısır'da cezaevinden çıktıktan sonra Seyyid Kutub'la ülkeyi terk ediyorlar. Almanya'da doktorasını yapıyor, İsviçre'nin Cenevre kentinde İslam Merkezi'ni kuruyor. Çalışmaları sırasında CIA'nın dikkatini çekiyor ve Münih'e getirildiği belirtiliyor. İsviçre gizli servis dokümanlarında Ramazan Said'in CIA ajanı olduğu ve özellikle ünlü Kudüs Müftüsü el-Hüseyni'yle sıkı ilişkileri olduğu belirtiliyor.

78 Kahire lobisi İngilizlerin kontrolündeydi. O dönemi başka açıdan görmeniz için bir isim tanıtmalıyım: Mustafa Kâmil. 14 Ağustos 1874'te Kahire'de doğdu. Küçük yaşta Kuran eğitimi gördü. Medresetü'l-hukukı'l-hidivviyye'ye kaydoldu. Fransa Toulouse'da hukuk okudu. *El-Medrese* adlı İngiliz işgaline karşı çıkan muhalif dergiyi çıkardı. 1898'de yazdığı *Mesele-i Şarkiyye* adlı kitabında, İngilizlerin desteğiyle Osmanlı'dan koparılacak topraklar üzerinde bir Arap hilafeti kurulmasına şiddetle karşı çıktı. Bunun Arap halklarını Batı boyunduruğu altına sokacağını yazdı. Mısır'ı İngiliz işgalinden kurtarmak için Türk, Çerkez, firavun soyundan gelenler, Kıptiler vd. herkesin işbirliği yapması gerektiğini savundu. 1907'de el-Hizbü'l Vatani'yi (Milli Parti) kurdu. Parti, ülkeyi 1882'den beri elinde tutan İngiliz emperyalizmine de, Arap milliyetçiliğine de şiddetle karşıydı. Hizbü'l Vatani'nin rakibi kimdi dersiniz: Ahmet Lütfi es-Seyyid önderliğindeki Hizbü'l-ümme'ydi (Ümmet Partisi). Bu partiye göre, Mısır'a eğer bir hami gerekiyorsa, bu İngilizler olmalıydı! Kalemini ve sözlerini silah gibi kullanan Mustafa Kâmil'in İngilizlere karşı olan bu muhalif çizgisi; İha el-Arabi el-Osmani Cemiyeti, el-Kâhtaniyye Cemiyeti, el-Ahd Cemiyeti, el-La-Merkeziyye Cemiyeti, el-Fetat Cemiyeti gibi birçok örgütü etkiledi. Bizim tarih kitaplarımız Mustafa Kâmil gibi Arap aydınlarını yazmaz!

Kahire'de; Kemalist Cumhuriyet'ten kaçan Ekmeleddin İhsanoğlu'nun baba dostları çevresine girdi. Türk düşmanı eski Şeyhülislâm Mustafa Sabri Efendi ve Düzceli Zahid el-Kevseri'den özel dersler aldı...

1951'de Halep'e döndü. Şabaniyye ve Hüsreviyye medreselerinde 11 yıl süren müderrisliğin ardından, 1962 yılında Şam'daki Dımaşk Üniversitesi İslam Hukuku Fakültesi'ne atandı.

Politikti ve Baas Hareketi'nden nefret ediyordu. Baas'a karşı ortak mücadele grubu oluşturmak istese de başarılı olamadı. Suudi Arabistan'a kaçtı. İmam Muhammet İslam Üniversitesi ve Kral Suud Üniversitesi'nde çalıştı. Sudan, Yemen, Katar, Hindistan ve Pakistan'da "misafir ilim adamı" olarak bulundu. "Misafir ilim adamı"nı tırnak içinde yazdım; çünkü politik faaliyetlerini hep sürdürdü. Afganistan'da Sovyetler Birliği'ne karşı savaşan gruplar arasındaki anlaşmazlıkların giderilmesi için çaba harcadı!

Ebu Gudde'nin öğrencilerinden biri kimdi dersiniz; AKP'li Abdurrahim Boynukalın'ın babası Ömer Boynukalın!

Hiç şaşırmıyorum... 1970'lerde İran Devrimi'ne sempati duyan Akıncıları öldürüp sindirerek Erdoğanlara kapıları açan Vehhabi-Suudi lobisinin, yıllar sonra Abdurrahim Boynukalın'ı AKP Gençlik Kolları başkanı yapmasına ve hemen ardından milletvekili seçtirerek Meclis'e taşımasına hiç şaşırmıyorum...

Boynukalın ailesinin Suud ilişkisi derin...

Rıfat Boynukalın'ı tanır mısınız? AKP'li Abdurrahim'in dedesi! Mühendisti ve eşi Türkiye'nin başörtülü ilk eczacısıydı.

Rıfat Boynukalın, Nakşibendi Gümüşhanevi Tekkesi'nin kurduğu Gümüş Motor'da Erbakan'la birlikte çalıştı.

Sonra... Milli Nizam Partisi kurucusu oldu.

Sonra... Türkiye'den gitti. Nereye mi?..

Tarih: 21 Temmuz 1982.

Milli Gazete'den Selami Çalışkan 11 yaşındaki Muhammet Boynukalın'la röportaj yaptı:

– Büyüyünce ne olmak istiyorsun?

– Müslümanlara hizmet eden İslam âlimi...

– Güzel, ancak İslami ilimler hadis, tefsir, fıkıh, kelam, tasavvuf ve ahlak gibi çeşitli şubelere ayrılmış, sen bunlardan hangisinde ihtisas yapacaksın?

– Şayet Allah nasip ederse, fıkıh sahasında ihtisas yapmak istiyorum.

Milli Gazete muhabiri röportajını Muhammet'in babası Rıfat Boynukalın'la sürdürdü:

– Efendim, sizleri tebrik ediyoruz. Muhammet'ten başka kaç çocuğunuz var, onları da Muhammet gibi mi yetiştiriyorsunuz?

– Muhammet'ten büyük iki abisiyle, iki tane de küçük kız kardeşi var. Arabistan'a gitmeme yegâne sebep, çocuklarımı İslami ilimler sahasında yetiştirmektir. Onlar da beni utandırmıyorlar...

Röportaj bu... Sonra...

Muhammet Boynukalın büyüdü; Riyad'da okudu; arkasından el-Ezher'e gitti. Ve (nedense artık "Mehmet" adını kullanıyor) doçent olarak İstanbul Şehir Üniversitesi'nde görev yapmaya başladı. Tıpkı...

Ağabeyi Erdoğan Boynukalın gibi...

O, el-Ezher'e gitmedi; Riyad İslami İlimler Lisesi'nden sonra İmam Muhammet bin Suud İslam Üniversitesi'nden mezun oldu. Marmara Üniversitesi İlahiyat Fakültesi öğretim üyesi.

Boynukalın ailesi, sadece akademi dünyasıyla ilgili değil; 1994'te kurdukları Anı Bisküvi AŞ Suudi Arabistan'a yaptığı ihracatla kısa zamanda hayli büyüdü!

Tüm bunların anlamı ne?..

25 yaşındaki Abdurrahim Boynukalın 25 Eylül 2014'te AKP Gençlik Kolları genel başkanı oldu. Dokuz ay sonra 7 Haziran genel seçiminde milletvekili seçildi!

Siyasette bu derece hızlı yükselmesi şaşırtıcı mı? Erdoğan ne dedi: "İster kabul edilsin ister edilmesin, Türkiye'nin yönetim sistemi bu anlamda değişmiştir. Şimdi yapılması gereken bu fiili durumun hukuki çerçevesinin yeni bir anayasayla netleştirilmesi, kesinleştirilmesidir."

Peki... AKP'li Abdurrahim Boynukalın *Hürriyet* gazetesi önünde ne dedi: "1 Kasım'daki seçimden sonra ne çıkarsa çıksın, seni başkan yaptıracağız."

Her ikisinin de ne dediği açıktır; "Bunu kabul edin," diyorlar. Kabule zorladıkları rejim değişikliğidir. Ya etmezsek? Sonumuzun ne olacağı *Hürriyet* baskınından önce attıkları twitter'da yazdıklarından belli: "Madımak gibi cayır cayır yakacağız Doğan Medya'yı, yoldayız. Müslüman Gençlik şeriatın gereğini yapacak."

Hiç şaşırtıcı değil...

Tarih: 24 Temmuz 2015.

Abdurrahim Boynukalın twitter'da şunu yazdı:

"Kriz anında politik doğruculuk yapılmaz. Ya bizdensin ya onlardan. Bu kadar basit."

Görünen o ki... İstedikleri rejim bellidir; Türkiye'yi "küçük Suudi Arabistan" yapmak istiyorlar!

Yıllardır... Bu bilinçle büyütüldüler... Kemalist Cumhuriyet'ten nefret ediyorlar! Baksanıza...

Abdurrahim Boynukalın'ın 16 Ağustos'taki retweet'i sanki "Ebu Gudde"nin intikamını almak istercesineydi: "Mücahitlerimizin mesajı net; ya Suriye'yi cennete çeviririz ya da cennete gideriz."

Tehlikenin farkında mısınız?..

Farkında olmaz mıyız; çatı adayımız Ekmel Bey'di!..

Müslüman CIA Başkanı

Abdullah Gül gibi Ekmel Bey'in de, İngiliz istihbaratçılarının "MI5 Okulu" olarak bilinen Exeter Üniversitesi'nde bulunması şaşırtıcı mı?..

Bir not eklemeliyim...

John Owen Brennan kim bilir misiniz?

25 yıl CIA'da çalıştıktan sonra 8 Haziran 2013'te CIA başkanı yapıldı. Başkanlığı için yapılan ABD Senatosu'ndaki oylama zorlu geçti; 34 hayır oyuna karşılık 63 evet oyu alarak başkan oldu.

Zorlu geçmesinin nedenlerinden biri bir iddiaydı.

FBI'ın "İslam uzmanı" John Guandolo, CIA başkanı Brennan'ın 1990'larda Suudi Arabistan'da görev yaparken İslam dinine geçtiğini ileri sürdü! Bu konu günlerce Amerika kamuoyunda tartışıldı.

Çok iyi Arapça bilen Brennan, Riyad'da "CIA istasyon şefi" olarak çalıştı. Kudüs'e Amerikalılar gibi "Jerusalem" demeyip, Arapların kullandığı "el-Kuds" demeyi tercih eden bir Arap sevdalısıydı!

Tarihe ve sanata çok meraklı Brennan ile Ekmeleddin İhsanoğlu tanışıyor muydu? Tanışmamaları imkânsız.

CIA başkanını Ekmel Bey mi Müslüman yaptı acaba!? Şaka bir yana... Hep sormak zorundayız; CIA'nın başına Ortadoğu uzmanı biri neden getirildi? Üstelik bu hiç de kolay olmadı; birçok Cumhuriyetçi senatör Brennan'ın seçilmemesi için çaba sarf etti.

Mesele salt Müslümanlık da değildi. Brennan, oğul Bush iktidarında dönemin CIA Başkanı George Tenet'in başdanışmanıydı ve işkence yaptırmakla kalmamış, kamu önünde bunu savunmuştu.

Keza İran konusunda söyledikleri şaşırtıcıydı: "Amerika'nın İran'la ilişkilerinde sorun İran'dan değil, ABD'nin sert dilinden kaynaklanıyordu!"

Bu nedenle Cumhuriyetçi senatör John McCain kanal kanal dolaşıp, "Bir işkenceciyi, bir İran dostunu, bir Arap âşığını, nasıl olur da kimseye hesap vermeyen CIA başına getiririz?" diye bağırıp durdu.

Aslında; Obama, Brennan'ı bir önceki döneminde CIA başkanı yapmak istemiş ama yapamayınca, terör ve iç güvenlik konularından sorumlu özel danışmanlığına getirmişti.

Brennan tüm bunlara rağmen 8 Mart 2013'te CIA koltuğuna oturdu. Demek bir mahareti vardı!

Brennan koltuğuna oturduktan sonra neler oldu:

- CIA 3 Temmuz'daki Mısır darbesini destekledi.
- Libya'da darbe yaptı.
- Suriye içsavaşına ve İran'la ilişkilerine bakışı değişti. Peki...

Brennan, "çatı adayı" Ekmel Bey'e nasıl bakıyordu acaba? Bakınız... İstiyorum ki, kafanızı sadece bizim topraklara sokmayınız; kaldırıp başınızı dünyaya bakınız!

Soğuk Savaş'ın ürünü, "Yeşil Kuşak Projesi"ydi...

Küreselleşmenin ürünü, "Ilımlı İslam" ve itibarıyla "Büyük Ortadoğu Projesi" oldu...

Şimdi sırada ne var? "İslami demokrasi" mi?

Şuraya gelmek istiyorum...

Kim Yaktı?

Ekmeleddin İhsanoğlu'nun, isminde "t" yerine "d" harfi kullanması bile Osmanlı yazım kuralına uygundur! Kuşkusuz "şekilcilikle" uğraşacak değilim. Ama çatı adayının kişiliği hakkında da bilgi sahibi olmak gerekmez mi? Şöyle...

Ekmel Bey'in "çatı aday" olarak gösterilmesi, "eski defterlerin" açılmasına neden oldu. Bunlardan biri, Mustafa Kemal'in, büyük şair Mehmet Âkif Ersoy'dan yazılmasını istediği Kuran-ı Kerim mealinin yakılıp yakılmadığı meselesiydi...

Ekmel Bey yıllarca Akif'in mealini nasıl yaktıklarını anlattı. Oysa, Akif meali bugün Türkiye'de kitap olarak satılıyor! 28 Türk lirası! Kafanız mı karıştı?

Gelin en başından anlatayım...

Ekmel Bey, 2004'te *Tempo* dergisine dedi ki:

"Rahmetli babam Mehmet İhsan Efendi, Akif'in çok yakın dostuydu. Akif, son İstanbul yolculuğu öncesi meali babama verdi: 'Ben sağ olur da gelirsem, eksikliklerini tamamlar, meali basarız; şayet ölürsem meali yakınız,' dedi. Daha sonraları, babam vefat etmeden önce beni çağırdı: 'Evladım! Masanın sağ gözünde birtakım defterler var. Ben vefat ettikten sonra, o defterleri yakacaksın,' dedi. Babamın vefatından (1961) bir süre geçtikten sonra, durumu İbrahim Sabri Efendi'ye bildirdim. Daha sonra masanın gözündeki mealleri aldık. İ. Hakkı Şengüler'in Abbasiye'deki evinin balkonunda büyük bir leğen içinde mealleri teker teker parçalayıp yaktık. Babamın, dolayısıyla da merhum Akif'in vasiyetini böylece yerine getirmiş olduk..."

Ekmel Bey'in söyledikleri doğru mu? Çünkü...

2012'de Mahya Yayıncılık *Kur'an Meali*'ni yayımladı. Ve kitabın kapağında kimin adı var dersiniz; Mehmet Âkif Ersoy!.. Buyurun buradan yakın!..

Peki, Ekmel Bey neyi yaktı?..

Bu yakılma olayında bir "kilit isim" var; Ekmel Bey'in haber verdiğini söylediği, İbrahim Sabri Efendi!

Padişah Vahdettin'le birlikte İngiliz zırhıyla İstanbul'dan kaçan eski Şeyhülislam Mustafa Sabri'nin oğlu. Zırhlıda İbrahim Sabri de vardı.

Âkif, Kahire'de Mustafa Sabri ve oğlu İbrahim'le pek görüşmedi. Bunun sebebi, baba-oğulun, Akif'e Ankara'ya destek verdiği için sürekli laf sokmalarıydı. Özellikle İbrahim Sabri sert mizaçlı, asabi biriydi. Akif konusunda takıntılıydı; ona göre, Osmanlı ve hilafetin yıkılmasının sanki tek sorumlusu Akif'ti!

Tahminim, Akif'in, Mustafa Kemal'in isteğiyle meal yazdığını duyunca küplere bindiğidir. Kuşkusuz biliyorlardı; başta Ruşen Eşref, Aka Gündüz olmak üzere çok kişi, Mısır'a gittiği için Mehmet Âkif'i cezalandırmak maksadıyla Mustafa Kemal'e, İstiklal Marşı'nın değiştirilmesini teklif etti. Teklifleri reddedildi. Üstelik, Mustafa Kemal, Âkif'e para vererek Kuran-ı Kerim'in mealini yazdırmak istedi.

Biliniyor ki: Baba-oğul Sabriler bu ilgiye kızıyor ve her fırsatta Akif'e sert sözler sarf ediyorlardı. Mustafa Kemal ve Âkif nefreti mealin yakılmasına neden olmuş olabilir mi? Şöyle...

İhsan Efendi'nin öğrencisi Ali Ulvi Kurucu *Hatıralar* kitabında, İbrahim Sabri'nin meali nasıl yaktırdığını şöyle anlattı: "İbrahim Sabri, İhsan Efendi Hoca'nın vefatı üzerine masasının gözlerinden çıkan, Âkif Bey'in *Kur'an Meali*'ni de baskı yaparak yaktırmıştı."

Vurguya dikkat, "baskı yaparak"! Ekmel Bey, İbrahim Sabri'den korktuğu için mi baskılara dayanamayıp meali verdi?

Soru soruyu doğuruyor: Âkif'in "meali yakın" diye bir vasiyeti gerçekte var mı? Meal bitmemişse Âkif'in "Yakın!" demesi ne kadar gerçek? Kamuoyu bunu ilk kez Emin Erişirgil'in, *Mehmet Âkif-İslamcı Bir Şairin Romanı* adlı eserinden öğrendi. Romanda yazılanları ne kadar gerçek olarak kabul edebiliriz?

Mustafa Kemal, Âkif Türkiye'ye dönünce gazeteci Tarık Us'u göndererek tercümeyi istedi. Âkif tercümeyi Kahire'de birine bıraktığını, çeviriyi daha bitiremediğini söyledi. 2012'de yayımlanan kitap bu açıklamayı doğruluyor.

Ali Ulvi Kurucu diyor ki: "Halbuki devir değişmiş, 1930'lu yıllardaki gibi, namazlarda Kur'an yerine mealin okutulması tehlikesi ortadan kalkmıştı. İhsan Efendi'nin vefatı ve mealin ortaya çıkması 1961 yılındaydı."

O halde şunu da sormak zorundayız:

İhsan Efendi'nin vasiyeti de mi uydurmaydı? Öyle ya, yıl 1961!.. İhsan Efendi yıllardır kendisinin yakmadığı meali neden vasiyet edip oğluna yaktırsın?

Bu kadar karmaşanın sebebi ne?

Şunu ekleyeyim: Kuran-ı Kerim'in Türkçeye çevrilip çevrilmeyeceği ve Türkçe ibadetin İslam'a uygun olup olmayacağı tartışmaları, 1908 yılında Yerebatan Camii imamı Übeydullah Efendi tarafından başlatıldı. Şeyhülislam Mustafa Sabri o dönemde sert tepki koyan isimlerden biriydi.

Acaba... Eski Şeyhülislam Mustafa Sabri, oğlu İbrahim Sabri'ye vasiyet mi etti: "Türkçe meali bir gün mutlaka bul ve yak!"

Kavgacı İbrahim Sabri, "Benim elimden gelse Türkleri de Arap yaparım, diğer Müslümanları da. Bunların vaktiyle Araplaşmadığına da çok üzülürüm," diyen babası Mustafa Sabri'nin izinden gidip mi meali yaktı?

İhsan Efendi'ye gücü yetmeyince, Ekmeleddin'i mi korkuttu? Ya da Ekmeleddin, ağabey bildiği İbrahim Sabri'yi çok sevdiği için mi, babası ölünce hemen meali götürüp verdi? Sır...

Yakma işleminden sonra İbrahim Sabri, "Yakılan Tercüme" adlı bir dörtlük söyledi:

O bir eserdi ki yangın denilse layıktı
Eğer kalaydı yakar, kül ederdi imanı.
O bir ateşti ki sönmezdi etmeden ihrak.
Yakıldı, sönmesi kurtardı nass-ı Kuran'ı...

Yakılma yılını yine anımsatıyorum; 1961...

Artık Türkçe ezan bile yok. Eee niye yaktılar?

Ekmel Bey, Âkif'in Kuran mealinin yakılmasını istemesinin sebebini şu sözlerle anlattı: "O dönem Türkiye'de Kuran'ın Türkçe okunacağı meselesi tartışılmaya başlanmıştı. Ezan Türkçe okunuyordu. Bu durum Âkif ve kendisi gibi düşünenler için kabul edilebilir bir husus değildi. Kendi yaptığı tercümenin bu yolda kullanılabileceği endişesiyle istemedi."[79]

İyi de Ekmel Bey; Âkif'in mealini o yıllarda değil 1961'de yaktınız! Ekmel Bey suç ortaklığının üzerini mi kapatmaya çalışıyor?

Sonuçta... Ekmel Bey'in sözlerinin aksine, diğer yanda Akif'in mealinin yakılmadığı ortaya çıktı!..

Âkif'in mealini kurtaran kişi; el-Ezher'de öğrenciyken İhsan Efendi'nin medresesine giden Mustafa Runyun'du (1917-1988).

Mahya Yayıncılık tarafından yayımlanan meal; Kur'an'ın 9. suresi olan Tevbe (Berâe) Suresi'nin sonuna kadar olan kısımdı.

Yani tercüme, Kuran'ın yaklaşık üçte birlik bölümü. Bu bildiklerimizle örtüşüyor; Âkif Türkiye'ye gelirken henüz meali bitirmemişti.

Demek ki Âkif'in meali birden fazla çoğaltılmıştı ve Ekmel Bey ile ağabey bildiği İbrahim Sabri bunu bilmiyordu!..

Konuyu bu kadar anlatmamın nedeni Ekmel Bey'in kişiliği hakkında bilgi sahibi olmanız.

MHP'de Suudi Gölgesi

Hep yazarım...

Türkiye'de bir olay gerçekleştiğinde hemen kafanızı dünyaya çevireceksiniz; dünyada neler oluyor, bakacaksınız.

1969'da Arap ulusçuluğuna karşı İKÖ kurulurken Türkiye'de ne oldu: 1969 kongresinde Alparslan Türkeş, "CKMP" adını "MHP" olarak değiştirdi.

---

79 *Hürriyet*, 22.06.2004.

"Bozkurt" sembolünü, "Üç Hilal"e dönüştürdü.

"Türkçü" yerine "milliyetçi" adı kullanılmaya başladı.

"Türkçüler Derneği" lağvedildi; "Milliyetçiler Derneği" kuruldu.

"Tanrı Türk'ü Korusun" sloganı yerini "Kanımız Aksa da Zafer İslam'ın" sloganına bıraktı!

Partinin "Türk-İslamcı" yeni siyasal çizgisine karşı çıkan üniversite öğrencisi Ali Balseven gibi Türkçüler öldürüldü.

Bu yeni siyasal çizgiyi savunan bir dönemin Türkçü isimlerinin başında gelen; "yoldaşlarım" dediği solcularla birlikte dergiler çıkaran Fethi Tevetoğlu, İKÖ genel sekreter yardımcılığına getiriliverdi! İKÖ'nün ekonomik, idari ve mali işlerinden sorumluydu. Bir dönem, emperyalizmi baş düşman olarak değerlendiren Tevetoğlu, artık ABD bayrağını eline alıp poz vermekten geri durmuyordu. "Yoldaşlığı" unutmuştu; o artık Komünizmle Mücadele Derneği kurucusuydu.

Ekmel Bey ise Türkeş'in Arapça tercümanı ve fahri danışmanıydı. İlişkinin "çimentosu" İKÖ idi; yani Suudi Arabistan, yani ABD, yani CIA'cı İslam!..

İKÖ sanıldığının aksine Erbakan'dan çok Türkeş'e yakındı! Hiç kafanız karışmasın...

Ekmel Bey'in MHP'liliği damatlığından ileri gelir!

Türk Ocakları başkanlığı yapmış, sümerolog Prof. Dr. Emin Bilgiç'in damadıdır.

Yıl: 1968... Hititler ile Mısırlıların ilişkisi konusunda konferans vermek için Kahire'ye giden Prof. Bilgiç kendilerine yardımcı olan, baba dostunun oğlu Ekmel Bey'i sevdi. Bu yakınlıkta hemşeri ilişkisi de vardı; Bilgiç'in kayınpederi Yozgat DP Milletvekili Niyazi Ünal Alçılı ile Ekmel Bey uzaktan akrabaydı.

İki yıl sonra... 27 yaşındaki Ekmel Bey annesi (Rodos adası göçmeni Hacıoğlu ailesinden) Seniye Hanım'la Türkiye'ye döndü.

Kahire doğumlu Ekmel Bey, "vatan hasretine dayanamayıp" döndüğünü söyledi.

Döndükten hemen sonra, Prof. Bilgiç'in kızı Nazife Füsun'la (d. 1951) evlendi.

Bilgiçler Nakşibendi'dir; tıpkı içinde İhsan Efendi'nin de bulunduğu Kahire'deki Türkiye karşıtı diaspora gibi...

Bilgiç ailesi politikayla da iç içeydi; Emin Bilgiç'in kardeşlerinden avukat Said Bilgiç DP milletvekiliydi; Yassıada'da yargılandı. Dr. Sadettin Bilgiç ise AP kurucusu ve milletvekiliydi; partinin hep muhafazakâr kanadında yer aldı.[80]

Prof. Bilgiç 1970'li yıllarda Rıfkı Danışman'ın Kültür Bakanlığı'nda müsteşarlığını yaptı.[81]

1983'te siyasi partiler kurulurken Türkeş, MHP yerine kurulacak partinin başına geçmesi için yıllardır ailece görüştükleri, yakın dostu Prof. Bilgiç'e genel başkanlık teklifinde bulundu. Bilgiç, 67 yaşında olduğunu ileri sürerek kabul etmedi.

Evet, içgüveysi Ekmel Bey MHP'ye yakındı. Ama...

"Hangi MHP"nin adayıydı; Türkçülüğün üzerini çizen CIA dincisi MHP'nin mi? CHP bunları bilerek mi çatı adayı yapmıştı Ekmel Bey'i? Sanmam.

Şunu yazmalıyım...

Kılıçdaroğlu'na Beşir Sürprizi

Tarih: 25 Mart 2014. Yer: Denizli.

CHP lideri Kılıçdaroğlu konuştu:

"CHP'nin iktidarında o (Erdoğan) yurtdışına kaçacak. Ona uygun bir ülke buldum. Ömer el-Beşir'in ülkesi Sudan. Ömer el-Beşir'in yanına kaçacak. Katliam yapmaktan uluslararası mahkemede yargılandı ve mahkûm oldu; yolsuzluk yaptı. Gelsinler yan yana konuşsunlar. O diyecek ki; ben şu kadar götürdüm. O diyecek ki; seninki hikâye, ben 85 milyar avro götürdüm..."

Bir gün sonra... Yer: Balıkesir...

CHP lideri Kılıçdaroğlu konuştu:

"(Erdoğan) bir yerlere kaçmayı düşünüyor. Ben onun için iyi bir yer buldum: Sudan... Ömer el-Beşir'in yanına gitsin. Ömer el-Beşir'i Türkiye'ye davet etti. Altına kırmızı halılar serdi ve tekrar Sudan'a gönderdi. Ömer el-Beşir'in yolsuzlukta kimse eline su dökemez. Erdoğan'ın da yolsuzlukta kimse eline su dökemez."

Kılıçdaroğlu benzeri sözleri hep söyledi...

Sudan...

Arapça karşılığı; "siyahların ülkesi" anlamına gelen "Beledü's-Sudan"...

Yüzölçümüyle Afrika'nın en büyük ve dünyanın 10. büyük ülkesiydi.

---

80 Oğlu Sadi Bilgiç AKP milletvekilidir.

81 Babası Sakıp Danışman, –F. Gülen'i etkileyen– Erzurum müftüsüydü.

Resmi dili Arapça. Ülkede 19 değişik etnik grup vardı ve Araplar nüfusun en büyük kısmını (yüzde 40) oluşturmaktaydı.

Sudan; 9 Temmuz 2011'de Kuzey Sudan ve Güney Sudan diye ikiye bölündü. Sebebi belliydi: Afrika'nın önemli petrol kaynaklarının bulunduğu ülkeydi.

Bölünmeden en kârlı çıkan ülke ABD oldu.

ABD'nin senelik petrol ithalatının yüzde 20,3'ü Afrika'dan gerçekleşiyor. Sudan, Çin'in de önemli petrol tedarikçisiydi.

İçsavaş ve bölünmenin en büyük mağdur ülkesi Sudan'daki petrol faaliyetleri zarar gören Çin oldu.[82]

Sudan'ın uranyum gibi değerli madenlerine ve Kızıldeniz'i, Süveyş'i ve Nil'i kontrol eden jeopolitik önemine hiç girmeyelim...

Bu ülke tabii ki bölünür!..

Bölünmesinde en büyük pay kimindi: Ömer el-Beşir...

WikiLeaks belgelerine göre, İngiliz bankalarında ülkesinden kaçırdığı 9 milyar dolar parası vardı![83]

Beşir, 1989'da tuğgeneral rütbesindeyken Sudan'da askeri darbe yaptı. 4 yıl sonra kendini devlet başkanlığına atadı! ABD önce yapılanlara ses çıkarmadı. Çünkü Beşir, IMF'ye, neoliberalizme boyun eğdi; özelleştirme yaparak 190 kamu kuruluşunu sattı.

Batı kamuoyunun büyük tepkisiyle Uluslararası Ceza Mahkemesi (UCM), Darfur'da 300 bin kişiyi öldürttüğü ve 2 milyon 700 bin kişiyi de evlerini terk etmek zorunda bıraktığı için el-Beşir'i 2009'da mahkûm etti.

Bu ceza sonucu ABD, Beşir'i tamamen avuç içine aldı. Öyle ki, başını kurtarmak için; dava arkadaşı, "Milli Selamet Devrimi"nin teorisyeni Hasan Turabi ve arkadaşlarını hapsetti. 2011'de ülkesinin bölünmesine ses çıkaramadı.

El-Beşir'in akıl hocaları vardı. Bunlardan biri Erdoğan'dı. Erdoğan Sudan'ı ziyaret eden ilk Müslüman başbakan oldu. El-Beşir'in de dünyada gittiği tek ülke, Türkiye'ydi!

El-Beşir'e boyun eğmesini söyleyen bir diğer örgüt; İslam Konferansı Örgütü'ydü!

Yıl: 2009...

El-Beşir, İslam Konferansı Ekonomik ve Ticari İşbirliği Daimi Komitesi'nin İstanbul'da yaptığı zirve toplantısına davet edildi.

---

82 Ne tesadüf; Çin'in enerji firması Sinopec; Çin'in yurtdışında gerçekleştirdiği en büyük alımı yaparak 7,2 milyar dolara Irak'ın kuzeyindeki petrol sahalarını işleten İsviçreli Addax firmasını satın aldı. Sonra, IŞİD işgali gündeme geldi!

83 *Guardian*, 17.12.2010.

Gazeteci Leyla Tavşanoğlu, teşkilatın genel sekreteri Ekmeleddin İhsanoğlu ile röportaj yaptı:[84]

Tavşanoğlu sordu: UCM'nin soykırım yapmaktan suçlu bulduğu el-Beşir'in davet edildiği öğrenilince kıyamet koptu. AKP hükümeti, Beşir'i kendilerinin değil, İKÖ'nün davet ettiğini söyledi. El-Beşir'i kim davet etti?

İhsanoğlu: (...) Bunu farklı boyutlara çevirmek bence biraz meseleyi zorlamaktır. Ama diyeceksiniz ki ceza almıştır. Bu bir iddiadır. Bir mahkûmiyet kararı değildir. Mahkeme karar alıncaya kadar da buna iddia olarak bakmak lazım.

– Tavşanoğlu: Yalnız mahkemenin kesin kararı olduğu biliniyor...

– İhsanoğlu: Bunların hepsi tartışılmaktadır. Mahkûmiyet olmadan bir devlet başkanının tevkif edilmesinin ne kadar doğru olacağı konuşulmalıdır. Ayrıca şunu unutmamak lazım; bu karar Bush yönetimi zamanında alınmış. Bugün yeni (Obama) ABD yönetimi Sudan hükümetiyle çok farklı bir şekilde görüşmeye başladı, bu mesele de biraz kenara itildi. Yani bugün bu mesele tartışılmıyor.

– Tavşanoğlu: Yani daha çok siyasi bir karar mıydı diyorsunuz?

– İhsanoğlu: Bence bu fazla abartılmış bir tartışma... Herkes böyle bir hadise üzerinde yoğunlaşıyor. Ben şaşırıyorum. Biz Türkiye'de böyle şeyleri seviyoruz.

– Tavşanoğlu: Türkiye'nin dış politikasının, Ahmet Davutoğlu dışişleri bakanı olduktan sonra Batı'dan Doğu'ya eksen kaymasına uğradığı tartışmaları yapılıyor. Sizce gerçekten eksen kayması mı yaşanıyor?

– İhsanoğlu: Eksen kayması olduğunu sanmıyorum. Ancak belki boşluklar dolduruluyor. Uzun yıllar ihmal edilen ilişkiler canlı tutulmaya çalışılıyor... Türkiye'nin bu ekseni ta Tanzimat'tan beri çizilmiştir.

Röportaj böyle sürüyor...

Bu yazıyla ilgili ayrıca yorum yapmaya gerek var mı?..

Kılıçdaroğlu adayını tanımıyordu! Peki...

Kılıçdaroğlu neye karşıydı: Salt bir Erdoğan'a mı, yoksa uyguladığı siyasi, ekonomik, kültürel politikalarına mı?

"Erdoğan gitsin ve politikaları devam etsin," diyorsa, evet adayı Ekmel Bey doğru seçimdi!

---

84 *Cumhuriyet*. 15 Kasım 2009.

"Erdoğan bir misyon için koltuğa oturtuldu; işi bitti ve şimdi o misyonu başka bir isimle sürdürecekler," diyorsa Ekmel Bey iyi bir aday değildir! Bu kadar basit.

Niye meseleyi kişiler üzerinden tartışıyoruz.

Neden Erdoğan'ın ikiz kardeşine oy verelim?

Israrla kişiler üzerinden değil, "program" üzerinden konuşmamız gerekmiyor mu? Türkiye niye kişilere mahkûm ediliyor? İdeolojiler öldü mü? 12 Eylül kafası değil mi bu?

Ekmel Bey'e Boyun Eğmek

Prof. Dr. Morris Kline (1908-1992) dünyanın önemli matematikçilerinden biriydi. Bir sözünü hiç unutmam: "İstatistik, cehaletin matematiksel teorisidir!"

Sandık sonuçlarıyla ilgili yapılan yorumları dinlemeye artık tahammülüm kalmadı; eline kâğıdı kalemi alan dünden bugüne oy istatistiği yapıyor.

Bizim temel sorunumuz, sandık istatistiklerine yönelik siyaset yapma ve siyaseti değerlendirme tarzımız!

Son 30 yılda siyaset, salt sayıya/rakama indirgendi. Bu anlayış, politikayı masa başı siyasi mühendislik stratejilerine mahkûm etti.

Burada insan yok...

Burada siyasal görüş yok...

Burada mücadele yok...

Burada sadece kuru bir istatistiki hesap var!

Faydacılığı yani kaba bir pragmatizmi esas alan bu anlayış nereden çıktı? Sanırım asıl, ilk başta yanıtını bulmamız gereken soru budur. Şöyle...

Her ekonomik model, siyaseti ve kültürü de etkiler.

Her ekonomik modelin kutsadığı insan tipi ve değerler sistemi vardır.

Son 30 yılda dünyada ve ülkemizde (sosyal devletçiliği yok eden) neoliberalizm rüzgârı estiriliyor. Siyaseti (itibarıyla kültürü) derinden etkileyen bu ekonomik sistem; yeni bir insan ve yeni bir politikacı tipi ortaya çıkardı: Ne olursa olsun kazanmak!..

Tüm değerler değersizleştirildi; yeter ki kazanılsın!..

İnsanlar, partiler sadece kazanmaya odaklandırıldı; bedeli ne olursa olsun!

Aman Atatürk demeyelim...

Aman bağımsızlık demeyelim...
Aman Kürt demeyelim..
Aman Alevi demeyelim...
Aman ağa-şeyh düzeni demeyelim...
Aman kamulaştırma demeyelim...
Aman sosyal devlet demeyelim...
Aman sol demeyelim...

İnsanı metaya/rakama indirgeyen bu "yeni insan" ve siyaseti çürüten bu "yeni politikacı" tipiyle mücadele esastır.

Görülüyor ki: Siyaset hastadır ve tedavi edecek reçeteye ihtiyaç vardır!..

Fakat... Bırakınız reçeteyi, hastalık teşhis edilebilmiş mi, ondan şüpheliyim...

Ekmel Bey aday yapılıyor.

Ekmel Bey'e oy isteniyor.

Baksanıza Ekmel Bey ile Erdoğan'ın farkı olmadığı bile analiz edilemiyor!

Sandığa endeksli siyasi perspektifi, Türkiye'ye hiçbir şey kazandırmıyor.

Biz sonraki seçimde CHP cumhurbaşkanı adayı olarak Osmanlı soyundan bir halifeyi mi aday gösterecek? Geldiğimiz yer burası mı?.. Buna karşı çıkmak tarihsel görev değil mi? Siyaset bu kadar vasatlaştırılır mı?

Bu tavrımı *Sözcü* gazetesindeki köşemde net olarak ortaya koyunca ne oldu dersiniz?..

Ekmel Bey'in İkizi

Telefon açtılar...
Mail attılar...
Yolda durdurup konuştular...
CHP yönetimi küstü...

Ne söylediklerinin, yazdıklarının farkında değiller. Aslında söyledikleri şuydu: "Soner Bey siz de bizim yandaş gazetecimiz olun!"

Bir kişi, ama sadece bir kişi şunu yazmadı, söylemedi: "Çatı adayı konusunda sizinle aynı görüşü paylaşmıyorum; ama yazdığınız bilgiler için çok teşekkür ederim; bilgi sahibi oluyorum."

Gerçeği aramıyorlar; "amigo" arayışı içindeler!..

Yararlılığınıza göre değer veriyorlar size. Yapılması gerekeni yapmanızı, gerçeği yazmanızı değil; hoşlarına gideni yazmanızı istiyorlar.

Ne öğrenmek ne de düşünmek istiyorlar. Oysa bilmiyorlar ki; bilgisiz insanı herkes aldatabilir.

Hele bir de tehdit etmiyorlar mı: "Artık sizin kitaplarınızı okumayacağım!" Bunu diyen o kitapları ya hiç anlamamış ya da okumamış...

Bana yol yordam öğretiyorlar... Uysal ol, diyorlar... Kurnaz ol, diyorlar... Dalkavuk ol, diyorlar...

Gerçeği eğip büken şeytani bir hilekâr ol, diyorlar...

Ne acı ki; aslında... Yenilgiyi kabul et, diyorlar...

Ben "kuyumcu terazisinde tartıp" gerçekleri yazıyorum. Bir gazeteciyi ancak hakikatle imtihan edebilirsiniz; "yazdığın yalan" diyebildiler mi? Hayır.

Anladım ki bu hastalık çoğu kişiye Erdoğan'dan bulaştı; sadece görüşünün onaylanmasını istiyor! Oysa... İnsan ruhundaki soyluluk zorlar.

Hayatım boyunca eğri büğrü yollardan ikiyüzlülükle yürümeyi reddettim.

Kiralık kalem olmadım. Düşünceyi çıkar amaçlı kullanmadım. Kimsenin hizmetine girmedim.

Satın alınamamanın yüceliğini yaşadım, yaşıyorum.

İş gerçeğe gelip dayanırsa kendime bile acımam.

Her türlü propagandadan hayatım boyunca uzak durdum. Bilirim ki: Kendisi için özgür düşünen, yeryüzündeki bütün özgürlükleri onurlandırmış olur.

Bana kızanlara dedim ki; insanın aklını hayvanın içgüdüsünden ayıran uzun vadeli düşünme yeteneğidir. Kavramlarla düşünmeyen azgelişmiş bir toplum; sorunu yalnız kişiler üzerinden tartışır; bu nedenle hep suçlu arar. Sanıyorsun ki, suçlu Erdoğan'dır ve o giderse sorun da gidecektir! Sahnedeki kuklalara kilitlenmiş durumdasın; kukla oynatıcının ellerini görmüyorsun.

Erdoğan neyi savunuyor?

Ekmel Bey neyi savunuyor? Aynıdır yolları...

Kavramlar üzerinden düşünürsen ikisinin ikiz kardeş olduğunu görürsün! Evren'ler, Özal'lar da bu küme içinde.

35 yıldır yaşadığın yoksulluğun, kalitesizliğin, basitliğin, geriiciliğin nedeni bunlardır; yaşadığın zamanın dışına çık.

PR tuzaklarına düşmekten yorulmadın mı?

Bunca yenilgiden hâlâ ders çıkaramadın mı?

Sadece... Görmek istediğini görüyorsun. Duymak istediğini duyuyorsun. İnanmak istediğine inanıyorsun. Gerçekle bağını koparttılar. Seni sorgulamayan, her dayatılanı kabul eden mürit/kul haline getirdiler.

Sanki... Türkiye'nin sorunu Erdoğan'ın kişilik-mizaç sorunuydu!

Ülkeni satıyorlar... Ülkeni bölüyorlar...

Ülkenin ordusunu dağıtıyorlar...

Ve sen hâlâ kişiler üzerinden tartışma yapıyorsun!

Bil ki: Bugünün boyun eğişi her zaman yarınınkini hazırlar.

Dediğim çıktı.

10 Ağustos 2014 tarihindeki cumhurbaşkanlığı seçimine –Kılıçdaroğlu'nun CHP'lilere "Tıpış tıpış gideceksiniz," demesine rağmen– katılım oranı düşük oldu; Erdoğan ilk turda kazandı!

Bir ay sonra...

6 Eylül 2014 tarihinde CHP olağanüstü toplandı. Kılıçdaroğlu yeniden genel başkan seçildi.

Kurultayda kimsenin aklına Parti Meclisi'ne Ekmeleddin İhsanoğlu'nu almak gelmedi!

Kimsenin aklına beş dil bilen Ekmel Bey'in tecrübelerinden yararlanmak gelmedi!

Bir ay önce övmek için birbirleriyle yarışan CHP yöneticileri, artık Ekmel Bey adını duymak bile istemiyordu! Öyle ya, kongrede delegelere oylatsalar Ekmel Bey'e kim oy verir?

Ekmel Bey gitti MHP'ye üye oldu ve milletvekili seçildi.

Partisi tarafından TBMM başkanlığına aday gösterildi; CHP, bu kez Ekmel Bey'i desteklemedi ve AKP adayı kazandı! Buna Türkiye'de siyaset yapmak diyorlar!

Siyaset dünyasında Ekmel Bey parantezi kapanırken dış politikada başka parantezler açıldı:

2015 yılı başında Kral Abdullah ölünce, dört aylık Cumhurbaşkanı Erdoğan ülkede yas ilan ettirdi! Koşa koşa cenazesine gitti! Ekmel Bey de peşinden!

Erdoğan yeni Kral Selman ile el sıkışıp, Kral Abdullah dönemindeki soğukluğu giderdi...

Bakalım bu ikili neler yapacaktı?..

"Hürriyet"te Suudi Övgüsü

Oray Eğin yazınca öğrendim.[85]

Hürriyet'in dış politika yazarı Verda Özer'i gazeteye, Prof. Ekmeleddin İhsanoğlu'nun önerdiğini yazdı.

Hiç şaşırtmıyorlar; Oray Eğin'in yazısının mürekkebi kurumadan Verda Özer köşesinde ne yazdı dersiniz? Suudi Arabistan güzellemesi yaptı. "Bugün Hepimiz Suudi'yiz" başlıklı makalesinde; "Ah ne güzel, kadınlar oy veriyor, Suudi Arabistan'a demokrasi geliyor," diye yazdı.[86]

Demek: Ekmel Bey ile Verda Özer'in kesişme noktası Suudi Arabistan'dı!

Yoksa... 30 kadın idamını beklerken Verda Özer niye Suudi Arabistan güzellemesi yapsın?

Yoksa... Dünya aydınları, şair-küratör Eşref Fayad'ın idamını önlemeye çalışırken Verda Özer niye Suudi Arabistan güzellemesi yapsın?

Yoksa... Son dönemde Batı medyasında Suudi Arabistan'a yönelik çok sert eleştirel yazılar çıkarken; "Bunların IŞİD'den ne farkları var?" diye sorulurken Verda Özer niye Suudi Arabistan güzellemesi yapsın?

Asıl mesele... Verda Özer'in yazısından bir gün sonra anlaşıldı...

Suudi Kralı'nın oğlu ve iki numaralı veliaht olan Suudi Arabistan Savunma Bakanı Muhammet bin Selman, başkent Riyad'da basın toplantısı yaparak, Suudi Arabistan liderliğinde 34 ülkenin "teröre karşı İslam ittifakı kurduğunu" açıkladı!

Suudi liderliğinde bu 34 ülke terörist gruplarla savaşacakmış! Allah... Allah... El-Kaide'den IŞİD'e kadar bu terör gruplarının finansörü belli değil mi?

Bu örgütlerin ideolojisinin Selefi-Vehhabi olduğu belli değil mi?

Her şey ortada! Ayrıca... Türkiye'de de kimi gazeteler bunun "Sünni ittifak" olduğunu yazdı. Ve hep aynı hatayı yapıyorlar; ittifakın lideri Suudi Arabistan "Sünni" değil Selefi-Vehhabi'dir; ve bunlar aksine Sünni düşmanıdır.

Ve gelelim meselenin bizi ilgilendiren yönüne; AKP'nin...

Bir yanlarında Selefi-Vehhabi Katar vardı...

Bir yanlarında Selefi-Vehhabi Suudi Arabistan vardı...

---

85 *Sözcü*, 6.12.2015.

86 *Hürriyet*, 15.12.2015.

Gelinen son nokta şu: Selefi-Vehhabi Suudi Arabistan liderleri oldu!

Ne mutlu onlara!.. "Yeni Osmanlı" hayali kurup sonunda Osmanlı'yı arkadan hançerleyen emperyalist kuklası Selefi-Vehhabi Suudi Arabistan'ın kuyruğuna takıldılar!

Hadi... Cumhurbaşkanlığı uçağından inmeyen köşe yazarı Verda Özer gibi Suudi Kralı'nı övmeye başlasınlar: "Bugün hepimiz Suudi'yiz!"

Evet...

Artık liderleri Riyad!

Artık başkentleri Ankara değil, Riyad!

Artık Türk askerinin karargâh merkezi Riyad!

Irak, Suriye, Libya, Afganistan, Lübnan'a (ve tabii ki İran'a) düzenlenecek operasyonlar Suudilerin başkenti Riyad'da kurulacak merkezden yönetilecekti!

Asker... İstihbarat... Mühimmat... Suudiler ne isterse verilecekti! Türk Genelkurmayı, 35 yaşındaki Suudi Savunma Bakanı Prens Selman'dan emir bekleyecek demek!

Biliyoruz: Tüm bunlar Selefi-Vehhabi Suudi krallığının yıkılmaması için! Öyle ya...

Petrol fiyatları düşüyor. Savaşlara verdikleri destekler Suudilerin ekonomilerini çökertiyor. Ülkelerinde işsizlik korkunç rakamlara ulaştı. Kraliyet ailesindeki çatlaklar sır değil.

Dışarıdaki geleneksel korumacıların gücü azaldı. Sonuçta...

ABD, çıkarlarına büyük zararlar verecek bu gelişmeler karşısında, Suudi liderliğinde ittifak kurduruyor. Demek... Selefi-Vehhabi Suudi krallığını korumak için Mehmetçik'i feda edeceğiz!

Nereden nereye... Vehhabi Suudiler, Osmanlı'ya ilk ne zaman isyan etti? Yazdım. Osmanlı, Rusya'ya yenildiği dönemde ayaklanıp 1773'te Riyad'ı ele geçirdiler!

Yıl: 2015... Rusya uçağının düşürülmesi komplosuyla Türkiye'ye, Suudi krallığının emrine girmeyi kabul ettirdiler.

Davutoğlu, "Doğru yönde atılmış bir adım," diye ittifakı destekledi. Genelkurmay Başkanı'nı yanına alıp Kral Selman'ın huzuruna çıktı; ortak askeri tatbikat yapma planlarını görüştü!

Ekmel Bey'in *Hürriyet* gazetesindeki emanet yazarının temennisi doğru çıkmıştı.

Demek... "Hepimiz Suudi olacağız!"

Demek... Suudi ordusuyla ortak cephede savaşacağız!

Yahu... Bu Suudi ordusunun neredeyse tamamı ABD özel askeri endüstrisinin kontrolünde değil mi? Amerikan özel kuvvetlerinden (US Special Forces) "emekli" 1.500 subayın "Vinnell" şirketi adı altında, yıllık 800 milyon dolarlık sözleşmeyle "iş" yapmıyor mu Suudi Arabistan'da?

Suudi ordusuna lojistik, eğitim, istihbarat ve kapsamlı danışmanlık hizmeti veren Amerikan BDM şirketi değil mi?

"Cable and Wireless" Suudilerin kontr-terör eğitiminden...

"Booz-Allen Hamilton" Suudilerin kontr-terör eğitiminden..

"SAIC" Suudilerin donanmasından...

"O'Gara" ise Suudi kraliyet ailesinin güvenliğinden sorumlu değil mi?

Demek... Bu Suudi Arabistan 34 ülkeye liderlik yapacak! Geçiniz. Asıl lider belli...

Tarih: 14 Şubat 1945.

Adını metnin imzalandığı Amerikan gemisinden alan Quincy Paktı'na göre; çok ucuza alacağı petrol karşılığında ABD, Suudi Arabistan'ı 60 yıl koruyacaktı.

Ve... 2005 yılında Quincy Paktı yinelendi.

Suudi Arabistan, ABD bayrağındaki 51'inci yıldızdır!

Bu nedenle... Suudi Arabistan, Körfez Savaşı giderinin 60 milyar dolar tutan maliyetinin 36 milyar dolarını tek başına karşıladı! Mesele budur.

Yoksa...

"İttifak kurulacak..." "İstihbarat merkezi Riyad olacak..." Güldürmeyin beni!

Sızdırılmış WikiLeaks belgeleri ortada... Suudi istihbarat yapısının profesyonel olmadığı ortaya çıktı. CIA emrinde gülünç bir istihbarat örgütleri var.

Bu Suudiler, BM Güvenlik Konseyi'ndeki geçici üyeliği bile yapmak istemeyip çekildi. Bunlar mı liderlik yapacak?

Evet... Lider belli...

Suudiler, Körfez Savaşı'nda büyük tepki almalarına rağmen kutsal topraklara kimin emriyle Amerikan askerlerini davet ettiler? Yahu... Amerikan emriyle Arap-İsrail Savaşı'nda İsrail'i desteklemediler mi?

Sonuçta... Petrol bitene kadar Amerika'nın kanlı oyunu Ortadoğu'da oynanmaya devam edecek.

"Teröre karşı ittifak kuruluyor," dedikleri budur...

"Hepimiz Suudi'yiz," dedikleri budur...

ABD, "alavere dalavere deyip" Mehmetçik'i petrol kuyularına nöbete gönderiyor.

Hele hele... Şu IŞİD meselesi yok mu?

Hep aynı adamlar sahnede...

Hep aynı şirketler sahnede...

Ve o adamlar bilinmeden...

Ve o şirketler bilinmeden...

Suudiler gibi IŞİD de anlaşılmaz!..

Yazayım...

İlişkiler Ağına Bakın!

Olayları, ekonomik temelli düşünceyle anlama-analiz etme yöntemi solculukla özdeşleştirildiği için, iki sakallı (Marks ve Engels) bizim üniversitelere hiç sokulmadı!

Bu da temel meseleleri kavrayamamamıza neden oldu.

Gündemdeki olayları hâlâ Soğuk Savaş yıllarının bize dayattığı tek boyutlu düşünce sistematiğiyle tartışıyoruz.

Bu yüzeysellik nedeniyle; TV'lerde IŞİD'i konuşanların ne dediklerini anlamıyorum.

Halbuki anlamanın özünü şu oluşturmalı: Örneğin... IŞİD nereyi işgal etti; petrol kenti Musul'u! Yani... Irak petrolünün yüzde 17'sini elinde tutan IŞİD, dünyanın en zengin terör örgütü oldu!

Yani... Meselenin ekonomik değeri var. O halde... Para varsa, küresel güçler oradadır! Aksini düşünmek mümkün değildir.

Geliniz... Üzerinde hiç durulmayan meselenin bambaşka yönünü ele alalım:

– Erle P. Halliburton'ın adını hiç duydunuz mu?

– Yıllık geliri 24,8 milyar dolar olan ve 100 ülkede faaliyette bulunan inşaat ve enerji şirketi Halliburton'ı bilir misiniz?

– Bu holdingin yan kuruluşu olup dünyadaki askeri hizmet sektörünün en büyüğü Brown&Root Services (BRS) faaliyetlerinden haberdar mısınız?

Amerikan ordusu nereye gidiyorsa BRS oraya gidiyor: Afganistan, Irak, Arnavutluk, Bosna, Hırvatistan, Somali, Özbekistan, Kuveyt, Kosova, Zaire vd. Babasının hayrına buralarda bulunmuyor.

BRS bir "kiralık ordu" ve yıllık geliri 6 milyar dolar!

Kafanız mı karıştı? Öyle ya küresel bir şirket var ve diğer yanda bu şirketin kiralık ordusu bulunmakta!

O halde en başa dönüp anlatayım...

Erle P. Halliburton 1892'de Tennessee'de doğdu.

Birinci Dünya Savaşı'nda Amerikan Donanması'nda mühendis olarak görev yaptı. Ortadoğu haritası 1919'da "barış antlaşmalarıyla" yeniden çizilirken, Halliburton yeni taşındığı Oklahoma Wilson'daki evinin tek odasında petrol kuyularını çimentolama şirketi; "New Method Oil Well Cementing Company"yi kurdu. Aynı yıl... Teksas'ta George ve Herman Brown kardeşler kayınbiraderleri Dan Root'un parasal desteğiyle "Brown&Root" inşaat ve mühendislik firmasını kurdu.

Sonraki elli yıl içinde, ABD'nin okyanus ötesine açılması ve emperyalist programıyla her iki şirket çok büyüdü.

Kuzey Denizi ve Ortadoğu'da dünyanın en zengin petrol kaynaklarının bulunması Halliburton'ı petrol kuyuları açma konusunda dünyanın bir numarası yaptı.

Erle P. Halliburton 1957'de öldü ama şirketi büyümeyi sürdürdü. Halliburton, 1963'te dünyanın sayılı inşaat ve mühendislik şirketi Brown&Root'u satın aldı.

Halliburton, Vietnam Savaşı sırasında bu ülkeye askeri üs, havaalanları, yol vb. inşaatı yaptı. Fakat, 1970'lerdeki ekonomik durgunluk ve petrol piyasasının güç kaybetmesi, tüm dünyada 100 şirketiyle faaliyet gösteren Halliburton'ı etkiledi; maaşlarda kesintiye gidildi vs.

İmdadına Saddam yetişti!.. Kuveyt'i işgali ve ardından başlayan Körfez krizi Halliburton'ı kurtardı! Kuveyt'teki hasar görmüş tüm kamu binalarını Brown&Root yeniden yaptı. Halliburton ise 320 petrol kuyusundaki yangını kontrol altına alma işini aldı vs.

Ne tesadüf... Körfez krizi döneminin ABD Savunma Bakanı Dick Cheney –partisi Cumhuriyetçiler seçimi kaybedince– Halliburton'ın yönetim kurulu başkanlığına getirildi! Yıl, 1995'ti.

Ve ne tesadüf: Cumhuriyetçiler 2000'de iktidara gelince Dick Cheney, Halliburton'dan ayrılıp ABD başkan yardımcısı oldu. Ve Irak ve Afganistan işgalleri gerçekleşti!..

Hiç şaşırmayınız!.. Bir parantez açayım:

Lyndon B. Johnson, 26 yaşında 1934'te Teksas'tan Temsilciler Meclisi'ne üye seçildi. 1948'te Teksas'tan Senato'ya girdi. 1960'ta

John F. Kennedy tarafından istenmeye istenmeye başkan yardımcılığına aday gösterildi. Seçimi kazandılar.

Ancak Başkan Kennedy, yardımcısı Johnson'a fazla bir yetki vermedi. Johnson, Kennedy'nin başkanlığı döneminde hep arka planda kaldı. Ama... 22 Kasım 1963'te beklenmedik bir şekilde Kennedy suikastla öldürülünce, Johnson başkanlık koltuğuna oturdu! Halliburton siyasi yaşamı boyunca Lyndon B. Johnson'ın finansörü oldu! Kennedy'yi kim mi öldürdü? Parantezi kapatayım.

Devam edeyim...

Selahattin Demirtaş diyor ki:

"Türkiye PKK'ya silah yardımı yapsın; PKK, IŞİD ile savaşsın!"

Adama sorarlar: "Bu işin fiyatı nedir?"

Ah benim Kürt kardeşim; kafanı Kandil Dağı'ndan çıkaramazsan meseleleri hiç anlayamazsın! Halliburton'ı iyi kavraman lazım... Şöyle...

1990'larda petrol piyasasındaki durgunluğa rağmen Halliburton çok iyi ekonomik performans gösterdi. Petrol sektöründeki benzer şirketlere kıyasla yüzde 20 daha büyüdü. Bu başarının sebebi oldukça kârlı askeri sözleşmeler yapmasıydı!

Paranın kaynağı Yugoslavya'nın bölünmesiydi! Hiç şaşırmayın; "Bu da nereden çıktı?" demeyin!

Amerikan ordusu; LOGCAP (Lojistik Sivil Artış Programı) çerçevesinde, Balkanlardaki büyük çaplı askeri destek faaliyetleri için ilk kez bir "kiralık ordu"yla sözleşme imzaladı.

Bu şirket, enerji devi Halliburton'ın yan şirketi Brown&Root Service'ti (BRS)!

BRS'nin sadece Bosna'dan kazandığı para, 405 milyon dolardı. Sözleşme uzundu; örneğin, İtalya'daki Aviano hava üssünden hareket eden Amerikan kuvvetlerine destek hizmeti için şirketin çıkardığı fatura, 6,3 milyon dolardı.

Şirketin 5 bin kiralık askeri Bosna'daydı.

Buradaki Müslüman cihatçı gençleri bu "kiralık ordular" eğitti...

Halliburton'ın, "kiralık ordusu" BRS (Brown&Root Service)... Bosna'da, Hırvatistan'da, Makedonya'da, Afganistan'da, Irak'ta, Somali'de vd. görev yaptı.

Ne güzel ticaret değil mi; "kiralık ordusunu" para karşılığı veriyor; ayrıca gittiğin ülkenin petrolüne el koyuyor; yetmiyor, yıktığın ülkeyi yeniden imar ediyorsun!

Örneğin... Kosova'ya askerini vermekle kalmayıp yollar, binalar yaptı; örneğin 192 kışla inşa etti! Kosova'daki işlerinden dolayı BRS'ye sadece 1999'da 1 milyar dolar ödendi.

BRS, "Sürekli Özgürlük Operasyonu" adı verilen Afganistan işgalinden sonra kurulan işkence merkezi Guantanamo kampını da 45 milyon dolara yaptı.

Örnekler çok...

Salt Irak'taki hizmetleri için Halliburton'ın "kiralık ordusuna" ödenen para, ABD'nin 1991 yılında Körfez Savaşı için yaptığı harcamanın üç katıydı! (Sadece 2007'deki rakam 151 milyar dolardı.) Ödenen para kamuoyuna yansıyınca gözler bir dönem Halliburton'ın yönetim kurulu başkanlığını yapan başkan yardımcısı Dick Cheney'ye çevrildi.

Fakat... Bilinir ki ABD'de Halliburton'ın dokunulmazlığı vardır!

ABD Savunma Bakanlığı raporuna göre, 2007'de Irak'ta bulunan ABD askeri sayısı 160 bin; "kiralık ordu" mensubu ise 180 bin!

Irak'ta kaç "kiralık ordu" vardı? Mensuplarından kaç kişi öldü? Bunlar hâlâ bilinmiyor.

Irak savaşının en karanlık (Ebu Garib Cezaevi gibi) kısımlarında hep bu özel şirketlerin adı geçti. Şu notu düşmeliyim; 1997 yılına kadar BRS bu alanda tekeldi; başka şirketler de pazara girdi. Ne mi yaptılar? Şunu...

IŞİD'in elinin altında ne var; petrol! Bu konuya geleceğiz. Önce şunu yazayım:

Afrika'daki Sierra Leone'nin elinin altında ne vardı; elmas! Sömürgecilere karşı isyan bayrağını açan Devrimci Birleşik Cephe elmas madenlerini ele geçirince bu ülke "insan hakları" ihlalleriyle dünya gündemine getirildi! 2002 yılında –hem de birkaç ay içinde– Devrimci Birleşik Cephe yok edildi. Sonra ortaya çıktı ki; yabancı elmas şirketleri, Güney Afrika'da kurulan ırkçı "Executive Outcomes" adlı "kiralık ordu"yla anlaşmıştı. Bu kiralık ordu içinde kimler yoktu ki; Amerikalı eski Yeşil Bereliler, Fransız Yabancı Lejyonerler, Güney Afrikalı hava indirme birliği mensupları, Ukraynalı pilotlar ve Nepal'den Gurka savaşçıları...

– İsrail merkezli Ango-Segu, elmas ve petrol zengini Angola'da solcu hükümete destek verdi.

– İsrail merkezli Levdan, dünyanın en büyük üçüncü bakır işletmecisi Kongo'da solcu Mobutu iktidarını yıktı.

Keza... Ülkeler birbiriyle savaşırken bu kiralık ordulardan yararlanıyordu; Etiyopya komşusu Eritre'yi "Günbatımı Operasyonu" adı verilen harekâtla böyle yendi.

Fildişi Sahili ise ordu darbesini kiralık orduyla önledi!

"Kiralık ordu" sektörünün geliri iyiydi. Sözleşme yaparken iki önemli maddeleri vardı:

– Biri; kuşkusuz para kazanmak.

Sierra Leone hükümetine 10 milyon dolarlık destek verip karşılığında elmas madenlerinden 200 milyon dolar değerinde taviz kopardılar.[87]

– Diğeri; bakır, elmas ve petrolden ne kadar pay alacakları/para kazanacakları gözükse de "kiralık ordular" ABD dış politikası hedeflerine aykırı olan ülkelerle sözleşme imzalayamıyordu.

Örneğin... BRS, ambargo uygulanan Libya'ya/Kaddafi'ye 1995'te başka firma üzerinden silah sattığı ortaya çıkınca 3,8 milyon dolar para cezası ödedi!

Fakat bu demek değildi ki, gizli kapaklı işler çevirmiyorlar. Kolombiya ve Meksika'daki uyuşturucu baronlarının bu kiralık ordularla çalıştıkları ortaya çıktı!

Kiralık ordular dünyanın her tarafında var. En etkin oldukları yerlerin başında Körfez ülkeleri geliyor!

Yazdım; Suudi Arabistan'ın silahlı gücü neredeyse tamamen özel askeri endüstrinin kontrolünde. Ve...

Gelelim can alıcı soruya...

Cihat Eğitimi Veren Şirketler

Bu şirketlerin köktendinci örgütlerle ilişkisinin boyutu nedir? Mesela, IŞİD militanlarına savaşmayı bunlar mı öğretiyor?

Medya masallarını okuyoruz; evinde otururken birden gidip IŞİD'e katılan biri nasıl kısa zamanda usta bir savaşçıya dönüşüyor?

Ortaya çıktı ki...

– İngiliz şirketi "Sakina Security" ve "TransGlobal Security International", bu dincilere "Cihat eğitimi" vermişti!

– Amerikalılar Pensilvanya'da kurdukları kamplarda bu

87 "Emperyalizmin davet edilmesine" iş dünyası "Dış borç yatırım takası," diyor!

dincilere, göğüs göğüse harp tekniklerinden patlayıcı yapımına kadar askeri eğitim vermişti!

Küreselleşmenin ürünü bu askeri şirketler "yeni pazar alanları" için ne gibi gizli faaliyetlerde bulunuyor?..

Soruya Türkiye üzerinden yanıt verebilir miyim?

Türkiye'de son yıllarda medyada sık sık şu sözleri duyuyorsunuz:

- "Oğlumu patates soyması için orduya göndermiyorum!"
- "Oğlumu Paşa'nın hizmetçisi diye TSK'ya vermiyorum!"

Gibi...

Evet... Ordunun küçültülmesi; Mehmetçik'in kutsal görevinin paraya indirgenmesi sürekli gündemdeydi.

Milli ordu ve ulusal harp sanayiinin tasfiye edilmesi için birtakım güç odakları ellerinden geleni yaptı.

Biliyoruz ki; Ergenekon-Balyoz-Poyrazköy vd. operasyonlar TSK'da erozyon yaratmak amacıyla yapıldı.

İlginçtir: Cemaat/Paralel Yapı TV kanalları başta olmak üzere "vurdulu-kırdılı" Türk dizilerinde, TSK mensupları illegal işler yapan kötü adamlar olarak gösteriliyor.

Bunların bir amacı olmalı değil mi? Amacı, kamuoyunu hazırlayarak Peygamber Ocağı'nı gözden düşürüp, "ordunun özelleştirilmesini" sağlamak olamaz mı?

"Profesyonelleşme" dedikleri halkın ordusu yerine "kiralık orduların" gelmesidir! Suudi Arabistan örneğini yazdım. TSK serbest pazara düşecek! Günümüz ülke işgalleri böyle gerçekleşiyor! Savaşmadan kaybetmek budur. Çünkü...

Kiralık ordu şirketleri; hiçbir şekilde özel oluşumlar değildir; aslında dünya çapında hüküm sürmek isteyen ABD-İngiltere- İsrail gibi ülkelerin kullandığı "paravan şirketlerdir!" Örneğin...

Air American, Civil Air Transport, Intermountain, Air Asia, Southern Air Transport vs. CIA tarafından kuruldu.

Parayla tutulan askerler Ortaçağ savaşlarının ayrılmaz parçasıydı. Hep yazıyorum; 21. yüzyılda Ortaçağ'ı yaşıyoruz. Tesadüf olabilir mi?

Vehhabilik; kelama/akla karşıdır ve bu Ortaçağ'dır; insanın ve dinin bozulmasıdır. Bu dinsel ideolojinin "serbest pazara" yansıması kiralık ordulardır!

Günümüz kiralık orduları neoliberal küresel endüstrinin ürünüydü; Soğuk Savaş'ın bitmesinin ardından 1990'larda kurulmaya başlandı.

Bu özel askeri pazar, 1700'lerden beri görülmediği şekilde genişledi. Bugün bu askeri şirketler, dünyada eşi olmayan bir büyüme gösteren ekonomik sektör oldu.

İşte soru budur:

IŞİD bu pazarın ürünü mü? Şunu biliyoruz:

- Özel askeri endüstrideki şirketlerin birçoğu sanal'dır! Şeffaf değildir...
- Merkezleri Bahamalar ve Cayman gibi vergi cennetleridir.
- Daimi kuvvet bulundurmazlar; taşeronlarla çalışırlar!
- Silah ve mühimmatlar depoda stok olarak bulunmaz; ihtiyaç olduğunda uluslararası pazardan el altından ya kiralanır ya da satın alınır.
- Kiralık askerler, elektronik ortamdan dünyanın çeşitli yerlerinden bulunur. Personeli, çokulusludur.

Son maddeye dikkat: IŞİD içindeki teröristlerle ilgili bilgileri okudukça, –örneğin dünyanın dört bir yanından gelmeleri, maaş almaları vs.– akıllara kiralık ordularda bulunan paralı askerleri getirmiyor mu? Bakınız...

Paralı askerin temel özellikleri var:

- Çatıştığı yere dışarıdan geliyor.
- Savaşma nedeni sadece para...

Şurası önemlidir: Paralı asker birlikleri sadece o anki amaç için bir araya gelen geçici asker gruplarıdır. Paralı askerlerin göreve getirilmesi; yasal kovuşturmaya maruz kalmamak için dolaylı ve dolambaçlı yollardan oluyor!

IŞİD içinde kaç grup var?

Bilinir ki, örgütlü hareket etmeyen paralı askerler, sadece ferdi müşterileri için savaşmaya odaklanıyor.

Peki... IŞİD'in müşterisi kim/kimler?..

Şimdilik bilinmiyor... Bilinmeyen çok şey var; Japonya ilişkisi gibi...

IŞİD'in, Haruna Yukava ve Kenji Goto isimli iki Japon'u kesme görüntüsü dünyayı şoke etti.

Kimdi bu iki Japon?..

Bir iddiaya göre Haruna Yukava paralı askerdi. Japonya, Çin ve Kuzey Kore'den gelecek tehditlere karşı yurtdışında gizli operasyonlar yapmak amacıyla "kiralık ordu" kurmuştu. Bu paralı askerler Japonların Irak ve Suriye'deki yatırımlarını da koruyorlardı.

Haruna Yukava burada görev yapıyordu!

Kenji Goto ise kâğıt üzerinde serbest gazeteciydi. Annesinin açıklamasına göre, yakın arkadaşı Haruna'yı kurtarmak için Türkiye Gaziantep üzerinden Suriye'ye gitmişti! Daha önce Ruanda, Afganistan, Sierra Leone gibi ülkelerde bulunmuştu.

İddia o ki: Japon halkının yüzde 64'ü ülkelerinin Ortadoğu'ya müdahale edecek güçler içinde olmasına karşı. Bu iki kafa kesme görüntüsü Japon halkının görüşünü değiştirmek içindi!

Naomi Klein adını duydunuz mu?..

Şok Doktrini: Felaket Kapitalizminin Yükselişi kitabının yazarı. Küresel sermayenin bilinçsiz seçmeni nasıl etkilediğini örnek olaylar vererek yazdı.

Normal koşullar altında insanların kabul etmeyeceğini şok doktrinle değiştiriveriyordu. Başına gelen beklenmedik bir felaket sonrasında şaşıran, ne yapacağını bilemeyen, şoka giren halk; daha önceleri kabul etmeyip karşı çıktığı yaptırımlara boyun eğmek durumunda kalıveriyordu!

IŞİD'in şoke edici terörü "birilerinin" hayli işine yarıyor. Örneğin... Batı medyası "IŞİD katlediyor, dünya uyuyor musunuz?" diye yayına başlıyor. Ve... Bir bakıyorsunuz dünyanın gündemine "Kobani" geliyor; ardından PKK/PYD "Kobani"yi alıyor!

Bir adım daha atmaları gerekiyor; "canlı bombalar" devreye sokuluyor; Batı medyası "IŞİD'in canlı bombaları öldürüyor ey dünya, uyuyor musunuz?" diye yine yayına başlıyor. PKK/PYD, IŞİD'e saldırıyor. "Kürt koridoru" biraz daha yol alıyor!

ABD'nin, İsrail'in gücü yetmediği IŞİD'i, PKK/PYD yerle bir ediyor! Yerseniz.

"Yerseniz" dememin sebebi var...

Yahudi Terör Örgütü

Küresel sermayeye hep bir düşman gerekiyor:

Dün, korkulan "düşman" Sovyetler Birliği'ydi.

Bugün, İslam dünyası!

Düşmansız "sistemi" yönetemiyorlar.

Stratejileri yıllardır aynı: Dünyayı yöneten bu küçük azınlık, önce ne yapmak istediğine/nereyi sömüreceğine karar veriyor.

Kendi çıkarlarını geniş kitlelerin çıkarı gibi sunmak için, uzmanları-akademisyenleri-kimi insan hakları savunucusu-demokrat sivil toplum kuruluşlarını devreye sokuyorlar. Bunlar işin teorisini yapıyorlar; emperyalist saldırıyı kitleler nezdinde haklılaştırmak amacıyla yazıp konuşuyorlar.

Medya "yaratılan düşman" üzerine bin bir yalan üretiyor.

Küresel kamuoyu oluşturulunca emperyalist saldırı başlıyor.

Samuel Huntington (1927-2008) adını biliyorsunuz.

Yazdığı *Medeniyetler Çatışması ve Dünya Düzeninin Yeniden Kurulması* kitabını duymuşsunuzdur.

Huntington bu tezini ilk olarak küresel politika, ekonomi ve entegrasyon konularını işleyen *Foreign Affairs* adlı akademik dergide 1993'te yayımladı. Ardından da 1996'da çalışmasını genişleterek kitaplaştırdı.

ABD Savunma Bakanlığı'na danışmanlık yapan Huntington kitabında dedi ki:

– Sovyetler Birliği'nin çöküşüyle sınıf savaşı/ideolojiler bitti.

– Artık çatışma kültürler/kimlikler arasında çıkacak.

– Önümüzdeki dönemde uluslararası ittifakların kurulmasında medeniyetler belirleyici olacak ve dolayısıyla olası çatışmalar farklı medeniyetler arasında gerçekleşecek...

Bilinir ki...

Huntington'ın tezlerine dayanak yaptığı argümanlar hiçbir ciddi bilimsel tartışmaya dayanamayacak kadar yüzeysel ve keyfidir.

Fakat... Teori oluşturuldu; düşman yaratıldı. Ve...

11 Eylül 2001 New York saldırıları ile sonrasında yaşanan terör eylemleri ve ardından Irak-Afganistan-Libya-Suriye vd. müdahaleler gerçekleştirildi. Ancak...

"Medeniyetler Çatışması" bugün hâlâ gündemde; Batı'da "İslami terör", "İslamcı köktendincilik" gibi tartışmalar sürüyor.

Bunun için "canavar Pinokyo" IŞİD elinden geleni yapıyor!..

Yani... Enerji savaşı başka başlıklar-kavramlar adı altında sürdürülüyor!

El-Kaide saldırıyor.

"Medeniyetler Çatışması" ortaya atılıyor.

IŞİD saldırıyor.

"Medeniyetler Çatışması" ortaya atılıyor.

Boko Haram saldırıyor.

"Medeniyetler Çatışması" ortaya atılıyor.

Niyet belli olsa da varsın tartışılsın...

Tartışmaktan zarar gelmez. Ancak... Doğru argümanlarla konuşmak, yazmak gerekiyor.

Batı, "İslam ve terör" konusunda ısrarla tarihten tek örnek veriyor: Hasan Sabbah![88]

Hasan Sabbah ve ona inanan Fedaiyun hareketi ("Haşhaşiler") hakkında inanılmaz bir yalan asırlardır yazılır, söylenir.

Bu hurafelerin kaynağı, Şii-Alevi-Kızılbaş/İsmailiye mezhebi düşmanı din adamları, tarihçilerdi. Din adamları deyince sadece Müslümanları kastettiğimi düşünmeyin; Musevi Seyyah Tudela'lı Benjamin ve Lübnanlı Piskopos Sur'lu William gibi kimler yok. Marco Polo bile bunlardan biridir.

"Haşhaşiler" (esrarkeş) deyimini ilk kez Arap tarihçi İmadeddin el-Isfahani 1183'te yazdığı *Nusratü'l Fetre* isimli eserinde iddia etti. Hasan Sabbah öleli 59 yıl olmuştu!

Hasan Sabbah ve İsmailiye mezhebine karşı yapılan karalama kampanyalarına karşı çıkan Batı'da (Marshall Hodgson gibi) ve Doğu'da (Ferhad Defteri gibi) çok isim oldu.

Ünlü Nasıreddin Tusi tarafından yazıldığı belirtilen *Sergüzeşt-i Seyyidina* eseri Hasan Sabbah'ın hayatını ayrıntılarıyla kaleme aldı.

Nedense bunların yazdıklarından hiç bahsedilmez.

Batı'da "İslam işte böyle şiddet yanlısıdır" hegemonyasına inananlar ile, Doğu'da (ve ülkemizde) bilinçaltlarındaki Şii-Alevi-Kızılbaş düşmanlığı nedeniyle önyargılı olanlar bunları okumak istemez.

Bugün Selefi-Vehhabi IŞİD'in yaptıklarıyla Hasan Sabbah arasında benzerlik kurmak tarihi gerçeklerle uyuşmaz.

Bu... Olsa olsa "Medeniyetler Çatışması" tezini haklı çıkarma çabası olur.

Gerçekler zemini üzerinden tartışmak zorundayız.

Hz. Hüseyin'e neden "Şehitlerin Efendisi" denir bilir misiniz?

Kerbela faciası, İslam'da var olan şehitlik kavramına yeni bir içerik kazandırdı: "Bir dava uğruna kendini feda etme, seve seve canını verme..."

Bakınız... Bu olguyu da salt İslam inancı üzerinden tartışmak doğru olmaz.

"Medeniyetler Çatışması" teorisine inananların maksadını anlıyoruz. Ama... Bizim meselemiz bu değildir. O nedenle şu örneği yazmak zorundayım:

---

88 Ülkemizde de benzer hatalar yapılıyor. Bunlardan biri de, Erdoğan! Her fırsatta Fethullah Gülen örgütünü "Haşhaşilere" benzetti.

"Sicarii" adını duydunuz mu?..

İsimlerini kullandıkları silahtan alırlar: "Hançer Adam!"

"Hançer Adam" denilince aklınıza hemen Hasan Sabbah'ın düşmanlarını hançerle öldüren "haşhaşiler" gelir! Oysa...

Suikastlarını hançerle gerçekleştiren Yahudi Sicarii'leri kimse bilmez!

İntihar saldırıları gerçekleştiren Yahudi Sicarii'leri kimse konuşmaz!

Filistin'de MS 50'li yıllarda radikal din adamları tarafından kurulan ve tiyatro, arena ve hipodrom gibi yerlerde 3 bin 500 kişiyi öldüren Sicarii'lerin, tarihin en eski terör örgütü olduğunu kimse yazmaz!

Kimse Sicarii'leri İsrail'in gerçekleştirdiği devlet terörüne örnek göstermez!

Göstermesin de...

Sicarii'ler, Roma ordusunun Kudüs'te gerçekleştirdiği yıkımlara karşı mücadele verdi. Sadece Roma siyasal yönetimini değil, işbirlikçi-tefeci Yahudi seçkinleri de öldürdü.

Derdim; "Köktencilik diğer inançlarda da var," polemiği yaratmak değil. Bu son derece yanlıştır.

Derdim; "Artık ideolojiler bitti, artık medeniyetler çatışması var," diye dünyadaki yoksulluğu-zulmü unutturup, küresel sermayenin diktatörlüğü için çabalayanların oyununu bozmak.

Görünen o ki... Başta Paris saldırısı olmak üzere "İslam ve terör" olgusunun yanlış-hatalı argümanlarla tartışılması sürecek.

Peki bizler!

–Hasan Sabbah örneğinde olduğu gibi– kendi tarihimizi bile bilmeden hangi argümanlarla neyi savunacağız?

Bu işler öyle imam-hatip bilgisiyle olmaz!..

Dünyada içsavaşın sürdüğü 74 ülke var. Dünya gündeminde neden tek örgüt sadece IŞİD?

Kuşkusuz bu dinci örgüt, bulunduğu coğrafyadaki yeraltı zenginlikleri nedeniyle gündemde.

Bir zenginlik varsa küresel güçler oradadır, dedik.

Bugün... IŞİD bir "örtü" görevi mi üstleniyor? Şöyle...

IŞİD Neden Fransa'da?

Avrupa'nın gündeminde ne var:

1) Mülteciler...

2) IŞİD terörü...

Aslında... Neden-sonuç ilişkisidir bu.

Neden-sonuç cümleleri iki bölümden oluşur. Birinci bölüm neden/sebep, ikinci bölüm ise sonuç bildirir.

Eylemin hangi nedenle meydana geldiği bilinmeden sonuç analiz edilemez.

Yani... Mülteciler kurtuluş için neden Avrupa yollarındadır?

Teröristler IŞİD'e katılmak için neden Avrupa'dan Irak'a, Suriye'ye gitmektedir?

Biri Avrupa'ya gitmek istiyor; diğeri Avrupa'dan kaçıyor!

Biri kurtuluşu Avrupa'ya gitmekte, diğeri ise kurtuluşu Avrupa'dan kaçmakta buluyor!

Acı gerçeklerle yüzleşmek için bilmek şarttır; yoksa kolayca kandırılırsınız! Örneğin... Fransa, terörle savaşacağını açıklayarak IŞİD'in kontrolündeki Suriye'deki Rakka'ya hava saldırısı yaptı! Dejavu!.. Bush da "terörizme karşı Haçlı seferleri" düzenleyerek nihai sonucu elde edeceğini söylemişti!

CIA eski Başkanı George Tenet, 11 Eylül Saldırısı'ndan önce Bush'u saldırı konusunda uyardıklarını açıkladı.

Paris saldırısından hemen önce Fransız *Paris Match* dergisi, "IŞİD'in Paris'te 11 Eylül çapında bir saldırı gerçekleştireceğine ilişkin uyarıların arttığını" yazdı!

Yahya Kemal gibi söylersem; bu gökkubbe altında cihanın sırrı yok. Kuşkusuz görmeyi bilene...

Meselenin bir başka gerçeğini yazayım:

Sizce... IŞİD'e Cezayir'den mi; yoksa Fransa'dan mı daha çok katılım oldu? Evet, Fransa'dan!

Fransa'dan IŞİD'e katılanların çoğu Cezayir kökenli!

Bu sorular üzerinde durulmadan terörle mücadele edemezsiniz.

Ne çabuk unuttunuz... 10 yıl önce tam da bugünlerde, Paris neye şahit oldu?

Ötekileştirilen, her fırsatta polis şiddetine maruz kalan, yoksul Müslüman gençler/yani Kuzey Afrikalı "Mağripli çocuklar"/ yani Sarkozy'nin deyişiyle "ayaktakımı", Paris banliyölerinde ayaklanmıştı! 9 bin aracı yakıp, 300 kamu binasını tahrip eden isyancıların yarısından çoğu 20 yaşlarındaydı ve işsizdi.

Bizlerin hep "sonuca" odaklanmamızı istiyorlar.

"Neden?" sorusunu bu nedenle yok etmek istiyorlar!..

Batılılar sandılar ki... Sömürdükleri Afrika çok uzaktaydı. Yanıldılar.

Bugün 22 Afrika ülkesinin resmi dili Fransızca!

Ayrıca resmi dil olmayıp da idari dilde Fransızca kullanan Cezayir, Fas, Tunus gibi ülkeler var. Fransa'nın eski sömürgesi olan 14 Afrika ülkesinden hâlâ "koloni vergisi" aldığını biliyor muydunuz?[89]

Çad, Senegal, Cibuti, Gabon, İvor Adaları gibi yerlerde Fransa'nın niye askeri üssü var sanıyorsunuz?

Sözüm ona sömürgecilik dönemi bitti; bu "bitişin" ardında Fransa Afrika'ya 26 kez askeri müdahalede bulundu!

Çok değil, birkaç yıl içinde olanlara bakalım: 2013 yılında Mali'de, Bilal Şerif önderliğindeki Tuaregler ayaklanıp bağımsız Azavad Devleti'ni kurunca Fransa askeri müdahalede bulundu.

Aynı yıl Orta Afrika Cumhuriyeti'nde; çoğunluğunu Müslümanların oluşturduğu Seleka İttifakı iktidara gelince Fransa askeri müdahalede bulundu.

Hiç kuşkunuz olmasın... Ordu Burkina Faso'da istediği sonucu alamazsa Fransa bu ülkeye de askeri müdahalede bulunacaktır.

Libya ve Kaddafi meselesini biliyorsunuz, uzatmayayım.

Sonuç'ta kan Paris'e sıçradı.

İstiyorlar ki... "Biz dünyayı sömürmeye devam edelim; çıkarımıza karşı birileri iktidara gelirse müdahale edelim!" Ve..."Ne olursa olsun terör bizden uzakta olsun!"

Paris faciasından bir gün önce...

Beyrut Şii mahallesindeki iki patlamada 37 kişi öldü. Suçları sadece Şii olmaktı. Katliamı IŞİD üstlendi. Peki... Beyrut ya da Suruç veya Ankara katliamları, dünyada neden yeteri kadar ses getirmedi/getirmiyor?

Birilerinin canı can da bizimki patlıcan mı?

Acı üzerinde bile ayrım yapan bu Avrupa kibri insanın canını yakıyor.

---

89 Bu ülkelerin yıllık gelirlerinin yüzde 85'i her yıl Fransa Merkez Bankası'nda toplanıyor. Kalan yüzde 15 ile ekonomisini yürütmeye çalışan bu 14 Afrika ülkesi, mali sıkıntı yaşadıkları takdirde, Fransa Merkez Bankası'na yatırdıkları kendi paralarını borç olarak alıyor! Bu da kısıtlı; Fransa'ya verdikleri paradan en fazla yüzde yirmi oranında borç alabiliyorlar!

Yine... Paris saldırısından bir gün önce...

Lice'de şehit düşen jandarma uzman onbaşılar İbrahim Bağcı ve Selim Vural toprağa verilirken, Hollande, Elysée Sarayı'nda PKK/PYD'yi ağırladı; Türkiye'nin Kırmızı Bülten ile aradığı Zübeyir Aydar ise Ulusal Meclis'te ağırlandı.

PKK kurucusu Sakine Cansız ve iki kadının Paris'te öldürülmelerinin üzerini kapatmaya çalışan Fransa mı küresel terörle mücadele edecek?

Kim terörist?.. Kim gerilla?.. Hangisini yazayım...

Ruanda'da Hutu hükümetine destek vererek soykırımın ortağı olan Fransa sömürge politikalarından vazgeçebilir mi?

"Neden" küresel zenginliğin küresel terörü ortaya çıkardığı gerçeği üzerinde hiç durulmuyor.

"Sonuç"ta olan; Halep, Bağdat, Suruç, Beyrut ya da Paris gibi şehirlerdeki masum insanlara oluyor.

Bizler de bu kanlı oyunu seyretmeye devam ediyoruz:

– İnsanlar ölmemek için ata yurtlarını terk ediyor.

– İnsanlar öldürmek için ülkelerini terk edip IŞİD'e katılıyor!

Sömürü düzeni devam edip gidiyor. Bu düzenin sürmesi için "canavar Pinokyo" IŞİD ile insanlar kargaşa ve çaresizlikle korkutulup esir alınıyor!

Küresel zenginler için masum insanlar ölmeye devam ediyor.

Özgürlük... Eşitlik... Kardeşlik... Nostaljik kavramlar olarak görülüp dudak bükülüyor.

Bu zihinsel kirlenmeden kurtulmadan daha çok ölürüz.

Paris gibi katliamlar için daha çok gözyaşı dökeriz.

Kısır tartışmaları yapıp dururuz.

IŞİD terörünü her duyduğumuzda şunu sormalıyız: IŞİD'in arkasında kim var?

Sorunun yanıtını ararken ABD'nin parçalı yapısını göz önünden ayırmamak gerekiyor. Örneğin...

Başbakan Obama ile Dick Cheney, Irak-Ortadoğu politikasında benzer düşüncede mi?

Bilinir ki; ABD'deki "Paralel Yapı"nın başında Amerikan tarihinin gelmiş geçmiş en güçlü başkan yardımcısı Dick Cheney vardır![90]

Jürgen Elsasser *Gölge Hükümet* kitabında bunu net olarak ortaya çıkardı; Cheney ve adamları Kongre'den gizli bir terör programı hayata geçirmişlerdi!

---

90 1 Ekim 2014 tarihinde Türkiye'ye gelen ABD'nin yeni büyükelçisi John R. Bass, Dick Cheney'nin danışmanıydı!

Bu "Yeni Muhafazakâr" ekibin İsrail (Likud Partisi) ile bağlantıları da kitabın konusuydu. İran'a savaş açmak isteyen de bu "kutsal ittifak" idi!

Amerika'nın "Şahinleri" Clinton-Obama'yı hep oyun bozan olarak gördü!

Obama, İran-Suriye'ye yönelik askeri müdahaleleri rafa kaldırarak Dick Cheney ve onun fitnelerini boşa çıkardı.

Soru şudur: IŞİD, ABD'deki "yeni muhafazakâr" NeoCon'ların bir oyunu mu?

Amaçları, Halliburton'ın kasasını yine dolarlarla doldurmak mı?

Dinci savaşçılarla ilişkinin ne zaman kurulduğunu biliyoruz çünkü...

Cihatçılarla İlk Temas

Dünyanın jeopolitik satranç tahtasının en önemli oyunlarından biri: Zbigniew Kazimierz Brzezinski...

Aslen Ukraynalı, 1928 Polonya doğumlu, ABD'li siyasetbilimcidir.

Dünyanın en önemli stratejistleri arasında ismi sayılan Brzezinski, Sovyetler Birliği uzmanı/Sovyetolog'du. 1977-1981 yılları arasında ABD Başkanı Jimmy Carter'ın ulusal güvenlik danışmanıydı. Obama, Brzezinski'yi "dünyanın en seçkin on düşünüründen biri" olarak tanımladı.

Brzezinski'yi anımsatmamın nedeni var.

Erdoğan'ın, el-Cezire'nin Arapça kanalına verdiği özel röportajda "Rusya'nın Suriye'ye bir sınırı yok; Suriye'yle niye bu kadar ilgileniyor?" şeklindeki değerlendirmesi alay konusu oldu! (Sanki ABD'nin sınırı var!)

Küresel jeopolitik denklemi neden bir türlü kuramadığımız; yutturulan "kahramanlık hapları" nedeniyle dış politikada jeostratejide neden çuvalladığımız Erdoğan'ın bu cümlesinden belli oluyor!

Erdoğan Türkiye için şanssızlık değil, ülkeyi uçuruma sürükleyen büyük tehlikedir.

Bu nedenle yazıya Brzezinski ile girdim...

Jeopolitiğin ne olduğunu –günümüzdeki benzerliği nedeniyle– bir örnek olay üzerinden anlatmak istiyorum.

Fransız dergisi *Le Nouvel Observateur*'ün, Brzezinski ile yaptığı uzun söyleşisini özetliyorum:

– Soru: CIA'nın eski yöneticisi Robert Gates anılarında, ABD gizli servisinin Afganistan'daki mücahitleri, Sovyet işgalinden 6 ay önce desteklemeye başladığını yazıyor. Bu sırada siz ulusal güvenlik danışmanıydınız. Sizin bu olayda bir rol oynadığınız doğru mu?

– Brzezinski: Evet. Resmi tarih yazılımına göre, CIA'nın mücahitlere yardımı Sovyet ordusunun 24 Aralık 1979 tarihinde Afganistan'a müdahalesiyle başladı! Ama, bugüne kadar gizli tutulan gerçek bundan tamamen farklı: Gerçekte Başkan Carter, Kabil'deki Sovyet yanlısı yönetime karşı savaşanların desteklenmesi yönündeki ilk direktifini 3 Temmuz 1979 tarihinde vermişti ve ben aynı gün Başkan Carter'a yazdığım notta bu yardımın Sovyetler Birliği'nin işgal etmesine neden olacağını açıklamıştım.

– Soru: Sovyetler'in Afganistan'ı işgal etmesini istediniz ve bu nedenle Sovyetler Birliği'ni provoke ettiniz.

– Brzezinski: Tabii ki işgal olasılığını yükseltmiş olduk!

– Soru: Sovyetler Birliği ABD'nin gizli operasyonlarına karşı Afganistan'a müdahale ettiğini açıkladığında kimse buna inanmamıştı. Demek doğruymuş. Peki, hiç pişmanlık duyuyor musunuz?

– Brzezinski: Pişmanlık duymak mı? Bu gizli operasyon mükemmel bir fikirdi. Ruslar Afganistan'a sıkışıp kaldı. Bunun için pişman olmamı mı bekliyorsunuz? Sovyet ordusu sınırı geçtiği gün Başkan Carter'a not yazdım: 'Artık Sovyetler'e kendi Vietnam'ını hazırlama imkânına kavuştuk.' Sonuçta. Sovyetler'in çöküşüne yol açan sorunu başlarına yıktık.

– Soru: Radikal İslamcıları desteklediğiniz, eğitip silah verdiğiniz için hiç mi pişmanlık duymuyorsunuz?

– Brzezinski: Dünya tarihi için hangisi daha önemlidir; Taliban-el-Kaide mi, yoksa Sovyetler'in çökmesi mi? Kışkırtılmış birkaç Müslüman mı, Orta Avrupa'nın özgürleşmesi mi?

Röportaj bu... Gerçekler bu...

Afganistan'da kurulan el-Kaide-CIA ilişkisini artık biliyorsunuz. El-Kaide'den kopan IŞİD'in, CIA ile ilişkisi olmadığını mı düşünüyorsunuz?

Yapmayınız...

IŞİD Ürdünlü Ebu Musab el-Zerkavi tarafından kuruldu. CIA'ya yardım için Afganistan'a ve ardından ABD'nin

Afganistan'ı işgaliyle Irak'a gitti. Irak'ın işgaliyle ABD'den koptu. Ama nedense asıl kavgası ülkedeki Şii örgütlere karşı oldu. Haziran 2006'da ABD güçlerince düzenlenen bir operasyonda öldürüldü. Yerine Ebu Hamza el-Muhacir geçti. Nisan 2010'da yardımcısı Ebu Ömer el-Bağdadi ile birlikte ABD'liler tarafından öldürüldü.

Sonra örgütün başına bir akademisyen geçti: Ebu Bekir el-Bağdadi; Amerika tarafından tutuklanmadan önce İslam araştırmaları öğretim görevlisiydi. Serbest bırakılmasından 3 yıl sonra "Sünni Ordusu" milisi kurdu ve Irak el-Kaide'ye katıldı. Sonrası malum...

Mesele sadece ellerindeki silah değildi...

IŞİD'in Araba Sırrı

Ajanslar şu haberi geçti:

"ABD merkezli Ron Paul Barış ve Refah Enstitüsü, IŞİD'in kullandığı çok sayıdaki Toyota marka araçla ilgili gizemi ortadan kaldırdı. Enstitüden yapılan açıklamaya göre, ABD Dışişleri Bakanlığı ve İngiltere hükümeti, Toyota marka araçları 2013-2014 yılında Beşar Esad yönetimine karşı savaşan Özgür Suriye ordusuna gönderdi..."

ABD'nin enstitü, think tank vs. kuruluşlarından yapılan açıklamaları hep ihtiyatla karşılarım.

Ronald Ernest "Ron" Paul (d. 1935) Cumhuriyetçi bir politikacı. ABD başkanlığına aday adayı olması nedeniyle belki adını duymuşsunuzdur.

2012 yılında başkanlığa yine aday olup olmayacağı iddialarıyla ilgili soruya eşi Carolyn Wells Paul 2010 yılı başında şöyle yanıt verdi:

"Ona şimdi sorarsanız, muhtemelen 'hayır' diyecektir, ama olaylar Türkiye'de çok hızlı gelişiyor ve olası bir krizde, onun bilgisi ve tecrübesine ihtiyaç duyulacağı zaman bu işi yapar."

Allah Allah... ABD başkanlık seçimleriyle "Türkiye'de hızla gelişen olayların" ne ilgisi olabilir? Bayan Carolyn bu açıklamayı 2010 yılı başında yaptığına göre, 2009'da Türkiye'de neler oldu?

– Çözüm Süreci başladı.

– Oslo'da MİT ile PKK yan yana geldi.

– Öcalan'ın emriyle 34 PKK'lı, Habur'dan giriş yapıp teslim oldu.

– Cumhurbaşkanı Abdullah Gül, Bağdat'a giderken uçakta gazetecilere Kuzey Irak'tan bahsederken "Kürdistan" dedi.

– Ve 2010 yılı başında Başbakan Erdoğan, çözüm sürecini anlatmak ve destek toplamak için 62 sanatçıyla bir araya gelip "Açılıma omuz verin," dedi.

Türkiye'de "hızla gelişen" ve ABD başkan adaylığını etkileyecek olaylar bunlardı.

Fakat...

Bayan Carolyn'in "olası bir kriz" vurgusu yapması ilginçti! Sanki bu günleri görmüştü!

Cumhuriyetçilerin "şahin kanadından" Ron Paul, 2012'de başkan aday adayı oldu. Cumhuriyetçilerden yeterli oyu alamayınca çekildi.

Peki... Tekrar dönelim; Ron Paul Barış ve Refah Enstitüsü tarafından açıklanan Toyota meselesine...

Adı, Abdullah Ağar (d. 1967).

Subaydı. Yıllarca Güneydoğu ve Irak'ta görev yaptı. Yaralandı. 2010 yılında devlete ve özel sektöre "güvenlik konularında danışmanlık" yapmak üzere Irak'a gitti. 4 yıl kaldığı bu ülkeyi yakından tanıdı.

Nisan 2015'te çıkardığı *IŞİD ve Irak* kitabında Toyota meselesini yazıyor: "Malum, IŞİD'in kullandığı arabaların kahir ekseriyeti Toyota.

Hatta size modelini de vereyim. Hemen hepsi dört çeker 'çift ve tek kabin' Toyota Hilux pikap... Nereden geldi bu Hilux'lar? Gökten zembille inmediler ya! Hadi Amerika'nın zeplinleri hâlâ Irak semalarında dursa, söz yakışır belki, ama onlar da yok.

Kerkük'ten Erbil'e giderken, Erbil'e yaklaştığınızda dağ taşın sıfır arabalarla dolu olduğunu görürsünüz. Bu arabaların büyük çoğunluğu Toyota'dır. Burası, Irak'ın en büyük araç satış şirketlerinden birine aittir. Şirketin sahibi Kürt, şirketin adı da Serdar Group'tur. Bildiğim kadarıyla bu şirkete Neçirvan Barzani de ortaktır. Sahadan gelen bilgilere göre, 'petrol karşılığında 15-20 bin araba satmışlar.' Tabii bu araçların doğrudan doğruya ve/veya hepsinin IŞİD'e satıldığını söylemek doğru olmaz. Ama IŞİD'in araçları ortada. Bu araçları Irak'ta kimin sattığı da... Sonuçta arada birileri olsun olmasın, bu araçların bir şekilde IŞİD'e gittiğini Irak'ta çocuklar bile bilir..."

Devam edelim... Bakalım Toyota bizi nereye götürecek?..

Gordion düğümü... Genellikle çözümü zor bir sorunun; kaba

kuvvetle/kılıçla/silahla halledilmesi anlamında kullanılır.

Bugün, Ortadoğu'da yaşanan budur.

Suruç ve Ankara patlamalarının sebebi budur.

Gözler IŞİD'e çevrilmiştir. Ama pek kimse IŞİD "ittifakları" konusunda bilgi sahibi değildir.

AKP ve itibarıyla Erdoğan, IŞİD-PKK ittifakını dile getirmeye başladı. O halde... Hiç laf söyletmedikleri kardeşleri Barzani ile IŞİD ilişkisi konusunda da bizleri aydınlatmaları gerekiyor.

Örneğin, Irak yönetiminin elindeki 18 Eylül 2001 tarihli bir belgede, IŞİD'i; Barzani ve MOSSAD'ın birlikte kurdurdukları bilgisi var! Radikal Vehhabi-Selefi kardeşliğin ortak düşmanı Şii hegemonyasıydı!

Toyota-petrol ticareti kardeşliği!

Bu iddiayı yalanlayan Barzani çevresi kimi suçladı dersiniz; PKK'yı!

Kuşkusuz... Bunlar çok konuşulup tartışılacak konular...

Fakat bilinen şu: IŞİD Kürt bölgelerine saldırmasaydı; PKK dünya kamuoyunda kabul görüp "legalleşebilir" miydi? "Laik Kürt kadınlar IŞİD'le savaşıyor" haberleri dünya medyasına haber olur muydu?

IŞİD Kürt bölgelerine saldırmasaydı; PKK askeri yardımlara kavuşabilir miydi?

IŞİD Kürt bölgesine saldırmasaydı; AKP Türk topraklarını Peşmerge'ye açıp PKK'ya yardım eder miydi?

Bu durumda, PKK'yı silahlandıran-güçlendiren IŞİD olmuyor mu?..

Hep yazdım... IŞİD Kuzey Suriye'de Kürt koridoru için faaliyette; bölgeyi Türkmenlerden, Şii Araplardan temizledi. Geri kalan Arapları da PKK'nın temizlediği, Uluslararası Af Örgütü raporuna girdi.

Demem şu ki: Hep "IŞİD... IŞİD" diyorsunuz.

Sahnede; sürekli birbirleriyle kavga eden Hacivat ile Karagöz'ü görüyorsunuz. Oysa ikisini oynatan aynı kuklacı!..

Kuklacının amacı, şiddet aracılığıyla Gordion düğümünü çözüp İsrail gölgesinde Akdeniz'e kıyısı olan Kürdistan'ı kurmaktır!

Sonuçta... Toyota'yı kimin IŞİD'e verdiğini bilmem! Ama...

Toyota araçların, Kürdistan sınırını Akdeniz'e ulaştırmak için kullanıldığını yazabilirim...

Tıpkı... Suruç ve Ankara'da patlayan IŞİD bombaları gibi...

Kimin ne yaptığı hep bir sırdır. Size medyadan anlatılanlar ne kadar gerçektir.

Abraham Lincoln şunu demiştir:

"Bazı insanları her zaman; bütün insanları da bazen kandırabilirsiniz; ama bütün insanları her zaman kandıramazsınız."

Nasıl kandırdıklarını göstermeliyim...

Bombaların Sırrı

Tarih: 5 Şubat 1994.

Yer: Saraybosna.

Müslüman Boşnak sivillerin gittiği Markale Pazarı'na atılan havan topu sonucu, 68 kişi öldü ve 144 kişi yaralandı.

Saldırıyı üstlenen olmadı. Gözlerin çevrildiği Sırp ordusu iddiaları reddetti.

Katliamın ardından NATO, Sırp güçlerine yönelik ültimatom yayınladı ve Sırpların Saraybosna'dan ağır silahlarını çekmesi ya da bu silahları BM kontrolüne bırakması gerektiğini ifade etti. Aksi takdirde hava saldırısına başlayacağı konusunda uyardı.

Sırplar ültimatomun şartlarına uymak zorunda kaldı.

Tarih: 28 Ağustos 1995. Yer: Saraybosna.

Markale Pazarı'na atılan havan topu sonucu bu kez 37 kişi öldü, 90 kişi yaralandı.

İki gün sonra... NATO ilk kez harekâta geçerek Sırp ordusunu bombalamaya başladı ve ekim ayında Sırplar teslim oldu.

İlk Markale katliamını Sırp ordusunun yaptığı konusunda bugün herkes hemfikir.

İkinci Markale katliamı konusunda ise bugün kafalar karışık; NATO müdahalesi için bu provokasyonun düzenlendiği iddia ediliyor.

Ortaya çıkarılan balistik raporlar bu iddiayı güçlendiriyor.

Keza... O dönem Yugoslavya kriziyle ilgilenen David Owen, Yasuşi Akaşi, Michael Rose, Lord Carrington gibi politikacılar, saldırının Sırplar tarafından yapıldığından şüphe duyduklarını açıkladı.

1995 yılında Bosna Hersek'teki Birleşmiş Milletler Barış Gücü Komutanı Andrey Demurenko, Markale pazar yerine atılan havan topunun kesinlikle Boşnak mevzilerinden ateşlendiğini ileri sürdü.

20 yıl önce Bosna'daki benzer katliamları Sırp ordusunun yaptığı sanılıyordu.

Bugün... CIA'nın Afganistan'da yetiştirip Bosna'ya gönderdiği fanatik dinciler eliyle kimi provokasyonlar yaptığı ortaya çıkmaya başladı. Evet, Markale Pazarı tartışması hâlâ sürüyor...

Tıpkı Suruç... Tıpkı ardından gelen Ankara katliamı gibi...

Yıl: 1996...

ABD, –kuşkusuz CIA eliyle– Bosna'da "Equip-Train" programı başlattı. Yani, bugünlerde Suriye muhaliflerine verdiğimiz destek nedeniyle sıkça gündemimizde olan "Eğit-Donat" programı!

Amerikan Savunma Bakanlığı bu programı hayata geçirmesi için "kiralık ordu" MPRI şirketiyle anlaştı. Şirket 1987 yılında sekiz emekli ABD subayı tarafından kurulmuştu. MPRI'da 340 emekli ABD generali görev yapıyordu.

Bu arada şunu eklemeliyim; Amerikan ordusunda görevli subaylar iki ya da üç yıl ücretsiz izin alıp bu tür kiralık ordularda görev alabiliyor! Ve ne hikmetse mutlaka terfi ettiriliyorlar! Neyse.. MPRI, Bosna programı için 400 milyon dolar aldı; bu paranın 140 milyon dolarlık tutarı Suudi Arabistan, Kuveyt, BAE, Malezya, Brunei tarafından karşılandı.

MPRI ilk iş olarak, Bosna'ya gelmiş yabancı fanatik dincilerin Bosna ordusu altında toplanması için kolları sıvadı.

İşe aldıklarından biri de Cezayirli mücahit Abdul Si Hamdi idi. Aslında Hamdi, 1995 eylül ayında Bosna'nın ortasındaki Donji Vakuf ve Yayçe şehirlerinde, kaçmakta olan yüzlerce sivil Sırp'ın yok edilmesinden sonra bir daha silah kullanmaya tövbe etmişti. Fakat...

Bocinja'daki evine gelen MPRI şirketi mensuplarının eve bıraktıkları 5 bin dolar ve aylık 1.500 dolar maaş, kararını değiştirdi.

Arnavutluk Tiran yakınlarındaki Ljabinot adlı MPRI kampına katıldı.

Abdul Si Hamdi'nin bundan sonra yaşadıkları bizi yakından ilgilendiriyor.

Şöyle... Yıl: 2003...

Abdul Si Hamdi ve iki silahlı arkadaşı Haris K. ile Fikret B. MPRI kamplarını ve yaşadıklarını Alman araştırmacı Franz Josef Hutsch'a anlattı.

1997 Martı'nda 15 Bosnalı mücahitle Türkiye'ye gelmişlerdi. Bunlardan yedisi Bolu'da geceli gündüzlü İngilizce eğitimine tabi tutulmuştu. Siirt'te ise hava hizmetleri subayı olarak eğitilmişlerdi. Sıkı durun...

Eğitimin gerçekçi olabilmesi için Türk ordusuyla Kuzey Irak'taki çarpışmalara götürülmüşlerdi!

Sadece bunlar mı?

Arap ve Afgan savaşçılarından oluşan 300 kişilik bir başka grup İstanbul üzerinden Kuzey Kıbrıs'a gidip eğitim almıştı.

Tüm bunlar MİT'in koordinatörlüğünde yapılıyordu!

"Eğit-Donat" programıyla yetiştirilen dinci fanatikler sadece Bosna'da değil Kosova'da, Makedonya'da da kullanıldı. 172 terörist eylem gerçekleştirdikleri iddia ediliyor!

Bugün... Yargılanmaları ancak ABD yönetimi izin verirse mümkün olan MPRI gibi kiralık ordu mensupları dünyanın dört bir yanında ne tür gizli işler çeviriyor?

Örneğin... Suruç ve Ankara katliamlarıyla ne derece bağlantıları var? Yıllardır fanatik dincilerin "Eğit-Donat" programlarına destek veren MİT'in, IŞİD'in Ankara saldırısı konusunda nasıl istihbaratı olmaz?..

Soru çok... Hepsi bir noktaya gelip dayanıyor: IŞİD'in arkasında kim var ve amacı ne?

IŞİD, PKK ve itibarıyla HDP'ye savaş açtı; "Saldırısının amacı budur," diyebilir miyiz?

Olabilir. Ama... Bir de şöyle düşünelim:

Ankara saldırısı dünya medyasında geniş yer buldu. IŞİD'in ne derece fanatik örgüt olduğu tekrar yazıldı, söylendi.

Şimdi... Bu durum; Kuzey Suriye'de, Akdeniz'e ulaşmak isteyen Kürt koridorunun önündeki tek engel olan IŞİD'e büyük bir saldırının sebebi olabilir mi?

Baksanıza... Markale Pazarı saldırısı hakkında yıllar sonra ne bilgiler çıkıyor!

Olan dünya güzeli ülke Yugoslavya'ya oldu...

Derim ki... Çok boyutlu bakın!

IŞİD'in "Kürdistan'ı Akdeniz'e ulaştırma" meselesini iyi takip edin. Deniz önemli...

Size birini tanıtayım...

Adı, Alfred Thayer Mahan.

"Ortadoğu" kavramını 1902'de ilk kullanan kişidir.

"On dokuzuncu yüzyılın en önemli Amerikan stratejisti" olarak bilinir.

Bizim kimi subayların terfi alabilmek için gitmeye can attığı ABD Askeri Akademisi "West Point'in Çocuğu" olarak bilinir;

çünkü babası bu akademide profesörken 1840 yılında burada doğdu! Ailesinin karşı çıkmasına rağmen denizci oldu; Deniz Harp Okulu'nu ikincilikle bitirdi. Deniz Harp Akademisi'nde başladığı denizcilik tarihi üzerine çalışmasını öldüğü 1914 yılına kadar sürdürdü.

Columbia, Yale, Oxford, Harvard gibi üniversitelerden fahri unvanlar aldı. Yazdığı kitaplar sadece ABD'yi değil, Hollanda, İngiltere, İspanya ve Fransa gibi ülkeleri derinden etkiledi. Savaş kazanmalarına neden oldu.

Bugün... Deniz gücüyle ilgili herkesin ilk başvuru kaynağı Amiral Mahan'ın yazdığı kitaplardır. Çünkü...

Mahan, "kara hâkimiyet teorisi"ni yıktı; dünya hâkimiyetinin esas kaynağının denizlerde sağlanan egemenlik olduğunu ileri sürdü. "Küresel mücadelenin sonucunu belirleyen, değişmez deniz gücüdür," dedi.

Yakın dostu olan ABD Başkanı Theodore Roosevelt'e şu uyarıyı yaptı: "Tarihi dikkatli okuyunuz. Denizlerde gerekli denetimin sağlanmasıyla ulusal ticaret, ulusal refah ve ulusal büyüme arasındaki açık ilişkiyi değerlendiriniz ve üzerinize düşen rolü uygulamaktan çekinmeyiniz."

Ve Roosevelt ile birlikte ABD, 20'nci yüzyıl başında dünya denizlerine açıldı.

ABD dışişleri ve savaş bakanlıkları yapan Henry L. Stimson 1933'te şöyle diyecekti: "Okyanuslar tanrısı Neptün'dür; onun peygamberi Alfred Mahan'dır ve yeryüzündeki gerçek ve tek kilise Amerikan Donanması'dır!"

Yani... Denizci bir devlet olan ve denizin gücünü bilen ABD'nin amacı, Kürdistan'ı Akdeniz'e ulaştırmaktır. Kuzey Suriye'deki PKK'ya dokundurmamasının sebebi budur!..

Kuzey Suriye'deki IŞİD'e dokundurmasının sebebi budur!..

Bu politikasını da etnik kimlikler üzerinden yapıyor...

Mezhep Yalanı

El-Kaide'den IŞİD'e kadar bu dinci akımlar "siyasal İslam" adına gelenekten gelen dindar halkın bütün değerlerine acımasızca savaş açan birimler haline getirildiler.

Emperyalistler, İslam'ı dünyaya "terör dini" gösteriyor; amacı müdahalelerine kılıf bulmak! Amaçları, petrolden doğalgaza Ortadoğu enerji kaynaklarını ele geçirmek!

Oyun belli...

Ortadoğu satranç tahtasıdır. Tek hamleye bakarak oyunu okuyamazsınız; birçok hamleyi görmek zorundasınız. Tahtayı tümüyle görebilmek ve tüm taşların tehdit alanlarını algılamak gerekir. Oyun bin bir olasılıklar üzerine kuruludur çünkü.

En önemlisi, satrançta oyununuzu belirleyen rakip tarafın hamleleridir.

Bildiğinize eminim; tahta üzerindeki "şah" ABD ve "vezir" İsrail'dir!

Tüm oyun şahı / ABD'yi korumak üzerinedir.

En etkili eleman vezir / İsrail'dir.

İkinci etkili eleman kale'dir. Fil ve at ise, üçüncü etkili elemandır.

Fil oyun başında değil sonunda etkilidir; yani Esad'dır.

At ise, oyun başında etkilidir oyun sonunda etkisizdir; yani Erdoğan'dır.

IŞİD piyon bile değildir! Çerez'dir! İstense bir kaşık suda boğulur! Nasıl bu kadar kolay elini kolunu sallaya sallaya dünyanın en önemli petrol bölgelerini ele geçiriverdi? Irak ordusu bir tek mermi atmadan petrol kenti Musul'u IŞİD'e neden bırakıverdi?

IŞİD arkasında hangi güç / devlet var?

Irak Meclisi Güvenlik ve Savunma Komisyonu Başkan Yardımcısı İskender Vetut, "IŞİD'den ele geçirilen bazı silahların İsrail yapımı olduğunu tespit ettik. Asıl hedefi Arap ülkelerini kaosa sürüklemektir," dedi.

Hiç şaşırtıcı değil; plan belli: Irak üçe bölünmek isteniyor!

Sünni Kürtler, Şii Araplar ve Sünni Araplar.

Keza Suriye de bölünecek! Sıra Türkiye'ye gelecek...

Bu oyunlara gelmemek lazım...

Ama... Lakin...

İstediğimiz kadar bunları söyleyelim...

İstediğimiz kadar bunları yazalım...

CHP Sözcüsü Haluk Koç basın toplantısında diyor ki:

"Kerbela'dan beri hesabı görülmemiş mezhep çatışmasının, mezhep farklılaşmasının, burada en ciddi, en kutuplu olduğu bir döneme girmiş bulunuyoruz."

Bu cümle sorunludur. Şöyle...

Mezhep kavgası tarihini; Hz. Muhammet'in vefatı sonrası yapılan halifelik seçimiyle mi başlatırsın?

Mezhep kavgası tarihini; Hz. Ebubekir ile Hz. Muhammet'in kızı Hz. Fatıma arasındaki Yahudi köyü Fedek'in arazi mirası konusundaki ihtilaftan mı başlatırsın?

Mezhep kavgası tarihini; Hz. Ebubekir'in kızı ve Hz. Muhammet'in eşi Hz. Ayşe'nin, Hz. Ali'ye başkaldırmasıyla, Müslümanlar arasındaki bu ilk içsavaşla mı başlatırsın?

Mezhep kavgası tarihini; Yezit'in başta Hz. Muhammet'in torunu ve Hz. Ali'nin oğlu Hz. Hüseyin'i katlettiği Kerbela faciasıyla mı başlatırsın?

Şiilik ile mi, Hanefilik ile mi başlatırsın?

Emevilerle mi, Abbasiler ile mi başlatırsın?

Basra'daki "zenci ayaklanmasından" mı, Bahreyn'deki "Karmatilerden" mi başlatırsın?

Hangi ekolden...

Hangi "okuldan" bahsedersen bahset...

İslam'da mezhep çatışması yoktur!

Hangi mezhebin Kuran-ı Kerim'e itirazı vardır?

Hangi mezhep Allah'ı reddeder?

Kuşkusuz düşünce ekolleri/doktrin farklılığı vardır; ama bu çatışma sebebi olmamıştır.

Mezhep çatışması denilen, aslında iktidar/hâkimiyet kavgasıdır!

Mezhep çatışması denilen ekonomik paylaşım kavgasıdır!

Özellikle... Sömürgeciliğin ortaya çıkışıyla birlikte emperyalistler "mezhep çatışması" yalanını körüklemişlerdir. Osmanlı'yı bu stratejiyle böldüler.

Bugün...

Hâlâ ekranlarda "şu ülkeler Şii, şu ülkeler Sünni" diye dünya haritaları yayınlatıyorlar. Kukla devlet yöneticilerine "Sünni/Vehhabi koalisyonu" kurduruyorlar.

Bültenler; Güneydoğu'daki çatışmalarla başlıyor; HDP'lilerin dokunulmazlıklarının kaldırılması, Diyanet'in evlilikle ilgili açıklaması, hükümetin cuma kararnamesi, Cemaat operasyonları, Alevilerin hakları, mülteci dramlarıyla sürüyor; İran ile Suudi Arabistan gerginliğiyle bitiyor.

Dikkat ediniz... Bütün haberlerin temelinde "kimlik meselesi" var!

Etnisiteye/kimliklere boğulduk! Yurttaşlık ya da sınıf kimliği yok artık! Varsa yoksa etnisite kaygısı!

Tüm sorunlar kimlik politikaları üzerinden konuşuluyor/tartışılıyor! Türk, Kürt, Sünni, Alevi vs. kimlikler, siyasete malzeme yapılıyor; sömürünün aracı haline getiriliyor. Toplumsal kolektif yaşam parçalanıyor.

Bu kültürel hegemonya siyasetin diline de yansıyor; CHP'li Koç'u bile etkilemiş görünüyor!

Bu sadece Türkiye'ye özgü değil, dünya böyle!

Küresel neoliberalizmin "başarısı" bu! Bir dünya sistemi olarak varlığını sürdürebilmesinin, sınıfsal çelişkilerin ikincil düzeyde kalmasına bağlı olduğunu biliyordu.

Sömüren kim? Sömürülen kim? Ezen kim? Ezilen kim? Bunları unutturdu.

Pazarlarını dış müdahalelere karşı koruyan ulus-devletleri yıkıma sürükledi.

Bunu da, yurttaşlık anlayışına karşı büyük bir saldırıya geçerek; toplumsal dokuyu parçalayarak gerçekleştirdi.

Ayrılıklar değil farklılıklar "özgürlük şemsiyesi" altında öne çıkardı.

İnsana "yeni biçim" verdi: "Benim kimliğimden misin, değil misin?"

Bu kimlik politikası; CHP'nin mezhepsel kimliğin öne çıktığı kongrelerine; HDP'nin özerklik talebine ve AKP'nin cuma namazı kararnamesine kadar toplumsal yaşamın her karesine nüfuz etti! Bu, meselenin birinci perdesiydi.

İkinci perdeyi anlatmaya çarpıcı bir örnekle başlamak istiyorum...

Suriye Gerçekleri

Suriye'deki çatışmalar ilk –ülkenin ikinci büyük kenti– Dera'da başladı.

Niye Dera?.. Bu soru üzerinde hiç durulmadı! Oysa...

Burası Esad'ın toplumsal destek üssüydü.

Dera, verimli tarım bölgesiydi.

İktidara gelmesiyle neoliberal tarım politikalarını benimseyen Esad'ın; Suriye pazarını ucuz ithal tarımsal ürünlere açmasının; yerli tarımsal ürünlere desteğini çekmesinin; yakıt ve gübreye yaptığı zamların isyana etkisi olduğu gözlerden kaçırılıyor.

BM raporlarına göre, ayaklanmadan önce bu neoliberal politikalar sonucu 300 bin Suriyeli aile köylerden kentlere göç etmek zorunda kalmıştı. (Dış göçten önce iç göç vardı!)

İsyancıların; neoliberal politikalar sonucu zenginleşen Esad'ın teyzesinin oğlu Rami Mahluf'un işyerlerine saldırması anlamlıydı.

Yani... "Suriye'de mezhep savaşı var," demek koca bir yalan!

Suriye meselesinde bunlar hiç konuşulmuyor! Varsa yoksa mezhep savaşı palavrası! Mezhep çatışma aracı olarak kullanılıyor; körükleniyor!

AKP bu dili kullanıyor. Erdoğan ve Davutoğlu ne diyor: "İran, Irak, Suriye mezhepçilik yapıyor." Son dönemde sürekli bu sözleri duyuyoruz.

AKP'den önce Türkiye dış politikası mezhebe göre mi yapılırdı? Hayır!

Hiçbir komşu ülkeden Türkiye dış politikasına dair "Türkiye bölgede Sünnicilik yapıyor," diye sözler işittiniz mi? Hayır!

Mesele ne biliyor musunuz? Artık Türkiye laik bir ülke olarak tanımlanmıyor; "Sünni devlet" diye değerlendiriliyor!

Türkiye dış politikasının din-mezhep eksenli yapıldığını söyleyenler yanlış mı konuşuyor?

Erdoğan-Davutoğlu ikilisi, Suriye'deki yönetime mezhepsel nedenle karşı değil mi?

Bu ikili, mevcut Bağdat yönetimiyle bu nedenle kavgalı değil mi? Haşimi'yi mezhepsel dayanışmayla destekleyip, Bağdat yönetimine "Şii" diye karşı çıkmıyorlar mı?

Barzani ile buluştukları nokta mezhepsel yakınlık değil mi?

Şii oldukları için bölgedeki Türkmenlere yardım elini uzatmadıkları gerçek değil mi?

Bugün... İran'la ilgili yaptıkları tüm değerlendirmelerde mezhep vurgusu yapmalarının sebebi açık değil mi?

Türkiye ne zamandır mezheplerine bakarak ülkelere yakınlaşmış ya da uzaklaşmıştır?

Türkiye ne zamandır ülkelerin içişlerine karışmıştır?

AKP dönemi dış politikasını belirleyen tek kıstas mezhepsel yakınlıktır!

Dinler karşısında tarafsız kalması gereken laik Türkiye, AKP eliyle "mezhep savaşı" yalanıyla bu kanlı coğrafyaya sürükleniyor.

Diyorlar ki: "Suriye'deki Alevi yönetimi Sünni halka eziyet ediyor!"

Öyle mi peki...

1) Selefi-Vehhabi örgütler...
2) Suudi Arabistan ve Katar...
3) Erdoğan ve Davutoğlu...
Suriye'ye ilişkin aynı "dili" konuşuyorlar.
Suriye Alevileri için sapkınlık anlamında "Nusayri" kelimesini kullanıyorlar.
Kuşkusuz... Suriye Alevileri; Türkiye Alevilerinin "Kızılbaş" kelimesinden rahatsız olmaması gibi, "Nusayri" tanımından rahatsız değiller. Rahatsız oldukları; bunu dile getirenlerin kavrama yükledikleri anlamdı!
Bu konuda Davutoğlu uyarıldı bile...
Tarih: 3 Temmuz 2012.
Suriye muhalifleri Kahire'de toplantı yaparken ABD Şam eski Büyükelçisi Robert Ford, Davutoğlu'nu uyarma ihtiyacı hissetti: "Nusayri değil, lütfen Alevi deyin!"
"Kardeşi Esad"dan "Nusayri Esad"a geçişin nedenini biliyoruz... Biliyoruz ki... Suriye'de mezhep çatışması için "kimileri" ne provokasyonlar yaptı. Örneğin, isyanın ilk merkezi Dera'da, camilerdeki Hz. Ömer ve Hz. Osman isimlerini karalayıp, "Beşar'dan başka Allah yoktur," diye yazdılar! Cami bile yıktılar. Bunları Tunuslu dinci Ebu Kusey Tunus TV'de itiraf etti...
Suriye yönetimine ilişkin yıllardır yapılan bir kara propaganda var: "Ezen azınlık Alevi, ezilen çoğunluk Sünni!"
Bu doğru mu? Hayır!..
Aksine Suriye'de rejim, Sünni sütunlar üzerinde yükselmektedir. Bakınız...

Tarih: 18 Temmuz 2012.
"Küresel cihatçılar" Şam'daki Ulusal Güvenlik binasına bombalı saldırıda bulundu. Ölenlerin mezhepsel kimliği Suriye rejimi hakkında bilgi veriyor:
Savunma Bakanı Davut Raca Hıristiyan, Esad'ın askeri danışmanı eski Savunma Bakanı Hasan Türkmani Sünni, Askeri İstihbarat Başkanı Hişam İhtiyar Sünni, Genelkurmay Başkan Yardımcısı Asıf Şevket Alevi'ydi!..
Zor dönemlerde koltuğunu bırakmamış Dışişleri Bakanı Velit Muallim'in Sünni olduğunu biliyorsunuz.
Yıllardır Suriye'de dışişleri ve içişleri kadroları yüzde 80 oranında Sünnilerin elindedir. Dışişlerinde Deralılar ve içişlerinde İdlipliler vardır ve iki kent de Sünni'dir!

Baas ideolojisi dinsel farklılıkları ve mezhepsel ayrımı reddeder; laikliği savunur.

Bu nedenle... 1963'te Baas darbesinden sonra oluşturulan 14 kişilik askeri konseyin sadece beşi Alevi'ydi!

Hafız Esad döneminde; Başbakan Abdül Rauf el-Kasım, Genelkurmay Başkanı Hikmet el-Şihabi, Savunma Bakanı Mustafa Tılas, Dışişleri Bakanı Abdülhalim Haddam Sünni'ydi.

Suriye için çok önemli olan Savunma Bakanlığı'na Hıristiyan Yusuf Şakkur bile oturdu.

En uzun süre Hava Kuvvetleri Komutanlığı yapan Naci Cemil Kasım gibi komuta kademesinde Sünni generaller vardı.

Genel İstihbarat direktörlüğü görevinde bulunan Mecit Sait Sünni'ydi. Sonra göreve gelen Beşir Neccar da Sünni'ydi. İsim isim uzatmayayım.

Hafız Esad 1983'te, kalp hastalığından tedaviye başlarken Suriye'yi yönetmesi için oluşturulan altı kişilik konseyin hepsi Sünni'ydi.

Suriye'de mezhepsel dayanışma olsa Esad, Salah Cedit'ten General Muhammet Ümran'a kadar Alevileri tasfiye eder miydi? Kardeşi Rifat'ı 1984'te sürgüne gönderir miydi?

Beşar Esad, Sünni Esma ile evlenir miydi?

Bugün... Suriye diyanetinde Hıristiyanların bile temsilcisi var ama Alevilerin yok. Alevilere Cemevi yasak!

Okullarda Sünni müfredat var; Alevilik öğretilmiyor.

Televizyondaki dini kanalda tek kelime Alevilikten bahsedilmiyor.

Alevilere hakaret eden kitapların satışına engel yok.

En çok Alevi nüfusun yaşadığı Tartus ilinin valisi Dürzi, emniyet müdürü Sünni ve belediye başkanı Sünni!..

Yani... Aleviler yazıldığı kadar Baas rejiminden imtiyaz görmedi/görmüyor.

Zaten... Devlet yönetimindeki Alevilerin katı laik tavırları nedeniyle Alevilikle de ilişkileri pek yok. Aslolan "laiklik kimliği"...

Rejimin karakteri Alevilik olsa Suriye muhalifleri arasında Alevilerin ne işi var? Suriye hakkında neden "Alevi devleti" kara propagandası yapılıyor?

"Alevi devleti" yalanının nedenleri var:

1) 1965 yılında; 100 şirketi kamulaştıran, toprak reformu yapan, bürokraside ayrıcalıklı ailelerin nüfuzlarını kıran Hafız Esad'ı

"Alevi" vurgusuyla yıkmak isteyenler, Osmanlı'dan beri gelen düzenlerinin bozulmasını istemeyen Suriye'nin zenginleriydi!

2) "Aleviliği din dışı gören" Müslüman Kardeşler/İhvan adlı dinci örgütün düşmanlığı. Öyle ki, Esad'ı düşürmek için ülkede hep mezhep savaşı kışkırtıcılığı yaptılar. Örneğin...

Tarih: 16 Haziran 1979.

Halep Topçu Okulu'nda İhvan mensubu Yüzbaşı İbrahim Yusuf yanındaki askerlerle yemekhanede askeri öğrencileri Alevi-Sünni diye ayırıp 32 Alevi öğrenciyi silahla öldürdü!

Konu konuyu açıyor. Konu fena halde Türkiye'ye benziyor.

Fransızların işgali döneminde Alevilerin askeri okullara alınması önündeki engeller kaldırıldı. Yoksul Alevi çocuklarının tek kurtuluşu; okul yaşamında yeme-barınma-giyinmenin bedava olduğu ve meslek garantili tek iş askerlikti. Üstelik Hıristiyanlar ve Sünni "elitler" askerlik yapmayı küçümsüyorlardı.

Suriye ordusunda Alevi subaylar bulunmasının sebebi buydu. Ancak sanıldığı gibi sayıları çok değildi; Cambridge Üniversitesi'nin yaptığı araştırmaya göre ordunun yüzde 70'i Sünni'ydi.

Ergenekon ve Balyoz kumpasıyla TSK'daki Alevi subaylar tasfiye edilirken alkış tutanlar, aynı anlayışla Suriye konusunda kamuoyunu kandırıyor.

Sormazlar mı adama: Alevi bakanınız, Alevi milletvekiliniz, Alevi valiniz-emniyet müdürünüz ve hatta bir tek Alevi yüksek bürokratınız var mı?

Sonuçta...

Suriye yönetimine "Nusayri" diyenlerin niyetini biliyoruz.

Suriye laik bir ülkedir. İstemedikleri budur.

Hani diyorlar ya, "İslami fundamentalizm var"!

Hiç demiyorlar ki, bunun birincil nedeni, "serbest piyasa fundamentalizmi'dir"!

Küresel "modern" haydutların kâr hırsı insanlığı yıkıma götürüyor. Asıl mesele... Vahşi neoliberal politikaların sonucudur Ortadoğu'da yaşananlar. Bu ekonomik model sürdürülür olmaktan çıkmıştır.

Evet... Ortadoğu'da akan kanın nedeni bu küresel piyasa faşizmidir! Ortadoğu'da mezhep savaşı filan yok. Gelmeyin bu oyunlara. Dayatılan algı üzerine siyaset yapmayın; "kumar ekonomisi" saltanatının sonucudur bu yaşananlar.

Fakat...

Daha tehlikeli bir gerçek vardır: üçüncü perde!
Kapitalizm her büyük krizini savaşla çözmüştür.
Bu nedenle kimlik çatışmalarını körüklüyor.

Atatürk'ün Değeri

Yazar Oktay Akbal, 1946'da yazdı: *Önce Ekmeler Bozuldu.*

Toplumsal bozulmayı anlatıyordu.

IŞİD mi dediniz?

Suriye'nin bombalanması mı dediniz?

Irak mı dediniz?

İnsanlığı bozmadan... İnsanı, insanlıktan çıkarmadan bunları yapamazsınız.

İnsan, şeytani bir planla bozuldu; yaşanılan –aklı yok eden– Ortaçağ böyle yaratıldı.

Aydınlanmanın köküne bu amaç için kibrit suyu döküldü.

Peki... Bu vahşi manzaralar karşısında "Mustafa Kemal'in Askeri" olmanın yüceliği bir kez daha ortaya çıkmıyor mu?

Koç Grubu'nun 10 Kasım'da kurtarıcı Atatürk için gazetelere verdiği, "Olmasaydın, Olmazdık" ilanına; dinci *Akit* gazetesi yanıt verdi: "Olmasaydın da Olurduk!"

Atatürk olmasaydı ne olacaklarını Ortadoğu haritasına bakarak görebiliyoruz.

İşte Irak... İşte Suriye... İşte Filistin... İşte Mısır...

Ve işte Türkiye...

Tarih, Atatürk'ün değerini bugün bize ispatlıyor. Çünkü:

Atatürk, insanı yüceltmiştir.

Atatürk, insanı güzelleştirmiştir.

Atatürk, insanı çoğaltmıştır...

Anlıyor musunuz şimdi; "Mustafa Kemal'in Askeri" olmanın anlamını?

Evet... "Mustafa Kemal'in Askerleriyiz" diye bağıranların; bugün neyin mücadelesini verdiği net olarak ortaya çıkmıştır: İnsanı bozmalarının önüne geçmek!

Fikri hür... Vicdanı hür... İrfanı hür... İnsan yetiştirmek!

Onların istemedikleri medeniyet bu!..

İstedikleri, Cumhuriyet'in yasalarını ve kurullarını çiğneyerek en ilkel kan içgüdülerini acımasızca yaşamak. Bakınız, IŞİD!..

Ama... Atatürk'e söylemediğini bırakmayanlar, her zora düştüklerinde Türkiye Cumhuriyeti'ne sığınıyor.

Suriye savaşından ya da IŞİD vahşetinden kaçan Kürtlerin tek sığınağı Türkiye oluyor.

Dün... Saddam'dan kaçtıklarında da onlara kucak açan Türkiye olmuştu.

Tarihin böylesine kritik anları; başta Atatürk olmak üzere Türkiye kurucularını hep layık oldukları mertebeye çıkarmıştır. Bugün buna bir kez daha tanık oluyoruz.

Aşiret düzeninden, dincilikten ya da emperyalizmin gölgesinde yaşamaktan fayda bekleyenlere tarih okkalı tokadını bugün yine vurmaktadır.

Atatürk düşmanlarına, Türkiye Cumhuriyeti düşmanlarına sormak zorundayız:

Laikliğin önemini anladınız mı?

Demokrasinin önemini anladınız mı?

Halkçılığın önemini anladınız mı?

Atatürk'ün önemini anladınız mı?

Anlamak her şeyden önce tarihsel zorunlulukları görebilmeyi gerektirir.

Artık... İnsanı körelten, insanın kişiliğini kemiren nefret söyleminden kurtulunması gerekiyor.

Kötülüğün en büyüğü sığlıktır.

Ortadoğu'yu kan gölüne çeviren işte bu sığlıktır.

Yoksa... Kendine büyük güç devşirenlere sormak zorundayız:

Öldürmenin değil, yaşatmanın en yüce değer olduğunu bu coğrafyada bugün sadece Türkiye'nin bilmesi tesadüf olabilir mi?

Herkesin... Atatürk'ün ve Cumhuriyet kazanımlarının önemini yeniden keşfetmesi şarttır.

Yoksa başınıza ne geleceğinin örneğini yaşadınız ama pek üzerinde durmadınız...

AKP Türbe Bombaladı

Yıllarca "Camileri ahır yaptınız," yalanını söylediler.

Bugün kendileri bırakın camileri satmayı, türbe bombalıyorlar.

Sahi, Süleyman Şah Türbesi'ni neden bombaladınız?

Evet, yurtdışındaki tek vatan toprağından çıkmakla kalmayıp bir de bombaladınız!

Madem "zamanı gelince" türbe ve karakol yine eski yerine gidecekti; niye bombaladınız?

Siz IŞİD misiniz ki türbe bombalıyorsunuz?

Siz PKK mısınız ki Türk karakolu bombalıyorsunuz?

Ne dediklerini anımsayınız:

Tarih: 25 Mart 2014.

Başbakan Erdoğan: "Süleyman Şah Türbesi'ne karşı bir yanlışlık olacak olursa gereği neyse yapılacaktır. Bu topraklar bizim toprağımızdır. Bu topraklarda yapılacak bir saldırı aynen Türkiye'ye yapılmış bir saldırıdır."

Tarih: 1 Ekim 2014.

Cumhurbaşkanı Erdoğan: "Süleyman Şah'ın kuşatılması uydurma şeyler. Türbeye herhangi bir şey olması durumunda Türkiye'nin atacağı adım bellidir, hassasiyetimiz bellidir."

Tarih: 14 Mart 2014.

Dışişleri Bakanı Davutoğlu: "Süleyman Şah Türbesi'nin bulunduğu topraklar Türk topraklarıdır ve sınır ötesindeki tek toprağımızdır. Oraya dönük olarak ister rejimden, ister radikal gruplardan, ister başka bir yerden gelebilecek her türlü saldırı aynıyla mukabele görür ve oradaki o vatan toprağının savunması konusunda da Türkiye hiçbir tereddüt göstermez."

Tarih: 3 Ekim 2014.

Başbakan Davutoğlu: "Süleyman Şah Türbesi'ne yönelik iddialar doğru değildir, kimsenin böyle bir maceraya kalkışmaması lazım. Biz çatışma istemeyiz ama her türlü senaryoya hazırız."

Tarih: 17 Mart 2014.

Milli Savunma Bakanı İsmet Yılmaz: "Süleyman Şah Karakolu'nun bulunduğu yer, Türkiye toprağıdır. Türk bayrağımız dalgalanır, askerlerimiz tarafından korunur. Buraya karşı herhangi bir saldırı ihtimaline karşı silahlı kuvvetlerimiz teyakkuz halindedir. Hatta çok net, uçaklarımız bile havadadır."

Ve tarih: 22 Şubat 2015.

"Asrın askeri başarısı" Şah Fırat Operasyonu'yla Süleyman Şah Türbesi-Karakolu havaya uçuruldu!

Hanımlar!.. Beyler!.. Geldiğimiz yer burasıdır...

Eski Türkiye, yeni Türkiye farkı budur...

Sekizinci Bölüm
AJAN GAZETECİLER

Herhalde dünyanın en tanınmış fotoğrafı; "Afgan Kız" karesidir...

Fotoğrafı Steve McCurry çekti.

Bu fotoğraf McCurry'nin kariyerini de, hayatını da değiştirdi; o artık dünyaca ünlü bir fotoğraf sanatçısı oldu. Gazeteciydi...

Her şey... 1984 yılında başladı.

McCurry Afganistan'dan kaçan mültecilerin Pakistan sınırında kurduğu kampta genç Şerbet Gula'yı görüp deklanşöre bastı. Genç Afgan kızının delip geçen gözleri, korku içindeki bakışı çok etkileyiciydi. İyi de... Böyle ortamlarda böyle binlerce fotoğraf çekilebilir; bu fotoğrafın diğerlerinden farkı neydi? CIA'ydı...

Amerikan psikolojik harp merkezi, Sovyetler Birliği'nin Afganistan'ı işgalini bu fotoğrafla simgeleştirdi.

Muazzam bir örtülü faaliyetle Afgan kızının fotoğrafı bir sanat eseri haline getiriliverdi. Bilinçaltına sesleniyorlardı aslında; bakın Kızıl Ordu Afgan kızını nasıl korkutuyor!

Evet... Doğru... Savaş, insanoğluna hangi büyük acıları yaşatmadı ki!?

Ve sonra... McCurry 2002'de Şerbet Gula'nın bir daha fotoğrafını çekti: Mutluydu!

Öyle ya, Afganistan ABD bombalarının altındaydı.

Şimdi... McCurry bizim medyada dünyanın en büyük fotoğraf sanatçısı olarak sunuluyor.

Oysa o bir "iliştirilmiş" fotoğrafçıydı.

McCurry İstanbul Modern gibi dünyanın çeşitli yerlerinde sergi açıyor. Örneğin...

Irak ordusunun Kuveyt'te neler yaptığını gösteriyor. Ama nedense sergilerinde Amerikan ordusu rezilliklerini, katliamlarını göstermiyor!..

Yanıtı belli...

Adı: William L. Laurence.

The New York Times yazarıydı. Bilimsel konularda makale yazıyordu. Dünyanın en önemli gazetecilik ödülü Pulitzer'i kazandı.

Ödül kazanmasına sebep olan makale 12 Eylül 1945'te yayımlandı.

ABD; 6 Ağustos 1945 Pazartesi sabahı saat 08.15'te "Küçük Oğlan" adını verdiği atom bombasını Hiroşima'ya; ve üç gün sonra "Şişko Adam" dediği atom bombasını Nagasaki'ye attı.

Dünya atom bombasının etkisini öğrendikçe şoke oldu. Böylesine bir nükleer silahı kullanan Amerikalılara herkes ateş püskürdü. 200 bin kişi ölmüştü. Fakat radyoaktif serpintiler yüzünden ölümler uzun yıllar yaşanmaya devam edecekti.

Bilimsel konular üzerinde makaleler yazan *New York Times* yazarı Laurence, 12 Eylül 1945'te şunu yazdı: "O şehirlerde kesinlikle herhangi bir radyoaktif madde yoktur. Bu bir kara propagandadır; Japonların yalanıdır."

İşte bu makalesiyle 1946'da Pulitzer ödülünü kazandı.

Korkunç gerçek sonra ortaya çıktı; Laurence yalancıydı. Sadece çalıştığı gazeteden maaş almıyor; ayrıca Pentagon'dan da para alıyordu! Ajandı...

Ajan-casus gazetecileri iyi bilmek gerekiyor...

Kitabın adı: "İktisatçılar ve Güç Sahipleri: Ismarlama Teoriler, Çarpıtılmış Gerçekler, Büyük Mükâfatlar" (*Economists and the Powerful: Convenient Theories, Distorted Facts, Ample Rewards*).

Kitap, 2012'de Londra'da yayımlandı.

Yazarlar Norbert Häring ve Niall Douglas kitaplarında şunu yazdı:

> CIA güdümündeki (Rand Corporation, Ford Foundation gibi) düşünce kuruluşları bir dizi ekonomisti finanse ederek piyasayı istedikleri gibi manipüle ediyor. Bu ekonomistlere yüksek maaşlarla medyada büyük olanaklar sağlanıyor; köşe yazarı ve televizyonlarda yorumcu yapılıyor.
>
> İngiliz yazarlara göre, iktisatçılar artık bilimadamı olmaktan çıkarılıyor; ideolog yapılıyor. Bunlar laf kalabalığıyla gerçeklerin üzerini örtüyor ve krizleri gözlerden uzak tutuyor.

Norbert Häring ve Niall Douglas'a göre, bugüne kadar CIA ve Pentagon'la çalışan 36 iktisatçı Nobel ödülü kazandı!

Orhan Pamuk'un Nobel almasıyla bizde de bu ödülle ilgili kafalarda çok soru oluştu.

Nobel aslında politik bir ödüldü. Propaganda aracıydı.

Örneğin, neoliberalizmi tekrar dirilten F. Hayek'e 1974'te; Şili'de darbeci General Pinochet'nin danışmanı M. Friedman'a

1976'da ve Şikago Okulu'ndan G. Stigler'e 1982'de, R. Coase'ye 1991'de ve G. Becker'e 1992'de Nobel ödülü verildi!

Bu "vahşi kapitalizm filminin" senaryo yazarları hep Nobel ödülü aldı!

Peki... Kim/kimler cezalandırıldı?

Vatan haini mi kahraman mı siz karar verin...

Hırsız mı, Casus mu?

Adı: Edward Joseph Snowden...

ABD'nin Kuzey Carolina eyaletinde 21 Haziran 1983'te bir deniz subayının oğlu olarak dünyaya geldi

2003'te Irak Savaşı'na katıldı. Yaralandı. ABD'ye geri döndü.

ABD Ulusal Güvenlik Dairesi'nde (NSA) çalıştı.

2007'de CIA Cenevre şubesinde görev aldı.

Dijital güvenlik sistemleri üzerinde uzmanlaşınca, 2009'da NSA ile işbirliği yapan özel bilgi işlem şirketi Dell ile çalışmak için Japonya'da bir Amerikan üssüne yollandı. Daha sonra Hawaii'ye gönderildi. Sonra kayıplara karıştı.

Birkaç gün sonra Hong Kong'da ortaya çıkacaktı...

Ne olduğunu yazmadan önce bir gazeteciyi tanıtayım.

Adı: Glenn Greenwald...

New York'ta 6 Mart 1967'de Musevi kökenli bir ailenin çocuğu olarak dünyaya geldi.

George Washington Üniversitesi'nde felsefe bölümünü bitirdi. Daha sonra avukat olmak hedefiyle New York Üniversitesi Hukuk Fakültesi'ne kaydoldu ve 1994'te mezun oldu. Kısa bir süre şirket avukatlığı yaptı. Danışmanlık şirketi Master Notions ortağı oldu.

2005'te blog yazarı oldu. İstihbarat konularında yazmaya başladı. Ertesi yıl ilk kitabını çıkardı. 2012'de İngiliz *Guardian* gazetesinde köşe yazarlığına başlamasıyla hayatı değişti.

Tarih: 5 Haziran 2013. Yer: Hong Kong.

Edward Snowden ile Glenn Greenwald buluştu.

Snowden binlerce NSA belgesini Greenwald'a verdi.

Bu; Julian Assange'ın WikiLeaks'inden sonra ABD tarihinin en büyük sızdırma olayıydı.

Belgeler *Guardian* gazetesinde yayımlanmaya başladı.[91]

---

91 Julian Assange'ın WikiLeaks'i de bu gazetede yayımlanmıştı.

Belgeler dünyayı ayağa kaldırdı; çünkü ABD'nin birçok ülkenin telefon ve internet görüşmelerini gizlice takip ettiği ortaya çıktı.

Snowden'ı belgeleri sızdırmaya iten tek neden, "halkı, onlar adına ne yapıldığı ve onlara karşı neler yapıldığı konusunda bilgilendirmek"ti.

ABD, Snowden'ı casusluk ve hırsızlıkla suçladı.

Dünya tartışmaya başladı; kimine göre, vatansever-kahraman-muhalif, kimine göre ise, ihbarcı, vatan hainiydi.

Ünlü yönetmen Oliver Stone,"Benim için Edward Snowden bir kahraman. Çünkü bunu kâr amacıyla yapmadı. Ülkesine zarar vermek için de yapmadı. Bunu vicdanı rahatsız olduğu için yaptı. Bunun için hayatını feda etti," dedi.

Snowden şu an Rusya'da geçici sığınma altında yaşıyor.

Glenn Greenwald'a gelince...

Belgelerin ancak yüzde birini yayımlayabildi. Yazdıkları ABD ve İngiliz hükümetinin tepkisini çekti. Hükümetlerin hoşnutsuzluğu sertleşti ve Greenwald, *Guardian*'dan istifa etti.

Araştırmacı ve bağımsız gazetecilik anlayışından ötürü birçok ödül aldı ama buna rağmen ana akım medyadan uzaklaştı; onları "egemen çevrelerin" sözcüsü olmakla itham etti.

ABD ve İngiltere'de yaşaması zordu; ulusal güvenliği tehdit ettiği, casusluk yaptığı ve bilgi kaçırdığı iddiasıyla her an cezaevine atılabilirdi. Brezilya'ya kaçtı.

"eBay" kurucusu İranlı Pierre Omidyar'ın 250 milyon dolarlık dijital dergi projesi *The Intercept*'in editörlük teklifini kabul etti.

İlk yazısında NSA'nın sözde teröristlere karşı insansız hava araçlarıyla saldırılarını ele aldı.

Röportajlar vermeye devam etti.

Financial Times yazarı röportaj yazısının girişinde şöyle diyordu:

> Bu yemek daveti için bir miktar tedirginlik duydum. Greenwald, özellikle benim gibi ana akım medya gazetecilerine, –ki onun için egemen çevrelerin sözcüsüyüz– karşı küçümseyen, hatta tacize varan bir üslup takınmasıyla biliniyor. Geçen yıl, *FT* dahil birkaç gazetenin, Greenwald'ın haberlerinden birinin, ABD'nin iddialarıyla çeliştiğini yazmaları üzerine, kendisi anında #ServileDCJournalists# (köle Washington gazetecileri) hashtag'ini başlatmıştı...

Greenwald'un tespiti yalan mıydı?

Sorunun yanıtı için Almanya'ya uzanalım...

Eşcinsel Müslüman Sultan

Adı: Kâbus bin Seyd el Ebu Seyd...

Babası Said bin Teymur'u, CIA ve MI6 desteğiyle 1970 yılında tahttan indirerek Umman'ın diktatörü oldu. "Uzman diktatör" deniyor!

Kuşkusuz o bir petrol milyarderiydi...

Fakat... Başka bir özelliği daha vardı...

Bunu Alman gazeteci Udo Ulfkotte'nin *Satılmış Gazeteciler* kitabından okudum. Ulfkotte kitabında; Almanya'nın tanınmış günlük gazetesi *Frankfurter Allgemeine Zeitung*'da 17 yıl çalışırken, iki blok ötelerindeki Alman istihbaratı/BND ile kamuoyunu etkilemek için birlikte nasıl manipülasyonlar yaptıklarını kaleme aldı.

Örneğin: Umman seyahati bunlardan biriydi...

Business uçmuş; limuzinli şoförle karşılanmış ve her masrafı tercüman tarafından ödenmişti. Misafir edildiği Umman'ın beş yıldızlı lüks oteli El Bustan Palace'ın barında Almanya'nın ünlü oyuncusu Diether Krebs'e rastlamıştı. Krebs, bir Alman gazetecinin böyle lüks otelin ücretini nasıl karşıladığını sormuş ve Ulfkotte susmuştu!

Sonra anlayacaktı; güce böylesine yakın olmanın insanı ve mesleğini nasıl bozduğunu...

Sonra anlayacaktı; satın alınan bir uşaktan farksız olduğunu...

Şöyle yazıyordu *Satılık Gazeteciler* kitabında:

> Sultan Kâbus'un bekleme odasında; beni Sultan'la saatlerce yalnız kalacağımız konuşmaya hazırlayan İngiliz danışmanı ve MI6 gizli servis elemanı Anthony Ashworth, bana asla unutamayacağım tuhaf bir şey söyledi: 'Eğer size bir Ferrari teklif ederse ve siz istemezseniz o zaman basitçe teşekkür ederek reddediniz. Bunu söylerken gerçekten çok kibar olmanız ve iyice anlaşılır biçimde söylemeniz gerekir.' Bana Sultan neden bir Ferrari hediye etsin ki?

Gazeteci Ashworth yanıtı Alman istihbaratı elemanlarından öğrenecekti: Sultan eşcinseldi!.. Ve ona asılabilirdi!..

Görüşmelerinde neler olduğunu merak ediyorsanız kitabı okuyunuz! Asıl önemli olan Ashworth'u okursanız Alman gazetecilerin siyaset ve ekonomi çevreleriyle nasıl içli dışlı olduğunu öğrenirsiniz! Ya işten atılma korkusuyla ya da bol para kazanma arzusuyla gazeteci görünüp haberleri karartma/sümen altına atma işi yapıyorlardı!

Şu para meselesine Türkiye'de bir örnek vermeliyim...

Mehmet Altan'ın Parası

Çok çabuk yüceltiyor ve çok çabuk alçaltıyoruz.

Olguları/kavramları temelli tartışmıyoruz çünkü.

Yine bir telefon sızdırıldı. Başbakan Erdoğan'ın, *Star* gazetesi Genel Yayın Yönetmeni Mustafa Karaalioğlu'ndan başyazarı Mehmet Altan'ı kovmasını istediği ortaya çıktı. Bu sızıntı sonrası Mehmet Altan "basın mağduru" oluverdi!..

Mehmet Altan'ı mağdur sayabilir miyiz?

Yazayım, siz karar verin...

Mehmet Altan 20 yıl *Sabah* gazetesinde yazdı. Özal'ı, Çiller'i ve Erdoğan'ı destekledi. Ve Erdoğan'ı öylesine yüceltti ki, *Star* gazetesine başyazar yapıldı. Çünkü Erdoğan, Mehmet Altan'ın daha çok yazmasını istedi; Sabah'ta haftada iki kez siyasi yazılar kaleme alıyordu. 11 Kasım 2006'da *Sabah*'tan ayrıldı ve *Star*'a geçti; artık yedi gün Erdoğan'ı övebilecekti!

Mehmet Altan, Uzanların elinden TMSF kanalıyla 2004 yılında alınıp AKP'nin "parti organı" yapılan *Star*'a başyazar olmakta basın özgürlüğü açısından hiç sakınca görmedi!

Yıl: 2008. *İkinci Cumhuriyet'in Yol Hikâyesi* adlı kitabında Defne Asal, Mehmet Altan'a soruyor:

> – AK Parti sonuçta baştan beri özgürlükçü, demokrasi taraftarı öte yandan da muhafazakâr bir parti, bu seni korkutmadı mı?
>
> – Hayır korkutmadı, korkutmaz.
>
> – Şunu sormak istedim aslında, bir anlayış var ya, bunlar aslında takiye yapıyorlar diye.
>
> – Takiye yapıyor diyenlerin AB'yi desteklemediğini görerek, onların bir takiye yaptığını düşünüyorum. AK Parti'nin takiye yaptığını söyleyerek, kendilerinin iktidar kavgasını yürüten laik takiyeciler var.

Dün böyle söylüyordu. Dolasıyla, *Star*'a yazmaya başladı: "Türkiye yenileşmesinin, dönüşmesinin itici motoru Erdoğan'dır..."

Mehmet Altan *Star*'a geçer geçmez hemen bir de kitap çıkardı: *Eğrisiyle Doğrusuyla AK Parti*.

Partiyi şöyle analiz ediyordu: "Yoksullar ile tuzu kurular karşı karşıya. Tuzu kurular ve onların müttefiki olan Ankara'nın egemenleri, AK Parti vasıtasıyla merkeze taşınan yoksulları gördükçe feryat ediyorlar: 'İrtica geliyor.' Aslında irtica gelmiyor, egemenlik gidiyor galiba." Mehmet Altan yazılarında ve televizyon ekranlarında yıllarca aynı sözleri tekrarladı. Ülkeyi karanlığa boğan Erdoğan zihniyetini "Demokrasi getiriyor," diye selamladı ya da "Darbelerle hesaplaşıyor," diye yüceltti..

Şimdi, "Yanıldık," diyorlar. İnanalım mı? Oysa...

Erdoğan kendini hiç saklamadı. Nefretini gösterdi. Öfkesini haykırdı. "Öteki"yle savaşacağını ilan etti.

Türkiye'nin yarısı fark etti de kendilerine aydın diyenler mi, ayak sesleri duyulan faşizmi analiz edemedi? Düşünme yetisini, siyasi zekâlarını mı kaybetmişlerdi?

Hadi canım sizde!..

Görmek istediklerini gördüler, duymak istediklerini duydular; şiddeti, kötülüğü, bayağılığı, kabalığı yok saydılar. Geldik, neden görmedikleri meselesine...

Döneklik tartışmalarında bir yanlışlık var:

Yüzeyde ideolojik/fikir tartışması olarak gözüken, aslında derinde kişilik zafiyeti; para/maaş, makam/koltuk, ün/şöhret gibi maddi hayat talebi!

Meselenin bu yönünü niye hiç konuşmuyoruz? Yüzleşmeliyiz, bu gerçekle...

AKP'ye verilen sınırsız destekte, Mehmet Altan'ın *Sabah*'tan *Star*'a geçmesinde aldığı astronomik paranın etkisi yok mu?

Vaat edilen parayı alamayınca köşesinde bile yazdı:

> Hasan Doğan benim *Sabah*'tan *Star*'a geçişimin baş aktörlerinden biriydi. Beyana güven duyma saflığımı hiç terk etmemem yüzünden, o süreçte farklı aktörler tarafından bana yapılan vaatlerle, şimdiki uygulamalar arasında büyük farklar olsa da, başlangıçta hepsiyle, Hasan da dahil, yoğun bir şekilde teşrikimesai yaptık.[92]

İşte "mağdur" Mehmet Altan budur! O "farklı aktörlerin" vaatlerini tutmalarını istiyordu. Başyazar köşesinden para dileniyordu! Çünkü...

Ruh açlığını doyuramazsınız; ne paralar, mevkiler, şöhretler, akademik unvanlar verseniz de insanı ezen bu açlığı yok edemezsiniz. Bu cümleyi yazmamın nedeni şu: Başyazısında para dilenen Mehmet Altan'ın o dönem çok para kazanıyor olmasıdır. TMSF'nin el koyduğu Cine 5 gibi kanallarda hiç seyredilmeyen programlardan medya kriterlerinin çok üzerinde para aldı. Üstelik: Hayatı boyunca devletten beslendiğini söylediği

92 *Star*, 24.03.2010.

memuru-köylüyü-işçiyi aşağılayan Mehmet Altan, en kolay kazancı/ büyük paraları devletten aldı!

Astronomik bu kazancı Melih Aşık köşesinde yazınca, Mehmet Altan ne yaptı dersiniz; iktidarın polis gücünü arkasına alarak herkese yaptığını bir kez daha tekrarladı: "Ergenekoncusunuz!" "Kullanılan gazetecisiniz!"

İşte budur; Mehmet Altan'lar için Ergenekonculuk ya da kullanılan gazeteci olmak! Düzenlerinin bozulmasını hiç istemediler.

Bu nedenle, öç alma tutkusunu barbarlığa dönüştürdüler.

Bu nedenle, acımasızlarla ittifak yaptılar! Yaptıkları, "Asmayıp da besleyelim mi?" anlayışının başka bir versiyonuydu; "Silivri'ye sokmayıp da yazmalarına izin mi verelim!"

Gelelim şu uyduruk mağduriyet meselesinin aslına...

Mehmet Altan, *Star*'dan niye kovuldu?

Cemaat-AKP çatışmasında tavrını Pensilvanya'da ziyaret edip elini öptüğü Fethullah Gülen lehine kullandı! Hepsi budur.

Yoksa... Mehmet Altan gerçeği görmüş de yön değiştirmiş filan değil. Cemaat'in Erdoğan'la iplerini koparmasıyla Mehmet Altan'ın da yolu ayrıldı. Erdoğan'ı övmesi için para verilmişti; F. Gülen'i övünce *Star*'dan kovuldu!

Mehmet Altan halen Cemaat'in yayın organlarında arzı endam eyleyip Erdoğan'a çakıyor.

AB fonlarına, istihbaratçı düşünce kuruluşları "think tank"lere para karşılığı yazılan raporlara girmeyelim.

Can Yücel ne diyor Mehmet Altan'lar için:

öyle keyifli yazıyorum ki,
bu adamlar hem üniversitede var
hem gastede yazar/ hem de bozarlar
asaf savaş sakat/ve belgeli murat
bu murat belgeli murat
çok ingilizce bilir
ama hel'sinkiyle güvey girer
(...)
adları lazım değil esasında
kendileri lazımlık.

Yok... Yok... Adları lazım.

Birinin adı da Mehmet Barlas...

Tayyip'i Kandıran Gazeteci

Hep yazıyorum:

Mehmet Barlas'ın itirafçı olması şart!

Bu da nereden çıktı demeyin...

Başbakan Davutoğlu'nun danışmanı Atılgan Bayar'ın yazdıkları ilgimi çekti.

Barlasların Erdoğan'a küfür eden Cemaatçi Önder Aytaç'ın yazılarını internet sitelerinde, 10 Mart 2013 tarihine kadar yayınlamaya devam ettiklerini belirterek, "Paralel'in kazanacağını düşünüyorlardı. Erdoğan'ın kazanacağını anlayınca Paralel'den dümen kırdılar," diye yazdı.

Bu tespitin izini sürdüm...

F. Gülen'in resmi sitesinde; 1994'ten bugüne kadar hakkında çıkan köşe yazıları var. Mehmet Barlas'ın yazılarını okudum.[93]

– Mehmet Barlas'ın *Sabah*'taki ilk yazısının tarihi; 14 Şubat 1995. Erbakan'a akıl veriyordu: "Farklı kesimleri ve siyasi görüşleri temsil eden insanlar, Fethullah Gülen'in iftarında bir araya gelince şaşırıyoruz. Bu gerçeğe, öncelikle Necmettin Erbakan'ın ve Refahlı, önde gelen diğer politikacıların eğilmesi şart..."

– Yine *Sabah*'ta; "Gelelim, muhafazakâr ve mukaddesatçı kesimdeki yenilikçiliğe. Bir haftadır *Zaman* gazetesinde, Fethullah Gülen'in 'Ufuk Turu' yayımlanıyor. Bakın neler diyor Fethullah Hocaefendi..." deyip övgülerini sıralıyordu. (19.8.1995)

Sonra araya 28 Şubat süreci giriyor; Barlas'ın, 28 Şubat sürecinde Gülen'i öven-koruyan makalesi yok!..

Parantez açmalıyım: "28 Şubat'ta *Sabah*'tan beni kovdular," diye yıllarca mağdur rolü oynadı. Meğer:

Dönemin *Sabah* patronu Dinç Bilgin TBMM'deki Darbeler Komisyonu'na, "Barlas ailesinin işlerine 28 Şubat süreci içinde son vermedim. Çok yüksek ücretli yazarımdı; 25 bin dolar alıyordu. Aynı zamanda bize rakip televizyonlarda programlar yapmaya başladı. Aramızdaki ihtilaf ondan doğdu, arkasında siyasi bir durum yok," dedi. Parantezi kapatayım! !..[94]

---

93 Gülen'i en çok öven makaleyi; Taha Akyol, Mahmut Övür, Enis Berberoğlu, Yiğit Bulut'un yazdığını gördüm!

94 Meclis'teki aynı komisyona *Akşam* gazetesi sahibi Mehmet Emin Karamehmet de ifade verdi. "28 Şubat beni kovdurdu," diyen Nazlı Ilıcak konusunda şunu söyledi: "Nazlı Ilıcak'ın bizden ayrılması ise doğrusunu söyleyeyim. Oğlu genel müdürdü. O kendisi istemedi. Kelime kelime de söyleyebilirim. 'Babamı da batırdı, burayı da batıracak,' falan şeklinde söyleyerek annesinin ayrılmasını oğlu istedi!"

Sabah'tan hemen sonra Mehmet Barlas, *Zaman* ve *Yeni Şafak* gazetelerinde köşe yazdı. Yani, F. Gülen hakkında yazabilirdi ama övmeye 28 Şubat'ta ara vermişti

Barlas'ın, Gülen övgülü yazıları 28 Şubat'tan sonra tekrar başladı. Üstelik...

Yeni Şafak'ta, 30 Eylül 2000'de yirmi gün tam sayfa "Hocaefendi Sendromu" başlıklı yazı dizisi kaleme aldı:

"Yayın organları, okullar, dershaneler, vakıflar, finans kuruluşları birer belirti (veya sendrom) şeklinde alınıp, Fethullah Gülen'in devleti ve orduyu ele geçirmek için, gizli ve planlı bir çalışma yapan bir 'çete lideri" olduğu ileri sürülüyor..." diyerek bunun ne kadar anlamsız ve saçma olduğunu yirmi gün boyunca yazdı.

Yetmemiş olacak ki; *Sosyo-Politik Bir Gerçek Olarak Hocaefendi Sendromu* adlı Gülen kitabı çıkardı.

Tarihleri hızlı geçip yakın tarihlere gelelim...

Mehmet Barlas tekrar *Sabah*'a döndü ve Gülen'e kol kanat germeye devam etti.

"Bir başka sakız edilen kavram da 'Cemaat' değil mi? Özellikle son dönemde Fethullah Gülen'in cemaati, belirli çevrelerin hedefinde..." (19.4. 2011)

Barlas'ın benzer yazılarından çok örnek vermeye gerek yok; çünkü başka "derin" konular var. Örneğin... Cemaat'in, 7 Şubat 2012'de Hakan Fidan'a yönelik MİT kumpası ardından Barlas şunu yazdı: "AK Parti ile Cemaat'i veya Tayyip Erdoğan ile Fethullah Gülen'i birbirlerine düşürme projesi de, aklın ve mantığın kabul edebileceği bir girişim olamaz." (24.4.2012)

"Gülen Cemaati'nden AK Parti'ye muhalif bir siyasi hareket çıkarmaya dönük arayışlar, Rus medyasında da, bizim medyada da nakıs teşebbüsler olmaktan öteye gidemez." (13.7.2013)

Bitmedi... Gelelim, 17-25 Aralık süreci öncesine...

Barlas, 12 Kasım 2013 tarihli yazısında Erdoğan'ı üstü örtülü biçimde eleştirdi: "Onun ağırlığını ve başardıklarını ancak o siyaset arenasından çekildikten sonra tam olarak değerlendirebileceğiz."

Altı gün sonra... Gülen'in ABD'den dönmesi gerektiğini belirtti. (18. 11.2013)

Neler oluyordu?

Davutoğlu'nun danışmanı Bayar, 17-25 Aralık sürecinde

Barlas'ın TV ekranına çıkmayıp, kimin başarılı olacağını beklediğini belirtti.

Barlas, 17 Aralık operasyonundan iki gün sonra şöyle yazdı: "Yolsuzluk iddiaları kamuoyunu tatmin edecek biçimde bir sonuca ulaştırılmalıdır..."

Bir gün sonra... "Aklı başında, vicdan sahibi, siyasi sağduyusu ve vatandaşlık bilinci olan hiç kimse 'Yolsuzluk olsa bile bunlar görmezden gelinmelidir,' demez, diyemez."

Barlas bu süreçte "ortaya" yazılar kaleme aldı...

"Günlerdir siyaset gündemini karıştıran "Dosyalı Operasyon"u planlayanlar tam olarak neyi amaçlıyorlardı bilemiyoruz... Ancak hiç unutmayalım ki, krizler de bir süreçtir ve sonuçları da, bu süreç noktalanıncaya kadar tam belli olmaz." (26.12.2013)

Barlas bekledi... Süreç tamamlandı... Ve Erdoğan kazanınca dönek oldu. Cemaat'ten dümen kırdı; dün yazdıklarının tam aksini yazmaya başladı. Örneğin...

"MİT Müsteşarı Hakan Fidan'ı hedef alan geçen yılın ocak ayındaki yargı operasyonu arkasındaki güdülerin çok açık ve seçik biçimde tahlil edilmesine rağmen, Paralel Devlet'in üzerine o zaman gidilmemesi, 'Acaba yöneticilerimiz gaflet uykusuna mı dalmışlardı' kuşkusunu doğal olarak gündeme getiriyor..." (10.1.2014)

"Geçen yıl 'Gezi Kalkışması' ile başlayıp '17-25 Aralık dost modern darbe girişimi' ile dibe vuran süreçte..." (22.4.2014)

Neler yazmıyordu ki artık: "Bir kulağı Amerika'ya, diğer kulağı İsrail'e kilitlenmiş olan Pensylvania örgütü yöneticileri..." (1.3.2015)

Ben diyorum ki: Barlasların bu göz boyaması kimseyi kandırmamalı; itirafçı olmalılar ve F. Gülen'le "derin" ilişkilerini anlatmalıdırlar...

Yoksa... Tayyip ileriki günlerde, "Yanağımı okşayarak beni kandırmış," diyebilir...

Mehmet Barlas'ın dönüş hızıyla kimse yarışamaz. "Sosyalist"ten gelip nerelere savrulmadı ki?

Not eklemeliyim:

Meğer Nazlı Ilıcak da gençliğinde "sosyalist"miş!

Rahmetli Cüneyt Arcayürek kitapları referanstır. Doğrusu ve yanlışıyla ne yaptıysa; neye tanık olduysa hepsini kitaplarında yazdı.

Örneğin:

Mehmet Barlas'a doğru eğildim; "Mehmetçiğim" dedim, "Bugünkü yönetimin (12 Eylül darbecilerinin) en çok sevdiği gazeteci kim," diye sordum. Parlayan gözlük camlarının ardından şöyle bir baktı, "Bilemiyorum kim," dedi. "Sen," dedim. Barlas heyecanlandı "İnşallah, inşallah!.." diyerek duygularını bütün içtenliğiyle dile getirdi. Gerçekten de, *Milliyet* gazetesi başyazarlığına başladıktan bir süre sonra yazılarının içeriğiyle Mehmet Barlas'ın Devlet Başkanı'nca (Kenan Evren) özenle izlendiği haberini alıyorduk. Başyazılarını okuduktan sonra, "Barlas içimden geçenleri sanki daha önce öğreniyor," diyormuş!

Arcayürek, Nazlı Ilıcak'tan şöyle bahsediyordu:

Sevdiğim Canan Civaoğlu (Güneri Civaoğlu'nun eşi) bir gece Boğaz'daki yalılarında 'Kimseye söylemeyin ama, bir şey anlatmak istiyorum,' dedi... 'Nazlı (Ilıcak) ile ben İsviçre'de birlikte okuduk. Çok yakın arkadaştık. Nazlı bazı geceler, günler ortaya fırlar, sosyalist nutuklar atardı.' Bunu hiç yadırgamadım. Örneğin, (DP'li Bakan) Samet Ağaoğlu iktidardan indikten sonra bana, "Ben diyemem ki sosyalist değilim" diye konuşmamış mıydı? (DP'li Bakan) Sıtkı Yırcalı, Paris'te okurken aşırı solcu mitinglere katılıp fikrin ateşli savunucularından biri değil miydi?.. Nazlı Ilıcak'ın kişiliği ve yazarlığı konusunda bir tartışmaya girmek istemiyorum...

Ben de tartışmak istemem...

Hangisini yazacaksın; utanmıyorlar ki...

Yetenekli Utanmaz

"Bavulcu" Mehmet Baransu tutuklandı; Silivri Cezaevi'nde...[95]

Taraf gazetesinin "Bavulcu Yönetmeni" Ahmet Altan dedi ki: "Balyoz darbe planlarının basılmasına ben karar verdim. O plan-

95 Balyoz belgelerini bavulla savcılığa teslim etmesiyle bilinen Mehmet Baransu'nun twitter'da yazdığı mesajlar nedeniyle şikâyetçi oldum. Hakaret suçundan İstanbul 4. Sulh Ceza Mahkemesi'nde dava açıldı. Davanın görülmeye başlanması ardından şikâyetimden vazgeçtim; çünkü Baransu şu an tutukluydu. Eli kelepçeli şekilde adliyeye getirilmesine gönlüm el vermedi. Biz cezaevindeyken bunu defalarca yaşadık ve başkaları yaşamasın istedim. Davadan vazgeçmem onu aklamaz, bana hakaret etmediği anlamına gelmez. Ama ümidim; Baransu'nun asıl ve daha önemli suçlarından yargılanması.

ları bin defa önüme getirseler bin defa da basarım."

Demek basarmış öyle mi?

Ahmet Altan, yetenekli bir utanmaz; Anadolu'da bunlara "ar damarı çatlamış" denir!

Goethe, "İnsanların kötü olduklarını görmek beni şaşırtmıyor; ama bu yüzden hiç utanmadıklarını görünce hayretler içinde kalıyorum," demişti!

Balyoz Davası sürecinde subaylar intihar ettiler... Cezaevinde can verdiler... Yıllarca hapis yattılar... Gelecekleriyle oynandı... Aileler paramparça oldu... Ve...

Ahmet Altan hâlâ "Yine basarım," diyor! Neyi basacaksın?

Dedin ki: "Bana yazı işlerindeki arkadaşlarımız CD'lerin üstündeki bilgileri gösterdiler; orada, o belgeleri kimin, ne zaman, nerede yazdığı açıkça görülüyor... O CD'lerin üstündeki kayıtlar bütün belgelerin Birinci Ordu'da hazırlandığını kanıtlıyor."

Manşetler yaptığınız 11 no'lu CD hakkında, İstanbul Anadolu 4. Ağır Ceza Mahkemesi'nin talebi üzerine bilirkişi şu raporu verdi:

> Davanın temelini oluşturan C-11 kodlu CD üstündeki Or. K-na ve C-17 kodlu CD'deki K. Özel yazılarının bir aletle yazıldığı tespit edilmiştir. CD'lerin üstündeki elyazısının o tarihte Birinci Ordu Komutanlığı Harekât Başkanı olan Süha Tanyeri'nin not defterindeki harf ve karakterlerden birer birer alınıp, yazılım vasıtasıyla birleştirilerek, CD üzerine bir yazıcıya dik bağlı bir kalemle oluşturulduğu tespit edildi...

Al sana gerçek!.. Fatih Camii'nin bombalanması, Türk jetini düşürmesi koca bir yalan!

Bu gerçek ortadayken, hâlâ "Basarım," diyene gazeteci denmez!

Başka bir iş var...

Mehmet Baransu'ya bavul verildi; o da getirip *Taraf* yazı işleri masasına koydu.

Tarih: 20 Ocak 2010.

Taraf manşeti attı: "Fatih Camii bombalanacaktı/Kendi jetimizi vuracaktık"

Aynı gün Ahmet Altan şöyle yazdı:

> Bugün yayımladığımız darbe planı, bugüne dek görülenlerin en kapsamlısı, binlerce sayfadan oluşuyor, her aşaması en ince ayrıntısına kadar hazırlanmış. Birinci Ordu'nun eski komutanı tarafından organize edilmiş... Birinci aşama sıkıyönetim ilanını sağlamak. Bunu gerçekleştirebilmek için

"düşmanın" bile aklına gelmeyecek planlar hazırlıyorlar. Bir tanesi Fatih Camii'nde bir cuma namazında bomba patlatmak... Sonra Beyazıt Camii'nde de bir bomba patlatacaklar... Sıkıyönetim olsun da arkasından darbe yapılabilsin diye kendi uçağımızı düşürüp, kendi pilotumuzu şehit edeceğiz...

Ahmet Altan'ın satırlarının yalan olduğu bugün ortaya çıktı. Biraz daha açayım...

Tarih: 5 Mart 2003.

İstanbul Birinci Ordu Komutanlığı'nda iki gün dış tehdit ile bir iç ayaklanma olması durumuna, TSK'nın mevcut planının (Egemen Planı) yeterliliği sınandı. Bu dünyanın her ordusunun yaptığı rutin "savaş oyunu" senaryosuydu. Aradan 7 yıl geçti...

Mehmet Baransu'nun eline bavul verildi.

Bavulda ne vardı:

1) 2.229 sayfa (1.077 sayfası 1980-84 yılları arasında olan) Birinci Ordu Komutanlığı rutin yazışmalar.

2) 10 adet teyp kaseti (Bunlar Birinci Ordu Komutanı Çetin Doğan emriyle kayıt altına alınan seminerin konuşma kasetleri.)

Bunlar soruşturmaya konu olmadı. Yani, Birinci Ordu'da gerçekleşen seminerin Balyoz'la hiçbir ilgisi yoktu.

Seminerde Balyoz'un B'si geçmemişti. Cami bombalama, jet düşürme gibi olaylar "savaş oyunu"nda/senaryoda yoktu.

3) 19 adet CD vardı. Bu 19 adet CD'den sadece 3 tanesinde (esası 11 no'lu CD olmak üzere, 16 ve 17 no'lu CD'lerde) suç unsuru vardı.

Evet, diğer 16 adet CD, Birinci Ordu'ya aitti ve içlerinde suç unsuru yoktu.

Ne varsa 11 no'lu CD'de vardı; "Oraj", "Suga" adlı hareket planları; "Çarşaf", "Sakal" adlı eylem planları ve davaya adını veren "Balyoz Güvenlik Hareket Planı" yer alıyordu.

Bu 3 CD'nin –özellikle 11 no'lu CD'nin– sahibi kimdi?

TÜBİTAK'a göre, 11 no'lu CD'nin oluşturulma tarihi 5 Mart 2003, saat 23:50:42.

Artık biliniyor ki; Balyoz belgelerini bulunduran 11 no'lu CD, 2003'te var olmayan ve 2007'de kullanılmaya başlanan Microsoft Office'le oluşturulmuştu. 2009 yılına ait bilgiler mevcuttu! Yani, 11 no'lu CD, 2003'te oluşturulmamıştı! Üzerindeki yazı bile sahteydi!

Detaya girmeyeyim; yargı şimdi bu 3 CD'yi kimin hazırladığının/yani bavulcuların peşinde!

Utanmazlıkta yetenekli adam, "Yine basarım," diyor hâlâ...

Bugün... Baransu, bavulu kimden aldığını "hatırlamıyor"!

Mesele sadece "haber kaynağını" korumak olabilir mi?

Gazeteci, kendini ve gazetesini kandıran yalancı kaynağı korur mu? Gazeteci, kendini kullanarak Türk ordusuna tezgâh yapanları saklar mı?

Demek ortaklar!..

Birileri hâlâ diyor ki, "gazetecilik faaliyeti..."

Bu nasıl gazetecilik faaliyeti?

– Ellerine tutuşturulan dijital belgelerin gerçekliğini hiç araştırmadılar.

– Ağır suçlamalarda bulundukları kişilerin görüşlerini almak ihtiyacı hissetmediler. Ellerine tutuşturulan sahte belgeleri dahi yanlış aksettirerek, imzasız dijital belgeleri "belgeler imzalı" diye yazdılar.

– Belgelerin sahteliğine dair olgular ortaya çıktıkça yaptıkları haberi sorgulayıp düzelteceklerine, sahteciliklerini örtbas ettiler.

Evet. Sistematik olarak dezenformasyon ürettiler...

Taraf'ın yaptığına "gazetecilik" deyip geçemeyiz!

Ne yazmıştı o malum manşetlerinin altına Ahmet Altan:

> Bu ordunun yapısını radikal bir şekilde değiştirmeden bu generallerin hastalıklarını iyileştiremeyiz... Zorunlu askerliği mümkün olduğu kadar çabuk kaldırıp, ordunun örgütlenme şemasını tümden değiştirmeliyiz...[96]

Tüm meseleleri; Türk ordusunu Cemaat aracılığıyla yeniden ABD'nin kucağına oturtmaktı!

Buna dünyanın her yanında, "casusluk faaliyeti" derler!

Araya girip bir tespit yapayım...

Kim Bu Gazeteciler?

Adı, Seher el-Haydari...

1962'de Bağdat'ta doğdu.

Bağdat Üniversitesi'nde işletme okudu.

Kendisi Şii'ydi ama Sünni biriyle evlendi. Dört çocuk annesiydi. Öğretmenlik yapıyordu.

96 *Taraf*, 20 Ocak 2010.

2003 yılındaki Irak işgali hayatını değiştirdi. Gazeteci oldu.

BM Kalkınma Fonu, Reuters Vakfı ve ABD'li Internews parasıyla Kuzey Irak Erbil'de kurulan Aswat el-Irak (Irak'ın Sesleri) adlı haber ajansında çalışmaya başladı.

2006'da Suriye, Şam'a yerleşti; gazeteciliğini burada sürdürdü. Ama Kuzey Irak'a gidip geliyor; çeşitli Kürt haber sitelerine takma isimle makaleler yazıyordu.

7 Haziran 2007'de Musul'da pusuya düşürülerek öldürüldü. Cinayeti; Irak'taki ABD ve müttefiklerine karşı savaşan radikal dinci Ensar el-Sünnet üstlendi.

Seher el-Haydari aynı zamanda Kuzey Irak'taki Barış ve Savaşta Habercilik Enstitüsü'nün (Institute For War and Peace Reporting) çalışanıydı...

Bir ismi daha yazayım...

Adı, Ammar el-Şahbender...

1973 Irak doğumluydu.

Babası, Saddam döneminde 1977 yılında ülkeyi terk etti; Kuveyt, İran, Suriye ve İsveç'te yaşadılar.

Ammar, 2002 yılında Londra'daki Westminster Üniversitesi sosyoloji bölümünde doktora yaparken Irak'a "demokrasi" getirilmesiyle ilgilenmeye başladı.

Irak Vakfı'nı kurdu. Saddam'ın devrilmesinden hemen sonra Anthony Borden ve Duncan Furey ile birlikte Bağdat'ta (o zaman adı Savaş ve Barış Raporlama Enstitüsü'ydü) Barış ve Savaşta Habercilik Enstitüsü'nü kurdu.

Yanındakiler kimdi?

Anthony Borden, bu enstitünün kurucularındandı. Komünizm sonrası ülkelerde medya yapılandırması için İngiltere Hükümeti'nin çeşitli bakanlıklarında görev aldı. 1991-98 yılları arasında Yugoslavya'da çalışmalar yürüttü. *New York Times, International Herald Tribune, Washington Post, Guardian, Newsweek* ve sayısız diğer yayınlara makaleler yazdı! Diğeri... Duncan Furey, IWPR Kosova bürosunda işe başladı. Uganda, Sudan, Zimbabve'de çalıştı. Afganistan ve Irak bürolarının açılışına katkı yaptı.

Ammar el-Şahbender, IWPR çalışmasında çok başarılıydı hemen Irak direktörü oldu. 150 personeli vardı. En büyük yardımı Bağdat (ve sonra Şam) ABD Büyükelçisi Robert Ford'dan aldı.

Tarih: 2 Mayıs 2015.

Ammar ve IWPR'dan arkadaşları lokantadan çıkarken bomba yüklü araba patlatıldı.

Ammar'la birlikte 17 kişi öldü. IWPR çalışanları yaralı kurtuldu. Saldırıyı üstlenen olmadı.

Ammar'ın ölümü ardından bir ay sonra IWPR Irak başkanvekilliğine Jacqueline Anne Sutton getirildi. BBC eski çalışanı Sutton, Avustralya Ulusal Üniversitesi'nin Arap ve İslami Çalışmalar Merkezi'nde de doktora çalışmalarını yürütüyordu.

Görevine gitmek için Londra'dan Türk Hava Yolları'nın TK-1986 sefer sayılı uçağıyla saat 21.58'de Atatürk Havalimanı'na geldi. 00.15'te Erbil'e gidecekti.

50 yaşındaki İngiliz vatandaşı Jacqueline Anne Sutton'ın tuvalette cesedi bulundu. İddiaya göre, ayakkabılarının bağcıklarını çözerek kendini tuvalet kapısına asmıştı!

Haber İngiliz basınında geniş yer aldı. *Times*'taki haber ilginçti. Sutton, 1990'lı yıllarda Eritre'de görev yaparken casusluk yaptığı iddiasıyla gözaltına alınıp sınırdışı edilmişti!

Allah... Allah... Nedir bu IWPR?

Londra merkezli enstitü, 1991'de Yugoslavya'nın parçalanma sürecinde "Yugofax" adıyla faaliyete başladı! Adı sürekli değişti. Yugofax sonra "Balkan Savaşı Raporu" oldu. Sonra sırasıyla yukarıda yazdığım diğer isimler kullanıldı.

IWPR, Yugoslavya'dan sonra eski Sovyetler Birliği ülkelerine gitti. Bugün, 30'dan fazla ülkede "medya yapılandırması" yapıyor!

Enstitü'nün Uluslararası Kurulu Başkanı (2004'te "Sir" yapılan) David Charles Maurice Bell; 1996-2009 yılları arasında İngiliz *Financial Times*'ı yönetti!

IWPR'nin yönetim kurulunda Christiane Amanpour, Anne Applebaum, George Packer ve Christina Lamb gibi dünyaca ünlü "ödül rekortmeni" Amerikalı ve İngiliz gazeteciler var.

IWPR destekçilerinden bazıları ise şunlar: İngiltere, ABD, Hollanda, Norveç Dışişleri Bakanlığı, Legatum Enstitüsü, Lahey Almanya Büyükelçiliği, İsveç Uluslararası Kalkınma İşbirliği Ajansı, Samuel Rubin Vakfı...

Ortadoğu coğrafyasında kimlerin, hangi amaçlar için neler yaptığını bilemezsiniz.

Kapışma büyüktür...

Gelelim tekrar bizim topraklara...

Bugün... Kimi gazeteciler-yazarlar için "siyasi casusluk" iddiasıyla soruşturmalar yapılıyor; davalar açılıyor. Ve bu durum çok tartışılıyor. Cemaat kumpasıyla çoğunluğu asker, İstanbul'da 56 ve İzmir'de 357 kişi sahte delillerle "casusluktan" yıllarca hapis yattı, hiç kimsenin sesi çıkmadı![97]

Gazeteci-yazardan "casus" olmazmış?

Görülmemiş bir olaymış? Sanki... Pound, Koestler, Hemingway, Eliot, Fleming, Silone, Trevanian vd. "casus" değildi?

Birileri... "Erdoğan, 17/25 Aralık'ın intikamı için bu soruşturmayı açtırdı," diyor.

Doğru!.. Fakat bu sebep gerçeği değiştirebilir mi? Erdoğan'ın maksadı bizi ilgilendirmez; biz sadece gerçeğe bakarız. Cemaat casusluk yaptı mı, yapmadı mı?

Üstelik casusluk iddiası yeni değil; 6 yıl önce vardı...

Tarih: 16 Ocak 2009.

Serdar Öztürk... Üsteğmendi. 1994'te Silopi'de ağır yaralandı. Gazi olarak TSK'dan ayrılmak zorunda kaldı. 1999'da avukat oldu. Ergenekon kapsamında tutuklanan Levent Göktaş'ın avukatıydı. Göktaş tutuklandıktan beş gün sonra, tanık olduklarını anlatmak için Genelkurmay'ın kapısını çaldı: "Ergenekon masum bir soruşturma değil; bu tezgâhı kuran polisler ve savcılar casusluk faaliyeti yapıyor. İşin içinde ABD var!" Somut delil istediler.

Avukat Öztürk somut delili de buldu. Polisler gözaltına aldıkları (Necip Hablemitoğlu'nun avukatı) Hüseyin Buzoğlu'nda "buldukları" flash diski iade etmişlerdi. Avukat Öztürk, İTÜ öğretim üyesi bilgisayar mühendisi Dr. Burak Berk Üstündağ ile, flash diskten silinmiş bilgileri-belgeleri ortaya çıkardı. Okuduklarına inanamadı. Polisin elinde TSK'ya ait çok gizli bilgiler vardı.

Avukat Öztürk hemen Genelkurmay Başkanlığı İstihbarata Karşı Koyma ve Güvenlik Daire Başkanı Tümgeneral Muharrem Mutlu Arıkan'a gitti. Genelkurmay bilgisayarlarının bakım onarımını yapan bir şirketin ilginç bağlantıları gibi 52 sayfalık bilgi verdi.

Ardından Ankara'da savcı Şadan Sakınan'a giderek 2,5 saat süren ifade verdi. (Soruşturma dosyası: 2009/8745)

97 Casus patlaması/enflasyonu bu! Oysa. Türkiye'nin Soğuk Savaş boyunca yakaladığı ve yargı önüne çıkardığı casus sayısı; 1944 yılından 1991'e kadar sadece 132 kişi. Bunlardan 18'i de beraat etti.

Avukat Öztürk; başta Zekeriya Öz olmak üzere kimi savcılar ve emniyetçiler hakkında yabancı istihbarat örgütüyle ilişkili olabilecekleri iddiasıyla suç duyurusunda bulunmak üzere dilekçe hazırlıyordu ki... Ankara dışındayken bürosu gece yarısı polisler tarafından basıldı...

Avukat Serdar Öztürk 4 yıl 9 ay cezaevinde yattı.

Casusluk soruşturması açılması için çaba sarf eden Avukat Öztürk'ün "suçu" neydi? Polisler, bürosunda, –ne tesadüf– Levent Göktaş'ın soruşturma evrakının bulunduğu mavi klasörün içinden ilk dört sayfası "İrticayla Mücadele Eylem Planı", diğer bir sayfası ise "İzmir'de Bize Yardım Edecekler" diye beş sayfalık fotokopi bulmuştu!

Ayrıntıya girmeyeyim; bu belgenin sahte olduğu ve polisler tarafından konulduğu artık biliniyor.[98]

Bu apaçık tezgâha rağmen *Taraf* gazetesi, günlerce sahte "İrticayla Mücadele Eylem Planı"nı manşetten verdi: "AKP ve Gülen'i Bitirme Planı."

Türkiye çalkalandı...

Rahmetli M. Ali Birand'dan Hasan Cemal'e köşe yazarları "*Taraf*'ın ne büyük gazetecilik yaptığını" yazdı... "Bavulcu" Mehmet Baransu ile "Bavulcu Yönetmen" Ahmet Altan; –Sedat Simavi ve Hrant Dink gibi değerli isimler adına verilen– büyük basın ödülleriyle kutlandı!..

Avukat Serdar Öztürk, 25,5 yıla mahkûm edildi. Suçu büyüktü; çünkü, casusluk komplosundan ilk şüphelenen oydu...

Erdoğan-Cemaat'le kol kolayken Avukat Öztürk cezaevinde bile, Yargıtay Birinci Başkanlık Kurulu'na casusluk faaliyetine dair suç duyurusunda bulundu. Hapisten çıktıktan sonra da, İstanbul'da Savcı Mesut Erdinç Bayhan'a ifade verdi.

Bugün diyorlar ki: "*Taraf* kötü gazetecilik yaptı."

Mesele sadece iyi-kötü gazetecilik mi?..

Günlerce manşetten indirmedikleri "İrticayla Mücadele Eylem Planı" adlı sahte belgede yazılanları, aylar önce 6 Nisan 2009 tarihinde Fethullah Gülen, herkul.org adlı sitesinde birebir söyledi. Bunu bilmiyor olamazlar; çünkü Odatv yazdı:

Aylar önce Gülen diyor ki:

---

98 Savcılığın Av. Öztürk'ü tutuklama sevk yazısında "kişisel verileri hukuka aykırı kaydetmek" eylemi vardı. Ancak bunun kanıtı yoktu. Mesele günler sonra ortaya çıktı; Av. Öztürk'ün ofis sekreteri Fatma Bozdemir temizlik yaparken bir flash disk buldu! Bilmedikleri bu flash diski hemen savcılığa götürüp teslim ettiler. İş anlaşıldı: Polisler koydukları flash diski almayı unutmuşlardı!

– "Evlerimize, içimize adam sokmaya çalışacaklar, sonra da ellerine kalaşnikof verecekler."

Aylar sonra sözde belge diyor ki:

– "Işık Evleri baskınlarında, silahlı terör örgütü oluşturmak doğrultusunda, silah, mühimmat bulunması sağlanacak."

Aylar önce Gülen diyor ki:

– "Kitapların arkasındaki Zat'ın posterlerini evlerin duvarlarına asabilirler."

Aylar sonra sözde belge diyor ki:

– "İhbara dayalı ev baskınlarında silahın yanı sıra Humeyni gibi objelerin aynı ortamda bulunması sağlanacaktır," vs. vs.

Taraf'ın Gülen'in bu sözlerini bilmemesi imkânsız.

Onlarca örnek verebilirim. Şöyle ki:

Polisler ellerine verilen bir krokiyle, 21 Nisan 2009'da Poyrazköy'de arama yaptı; mühimmat buldu. Sanıklar krokiyi görmek istedi; çünkü iddianamenin ek klasörlerinde kroki yoktu. Kroki aylar sonra *Taraf*'ın 11 Kasım 2009 tarihli manşetinde ortaya çıktı! İmza "Bavulcu"ya aitti...

Avukat Nusret Senem'e ait olduğu söylenen bir kroki 21 Mart 2008'de İşçi Partisi genel merkezinde "bulundu"! *Taraf*, 24 Mart 2008'de "Yargıtay'a Suikast" manşetini attı. Ancak krokinin 13 Mart 2008'te, *Taraf*'ın Ankara Bürosu'ndan İstanbul Büro'ya faks çekildiği ortaya çıktı! "Bavulcu" bu haberden mahkûm oldu...

Bunlar yokmuş gibi...

"Bavulcu" tutuklanınca, "bavul yönetmeni" Ahmet Altan, "Çoluk çocuğu bırakın benimle konuşun," dedi! (Çoluk çocuk dediği "Bavulcu" 40 yaşında!)

Devam etti Ahmet Altan: "O gazeteyi beş yıl yönettim, o planları bin defa önüme getirseler bin defa da basarım..." Yuh!

"Çocuk" dediği Baransu cezaevinde ama en azından hayatta! Ya kumpas sonucu yaşamını kaybedenlere ne diyecekler? 13 ay tutukluluk halinden sonra ölümüne 20 gün kala cezaevinden salıverilen Kuddusi Okkır'ın eşi Sabriye Okkır'ın kaleme aldığı *Cinayeti Gördük* kitabını açıp okusunlar!

Kaç aileyi perişan ettiler. Hâlâ "Yine basarım," diyor!

Yarbay Ali Tatar tabancayı kafasına dayamadan önce ne yazmıştı bilirler mi?

> Ben bu hukuksuzlukla yaşayamam. Belki benim ölümüm benim durumumda olanların aydınlığa çıkmalarına vesile olur. İçim buruk. Bana bu oyunu oynayanlara ve sahip çıkmayanlara

kırgınım. O deliğe bir daha dönmektense mezara girmeyi tercih ederim. Bu şekilde ölmeyi hiç istemezdim. Böyle bir ölüme en çok karşı çıkan insanlardan biri de benim. Ama kader böyleymiş. Hepiniz hakkınızı helal edin. Beni rahmetli babamın yanına gömün... Gökçenim, canım kızım derslerine çok iyi çalış. İyi çalış ve önemli yerlere gel ki, benim hesabımı sorabilesin! Şunu bil ki, en küçük suçu ve günahı olmayan ben, bu yapılan hukuksuzluğa isyan ve bu karanlığa bir nebze ışık olabilmek için hayatıma son veriyorum...

Sadece Ali Tatar mı?

Deniz Kurmay Albay Berk Erden'in, eşiyle ilgili olarak internete yüklenen görüntüler yüzünden canına kıymasına kimler sebep oldu?[99]

Onur intiharlarını unutturamazlar?..

Erhan Göksel'in ölümüne kim sebep oldu? Prof. Dr. Türkân Saylan'ın, İlhan Selçuk'un, Prof. Dr. Uçkun Geray'ın, Engin Aydın'ın ölümlerini kimler hızlandırdı?

Cezaevinde ölen Kâşif Kozinoğlu'nun, Albay Murat Özenalp'in katili kimler?

Hâlâ yine yaparım diyor!

Büyük yazar Balzac *Kibar Fahişeler* romanında şunu yazdı:

İnsan, göre göre kötülüklere alışır, yapılanları boş verir. Önce yapılan kötülükleri onaylamaya başlar, sonunda kendisi de yapar. Hiç durmadan utanç verici ve sonu gelmeyen uzlaşmalarla lekelenen ruh; zamanla pörsür, asil düşüncelerin

99 1938 doğumlu Jean Seberg, Amerikalı sinema yıldızıydı. Che Guevara'yı desteklediği için McCarthy sorgularının hışmına uğradı; Hollywood'u terk etti; Fransa'ya yerleşti; Fransız Yeni Dalga akımının temsilcisi yönetmenlerle çalıştı. Ünlü yazar Romain Gary ile evlendi. Meksika'da film çekimi sırasında genç bir komünist öğrenciye âşık oldu; hamile kaldı. Sürece FBI dahil oldu; Amerika'daki solcuları ve siyahi Kara Panterleri destekleyen Jean Seberg'i gözden düşürmek, itibarsızlaştırmak için kolları sıvadı. FBI, Seberg'in Kara Panterler üyesi bir zenci teröristten hamile kaldığını bildiren bir mektup kaleme aldı ve bu mektubu kontrolündeki bazı Hollywood dergilerine yolladı. Basında büyük bir karalama ve iftira kampanyası başlatıldı. Jean Seberg bu kötü günler sonucu erken doğum yaptı; fakat bebeği ölü doğdu. Jean Seberg dünya tarihinin en trajik basın toplantısını gerçekleştirdi; kucağında ölü yavrusuyla basının karşısına çıktı. Yaşadığı bu olay Seberg'in uzun yıllar tedavi görmesine sebep oldu; çünkü bebeğinin her ölüm yıldönümünde intihara teşebbüs ediyordu. Sonunda 8 Eylül 1979'da Paris'te intihar etti. Bir yıl sonra da eşi ünlü yazar Romain Gary de intiharla hayatına son verdi...
FBI ile Cemaat polisinin yaptığı farklı mı? Amerikan polisinin emrindeki gazeteciler nasıl Jean Seberg ve Romain Gary'nin ölümüne neden olduysa, Cemaatçi Türk polisinin kuklası sözde gazeteciler de aynısını yaptı!..

zembereği paslanır, bayağılığın zıvanaları yıpranır ve kendi kendine dönüp durur. Karakterler gevşer, yetenekler yozlaşır...

Ahmet Altan'ı tarif ediyor...

Washington'da CIA Operasyonu

Hep "nasıl" sorusu odaklı tartışıyoruz:
"Cemaat Ordu'ya nasıl kumpas kurdu?"
Soru bu olmamalıdır.
Asıl sorulması gereken; "neden" sorusudur.
Şunu soracağız: "Cemaat Ordu'ya neden kumpas kurdu?"
Kumpas planında yer alan Ahmet Altan, Yasemin Çongar, Emre Uslu, Mehmet Baransu'nun aynı dönemde ABD'de olmaları tesadüf mü?..[100]
Hangisini yazacaksınız:
Ahmet Altan'ın *Taraf*'taki yardımcısı Yasemin Çongar...
Oray Eğin'in belgelere dayanarak yazdığı gibi CIA ile çalışan eşi Chris Mason'ın bu kumpaslarla ne derece bir rolü var bilmiyoruz.[101]
Bildiğimiz şu...
– Anayasa Mahkemesi Başkanı Tülay Tuğcu suikast sonucu öldürülecekti...
– Beyoğlu'nda patlayan bomba 50 kişinin ölümüne neden olacaktı...
– Türk ordusu 50 bin askerle Kuzey Irak'a girecekti...
– İki Türk general Washington'da, "PKK üst düzey liderlerini yakalayıp Türkiye'ye vermeyin; bu AKP'nin lehine olur," dedi...
Evet. Türkiye 22 Temmuz 2007 genel seçimine bu siyasi atmosferde gidiyordu...
Kafanız mı karıştı? En baştan alayım...

Yıl, 2007'ydi...
Tuğgeneral Ahmet Bertan Nogaylaroğlu, Washington'da savunma ataşesiydi. Bir gün kapısını Henri J. Barkey çaldı.
Kimdi bu Barkey?.. İzmirli bir Yahudi ailesinin çocuğuydu.

---

100 Ahmet Altan, *Milliyet*'te köşe yazarıydı. Hep övündüğü bir yazı var: "Ata-Kürt." *Milliyet* makalesini basmadı. Yolları ayrıldı. Sonra yazısının devamı geldi mi? Hayır! Ahmet Altan *Aktüel* dergisine haftalık aşk yazıları yazmaya başladı! Sonra ABD'ye gitti. Dönüşünde *Taraf* gazetesini çıkardılar.

101 *Akşam*, 02.02.2010.

City Üniversitesi ekonomi bölümünden 1975'te mezun oldu. Londra UCL'de, uluslararası ilişkiler konusunda mastır ve Pensylvania Üniversitesi'nde, siyaset bilimi doktorası yaptı.

Çeşitli üniversitelerde görev aldı. Bir ara ABD Dışişleri Bakanlığı "Siyaset Planlaması" bölümünde çalıştı.

Türkiye'de CIA istasyon şefliği yapan ve Ilımlı İslam Modeli'ni savunan Graham Fuller'in yakın çalışma arkadaşıydı ve birlikte *Türkiye'nin Kürt Meselesi* adlı kitabı yazdı. Abdullah Öcalan'la İtalya'dayken görüşmek için birlikte Roma'ya gitti.

Barkey, PKK'nın ABD'deki temsilcisi Kani Gulam'a ABD'de kalması için referans mektubu yazacak kadar Kürt çevrelerine yakındı.

CIA ve Pentagon için "Türkiye'de Kürt İsyanının Gelişimi" gibi raporlar yazarken eşi Elen Barkey de CIA'nın üst düzey görevlisiydi.

Henri Barkey halen, *Newsweek, Washington Post* ve *Wall Street Journal* gibi medya kuruluşlarında "Kürt Bağımsızlığı, Bir Gün Kesinlikle" veya "Türkiye ve PKK: Bir Pirus Zaferi?" gibi yazılar kaleme alıyor.

Selahattin Demirtaş'ın, Washington'daki Holiday Inn otelindeki basın toplantısında yanında oturan kişi Henri Barkey'di.

İşte bu Barkey, Tuğgeneral Nogaylaroğlu'na bir ricada bulunuyor...

Nogaylaroğlu yeni çıkan *Milli Görüş'ten Sihuri'ye: Bir General* adlı kitabında, Barkey'in, "Eskiden sık sık Türkiye'den gelen generallerle toplantı yapardık, yine yapabilir miyiz; isterseniz ben organize ederim," dediğini yazdı.

Yine yazdığına göre Nogaylaroğlu, Barkey'in kim olduğunu iyi biliyor; "Bu adam yine neyin peşinde" diye düşünüyor.

Aradan bir ay geçiyor...

Türkiye'den Silahlı Kuvvetler'e bağlı SAREM (Stratejik Araştırmalar Merkezi) heyeti Tuğgeneral Süha Tanyeri başkanlığında, düşünce kuruluşlarını gezip nasıl çalıştıklarını öğrenmek için Washington'a geliyor.

Ne tesadüf; tam da o günlerde Hudson Enstitüsü'nde Türkiye ile ilgili toplantı var!

Türk heyetini de telefonla davet ediyorlar.

Çağrının telefonla olması ilginç! Çünkü davetiyede; Anayasa Mahkemesi Başkanı Tülay Tuğcu'ya suikast, Beyoğlu'nda 50 kişinin katledilmesi, Türk ordusunun Kuzey Irak'a girmesi gibi senaryoların tartışılacağı bilgisi yazılıydı!..

Nogaylaroğlu'na göre, Türk heyetinin "dehşet senaryosundan" haberi olsa toplantıya gitmeyeceği belli; davet bu nedenle telefonla yapılmıştı.[102]

Tarih: 13 Haziran 2007...

Hudson Enstitüsü'ndeki toplantı sabah geç başlıyor.

SAREM heyetiyle Hudson Enstitüsü'nde buluşacak olan Nogaylaroğlu toplantıyı başından sonuna kadar takip ediyor.

Toplantıda "Türk ordusu Kuzey Irak'a müdahale ederse bölge ülkelerinin tepkisi ne olur?" sorusu tartışılıyor.

Henri Barkey nedense yarım saat sonra toplantıdan ayrılıyor.

Nogaylaroğlu toplantıda sadece tek soru soruyor: "PKK terörist midir, değil midir?"

Sormasının nedeni ABD Dışişleri Bakanlığı yetkilisi Elizabeth Sherman'ın "Siz neden sayın Kuday Talabani'yle konuşmuyorsunuz?" demesiydi. Bunun üzerine Nogaylaroğlu, "PKK'ya terörist demeyen biriyle ne konuşacağım?" diyerek bu soruyu yöneltiyor.

Toplantıda öğle arası veriliyor. Türk SAREM heyeti Hudson Enstitüsü'ne geliyor. Öğleden sonraki oturumda Kuzey Irak konusu konuşulmaya devam ederken...

Yasemin Çongar devreye giriyor...

Yasemin Çongar... 2007'de *Milliyet*'in Washington temsilcisi ve köşe yazarı. Hudson'daki toplantı devam ederken –*Milliyet*'e değil– BBC'ye Hudson haberi yapıyor! Habere göre, toplantıya katılan iki Türk general, "PKK'lıları teslim ederseniz bu AKP hükümetinin işine yarar," demişti!

Çongar'ın kaynağı Henri Barkey'di...

Nogaylaroğlu'na göre, bu koca bir yalandı; böyle konuşma olmamıştı. Keza "dehşet senaryosu" da konuşulmamıştı.

Demek: Danıştay suikastının ardından Anayasa Mahkemesi başkanı da öldürülecekti!

Demek: *Cumhuriyet* gazetesine atılan üç el bombasının daha büyüğü Beyoğlu'nda patlatılacaktı!

Hudson senaryosu artık Türkiye'de manşetlerdeydi...

Ardından... Hudson Enstitüsü uzmanlarından Zeyno Baran'ın, toplantıdan 6 ay önce *Newsweek* dergisine, "2007'de Türkiye'de darbe olma ihtimali yüzde 50," diye yazdığı makalesi gündeme getirildi.

---

102 Aslında davetiyede "dehşet senaryosu"nun yazılı olup olmadığı hâlâ bilinmiyor. Sadece Henri Barkey, davetiyede bu bilginin bulunduğunu medyaya açıkladı! Neyse...

Türkiye kaynıyordu...

Çünkü... 1,5 ay önce, Genelkurmay Başkanı Orgeneral Yaşar Büyükanıt, 27 Nisan 2007 gecesi bilgisayar klavyesinin başına oturup "e-muhtıra" yazmıştı.

Türkiye, genel seçime bu senaryolarla gitti...

Washington merkezli tertiplerle "demokrasi kahramanı" yapılan AKP için sandık başarısı kaçınılmazdı. Bu, büyük oyunun ilk perdesiydi!..

Ardından...

Henri Barkey'in "haber kaynağı" Yasemin Çongar Türkiye'ye döndü ve 15 Kasım 2007'de kurulan *Taraf* gazetesinin başına geçti...

Sonra, bir başka "dehşet senaryosu" piyasaya sürüldü: Türk askeri cami bombalayacaktı!

Hudson tertibinin kurbanı Bertan Nogaylaroğlu ve Süha Tanyeri, Balyoz kumpasıyla hapse atılan generallerden oldular.

Şunu düşünmez misiniz? Ergenekon, Balyoz, Poyrazköy, Odatv, Casusluk, Amirallere Suikast gibi açılan tüm davaların perde arkasında casusluk faaliyeti var mı?

Üzgünüm; hiç romantik gazeteci olamadım!.. Çocuk da değilim!.. Bu nedenle "Gazeteciler casus olamaz," gibi cümleler yazamam.

Aksine şunu yazabilirim: Bu davalarda –örneğin– yargılanan denizci subayları incelediğinizde ortaya şu korkunç tablo çıkıyor:

– Kuzey ve Güney Deniz Saha komutanlıkları yapmış, sırasıyla kuvvet komutanlığına aday olacak 5 koramiral;

– Deniz Kuvvetleri kurmay başkanlığı yapmış 3 koramiral;

– Donanma kurmay başkanlığı yapmış 3 tümamiral hâkim karşısına çıkarıldı ve tasfiye edildi. Bitmedi...

– Altı nesil Harp Filosu komutanı; dört nesil Denizaltı Filosu komutanı; dört nesil Mayın Filosu komutanı; üç nesil Hücumbot Filosu komutanı; yedi nesil Çıkarma Filosu-Çıkarma Gemileri komutanı; yedi nesil Güney Görev Grup-Refakat Filosu komutanı; komodorluk (Albay) görevini yapmış, amirallik şansı olan; Balyoz'da 25, toplamda 35 albay hâkim karşısına çıkarıldı ve tasfiye edildi. Bitmedi...

– Firkateyn ve hücumbot komutanlığı yapmış veya halen yapmakta olan; Balyoz'da 44, toplamda 62 Yüzbaşı, Binbaşı, Yarbay, yani geleceğin komodorları, 10-15 yıl sonrasının amiralleri, hiçbir hukuku dayanağı bulunmayan iddialarla hâkim karşısına çıkarıldı ve tasfiye edildi. Bitmedi...

– Askeri politik konularla ilgili kritik görevlerde çalışmış olanlara baktığınızda da durum farklı değil. Deniz Kuvvetleri Plan Prensipler başkanlığı yapmış 8 tümamiral-tuğamiral; Deniz Kuvvetleri Harekât veya Harekât Eğitim Dairesi başkanlığı yapmış, 5 tümamiral-tuğamiral; Genelkurmay Yunanistan-Kıbrıs Dairesi başkanlığı yapmış 5 tümamiral; Brüksel ve Mons'taki NATO karargâhlarında bulunan, Türk Milli Askeri temsilciliklerinde görev yapmış onlarca amiral-albay da hâkim karşısına çıkarıldı ve tasfiye edildi.

– Soruşturmalarda adı geçen denizci sayısı toplam 1.800 kişi! Bitmedi...

Kara Kuvvetleri Komutanlığı'na bağlı Birinci Ordu'daki sözüm ona "darbe toplantısı" yalanı üzerine açılan Balyoz Davası'nda; Deniz Kuvvetleri'nden 36 amiral, 115 subay ve 5 astsubay 13-20 yıl arası ceza aldı!

Sadece Ağustos 2012 Askeri Şûrası'nda, tutuklu 37 amiral ve general emekli edildi!

Denizciler; Oramiral Uğur Yiğit, Oramiral Nusret Güner gibi istifalar ile Albay Berk Erden,Yarbay Ali Tatar gibi onur intiharları konusuna hiç girmeyeyim.

İşin özünde; geleceğin 20-30 yıllık Deniz Kuvvetleri yapısı tamamen tasfiye edildi.

O Deniz Kuvvetleri ki, 2010'da Akdeniz'de Preveze Deniz Zaferi'nden sonraki (16 firkateyn, 14 denizaltı, 19 hücumbotla) en yüksek güç seviyesine ulaşmıştı. MİLGEM gibi milli gemi projelerini hayata geçirmişti. (Bu projeyi yürüten 15 mühendisin de soruşturmalara dahil edilmesi size ilginç gelmiyor mu?)

Gerçekler bu kadar çıplakken "Gazeteciler casus olamaz," diyemem.

Can Dündar ve Kapolar

Washington'da Cumhuriyetçilere yakın düşünce kuruluşu "Demokrasileri Savunma Vakfı", 21 Şubat 2014'te Jonathan Schanzer imzalı rapor yayınladı. Rapor şunu diyordu:

– Erdoğan'ın liderliğinde Türkiye, İran'ı yaptırımlardan koruyarak, Suriye'deki Cihatçı örgütleri destekleyerek ve Hamas'a destek sağlayarak, küresel terör örgütleri finanse ediyor.

– Erdoğan, Suriye'deki aşırı isyancı grupları desteklemek için çok ince hesaplar yapıyor; bunu, Sünni Cihatçı grupları silahlandırıp, eğitip ve hatta finanse ederek gerçekleştiriyor. 2013 yılında altı aylık bir zaman diliminde Türkiye'den Suriye'ye 47 ton silah gönderildi."

Schanzer'in raporundan iki gün önce, ABD'nin önde gelen 84 politikacısı Başkan Obama'ya Türkiye'ye yönelik endişelerini dile getirip, Erdoğan'ı ağır eleştiren bir mektup gönderdi.

Ve... Demokrat eğilimli M. Abramowitz ile Cumhuriyetçi eğilimli E. Edelman'ın da bulunduğu dokuz kişilik bir heyete hazırlatılarak ABD yönetimine Ekim 2013'te sunulan, "From Rhetoric to Reality-Reframing US Turkey Policy" adlı 60 sayfalık rapor, Erdoğan'ı otoriter ve mezhepçi olarak değerlendirdi.

Bu şunu mu gösteriyordu:

– ABD, Erdoğan'ın üzerini çizmiştir.

– ABD, Türkiye'ye yeni bir Tanzimat programı dayatacaktır. Bu yeni programın temel meselesi, "Kürt özerkliği" olacaktır. Erdoğan bu programı kabule zorlanacaktır.

Bu zorlama Cemaat'in 17-25 Aralık operasyonu veya Hatay ve Adana'da MİT TIR'ları gibi faaliyetleriyle mi başladı?

Son darbe, Lahey'deki Uluslararası Ceza Mahkemesi mi olacaktı?

Cemaat sızıntılarına devam etti.

Cumhuriyet gazetesi –bugüne değin hükümet çevrelerinin "insani yardım" dediği– MİT TIR'ları içinde silahlar, bombalar vb. olduğu görüntüleri yayımladı.

Erdoğan, *Cumhuriyet* gazetesi genel yayın yönetmeni Can Dündar için çok ağır ifadeler kullandı: "Bedelini çok ağır ödeyecek, öyle bırakmam onu."

Can Dündar hemen karşılığını verdi: "Bu suçu işleyen kişi, bedelini ağır ödeyecek, öyle bırakmayız onu..."

Tabii bu arada kavgaya yandaş gazeteciler girdi; Can Dündar'ın yakalanıp hapse atılmasını istediler!

Yok Can Dündar'ın suçu, casuslukmuş...

Yok Can Dündar'ın suçu darbe yapmakmış...

Yok Can Dündar'ın suçu örgüt üyeliğiymiş...

Yandaşlar ne anlardı gazetecilikten?..

Meselenin özü şu:

Evet... Fethullah Gülen ile Erdoğan çok sert kapışıyor.

Pislikler ortaya saçılıyor.

Bu arada yapılan gazetecilik kimilerinin kafasını karıştırıyor.

Bakınız... Gazeteciliğin olmazsa olmaz kuralı; herhangi bir menfaat grubuna bağlanmadan, gerçeği tüm çıplaklığıyla kamuoyuna sunmaktır.

Haberin kimin menfaatine olduğu gazeteciyi ilgilendirmez. Gazeteciyi sadece haberin hakikat olması ilgilendirir.

Can Dündar'ın haberciliğiyle, "bavulcu" Mehmet Baransu'nun yaptığı "servis gazeteciliği" birbirine karıştırılmamalıdır.

"Bavulcu" Baransu, koca bir yalanla halkı aldattı.

Can Dündar ise büyük hakikatle halkı aydınlattı. Evet, ikisini de Cemaat servis etti. Ancak...

Haberin kaynağının kirli/pis olmasının gazetecilik etiğiyle ilgisi yoktur; önemli olan haberin gerçek olup olmamasıdır.

Habercilik kuralı şudur; gazeteci haberi alır ve çeşitli kaynaklardan doğrulatıp yazar. Gazeteci tuzağa düşmezse, kandırılmazsa, kendini kullandırmazsa ve salt hakikati yazarsa, haber kaynağı sorun olmaz.

Can Dündar'ın haberi gerçek mi, yalan mı? Kamuoyunu sadece bu ilgilendirir.

Cemaat'in geçtiğimiz yıllarda kullandığı *Taraf* ve *Radikal* gibi gazetelerin "iplikleri pazara çıktı"; bunların güvenilirlikleri yok oldu. Cemaat, bu nedenle artık *Cumhuriyet* gazetesine sızıntı yapmaktadır. Olabilir.

Ama mesele bu değildir; mesele sızıntının hakikat olup olmamasıdır. Evet. Bu haberi Cumhuriyet'e sızdıranların maksadı Erdoğan'ı yargılatmaktır. Ancak bu, Can Dündar'ın değil Erdoğan'ın sorunudur!

Can Dündar'a –örneğin– el konulan Cemaat'in bankası Bank Asya'yla yolsuzluk bilgileri/belgeleri verilse yayımlamayacak mı? Yayımlayacağına kefilim.

Biliyorum, Silivri zindanına atıldığımızda bizlere kefil olmayacağını söylemişti. Can Dündar gibi kimi dostlarımız kişisel nedenlerle; "ama" diyerek "fakat" diyerek "Onların gazeteciliği de sorunluydu," diyerek gönülsüzce; "Odatv'ye yapılan basın özgürlüğüne saldırıdır," tavrı göstermediler!

Ben... Ama'sız... Fakat'sız... 30 yıldır tanıdığım ve birlikte gazetecilik yaptığım Can Dündar'a kefilim. İsterse mahkemede, ne kadar iyi gazeteci olduğuna tanıklık yaparım.

Cumhuriyet'e ve Can Dündar'a sahip çıkmayan tüm meslektaşlarımı da eleştiriyorum. Herkes bilmelidir ki, basın özgürlüğü tüm diğer özgürlüklerin teminatıdır.

Cumhuriyet ya da Can Dündar'ın yayın politikası/siyasal çizgisi, yapılan büyük haberciliğe gölge düşürmemelidir.

Erdoğan ise Can Dündar'ı hapse attıracağına kendini uluslararası mahkemede yargılatmak isteyen Cemaat'e yıllarca nasıl güvendiğine yanmalıdır!..

Erdoğan, Can Dündar'ı sevmiyor.

Kimin gazeteciliğini beğeniyor; Yiğit Bulut'un mu?

Yiğit Bulut'la Doğan Medya Grubu'nda yıllarca çalıştık; hiç sohbet etmedik. Bir gün, Prof. Dr. Yalçın Küçük evimize getirdi; tanıştık. Mantı yedik. Büyük bir puro yaktı; ardından Erdoğan hakkında hayli sert olumsuz sözler sarf etti.

O konuştukça biz evde bulunanlar birbirimizin gözüne baktık: "Üzerimize doğru gelen çığ'ın farkında mıydı?" Çünkü... Cemaat'in operasyonunu bekliyorduk; yandaş medya her gün adımızı yazıyordu, "tutuklanacaklar" diye.

Bizler gerçekleri yazmaktan vazgeçmedik.

Yiğit Bulut korktu... Korkaklık darmadağın eder insanı; tehlikeli anlarda şimşek hızıyla dönek yapar ve karşıdevrimin çarkına sarılmış hale getiriverir.

Acınası, tiksindirici tüm dönekler gibi Yiğit Bulut'un da ilk yaptığı; döndüğü yere küfür etmek ve yalan konuşmak oldu. Hanefi Avcı'nın *Haliç'te Yaşayan Simonlar* kitabını benim kaleme aldığımı yazdı.

Silivri Cezaevi'ne atıldık ve iddianamenin özünü, Hanefi Avcı'nın kitabını benim yazdığım yalanı oluşturdu.

Bu girişi yapmamın nedeni Yiğit Bulut'un artık bilinen kişilik zafiyetini anımsatmak değil.

Geçen günlerde söylediği söz üzerinde, –hep yapıldığı gibi– sadece alay etmek için duruldu. Oysa, sözleri önemliydi; danışmanı olduğu Saray'ın ruhunu yansıtıyordu. Şöyle dedi:

"İki tabancam var. Bolca mermim var. Ben ölmeden, beni vurmadan, ben asılmadan bu ülkenin Cumhurbaşkanı'nın kılına kimse dokunamaz. Beştepe'nin kapısından kimse giremez..."

Bu sözleri bizim evde yıllar önce mantı yerken duymuştum! O dönemde bizlere ne kadar "yiğit" olduğunu göstermek istiyordu! Şimdiyse Erdoğan'ın gözüne girmek istiyor!

Meydan Kapolara kaldı...

Nedir; kimdir bu "Kapolar" bilir misiniz?..

Naziler, toplama kamplarında kendilerine hizmet edecek tutuklular seçtiler.

Bunlara "Kapo" adını verdiler.

Fakat "Kapo", toplama kampıyla sınırlı değildi; Hitler 1933'te iktidarını perçinledikten sonra Yahudileri belli mahallelerde/gettolarda toplamaya başladı; başlarına da bir Yahudi koydu. Yani Nazilerle işbirliği yapan bir Yahudi. Onlara da "Kapo" deniliyordu...

Yani "Kapo"yu dönek diye geçiştiremeyiz; zalim bir şeytanla işbirliği yapan; tüm değerleri satan "ruhu tutuklu" kişi.

Bizim açımızdan mesele şu: "Kapo" sadece yazan, çizen değil; kurulan kirli tezgâh içinde gönüllü olarak yer alan çete üyesi.

Bilerek, kasıtlı şekilde bilgi kirliliği yaratan kişi.

Gazeteci/köşe yazarı görünümünde psikolojik harp ajanı.

Örneğin...

Odatv operasyonunun başlamasına neden gösterilen bir polis raporu var. Rapora göre, *Haliç'te Yaşayan Simonlar* kitabını Hanefi Avcı değil, ben yazmıştım! Rapor bu iddiasını basında çıkmış tam 32 yazıya dayandırdı.

Kim mi bu isimler: Alper Görmüş, Yiğit Bulut, Rasim Ozan Kütahyalı, Önder Aytaç... Aslında benim yazmadığımı çok iyi biliyorlardı. Asıl maksatları kamuoyunu Odatv'ye yapılacak polis operasyonuna hazırlamaktı. Cemaat'in polis-savcı-hâkim "şeytan üçgeni" bu yazıları dayanak göstererek bizi hapse attı.

Yani; aslında "gazeteci" değildiler, "Kapo" idiler.

Evet. Naziler insanlık tarihinin en büyük zalimliğini yaparken "Kapolar"dan destek aldı.

Türkiye'de "kapolar" yok mu?

Gazetecilikle hiçbir ilgisi olmayan ve sadece maddi menfaatlerini düşünenleri görüyorsunuz.

Ne kadar utanmaz olduklarına şaşırıyorsunuz.

Peki... Bunların "rol modelini" bilir misiniz: Necip Fazıl Kısakürek.

Sizi bir duruşmaya götüreyim...

Yassıada'ya...

Para Dilenen Gazeteci

Tarih: 1 Aralık 1960.

Mahkeme Başkanı: Adınız?

Şahit: Necip Fazıl Kısakürek.

Başkan: Örtülü ödenekten size muazzam yardım yapılmış. Gerçi azar azar almışsınız, fakat yekûn olarak muazzam. Nasıl oldu, hangi sebeple hizmete mukabil aldınız?

Şahit Necip Fazıl Kısakürek: Evet, ben örtülü ödenekten para aldım ve aldığımdan ziyade neden, ne yüzden aldığım mühimdir. 1943'ten 1960'a kadar taştan taşa vurulan, zindandan zindana süründürülen mukaddesatçı, milliyetçi, Anadolucu, ahlakçı bir idealin himayesi yolunda para aldım ve bunu bir fikir hakkında tabii...

Başkan: Bu yazılardan dolayı birçok çekler almışsınız. Yazı yazmak bu şekilde olmaz.

Şahit Necip Fazıl Kısakürek: Benim 8 seneyi bulan, devre devre aldığım paralar vardır. Bana edilen yardımlar üç safha arz eder. Biri 1952 başından sonuna kadar çıkan ilk *Büyük Doğu Gazetesi* devresi, 1956'daki günlük gazete devresi ve ondan sonra hiçbir organım olmadan 1959'a kadar bana verilen peşin paralar halindeki yardımlar...

Başkan: Cem'an ne kadar oluyor tahminen?

Şahit Necip Fazıl Kısakürek: 140 bin lira civarında.

Başkan: 147 bin lira yazıyor.

Şahit Necip Fazıl Kısakürek: Olabilir, 1952'de bana Osmanlı Bankası vasıtasıyla 30 bin liralık bir kredi açtılar. Bu krediyi ben, alacağım resmi ilanlar ve temin edeceğim satış kârıyla ödeyecektim.

Başkan: Sizden fazla alan gazeteci var mı, biliyor musunuz?

Şahit Necip Fazıl Kısakürek: Onu bilmem muhterem reisim...

Bir gün sonra ...

Tarih: 2 Aralık 1960.

Mahkeme Başkanı: (Örtülü ödenek cetvellerini okuyor.) Necip Fazıl Kısakürek'e 5.000 lira diyor. Bu ne parası?

Sanık Adnan Menderes: Efendim, her iktidarın, her hükümetin gazetecilerle münasebeti aşikârdır. Bir tahsisatı mesturenin (örtülü ödeneğin) klasikleşmiş anane haline gelmiş bir sarf mevzuudur. Yalnız Kısakürek'e değil; birçok gazetelere ve mecmualara icap ettikçe yardım etmek tahsisatı mesturenin maksadı vaz'ına tamamıyla uygundur.

Başkan: Pek sanmam... Necip Fazıl'a verilen 147.500 lira fazla değil mi?

Sanık Adnan Menderes: Zannediyorum ki, Reis Beyefendi; bu uzun bir müddet içine yayılmış olan tediye olacaktır. Müsteşar daha iyi bilecek, ondan sorulması...

Başkan: Necip Fazıl'ın yazılarının umumi istikameti memlekete yararlı mı olmuştur?

Sanık Adnan Menderes: Müsaade buyurursanız Reis Beyefendi, onun yazılarının memlekete yararlı olmaktan ayrıldığını gördüğümüz zaman münasebeti kestik. Uzun zaman münasebeti kesiyoruz, tekrar geliyor, 'Düzelteceğim, doğruya gideceğim,' diyor, münasebeti tekrar tesis ediyoruz.

Üç gün sonra...

Tarih: 5 Aralık 1960.

Mahkeme Başkanı: Adınız?

Şahit: Neslihan Kısakürek.

Başkan: Kocanızın adı?

Şahit Neslihan Kısakürek: Necip Fazıl.

Başkan: Bu örtülü ödeneğin kanundışı sarf edildiği iddia ediliyor ve bazı yerlere ve bazı şahıslara devlet hizmeti sayılmayacak mahiyette ödemeler yapıldığı da ayrıca iddia edilmektedir. Sizin de bu sahada bilgileriniz varmış, bu arada size de ödeme yapılmış, ne biliyorsanız söyleyin.

Şahit Neslihan Kısakürek: Ben örtülü ödenek ismini rahmetli Recep Perk'in yaptığı 100.000 liralık tekliften öğrenmiştim.

Başkan: Size şahsen bir ödeme yapıldı mı?

Şahit Neslihan Kısakürek: Evet. 1957 senesinde kocam Necip Fazıl Kısakürek hapisteydi. Bir gün, Park Otel'den Hususi Kalem Müdürü Muzaffer Ersü bizzat evime gelerek bana bir zarf getirdi ve bana geçmiş olsun dedikten sonra, gitti. Bunun içinde üç bin lira para vardı.

Başkan: Başka?

Şahit Neslihan Kısakürek: Bu kadar efendim.

Necip Fazıl Kısakürek'in para vermesi için Başbakan Adnan Menderes'e yazdığı mektuplar da mahkemenin delil listesindeydi. Üçünü yazayım...

Tarih: 26 Aralık 1956.

> Müsteşar Bey'den 2.500 lira ve "Mecmuanı çıkar da görelim ve sonra yardım edelim," cevabı aldım. İlk defa bir itimatsızlık sezer gibiyim. Ben parayı alır da mecmuayı mı çıkarmam veya çıkarırım da uygunsuz bir istikamet mi tutarım? Ben ki her şeyi uğrunuza riske etmiş, her defa mükemmel eseri vermiş ve bu kadar tecrübe ve çileden geçmiş bir adamım. Şahsım, kalbim ve kalemim her türlü teminatın üzerindedir.
>
> Benim yaptığımı yapanlara hükümetler ve rejimler servet-

lerini ve nimetlerini yağdırır. Bütün bunlara karşı 15 bin lira zarar çarpıtılmış ve daha nice kasıt ve sabotaja karşı yalnız bırakılmış olarak sürünmekteyim. Haftalardır Ankara'nın bu ücra ve münzevi otelinde cinnet buhranları içinde çırpınmaktayım. Bütün istediğim zarara birkaç bin zamla 20 bin lira temininden ibarettir. Bunca muvaffakiyetten sonra uğratıldığım bu hal ve düştüğüm şeref kırıklığı hayatıma mal olabilir.

Tarih: 14 Haziran 1958

Reklam ve sair ihtiyaçlarım için 10 bin lira lütfedilirse... Ayda 6 bin lira tahsis olunursa... Bu da olmazsa tam altı aydır bir tek yardım görmeyen beni vazife günüme kadar her ay muayyen ve mukarrer bir mikyas altında kurmaktan ve gözyaşları içinde yalnız ibadet ve mücerret eserler kaleme almaya terk etmekten başka iş kalmaz.

Necip Fazıl'dan bugüne kimilerinin hükümetlerle çıkar ilişkisi sürüp gidiyor.

Peki... Muhalif olanların başına ne geliyor? Konu Demokrat Parti döneminden açılmışken bir gazetenin başına gelenleri yazayım...

Gazeteye Saldırdılar

AKP Milletvekili Abdurrahim Boynukalın öncülüğünde yandaşların *Hürriyet* gazetesi ve bir gün sonra da gazete matbaasını basıp tahrip etmesi Türk basın tarihinde ilk değil...

Yıl: 1959...

Politik hava çok gergindi.

Bu siyasi gerginlik en çok basını etkiledi. Metin Toker, Ülkü Arman, Şinasi Nahit Berker, Fethi Giray, Kurtul Altuğ, Nihat Subaşı, Beyhan Cenkçi, Bedii Faik, Ali İhsan Göğüş, Cüneyt Arcayürek, Şahap Balcıoğlu, Vedat Refiioğlu, Ali Ulvi, 71 yaşındaki Ahmet Emin Yalman ve 79 yaşındaki Hüseyin Cahit Yalçın başta olmak üzere gazeteciler hapse atıldı.

Vatan gazetesi yazarı Sadun Tanju saldırıya uğradı.

Ulus, Vatan, Yenigün gazetesi ile *Akis* dergisi bir ay; *Cumhuriyet* ile *Yeni Sabah* on gün ve *Akşam, Öncü, Hür Adam, Zafer* süresiz kapatıldı.

Hukukun, siyasi iktidar DP'nin silahına dönüştürülmesi üzerine; Yargıtay Başkanı Bedri Köker, Cumhuriyet Başsavcısı

Rifat Alabay, Yargıtay ikinci başkanı Haydar Yücekök, üye Kâmil Coşkunoğlu, üye Melahat Ruacan, üye Faik Uras, üye İlhan Dizdaroğlu "görülen lüzum üzerine" istifa ettiler!

DP'nin basın üzerindeki baskısı sona ermedi...

Bu yayın organlarından biri de, *Demokrat İzmir* gazetesiydi...

Tarih: 12 Nisan 1946.

Dr. Ekrem Hayri Üstündağ, Osman Kibar ve Adnan Düvenci *İzmir* adında bir gazete çıkardı. Gazete; CHP'den ayrılıp DP'yi kuranları destekliyordu.

21 Temmuz 1946 genel seçimine hile karıştırıldığını iddia eden *İzmir* gazetesinde "Nesebi Gayrı Sahih" başlıklı bir köşe yazısı çıktı.

Gazeteye, Büyük Millet Meclisi'nin manevi şahsına hakaret suçundan dava açıldı.

Makaleyi kaleme alan. Dr. Ekrem Hayri Üstündağ'ın oğlu Bülent Üstündağ'dı. Yedeksubay olarak askerlik yaptığı için yazısına adını/imzasını koymamıştı.

Gazetenin sorumlu yazı işleri müdürü Bülent Üstündağ'ın eşi Müçteba Hanım yargılanmaya başladı.

Bu arada...

Gazete, 24 Aralık 1946'da 20 gün süreyle kapatılınca adını *Demokrat İzmir* yaptı.

Yargılama sonucunda mahkûmiyeti onanan Müçteba Üstündağ hapse atıldı. Kendi makalesi yüzünden eşinin hapse girmesine dayanamayan Bülent Üstündağ 10 Kasım 1947'de intihar etti![103]

Bu acı olaydan sonra... *Demokrat İzmir* gazetesinin CHP muhalifliği, DP destekçiliği arttı.

Dr. Ekrem Hayri Üstündağ 1950 seçimlerinde DP milletvekili oldu. Ve kabinede sağlık bakanı olarak görev yaptı. 1954 seçimlerinde de milletvekili oldu. Fakat...

Daha sonraki yıllar DP ile yolları ayrıldı.

Demokrat İzmir gazetesi DP hükümetini eleştirmeye başladı... *Demokrat İzmir* gazetesinin yayın politikasını değiştirmesi başta Başbakan Adnan Menderes olmak üzere DP'lileri öfkelendirdi.

Önce gazeteye tehditler başladı; arkasından davalar.

Tarih: 22 Ocak 1959.

Demokrat İzmir gazetesi yazı işleri müdürü Şeref Balçık'a 15 gün,

103 Müçteba Hanım, eşinin ölümünden tam 25 yıl sonra, 10 Kasım 1972'de intihar ederek hayatına son verdi.

gazetenin sahibi Adnan Düvenci'ye bir yıl hapis cezası verildi.

Tarih: 29 Nisan 1959.

Demokrat İzmir gazetesi yazı işleri müdürü Şeref Balçık 14 gün hapis cezası aldı.

Tehditler, yargılamalar ve hapislerden sonra...

Tarih: 2 Mayıs 1959.

DP yandaşları, *Demokrat İzmir*'e saldırdı. Gazete binasına yürüyen yaklaşık 150 kişilik grup tarafından önce binanın camları kırıldı; sonra kapıları kırılarak gazeteden içeri girildi; büro ve baskı makineleri tahrip edildi... Sonra ne oldu dersiniz? Saldırganlara pek dokunan olmadı.

Suçlu; *Demokrat İzmir* gazetesiydi. Gazete 1 ay süreyle kapatıldı, sahibi Adnan Düvenci ve yazı işleri müdürü Şeref Balçık 16'şar ay hapis cezasına çarptırıldı! Ardından *Demokrat İzmir* gazetesinin 60 çalışanı hakkında dava açıldı...

Demokrat İzmir'e saldıranlar mahkemede hesap verdi mi?

Evet, verdiler. Ama bu olağanüstü bir mahkemeydi. 27 Mayıs 1960 askeri müdahalesinden sonra Yassıada'da kurulan Yüksek Adalet Divanı'nda yargılandılar.

592 sanık hakkında 19 ayrı dava açıldı.

Davalardan biri, *Demokrat İzmir* gazetesi davasıydı.

Bu davanın, başta Başbakan Adnan Menderes olmak üzere 24 sanığı vardı. Duruşmalar 12 Ocak 1961'de başladı; 5 Mayıs 1961'de sona erdi. 16 duruşma sonunda mahkeme kararını verdi. Aralarında Başbakan Menderes'in de bulunduğu 16 sanık mahkûm olurken sekiz sanık beraat etti.

Başbakan Menderes'in suçu, halkı *Demokrat İzmir* gazetesi ve matbaasının tahrip ettirilmesine teşvikti!

Dün *Demokrat İzmir*'e saldıranlar...

Bugün *Hürriyet*'e saldırıyor.

Zorbalık bulaşıcıdır.

Bugünlerde bir terim sürekli yazılıyor; dile getiriliyor: dinci faşizm!

Dinciliğin ne olduğunu biliyorsunuz; İslam'la ilgisi yoktur.

Otoriter devlet'in ideolojisi faşizm'in, ne olduğunu da biliyorsunuz; ve size bu nedenle B. Mussolini/A. Hitler ya da kuramcı G. Gentile'den bahsedecek değilim.

Faşizm, zorbalıktır.

Salt iktidar faşist olmaz; bu zorba ideoloji, toplumsal hayatın tüm alanlarına sirayet eder...

Son dönemde kimi milletvekilleri ya da gazeteciler; partilerinden, yayın organlarından atılıyor. Sebep olarak gösterilen, "disipline uymamak!.."

Disiplin, faşizmin aracıdır.

Faşizme göre, hiçbir eylem koşulsuz dayattığı ahlaki yargıdan bağımsız olamaz.

Yani faşizm, özgürlüğü/kendini yaratmayı reddeder.

Beden ve benlik üzerinde mutlak disiplin kurar.

Faşizm, "disiplin" adı altında gücünü mutlaklaştırır.

Ve böylece; insan karakterini yeniden oluşturarak/biçimlendirerek birey'i "yüce kişilik" yapmak ister!

"Yüce kişi" dediği, koşulsuz biat edendir. Bu nedenle...

Faşizm, kendinden olmaya düşmandır.

Faşizm akılcılığa düşmandır.

Faşizm özgürlüğe düşmandır.

İtiraz kabul etmez. Farklı ses duymak istemez.

Faşizm, bulaşıcıdır. Ve bu nedenle, otoriterlik toplumsal hayatın her katmanına sirayet eder.

Hep diyorum ki; "tek Erdoğan yok"; yolda, kuyrukta, okulda, işte, ulaşım araçlarında, tribünde, partide, medyada yani yaşamın her alanında/her yerde binlerce Erdoğan var!

Bu Erdoğan'lar da, küçük iktidarlarında zorbalık dayatıyor!.. Yozlaşmaya tek tek insanlar böyle katkıda bulunur. Yozlaşma kartopuna benzer; yuvarlanmaya başladı mı çığ gibi büyür!

Yaşadığımız budur. Dinci faşizm budur...

Dinci faşizm sadece gazeteleri basarak kendini göstermiyor...

Hitler gibi kültürel kimliklere savaş açıyor. Bakın Alevi gazeteciye neler yapıyor?

Alevi Gazeteci

– "(AKP) kurulurken ben *Star* gazetesindeydim. Kuruluşuyla ilgili tüm aşamaları yakından izledim. Hatta kuruluş çalışmaları yürütülürken Afyon'da, İkbal Otel'de yapılan toplantıda, Abdülkadir Aksu'ya, 'Aleviler'e daha fazla yer vermeniz lazım,' diyerek kendi çapımda öneride bulunmuştum. Aksu da Tayyip Erdoğan'a, 'Tayyip Bey Ali Ekber, 'daha fazla Alevi'ye partide yer verin diyor' diye önerimi –biraz da çok ciddiye almamış bir dille– aktarmıştı. Erdoğan da, 'Olacak inşallah,' diye karşılık vermişti..." (s. 76)

– "İlk zamanlarda çok rahat çalıştığımız AKP'de, zamanla bizlere –özellikle de bana– bakışlarda farklılık hissetmeye başlamıştım. Ben bunu, partiyle ilgili olarak gazetede çıkan haberlere yoruyordum. Ancak bir gün Kurucular Kurulu üyesi olan ve genel başkan yardımcılığı yapan Ali Coşkun bana öyle bir şey aktardı ki, çok şaşırdım. Odasında ziyaret ettiğim Coşkun'a, bir zamanlar peşlerinde koştukları muhabirlere karşı olan olumsuz değişimden şikâyetçi oldum. Coşkun bana, 'Bak Ali Ekber! Sana bunların bir önyargısı var,' dedi. 'Neden?' diye sordum. 'MKYK toplantısında adın geçti. İsmi lazım değil, biri dedi ki: O Alevi. Bizi takip etmesin, partiye de girmesin.' Çok şaşırmıştım..." (s. 77)

– "2002 Ocak ayı. AKP Genel Başkanı Tayyip Erdoğan çok önemli bir yurtdışı ziyareti hazırlıkları içindeydi. ABD'ye gidilecekti. AKP'nin kuruluşunda aktif rol oynayan isimler de heyetteydi. Basın mensubu olarak Ankara'dan kimse yoktu heyette. Bir tek benim gazetem *Star*, ziyareti izlememi istedi... Ben tam pasaport ve vize işlemlerimi yapmaya koyulmuştum ki AKP Genel Merkezi, genel yayın yönetmenimiz Fatih Çekirge'yi arayıp, 'Ali Ekber'i o ziyarette istemiyoruz. Başka muhabir olursa olur,' dedi..." (s. 84)

– "Bir gün Genel Başkan Tayyip Erdoğan'ın basına açık bir programını takip etmek amacıyla foto muhabirimle parti genel merkezine gittim. Her zaman rahatlıkla girdiğim partide bu kez güvenliğin engeliyle karşılaştım. 'Hayırdır ne oldu?' diye sordum. 'Sen giremezsin,' dedi. 'Niye?' diye sordum şaşkınlıkla. 'Murat (Mercan) Bey'in talimatı öyle,' diye karşılık verdi güvenlik elemanı. Ben de, 'Peki herkes için mi, sadece bana yönelik mi?' diye sorunca, 'Sadece sen giremezsin,' dedi..." (s. 88)

– "(TMSF el koyup) *Star*'dan atıldıktan sonra dokuz ay işsiz kaldım. Sonraki durağım (Mehmet Emin Karamehmet'in) *Akşam* gazetesi oldu..." (s. 120)

– "Yenilenen akreditasyon kartımı almak için Basın Bürosu'nda görevli Cengiz'in yanına gittim. Listeye bakıyorum. Ben yokum! Bir yanlışlık olmalı diye düşünürken meğer o dönemin Basın Müşaviri Akif Beki, *Akşam*'dan bana, *Hürriyet*'ten Turan Yılmaz ile Hasan Tüfekçi'ye, *Evrensel*'den Sultan Özer'e, *Milliyet*'ten Abdullah Karakuş'a, *Vatan*'dan Veli Toprak'a ve *Star TV*'den Fatma Çözen'e yasak getirmişti..." (s. 133)

– "Bana ve diğer basın organlarında çalışan arkadaşlarıma akreditasyon yasağı getirilmesinin hemen ardından Tayyip

Erdoğan'a yakın isimler gazete bürolarımızı arayarak, 'Onlarla çalışmak istemiyoruz,' diye baskı kurmaya başladılar..." (s. 134)

– "Yasak getirildikten dört gün sonra 'Gazeteciye Veto, Deniz Fenerli'ye Basın Kartı' haberini patlattım. Bizlere yasak getiren Başbakanlığa bağlı Basın Yayın Enformasyon Genel Müdürlüğü, Deniz Feneri yolsuzluğundan mahkûm olan Mehmet Gürhan'a sürekli basın kartı vermişti..." (s. 135)

– "Zihnimde hâlâ 'Beni *Star*'dan kim attırdı?' sorusu vardı. Bir gün Başbakan'ın, o dönemde basından sorumlu başdanışmanı olan Nabi Avcı'nın odasında oturup sohbet ediyorduk. Ben konuyu 'Hocam siz medyadan sorumlusunuz; beni kim işten attırdı, siz bunu bilirsiniz,' diye sorarak, *Star*'daki vakaya getirdim. Nabi Avcı bana, 'Ben biliyorum ama sana ancak 10 sene sonra söyleyebilirim,' karşılığını verdi. 'Mercan mı?' diye sordum, 'Hayır,' cevabını verdi. Birkaç isim saydım, 'Değil,' dedi. 'Israr etme. 10 seneden önce söyleyemem, söylersem ortalık karışır,' dedi... " (s. 152)

– "2005'te başlayan *Akşam* gazetesi maceram, yine AKP'nin TMSF aracılığıyla el koymasından sonra sona erdi..." (s. 152)

– "İş aramaya başladım. Başvurduğum yerlerden biri de *Milliyet* gazetesiydi... *Milliyet*'ten 'Büyük ihtimalle pazartesi başlarsın,' sözüyle ayrıldım... Pazartesi geldi çattı, ses yok. Salı, çarşamba, perşembe... Ertesi pazartesi ses yok! Dayanamadım aradım. 'Yahu kusura bakma Ali Ekber, bu iş olmadı.' Neden, diye sordum. 'AKP'liler taa yukarıya (o zamanki patronları Aydın Doğan'ı kastediyordu) ulaşmışlar. Senin burada başlamanı istememişler,' yanıtını verdi..." (s. 148-149)

Adı, Ali Ekber Ertürk...

Sivas Divriği 1970 doğumlu.

Devlet parasız yatılı okul sınavını kazanarak ortaokulu Bandırma'da, liseyi ise Balıkesir'de okudu. Ankara Üniversitesi Basın Yayın Yüksek Okulu'ndan 1991'de mezun oldu.

Sırasıyla; *Yeni Günaydın, Sabah, Star* ve *Akşam* gazetelerinde muhabirlik yaptı. Ödüller kazandı. Geçen yıl *Tehlikeli Bir Muhabirin Anıları* adlı kitabı çıktı.

Yukarıda okuduğunuz alıntıları bu kitaptan yaptım.

Ali Ekber Ertürk bir dönem işsiz kaldı! Neden iş bulamadığı belli; Alevi olduğu için üzeri çizildi! Sonra *Sözcü* gazetesi sahip çıktı...

Ali Ekber Ertürk tek değildi...

Daha Cemaat medyasına dokunmadan önce AKP'nin 12 yıl boyunca kalemini kırdığı gazeteci sayısı, 1.863'tü.

O günlerde kimi Cemaatçi genel yayın yönetmenleri "yetmez" deyip makale yazıyordu!..

Tasfiye Edilecek Gazeteciler

Tarih: 10 Ağustos 2009.

Ekrem Dumanlı'nın, genel yayın yönetmeni olduğu Cemaat'in merkez gazetesi *Zaman*'daki makalesinin başlığı şuydu: "Tasfiye edilecek gazete(ci)ler listesi." Şöyle yazdı:

"Evet, aynen öyle! Başlıkta sehven yazılmış bir şey yok. Yakın bir gelecekte bazı gazeteler ve gazeteciler tasfiye olacak. Daha doğrusu, mesleği çağdışı metotlarla devam ettirmeye çalışan bir zihniyet topyekûn çökecek; bazılarının bugünkü şaşaalı tahtlarından eser kalmayacak..."

Bu satırların yazarı Ekrem Dumanlı, kumpas soruşturmaları başlayınca 15 yıldır oturduğu *Zaman* genel yayın yönetmenliği koltuğundan ayrılıp yurtdışına kaçtı. Hakkında tutuklama kararı var...

Hey gidi günler!.. Bir dönem Ekrem Dumanlı'nın arkasında Fethullah Gülen ve Recep Tayyip Erdoğan kalkanı vardı ve böyle pervasız sözler sarf ediyordu!

Bu yola nasıl girmişti? Döneklik yaparak...

Makbule ve Ethem'den olma 1964 Yozgat doğumlu Ekrem Dumanlı, genç yaşında ülkücüydü. Abdulkadir Baran'ın başkanlığını yaptığı Yozgat Ülkü Yolu Derneği'ne gidip geliyordu.

O dönemde Ülkü Yolu Derneği yönetim kurulu üyeliği yapan –halen gazeteci olan– Çınar Coşkunserçe tarafından dernekten uzaklaştırıldı. Gerekçesi, "ülkücülüğe yakışmayan hal ve hareketler içinde bulunması"ydı!

Ekrem Dumanlı dernekten atıldı ama 16 yaşında cezaevine girmekten kurtulamadı. 9 aylık hapislikten sonra Yozgat'ı terk etti. Liseyi Ankara'da bitirdi.

İstanbul Üniversitesi Türk Dili ve Edebiyatı bölümünden 1987'de mezun oldu. Ortaokul Türkçe öğretmenliği yaptı. Bu arada... *Zaman* gazetesine sanat yazıları göndermeye başladı. Ardından...

Yıl, 1993. *Zaman* gazetesinin kültür sanat servisinde muhabir olarak çalışmaya başladı. Daha sonra sırasıyla kültür sanat servisi editörlüğü ve genel yayın koordinatörlüğü görevlerinde bulundu. 1997 yılında –Cemaat'in tüm medya yöneticileri gibi–

ABD'ye gitti. Cemaat şakirtlerinin bolca bulunduğu Boston'daki Emerson College'de radyo-televizyon okudu. 1999'dan itibaren Amerika'da Fethullah Gülen'in yakın tedrisatından geçti.

2001'de Türkiye'ye dönerek *Zaman* gazetesinin genel yayın müdürlüğü görevini üstlendi.

Bu arada evlendirildi.

Gönenli Kurra Hafız Osman Akyar'ın oğulları İzzet ve Behçet Akyar tarafından, 38 yıl önce Fatih'te bir kumaş mağazasıyla yola çıkıp, 2004 yılına kadar 2 olan mağaza sayısı kısa sürede 35'e kadar yükselen –Cemaat'in şirketlerinden– Aker Eşarp'ın kızıyla evlendirildi... Behçet Akyar, *Zaman* gazetesini çıkaran Feza Gazetecilik AŞ ortaklarındandı. Neyse. Özel hayatlara girmeyip geçelim...

Ekrem Dumanlı'nın neden kovulduğunu bilmediğimiz gibi, yıllar önce Fethullah Gülen tarafından neden "seçildiğini" de bilmiyoruz!

Neden Cemaat ailelerinin en güçlüsünün kızıyla evlendirildi, bilmiyoruz. Bildiğimiz...

Fethullah Gülen'in zihnindeki "altın nesil" kuşağın örneklerinden biri...

Yani; "Hocaefendisinin" buyruklarını sorgusuz yerine getiren hizmetkâr!

Yani; modern görünümlü kurnaz yobaz!

Yani; şeytani hilekârlığın müridi!

Yani; iftiralar atölyesi/kötülüğün simgesi yayın organının baş vicdansızı!

Yani; hoşgörülü demokrat görünümlü eli kanlı faşist!..

Ekrem Dumanlı...

Kalemine, gazetesine kan bulaşmış Cemaat mensubu...

Ekrem Dumanlı kalemini ve gazetesini...

Masum insanların zindanlara atılması için kullandı.

Masum insanların hapislerde can vermesi için kullandı.

Masum insanların intihar etmesi için kullandı.

Masum insanların aile ocaklarına acılar düşürmek için kullandı.

Masum insanları itibarsızlaştırmak için kullandı.

Daha akan kanların, gasp edilmiş özgürlüklerin, karanlık günlerin hesabını vermeden yurtdışına kaçtı Ekrem Dumanlı.

Bu hesap ödenmeden bu defter kapanmaz...

İsmet Berkan

Zorlu dönem geçildi.

Şimdi biz soralım; tasfiye olması gereken gazeteciler yok mu?

Var kuşkusuz... Ama öyle kumpasla cezaevine atılarak değil. Yalanlarını yüzlerine vurarak.

Bunlardan biri; İsmet Berkan!..

– *Cumhuriyet* gazetesi spor servisinde yetişti.

– *Radikal* gazetesi genel yayın yönetmenliğine yükseldi.

– Her fırsatta solcuları aşağılayan "solcu" oldu.

Bir gün... MİT Müsteşarı Şenkal Atasagun'un kendisine ajanlık teklif ettiğini söyledi. "Sen bize yardımcı olursan biz de sana yardımcı oluruz. Biz sana özel haberler veririz, sen de bize zaman zaman böyle bilgi verirsin!" Kabul etmemişti.

İsmet Berkan... Seyretmediği Kabataş görüntüleriyle ilgili neden "Çok acı, ama çok acı bir olay ve maalesef gerçek," dedi? Yetmedi ekledi: "Mobese görüntüleri dahil pek çok şey var. Savunulur tarafı olmayan bir olay!"

Herkes merakla sordu: "Siz görüntüleri izlediniz mi?" Yanıtı, "Evet" oldu. Tarih 12 Haziran 2013'tü...

İsmet Berkan bunları yazdığında, Türkiye, tarihinin en büyük toplumsal muhalefet hareketi Gezi Direnişi'ne sahne oluyordu. Milyonlarca insan 16 gündür sokaktaydı. Polis, şiddetini her geçen gün artırıyordu. Abdullah Cömert, Mehmet Ayvalıtaş ve Ethem Sarısülük öldürülmüştü. 10 kişi gözünü kaybetmişti, 4.177 kişi ise yaralıydı.

Erdoğan'ın 11 Haziran'daki AKP grup toplantısında; "Çok önemli bir yakınımın başörtülü gelinini, Başbakanlık ofisimin yanında, yerlerde süründürdüler, kendisini, çocuğunu taciz ettiler," demesinin üzerinden 24 saat geçmeden İsmet Berkan o yazıyı yazmıştı!

Bu kadar sürede o görüntüleri seyretmesine olanak yoktu. Türkiye'yi bir içsavaşın eşiğine getirecek provokatörlüğü neden yapmıştı?

12 Eylül 1980 Askeri Darbesi'ne giden yolu, Gladio gibi kimi odaklar benzer/provokatif yalanlarla döşedi. Örneğin Çorum'da, "Aleviler camiye bomba attı," yalanı üzerine 57 kişi yaşamını kaybetti.

İsmet Berkan'ın yalancılığı basit bireysel bir hata olarak geçiştirilebilir mi?[104]

İlk vukuatı değildi...

Radikal gazetesi genel yayın yönetmeniydi... Ortada daha iddianame yokken, 4-11 Nisan 2008'de *Radikal* gazetesinde yedi bölüm "Ergenekon'un Yakın Tarihi"ni yazdı!

Bugün net olarak ortaya çıktı ki, yazdıkları tümüyle yalandı.

Bu da masum bir hata olarak değerlendirilebilir mi? Bitmedi.

İddianamenin temelini oluşturan; "Kızıl Elma Koalisyonu" iddiasını ilk İsmet Berkan ortaya attı. 4 yıl sonra Kızıl Elma yalanı ortaya çıkınca, "Bunu ben uydurdum, şaka yapmıştım," dedi.[105]

Bu "gazetecilik tipi" ya özür diliyor ya da şaka yapıyor!..

Hangisini yazayım; hep çabucak hüküm verdi; "adam asmaca" oyununa katıldı!

– Danıştay katliamı sonrası yapılan saldırının darbe amaçlı olduğu manşetlerini attı!

– Kıbrıs Savaşı'nın yiğit komutanı Yüzbaşı Muzaffer Tekin'i, "İşte Kızıl Elmacı" diyerek yaşarken ölüme mahkûm ettirdi. (22.5.2006)

– Ümraniye'de sözde bulunan bombalar ile *Cumhuriyet* gazetesine atılan bombaların aynı olduğu yalanını yazdı. (30.6.2007)

– Cenazesini belediyenin kaldırdığı Kuddusi Okkır'ı Ergenekon'un finansörü ilan etti. (21-30 Haziran 2007)

– Uğur Mumcu cinayetini aydınlattı; Veli Küçük öldürtmüştü! (28.3.2008)

– "MİT, Ergenekon'a ikna oldu," palavrasını yazdı. (3.8.2008)

Cemaatçi polisler-savcılar ellerine ne verdiyse yayımladı; koca bir yalana, pis bir tezgâha, linç kampanyalarına ortak oldu.

Sadece bir kez... Cemaatçi gazeteler "Ergenekon Şeması"nı yayımlayınca İsmet Berkan itiraz etti; "Sulandırmayın," dedi. (8.1.2009) Çünkü o şemada patronu Aydın Doğan'ın adı vardı!

---

104 Yıl, 2008. ABD başkanlık yarışında Barack Obama ile John McClain yarıştı. Irkçı beyazların Obama'nın seçilmemesi için neler yaptığına bir örnek vereyim: Ashley Todd adında genç kadın, otomobilinde Mc Clain çıkartması olduğu için Pittsburgh'da siyahlar tarafından soyulduğunu ve yüzüne "Barack" isminin ilk harfi olan "B" harfinin kazındığını söyledi. Ortalık karıştı. Siyah saldırganlar aranmaya başlandı. Fakat bir tuhaflık vardı; kızın alnındaki "B" harfi ters yazılmıştı/kazınmıştı. Mesele sonra açığa çıktı; genç kadın seçmenleri etkilemek için yalan söylemişti ve aynada yaptığı için alnındaki "B" harfini ters kazımıştı!

105 *Radikal*, 19.3.2011.

Oysa kendisi Abdullah Gül'e dayanarak bir yıl önce yazmıştı: "Tutuklamalar hep o şemadaki isimler." (24.1.2008)

Ahmet Altan-Yasemin Çongar yönetimindeki *Taraf* gibi, İsmet Berkan'ın yönetimindeki *Radikal* gazetesi de kamuoyunu yönlendirmek için neler neler yapmadı ki: Ergenekon'un hayali "1 numarası"nın peşine düştü!

Manşetten, İbrahim Şahin ile Fatma Cengiz gibi iki akıl fukarasını Genelkurmay'la ilişkili gösterdi. (11-12 Şubat 2009)

Sonra her daim yaptığı gibi özür diledi.

Medyada kendisinden "Ergenekon uzmanı" olarak bahsedildi. O da ne siyasal değerlendirmeler yaptı bugün gülersiniz: "PKK olmazsa Ergenekon olmazdı!"

TRT'de özel yetkili mahkemelerin kaldırılmaması gerektiğini söyleyecek kadar "taraf"tı.

Sonuçta demem o ki: Kendilerini gazeteci olarak gösterdiler ama yaptıkları ortada. Üstelik bunu kendisi yazdı: "Gazetecilik işi çok basit bir prensibe dayalıdır; yazdığınız her satırın doğru olması prensibine..."

Bugün... Hâlâ *Hürriyet*'te yazmaya devam ediyor.[106]

Hâlâ bu yalanlara inananlar var...

Oya Baydar bunlara iyi bir örnek...

Aydın Çürümesi

Büyük yazar Camus *Veba* adlı eserinde; yenilgi altında ezildiği için, düşünme yetisini ve siyasi zekâsını kaybeden aydınları yazdı. Camus sanki "bizim mahalle"nin eski solcularını anlatmıştı.

---

106 Yola getirme!.. Terbiye etme!.. Türk medyası bayılıyor öğretmenliğe; hep bildiğini sanarak üstelik... İsmet Berkan, bir gün köşesinde Fazıl Say'a "yol-yordam" gösterdi, akıl verdi! "Sokak kavgası yapmamasını" söyleyerek, "disipline" olmasını önerdi! (6 Eylül 2011 *Hürriyet*) Sanki Beethoven, Wagner hanım evladıydı! İsmet Berkan'ın maksadı başkaydı: Fazıl Say, Erdoğan ile Somali'ye giden Sertab Erener'e yönelik; "Amy Winehouse'a tavsiye ettiği beynin binde biri Sertab'da olsaydı, Somali'de yardımı partizan rant olarak değil, 'vicdanı dedi' diye yapardı. Bazıları bedenen ölür, bazıları ruhen," diye yazdı. Onno Tunç'un damadı İsmet Berkan'ın hıncı aslında buydu; dokunulamaz "ailesine" dil uzatılmıştı!..
Köşelerini "babalarının malı" olarak kullandıkları için hep kişisel nefretlerini, hınçlarını aleyhte yazarak almayı meslek edindiler. Bu arada... Amy'nin ölümü üzerine Sertab Erener, "Müthiş bir yetenek ama sadece yetenek yetmiyor, zekâ da gerekiyor," demişti! Zekâ, dedikleri kurnazlık! Berkan'dan Erener'e "ailelerinin" ruh ve akıl halleri bu...

Bunlardan biri Oya Baydar!..

Son makalesinde şöyle diyordu:

> Bugün vardığımız noktada, suçtan elini yıkamak için bu davaların Cemaat'in orduya kurduğu kumpas olduğunu yeni keşfedip (!) ilan eden AKP'nin ve kalemşorlarının katkılarıyla; darbe planlayanları, demokrasiye müdahale teşebbüsünde bulunanları, daha da ötesi bu amaçla cinayetlere varan provokasyonlara başvuranları, gerçek Ergenekoncu-ulusalcı odakların da elbirliğiyle neredeyse aklama yolundayız. Yarın karşımıza mağdur kahramanlar olarak çıkarlarsa şaşmamak gerek.[107]

Yazıyı okuyunca aklıma şu soru geldi: "Nereden biliyorsun?"

Oya Baydar; darbe planlarını ve bu amaçla cinayetlere varan provokasyonları nereden biliyordu?

– İddianameleri mi okudu?

– Duruşmaları mı takip etti?

– Mahkeme tutanaklarını mı okudu?

– Cezaevinde yazılan kitapları mı okudu?

Hiçbirini yapmadı.

O halde, "darbe girişimlerini ve siyasi cinayetleri" nereden biliyor?

Bir tek kaynağı var; bir dönem çalıştığı *Taraf* gazetesi!

İyi de, onlar şimdi kendi aralarında kavga ediyor. Birbirlerine "kullanışlı aptal" diyorlar.

Yeni ve eski *Taraf*'çılar; bir dönem attıkları manşetlerin ve haberlerin yalan çıkması üzerine bugün, "Sen kullanıldın," "Hayır sen kullanıldın," diye suçu birbirinin üzerine atarken, Oya Baydar hâlâ nasıl bu kadar emin olabiliyor?

Ergenekon davasının eski başkanı hâkim Köksal Şengün, "Ergenekon diye örgüt yok," diyor.

Mahkemeler kumpas diyor, beraat kararları veriyor.

Oya Baydar "Hayır, Ergenekon var," diyor!

Demek bir bildiği var! Ne biliyorsa açıklamalıdır! Hatta tanıklık yapmalıdır! Çünkü ihtiyaç var... Nasıl mı?..

Ergenekon davasında 60 gizli tanık vardı. Mahkeme 44 gizli tanığın dinlenmesine karar verdi. 31 gizli tanık dinlendi ve sonra mahkeme diğerlerini dinlememe kararı verdi.

Çünkü tanıklar Oya Baydar kadar emin değildi:

---

107 *T24*, 5.2.2014.

Gizli tanık Huzur: "Ergenekon'u basından duydum." (Celse no: 257)

Gizli tanık 17: "Ergenekon'u ben ilk defa gazeteden okudum; bir de *Metal Fırtına* kitabından. Ergenekon'u biliyorum desem yalan olur." (Celse no: 207)

Gizli tanık Akdeniz: "Bunun adı Ergenekon'dur, bunun adı başka bir şeydir bilmiyorum, ben Ergenekon'u bilmiyorum." (Celse no: 181)

Gizli tanık Yavuz: "Ergenekon şudur ben anlamam öyle şeylerden." (Celse no: 179)

Gizli tanık Efe: "Ergenekon mergenekon nedir bilmiyorum. O sizin takdiriniz efendim." celse no:18)

Gizli tanık Kıskaç: "Ben Ergenekon diye bir örgüt duymadım, polis söyledi." (Celse no: 215)

Gizli tanık Selçuk: "Herhangi bir belgesi bilgisine sahip değilim efendim. Levent Ersöz'ün, Turgut Özal'ı karısı Semra Özal'a zehirlettiğini duydum." (Celse no: 248)

Gizli tanık Yıldız: "Emniyet çağırmasa tanık olmazdım. Ben duyduğumu yazdırdım, polis sadece isimleri söyledi. Papa Türkiye'ye geldiğinde Bülent Arınç, Emine Erdoğan ile Ergün Poyraz'ı buluşturmuş. Emine Hanım, 'Niçin bizle uğraşıyorsun, biz sana ne yaptık?' demiş. Pardon Bülent Arınç buluşturmamış, Bülent Arınç'ta kaset varmış. Bülent Arınç'ın bildiği insanlar çekmişler, bu benim mantığım. Tayyip'i bu kasetle yıkacak." (Celse no: 210)

Gizli tanık Mart: "Ertuğrul Özkök yönlendiriyor." (Celse no: 253)

Uzatmayayım, derdim başka...[108]

Gizli tanıkların bilmediği Ergenekon'u Oya Baydar biliyor.

Oya Baydar'lar bu süreçte hiç iyi sınav vermedi. Çünkü...

Cahiliye dönemini yaşıyoruz:

Aydın yerini mistisizme bıraktı; bilgiyle konuşmuyor; hissediyor ve söylüyor. Rüya tefsirleri (ilm-i tabir-i rüya) ya da yıldız hareketleri (ilm-i ahkâm-ı nücum) yorumcusu artık.

Baksanıza:

108 Gazeteciler Hikmet Çiçek'in *Ergenekon Tertibinde Gizli Tanıklar* ve İlhan Taşçı'nın *Gizli Tanıdık* kitaplarını okumanızı öneririm; bol kahkaha atacaksınız. Birini yazayım: Gizli tanık Munzur'a avukat sorar: "Siz hırsızlıktan cezaevine girdiniz mi?" Yanıtı şu olur: "O benim özel hayatım!"

Hürriyet gazetesine konuşan KCK sanığı Prof. Dr. Büşra Ersanlı, "Hükümet daha önce ima ettiği kritik davalardaki yargı kararlarının Cemaat güdümlü olduğu iddiasını artık aleni olarak dile getiriyor. Siz de böyle mi düşünüyorsunuz?" sorusunu "Ben inanmıyorum," diyerek yanıtladı.

İnanmak; bilimin değil mistisizmin ürünü.

Bilmek'e giden yolun engeli. Aydınımız gerçeği aramıyor; sorgulamıyor; sadece "iç dünyasını" dile getiriyor!

Yaşanılan hukuksuzlukların sebebi zaten bu okumuşların cehaleti değil mi?

Aslında bunu anlayabiliyorum...

Obskürantizm kavramını bilir misiniz? Karanlıkçılık, demektir.

İnsanlığın büyük yıkımlarından sonra; bilgi-gerçeklik önemini kaybeder; "inanma" ihtiyacı dışa vurur. Bu dönemde dogmatizm, akıldışılık her alana sirayet eder; iradesi zayıf olanlar yaşarken çürür.

Böyle dönemlerde sadece insanın ruhundaki soyluluğu onun düşmesini önler.

Bir gün... Silivri Cezaevi'nde avukat görüşmesinden dönerken koridorda Doğu Perinçek'e rast geldim. "Ağabey," dedim, "beni en çok Halil Berktay'ın cahilliği şaşırtıyor. Oysa dün bilgisiyle hepimizin hayranlığını kazanmıştı. Ne oldu da bugün böylesine yüzeysel, çiğ sözler sarf ediyor?"

Doğu Perinçek gülümsedi: "Dönek döndüğü an tüm bildiklerini sıfırlar, yani kafasındaki bilgisini yok eder." Halil Berktay bu nedenle vasatlaşmıştı. Tıpkı Oya Baydar gibi...

12 Eylül 1980 Askeri Darbesi'yle düşürüldüler ve bir türlü ayağa kalkamadılar. Hâlâ... Hata üstüne hata yapıyorlar.

"Hrant'ın Arkadaşları"

Merak ediyorum: Kimdir bu "Hrant'ın arkadaşları"?..

Bir yıl öncesine kadar, Hrant Dink'i Ergenekon'un öldürdüğünü sürekli söylediler, yazdılar!

Hatta cinayet şeması bile yayınladılar! Dink ailesinin avukatı K. Deniz Tuna hemen Ergenekon savcılarına koşup suç duyurusunda bulundu.

"Hrant'ın Arkadaşları"ndan Ali Bayramoğlu televizyonlara çıkıp bu şemayı anlattı. Ancak şemayı kimden aldığını hâlâ bir türlü açıklamadı! Bu koca yalanı kim piyasaya sürdü?..

"Hrant'ın arkadaşları" başta *Taraf* gazetesi olmak üzere her fırsatta cinayeti Ergenekon'un işlediğini yazdı. Ellerine, sahte olduğu bugün açığa çıkan "Kafes Eylem Planı" verilmişti.

Neydi bu plan?..

Tarih: 2 Şubat 2009...

Beykoz ilçesi Kaynarca Mevkii'nde "mühimmat" bulundu.

Arkasından emniyete "Hüseyin Vatansever" ve "Lütfü Demir" isimleriyle ihbar mektupları geldi.

22 Nisan 2009'da emekli Binbaşı Levent Bektaş'ın evinde, ofisinde arama yapıldı.

Çeşitli sözde belgelere el konuldu. Bunlardan biri, "3" numaralı DVD'ydi. Fakat, nedense 3 no'lu DVD'nin ne kopyası alındı ne de mühürlü torbaya kondu.

Hatta aynı gün... 3 no'lu DVD'nin İstanbul TEM Şube Müdürlüğü'nde yapılan ilk incelemesinde, "suçla ilişkilendirilebilecek bir bilgiye ulaşılmadığına" ilişkin rapor düzenlendi.

Sonra... 3 no'lu DVD'den Türkiye'yi ayağa kaldıracak "bilgiler" çıkarıldı: Kafes Eylem Planı! Neler yoktu ki içerisinde...

– Hrant Dink'in öldürülmesinden "operasyon" diye bahsediliyordu!

– Azınlık haklarını hararetle savunma konusunda ön plana çıkmış kişi/kişilere suikast düzenlenecekti!

– *Agos* gazetesi civarı gibi belirlenen yerlere ses bombaları konacaktı!

– Ermeni okulları, işyerleri listelenmişti. Ermenilere gönderilecek tehdit mektupları bulunmuştu! vs. vs...

Ne korkutucu değil mi...

Cemaat, içinde olduğu cinayetleri "Ergenekon"un üzerine yüklemek ve yürütülen soruşturmalarla ilgili dünya kamuoyundan destek almak için bu tezgâhı kurmuştu. Böylece, Silivri davalarının "meşruiyeti" uluslararası arenada da sağlanacaktı. Öyle ya, Ermeni "soykırımının" 100. yılı da yaklaşırken, bundan daha uygun fırsat olamazdı. Sonunda istedikleri oldu:

Hrant Dink'in avukatları davaya müdahil oldu; "Şikâyetçiyiz," dediler.

Aradan yıllar geçti...

Kafes Eylem Planı'nın bulunduğu 3 no'lu DVD'deki imzaların emekli Binbaşı Levent Bektaş'a ait olmadığı ortaya çıktı!

İmzalar, bire bir fotoğraflanarak DVD'ye konmuştu! Cemaat polislerinin bir sahteciliği daha ortaya çıktı.

Olan, beş yıl cezaevinde kalan Levent Bektaş gibi askerlere oldu.

En acısı... Bu komplolara dayanamayıp onurlu bir eylemi seçen Deniz Yarbay Ali Tatar'a oldu; canına kıydı.

Yazık ki... "Hrant'ın arkadaşları" ellerine ne tutuşturulduysa inandılar. Bir gün bile kafalarında soru işareti olmadı.

Bugün kumpası tezgâhlamaktan Silivri Cezaevi'nde yatan Cemaatçi polis şefi Ali Fuat Yılmazer'in, bir dönem Emniyet'te azınlıklar masasına baktığını ve bilgileri oradan "aşırıp aşırmadığını" akıllarına getirmediler.

Bir gün bile Cemaat'e sormadılar: "Hep bizim yanımızdasınız; ama, Doğu Perinçek'ten Veli Küçük'e kadar Ergenekon sanıklarının aslında Ermeni olduklarını neden yazıp duruyorsunuz?"[109]

Yalanları hiç araştırmadılar. İnandılar. Hep tezgâha getirildiler. Örneğin... Biz Odatv gazetecileri dört günlük gözaltının ardından Ergenekon savcılarının kapısında polis ordusuyla bekletilirken, H. Dink ailesinin avukatı Fethiye Çetin, Savcı Zekeriya Öz'ün makamındaydı! Oralardan hiç çıkmadılar. Kumpas üzerine inşa edilen davalara müdahil oldular.

Cinayet dokuz yıldır çözülemediyse "Hrant'ın arkadaşları"nın büyük suçu var! Hiç utanmadılar... Hrant soruşturması konusunda araştırmalar yapan gazeteci Nedim Şener, Ergenekon örgütü üyesi olarak Silivri Cezaevi'nde tutulurken, "Uluslararası Hrant Dink Ödülü"nü *Taraf* gazetesi genel yayın yönetmeni Ahmet Altan'a verdiler!

Siz Kimi Kandırıyorsunuz adlı kitabımı Hrant Dink'e ithaf etmiş beni sürekli Ermeni düşmanlığıyla suçladılar.

"Hrant'ın arkadaşları" hep Cemaat'le kol kolaydı. Hâlâ birlikte yürüyorlar...

Ergenekon yalanı bitti... "Hrant'ın arkadaşları"na yeni bir meşguliyet gerekiyor.

Gündemde "Paralel Yapı" var; bu olabilir mi? Olmaz, içli dışlılar; hem bu konunun yurtdışına pazarlanacak "PR"ı yok!

O halde ne yapacaklardı? Yurtdışından davet gelmezse yaşayamazlar! Buldular; "Ermeni Soykırımı" yalanına sarıldılar! Hrant Dink'i şimdi bu yalana maske yapıyorlar. Ölüm yıldönümünde şu pankartın arkasında yürüdüler:

---

109 Haziran 2009 tarihli *Chronicle* dergisi ve 12.6.2009 tarihli *Zaman* gazetesi gibi...

"Yüzleşin! Hrant'la, Soykırımla!" İmza; "Hrant'ın Arkadaşları."

Daha önceki ölüm yıldönümü pankartları şunlardı:

– Hepimiz Hrant'ız, Hepimiz Ermeni'yiz...

– Hrant İçin, Adalet İçin...

– Unutmayacağız, Affetmeyeceğiz...

– 4 yıldır Yüzleri Yok Yürekleri Yok...

– Müsamereyi Bırakın, Asıl Sorumluları Yakalayın...

– 7 Yıldır Birlikte Korudular, Birlikte Susuyorlar...

Hrant Dink cinayeti çözüm sürecine girince "Hrant'ın arkadaşları" telaşlandı; ve "soykırım" yalanıyla Hrant Dink'e bir kurşun daha sıktılar.

Hrant Dink onlarla aynı görüşte değildi. Fransa'da çıkarılacak "soykırım yasasına" karşı çıktı.

Örneğin, soykırım reddini cezalandıran yasa için "saçmalık" dedi. Açık yazıyorum...

Hrant Dink adam gibi adamdı...

Yüreğinde hiçbir zaman nefret-kin olmadı...

Kötülüğe, kirliliğe hiç bulaşmamış bir aydındı...

Fikir namusuna sahipti...

Korkuya, ruhsal esarete boyun eğmedi...

Yurtseverdi... Sosyalistti... Yani:

"Hrant'ın arkadaşları" diye ortaya çıkan "liboş takımından" değildi...

Dönek olmadı... Kalemini hiçbir zaman kiraya vermedi!..

Anti-emperyalist Hrant Dink Malatya'da yaptığı konuşmada şöyle diyordu: "Geçmişte İngilizlerin, Fransızların, Rusların, Almanların şu topraklar üzerinde oynamış oldukları rol ne ise, bugün aynen tekrarlanıyor. Geçmişte Ermeniler onlara güvendi; kendilerini Osmanlı zulmünden kurtaracak sandı. Ama yanıldı. Çünkü onlar geldiler, kendi hesaplarını yaptılar. Çekip gittiler. Bu topraklarda kardeşi kardeşle kan içinde bıraktılar. Bugün Kürtlerin yaşadığı aynı şey; Amerika geldi, Kuzey Irak'ta bir Kürt devleti oluşturmak üzere. Amerika bu; gelir, kendi hesabını yapar, işini yapar ve işi bittiğindeyse çeker gider. Ondan sonra da burada tekrar insanları kendi didişmesi içinde bırakır."

Hrant Dink'in ölümüyle Türkiye önemli bir aydınını daha kaybetti.

Öldürülmeden hemen önce şöyle yazmıştı: "Kendimi bir güvercinin ruh tedirginliği içinde görebilirim, ama biliyorum ki bu ülkede insanlar, güvercinlere dokunmaz."

Ne yazık ki beyaz güvercini koruyamadık.

Meydan, Hrant Dink'ten nemalananlara kaldı!

İşleri hep bu oldu:

Emperyalistler tarafından küreselleşme yalanlarıyla ulus-devlete yönelik tüm algı operasyonunun içinde yer aldılar.

Kiminin adı Murat Belge'ydi; kiminin adı Ahmet Altan'dı...

Bunlar; beynini her yeni düzene formatlayarak saf değiştirmeyi meslek edinmiş döneklerdi.

Yüzsüzlük bunların karakteriydi. İktidarın çöplüğünden nemalanmak için tüm değerleri sattılar.

Onlara göre, her şey satılabilirdi, yeter ki alıcısı olsun! Satışa ilk kendilerinden başladılar...

Büyük yazar, büyük gazeteci, büyük düşünür olmayı değil; piyasa şaklabanlığını seçtiler.

Hiçbir parlaklıkları yoktu; Tanzimat münevveri gibi sadece tercüme yaptılar ve bunu kendi fikirleri gibi sattılar!

Edebiyatı yıktılar; bayalığın romanını, şiirini yazdılar. Müziği, resmi, sinemayı bozdular. Gazeteciliği, PR çalışmasına dönüştürdüler.[110]

"Sivil toplum" afyonuyla kitleleri uyuşturdular.

Hakikati öldürüp, belleği silmek istediler.

İçlerindeki onarılmaz ruhsal yaraların dışa vurumuyla saldırganlaşıp, kibir abidesi olup, küstahlığın sınırsızlığına ulaşarak akıllarını ve vicdanlarını kaybettiler.

Sonuçta... 12 Eylül ya da Özal veya Erdoğan cehaletiyle/barbarlığıyla işbirliği yapıp insanı yıktılar/insanın mezar kazıcısı oldular.

Kiminin adı Cengiz Çandar'dı; kiminin adı Orhan Pamuk ya da Sinan Çetin'di...

---

110 Hep taklit yaptılar. Örneğin... Neşe Düzel, *Taraf* gazetesindeki pazartesi röportajlarını kitapta topladı: *Türkiye'nin Gizlenen Yüzü/Pazartesi Konuşmaları*. Neşe Düzel'in *Taraf*'taki köşesinin adıydı "Pazartesi Konuşmaları". Charles-Augustin Sainte Beuve adını duydunuz mu? 1804-1869 yılları arasında yaşayan, Fransa'nın en ünlü eleştirmeni ve edebiyat tarihçisiydi. *Temps*'deki köşesinin adı "Causeries du lundi"ydi; yani "Pazartesi Konuşmaları." Fikir adamlarının merakla takip ettiği bir köşeydi. Öyle bir otoritesi vardı ki; Papa'yla karşılaştırılırdı. Neşe Düzel'deki cürete bak! Sainte Beuve "Pazartesi Konuşmaları"nı hep derledi ve 15 cilt haline getirdi. Demek istediğim "bizimkilerin" köşelerinin ve kitaplarının adı bile kopya...

Yanıldık

AKP'ye sinirleniyorsunuz değil mi? Sinirlenmeyin!..

Erdoğan'a öfkeleniyorsunuz değil mi? Öfkelenmeyin!..

Hele yoksul halka hiç ama hiç kızmayın!

Kime tepki gösterin biliyor musunuz?

AKP'yi, Erdoğan'ı başımıza saran "aydın" geçinenlere kızın!

Sizi sürekli kandıran ve hâlâ hiçbir şey olmamış gibi bilgiçlik taslayan bu kibirli "yeni aydınlara" aydın müsveddelerine kızın!..

Hiç 12 Eylül Darbesi ya da Özal dönemine gitmeyelim; sadece son 15 yıla bakın:

Bunların AKP kurulurken ne dediklerini biliyorsunuz.

Sonra "Yanıldık!" dediler.

Bunların Erdoğan için ne dediklerini biliyorsunuz.

Sonra "Yanıldık!" dediler.

Bunların Fethullah Gülen için ne dediklerini biliyorsunuz.

Sonra "Yanıldık!" dediler.

Bu adamların Ergenekon-Balyoz-Poyrazköy-Odatv vd. kumpaslar için ne dediklerini biliyorsunuz.

Sonra "Yanıldık!" dediler.

Bu kişilerin "Yetmez Ama Evet" dediklerini biliyorsunuz.[111]

Ve son olarak... Bu kişilerin 7 Haziran 2015 seçimlerinde HDP için neler dediklerini biliyorsunuz.

Bugün... HDP "özerklik" ilan edip PKK'ya destek çıkınca ne demeye / yazmaya başladılar:

"Yanıldık!"

İşte mesele budur. Bu topraklarda sürekli yanılan / kandırılan "yeni aydın" tipiyle karşı karşıyayız.

Türkiye'nin en önemli sorunlarından biridir; saf değiştirmeyi meslek edinmiş "yeni aydınlar"!

Bu ülkenin salt siyasal-ideolojik despot sorunu yoktur; aynı zamanda "yeni aydının" hegemonya sorunu vardır! Bugün...

111 "Yetmez Ama Evet" diyen kimi "düşün insanlarını" yazayım: Nihat Doğan, Nilüfer Göle, Sezen Aksu, Murat Belge, Fethullah Gülen, İbrahim Tatlıses, Orhan Pamuk, Ali Ağaoğlu, Cengiz Çandar, Fehmi Işıklar, Hale Soygazi, Mehmet Altan, Oral Çalışlar, Halil Ergün, Sırrı Sakık, Adalet Ağaoğlu, Emine Şenlikoğlu, Ufuk Uras, Gülten Kaya, Alper Görmüş, Ayhan Aktar, Bülent Somay, Emre Belözoğlu, Ferhat Kentel, Sinan Çetin, Baskın Oran, Leyla İpekçi, Ömer Laçiner, Ahmet Özhan, Ali Nesin, Engin Aydın, Ümit Kıvanç, Yasemin Çongar, Cemil İpekçi, Ahmet Altan, Ergun Özbudun, Şahin Alpay, Metin Şentürk, Ahmet İnsel, Ayşe Hür, Yeşim Salkım, Halil Berktay, Lale Mansur, Hasan Cemal, Hilmi Yavuz, Oya Baydar, Yılmaz Odabaşı, Eser Karakaş, Hayrettin Karaman, Mete Tunçay...

Ülkede otoriter baskı rejimi varsa...
Ülkede Kürt sorunu kangren haline geldiyse...
Ülkede muhalefet "zararsız bir nesne" haline getirildiyse...
Ve en önemlisi insanımız bozulduysa...
Bunun temel sebeplerinden biri, 3-4 yılda bir yanıldığını ifade eden "yeni aydın" güruhudur.
Bunlarla mücadele etmek şarttır. Çünkü...
Bunlar siyaseti etkilemeyi sürdürüyor.
Bunlar kamuoyunu etkilemeyi sürdürüyor.
Bu sorunu çözemezsek çıkış yolu bulamayız; günlük kısır polemikler içinde yitip gideriz...

Meseleye en baştan başlamalıyız:
"Yeni aydının" düşünsel yoksulluğunun, yani büyük yanılgılarının sebebi nedir?
İdeolojik yenilgi ruhlarında tahribatlara mı yol açtı?
Bugünlerde sürekli dillerinden düşürmedikleri popülist söylemlerin-kavramların sebebi, geniş kitlelerin içine gömülme arzusu mu?
Onaylanma, takdir edilme duygusu mu?
Maddi beklenti mi?.. Şöhret hastalığı mı?..
Bu toprakların son yıllarda çıkardığı "yeni aydın" neden daima yanılıyor?
Ne yani... Dün... Odatv'nin genç gazetecileri yanılmıyor ve hakikatleri yazıp hapse giriyor da...
Bugün... *BirGün* gazetesinin genç gazetecileri yanılmıyor ve gerçekleri yazma uğruna hapse girmeyi göze alıyor da...
Gazetelerden ekranlara "ışıltılı vitrinlerde" sürekli yer verilen bu "yeni aydın" niçin sürekli yanılgı içinde?
Ve neden hep taraf değiştiriyor?
Kuşkusuz... Bunun tek sebebi yok. Öncelikle... "Yeni aydın"ın bir kişilik sorunu var. "Yeni aydın"ın bir ahlak sorunu var. Ve hepsinden önemlisi, "yeni aydın"ın bir kısırlık/üretememe sorunu var.
Bunlar işin özünde Osmanlı'nın son dönemindeki "tanzimat münevverlerine" benziyor. Osmanlı münevverlerinin temel görevi, Batı'dan tercüme/kopya ederek "kurtuluşun yolunu" bulmaktı!
Batı'da; ne fikir varsa, ne düşünsel tartışma varsa alıp İstanbul'a, Selanik'e, İzmir'e getirdiler.

"Yeni aydının" rol modeli, bu Osmanlı münevverleri oldu![112]

Dün "tercüme münevverleri" Osmanlı'yı yok oluşa sürükledi. Bugün "yeni aydınlar" Türkiye'yi yok oluşa sürüklüyor.

Tartışmalıyız. Bu topraklarda neden hiç filozof çıkmıyor?

Kitlelerin; bilgilenmeye-mücadeleye değil, inanmaya ihtiyacı olduğu dönemlerde ortaya çıkan bu "yeni aydın" sorununu irdelemeliyiz! Konuyu açmalıyım...

Kimi entel takılır. Adı; Ahmet'tir, Hadi'dir, Gülay'dır, Oral'dır.

Kimi dantel takılır. Adı; Sezen'dir, Halil'dir, Sinan'dır, Kadir'dir.

Okudukları ve yazdıkları; *Radikal*'dir, *Taraf*'tır.

Dergileri, *Birikim*'dir.

"Doğum tarihleri" aynıdır; insanlığın büyük yıkımlarından sonra ortaya çıkarlar.

Türkiye'de de öyle oldu. Birini örnek vermeliyim:

Adı, Murat Belge...

Türkiye onu 12 Eylül Askeri Darbesi'nden sonra tanıdı. Tek yaptığı çeviriydi.

Louis Pierre Althusser kıblesiydi.

Sonra, Althusser delirip karısını öldürdü.

Sonra, Sovyetler Birliği dağıldı.

Sonra, sol düşünce dondu.

Ve bizim "tercüme aydınımız" kopyasız bir başına kalıverdi.

Ne yapacaklardı?.. Nereye bakacaklardı?..

Tercüme uyuşturucu gibi alışkanlık yapmıştı; çevirisiz yaşayamazlardı. Ne yaptılar dersiniz? Tarih sahnesine yeniden çıkarılan neoliberalizm çevirilerine sarıldılar.

Sığınacak kale bulunmuştu. ABD'deki Neo-Con'ların söylediklerini, yazdıklarını evirip çevirip yeniymiş, kendi görüşleriymiş gibi yutturdular.

Türkiye'de "yeni aydın" (ya da "takiyeci aydın" mı demeliyim) işte böyle doğdu:

– "Sivil toplumculuk" adına, "yeni muhafazakârlığı" / "yeni sağ"ı desteklediler.

---

112 Tercümeyi küçümsemiyorum; bunun "Kâbe"ye dönüştürülmesine karşı çıkıyorum. Yani... Salt tercümeden "beslenmeye" karşı çıkıyorum. Ülkelerinin gerçeklerine sırtını dönen taklitçiliğe karşı çıkıyorum.

– "Demokrasi" adına, –AKP'den Cemaat'e– karanlık dincileri desteklediler.

– "Özgürlük" adına, ABD'nin Irak, Afganistan müdahalelerini desteklediler.

– "Barış" adına, kimlik siyasetini desteklediler.

– "İnsan hakları" adına, terörün meşrulaşmasını desteklediler.

Aydınlanma, ulus-devlet ve Atatürk düşmanı olup çıktı "yeni aydın"...

Bugün ne diyorlar:

"Erdoğan da, Gülen de, Demirtaş da kandırdı bizi."

Türkiye Kandırılanlar Cumhuriyeti oldu; kandırılmayan kalmadı! Hadi canım... Kıblelerinin yanlış olduğunu görmüyorlar mı? Bal gibi biliyorlar.

Bugün... Erdoğan'dan Demirtaş'a ülkeyi karanlığa boğan her zihniyeti "demokrasi geliyor" / "barış geliyor" diye selamlayıp şimdi hiç utanmadan "Yanıldık!" demeleri hiç inandırıcı değil!..

Absürd olan, bu çevreler hâlâ el üstünde tutuluyor.

Bunların bu hallerinden Erdoğan yararlanıyor. Nasıl mı?..

Aydın Doğan

Tarih: 3 Temmuz 2002...

Doğan Grubu'nun gazetelerini basmak üzere Almanya'da kurduğu yeni baskı tesisleri ve yayınevi binasının açılışına Başbakan Yardımcısı Mesut Yılmaz, DYP Genel Başkanı Tansu Çiller, AKP Genel Başkanı Recep Tayyip Erdoğan ve Dışişleri Bakanı İsmail Cem katıldı.

Aydın Doğan, Erdoğan'ı RP İstanbul İl Başkanlığı yaptığı günlerden tanıyordu. Erdoğan'ın belediye başkanlığı döneminde ilişkiler iyiydi. Keza AKP'nin kuruluş döneminde de grubun büyük desteği oldu.

Aydın Doğan'ın söylediğine göre, Erdoğan ile son kez Eylül 2006'da bir araya geldi.[113]

İlişki yıllar sonra, Almanya'da açılan bir dava nedeniyle bozuldu: Deniz Feneri!..

Deniz Feneri ile ilgili Doğan Grubu'nda yapılan haberler Erdoğan'ı çok kızdırdı.

113 Aydın Doğan, bu görüşmelerde Erdoğan'ın kendisine "abi" diye hitap ettiğini söylüyor.

Tarih: 6 Eylül 2008.

İstanbul Güngören teşkilatını ziyareti sırasında Erdoğan, Aydın Doğan'la ilgili ağır sözler etti:

"Sayın Doğan, Hilton'un önündeki devasa boş alanı, benden İstanbul Büyükşehir Belediye Başkanıma bu noktada talimat vermek suretiyle rezidans yapmak üzere ricada bulundu. (...) RTÜK'te hangi işiniz var? Açıklamadığın takdirde açıklayacağım. RTÜK başkanını peşinen suçlu ilan etmenizin çıkar hesaplarınızla alakası var mı, yok mu? (...) Bundan sonra artık saygılı götürelim, gizli götürelim yok, her şeyi açık ve net millete duyuracağız."

Aydın Doğan, Erdoğan'ın sözlerine yanıt verdi: "Ben Başbakan'a Hilton için gitmedim. Ben gidip kendisine '2,5 milyon dolar param var, rafineri kurmak istiyorum, ruhsat lazım. Üç yıl sonra bitireceğim,' dedim. Başbakan da 'Orayı sana veremem, oraya Çalık Grubu talip,' yanıtını verdi."

Ayrıca... Aydın Doğan, RTÜK'e başvurarak CNN için karasal yayın talebinde bulunduklarını, Rekabet Kurumu'ndan onay çıktığını ve şu anda RTÜK'ün karar verme aşamasında olduğunu; izin çıkmazsa da bunun Başbakan Erdoğan'ın talimatı sonucu olacağını belirtti...

Bu kavganın ilk raundu; Maliye'nin, Doğan Grubu'na 3 milyar 755 milyon liralık vergi cezasıyla sona erdi...

Tarih: 5 Mart 2009...

Erdoğan, Kral FM'deki programda Aydın Doğan'ın kendisine mektup gönderdiğini belirterek şöyle konuştu: "Benim arayışım yok. Geçmişte çok konuştuk. Benim Aydın Bey'e söylediğim konu 'Ailemle ilgili yalan haber yapıyorsunuz,' dedim. Gazeteleri çıkarttırdım. 'Ben müdahale edemiyorum,' dedi. Allah aşkına, o kadar para verdiğin yazarlarına müdahale etmeyecek misin?.."

Aydın Doğan müdahale etti; köşe yazarlarını tek tek kovmaya başladı. Taha Akyol'dan, Akif Beki'den medet umdu; *Hürriyet*'e bu isimleri getirdi. Yetmedi; *Milliyet* ve *Vatan* gazetesini elden çıkarmak zorunda kaldı.

Bunları yapan Aydın Doğan, Erdoğan'ın salvolarını durdurabildi mi? Hayır!.. Çünkü... Erdoğan bir gerçeği keşfetmişti: Aydın Doğan'a ağır sözler söylemesinin karşılığı vardı: Oy kazanıyordu!..

Bu nedenle Erdoğan, 2009 yerel seçiminden başlayarak her seçim öncesi Aydın Doğan'a yüklenmeye başladı. Sözleri aslında hep aynıydı:

"Hükümetleri yönetmeye kendi menfaatleri için kullanmaya alışmışlar. Ancak AK Parti iktidarı bir avuç imtiyazlı zümrenin iktidarı değildir. Milletin iktidarıdır. Ancak bu milletin menfaatlerini korur. Basının kendini sorgulama vakti geldi de geçiyor bile..."

İlginç... Her seferinde, seçim bitince ortalık "süt-liman" oldu.

Örneğin... 12 Haziran 2011 genel seçimi bitti...

Aydın Doğan, annesini kaybeden Erdoğan'a taziye için Kısıklı'daki eve gitti.

Erdoğan, Aydın Doğan'ın sahibi olduğu Trump Towers gökdeleninin açılışını yaptı. vs...

2014 yerel seçim öncesi...

2014 cumhurbaşkanlığı seçimi öncesi...

7 Haziran 2015 genel seçim öncesi...

1 Kasım seçim öncesi...

Hep... Erdoğan, Aydın Doğan'a yüklendi..."Kayıkçı kavgasına" döndü bu iş!

Oy geldiğini bildiği için Davutoğlu da bu saldırı politikasını benimsedi.

Doğan Grubu –eleştirecek çok yönleri olmasına rağmen– bugün gazetecilikte ve demokraside ısrar ettiği için bu saldırıların hedefinde oluyor. Bir örnek vereyim...

Tarih: 26 Temmuz 2008.

Dört gün sonra Anayasa Mahkemesi AKP'nin kapatılıp kapatılmayacağını oylayacaktı. Parti kapatılırsa Erdoğan'a siyaset yasağı da gelecekti. Genel yayın yönetmenleri Ertuğrul Özkök'ün, Erdoğan'la yaptığı röportajı *Hürriyet* gazetesi neredeyse tam sayfa verdi. Erdoğan, "Bizim de hatalarımız olabilir; iç barışı korumalıyız," diyordu. Doğan Grubu bu röportajla tavrını belli etti; AKP'nin kapatılmasına karşı çıktığını gösterdi.

Erdoğan ve Davutoğlu o günleri anımsamıyor. Üstelik Ertuğrul Özkök'ü koltuğundan ettiler.

Doğan Grubu hep bedel ödedi ve her bedel ödediğinde, "Bu son; herhalde Erdoğan artık bize yüklenmez," diye düşündü. Yanıldı. Doğan Grubu'na saldırının prim getirdiğini bir türlü görmek istemedi. Aslında...

Şu gerçekle yüzleşmeleri gerekiyordu: Erdoğan, Doğan Grubu'na yüklendikçe nasıl oy topluyor?

Geniş kitleler, Doğan Grubu'na neden bu derece kızgın?

Grubun özeleştiri yapmaları gerekiyor...

Kimi gazetecilerin de özeleştiri yapması gerekmiyor mu?

Serdar Turgut'u iyi niyetimle hep uyardım. "Aydının her zaman dar görüşlülüğün sığlığına kayma tehlikesi vardır, dikkatli ol," dedim.

Yazar için önemli ölçüt, ahlaki bağımsızlığını korumasıdır. Yaşamdaki en büyük sanat, insanın kendi olarak kalabilmesidir.

Anladım ki boşa kürek çekmişim...

İktidar ve güç uğruna hiçbir şeyden çekinmeyen, ona ulaşabilmek ve onu elinde tutabilmek için her şeyi göze alan; bu uğurda önündeki her şeyi ve herkesi ezip geçen; sevgi, dostluk, vefa, minnet bilmeyen; ve sadece kendini düşünenler kervanına katılmaya karar vermişti.

Ve sonra en kötüsünü yaptı; acımasızlığı seçti.

Ben Silivri zindanına atıldığımda şunu yazabilecek kadar alçaldı: "Bu insanların kendilerine daima düşman yaratma ihtiyaçları vardır. Gerçekten olmasa da bir düşmanı hayallerinde oluştururlar. Onlar için türban takmış her kız bir İslami teröristtir; siyasetçi eğer din, iman, inançtan söz ediyorsa o da tehlikeli bir Humeyni özentisidir. Onları çeşitli ortamlarda dinledim. Nasıl düşündüklerini nasıl konuştuklarını, kinlerini, düşmanlıklarını iyi biliyorum..."

Demek... Serdar Turgut artık utanmayı tamamen unutmuştu!

Fethullah Gülen'e biat ederken şunu hesap edemedi:

Dalga ne kadar dik ve ani tırmanışa geçerse, o ölçüde büyük bir kırılmaya uğrar.

Ölüm döşeğindeyken Turgenyev, Tolstoy'a yalvaran bir mektup yazdı: "Yaratıcılığınızın en verimli yıllarını dünya için bir anlam taşımayan dinsel iktidarın gücü için harcamayınız; edebiyata geri dönünüz, sizin yeteneğiniz orada..."

Türkiye'de son 14 yılda dinci iktidar için kalem oynatan ne çok yazarımız oldu. Ne demeliyiz bunlara; ne tepki göstermeliyiz?

Evet tarih; her türlü bağnaz zorlamalara boyun eğenlere karşı acımasızdır.

Yine de boyun eğen yazarları ikiye ayırıyorum.

Biri... Güç, makam, şöhret, para uğruna hiçbir şeyden çekinmeyen; ona ulaşabilmek ve onu elinde tutabilmek için her şeyi göze alan; bu uğurda önündeki herkesi ezip geçen; sevgi, dostluk, vefa, minnet bilmeyen; sadece kendini düşünen bağnazlar...

Diğeri.. İktidarın bağnazlığını Cemaat'in kumpasını görmemiş; yazılarıyla destek vermiş yazarlar... Dün destekledikleri –Cemaat'e pek seslerini çıkarmasalar da– Erdoğan konusunda bugün büyük bir kırgınlık yaşıyorlar.

"Hatalarını anladılar," diye "kabul" edecek miyiz?

Türkiye sert bir siyasal iklimden geçiyor. Çok acılar yaşandı. Bu nedenle şimdi yazacaklarım, "olayı yumuşatıyor" diye tepki alabilir. Fakat ben, "fikir yanlışlığının" ancak böyle "yargılanması" tarafındayım.

Çünkü, körlük öyle bir noktaya gelir ki; gülünçleşir...

Bu kişilere sadece gülünür...

Maurice Barrés sıkı bir dönek'ti!..

1918'de Dada Manifestosu yayınlandı. Geleneğe ve estetik beğeniye karşı, bir yandan da gerek dilsel, gerekse ahlaki ya da toplumsal her türlü sisteme karşı bir hareketti Dadacılık.

Duchamp'ın pisuvarı, Picabia'nın tuvalin üstüne mürekkep atması gibi çalışmalar Dada akımının ürünüydü.

Breton ve Aragon gibi Dadacıları (daha sonranın gerçeküstücüleri) etkileyen isim işte bu Maurice Barres idi!

"Özgür Bir Adam" (*Um Homme Libre*) ve "Berenice'in Bahçesi" (*Le Jardin de Berenice*) gibi; toplumsal yapıların yanlışlığını ortaya çıkaran, kurulu düzeni şiddetli eleştiren ve hatta isyana davet eden kitaplar yazdı.

Ne yazmıyordu ki:

– "Hayata ağzında sövgüyle girmeyen gençler hakkında pek iyi düşünmem."

– "Yirmi yaşında çok şeyi inkâr etmek, üretgenlik göstergesidir."

Ve fakat: Gençliğinde başkaldıran, anarşist, sosyalist, ateist Maurice Barrés orta yaşından sonra taraf değiştirdi; konformist oluverdi.

Yetmezmiş gibi, Dreyfus Davası'nda gericilerin-muhafazakârların safında yer aldı; Vatanperverler Birliği'ni kurarak entelektüellere savaş açtı.

DADA'cılar işte bu Maurice Barrés'i gıyabında yargılamak için mahkeme kurdu. Başkan A. Breton ve iki yardımcısı T. Fraenkel ve P. Deval'di. Savcı ise R. Dessaignes'ti.

Dönek Maurice Barrés'in savunmasını L. Aragon yaptı.

Mahkemenin ne karar verdiğini yazmayayım; yanlış yorumlanabilir.

Ben ancak böyle "etik" bir mahkemenin kurulmasını arzu ediyorum. Ve aslında gönül istiyor ki... Keşke... Şöyle tartışmalar yapabilseydik:

Camus ile Sartre, Fransa'nın Nazilere karşı direndiği günlerde tanıştı. Dost oldular. Ortak noktaları çoktu; faşizm karşıtlığı gibi...

İkinci Dünya Savaşı sonrasında direnişin parçalanmasıyla farklı politik yollara girdiler.

Camus, Sartre'ın işçi sınıfına eleştirel olmayan esrarlı bir tavırla yaklaştığını söylerken; Sartre da, Camus'nün içi boş demokrasi ısrarıyla Batı emperyalizmini gerekçelendirdiğini dile getirdi.

Camus ile Sartre arasındaki polemik 1950'li yıllarda sadece Fransa'da değil, dünya entelektüelleri arasında da rağbet gördü.

ABD'nin önde gelen solcu isimlerinden Stephen Eric Bronner'in kaleme aldığı *Camus: Bir Ahlakçının Portresi* kitabı var. Okurken, Fransız aydınlarının kendi aralarındaki polemiğe hayran kalıyorsunuz.[114]

Bizde ise polemik, gerçeği aramak ve bulmaktan çok öç almak amacıyla yapılıyor.

114 Camus ve Sartre dönemindeki tartışmalar için özellikle Simone de Beauvoir *Mandarinler*'i mutlaka okumalısınız.

Dokuzuncu Bölüm
ALDANMAK İSTEMEYENLERE NOTLAR

Fransızlar 19. yüzyılda üniversitelerinde okuyan Doğulu öğrencilere "ikinci sınıf" eğitim verildiğini vurgulamak için değersiz bir diploma verir ve üzerine de "Şark için yeterli" anlamına gelen "*Bon pour l'orient*" yazarlardı!..

Adı: Guillaume Perrier...

2004'ten beri İstanbul'da gazetecilik yapıyor; yazıları başta *Le Monde* olmak üzere *Le Point, Elle* gibi dergilerde yayımlanıyor.

Adı: Laure Marchand...

2013'ten beri Türkiye'de Fransız *Le Figaro* gazetesi muhabiri olarak görev yapıyor.

Birlikte *Türkiye ve Ermeni Hayaleti/Soykırımın İzinde Adımlar* adlı kitap yazdılar. Türkçe çevirisi İletişim Yayınları'ndan çıktı.

Kitaba geçmeden önce bu ikiliyi tanımanızı isterim...

– Bunlara göre; Kemalistler faşist!..

– KKTC, Kıbrıs'ın işgal altındaki bölgesi!

– Fransız Cumhurbaşkanı'na Türkiye ziyaretinde Trabzonspor'un Fransız oyuncusu Malouda tarafından hediye edilen forması için "Artık Hollande'ın çöpleri çıkarırken kıyafeti hazır," diye yazabilecek alay içindeler! Arda Turan'ın takımı Atletico Madrid'in Azerbaycan forma reklamını kabul etmesine bile dil uzattılar!

Bu Fransız ikiliyi yurtdışında yaşayan Ermeni diasporası çok tutuyor ve birçok Avrupa ülkesinde medya turuna çıkartıyor. İster söyleşi, ister fotoğraf sergisi olsun, sözde soykırım ile ilgili her çeşit etkinlikte konuşmacı olarak yerlerini alıyorlar. Her fırsatta, Türkiye'nin sözde Ermeni soykırımını kabul ederek Ermeni mallarını geri vermeye çağırıyorlar.

Şaşırmayınız; bu sözlerini İstanbul'daki Fransız Kültür Merkezi'ndeki "Ermeni Soykırımı" toplantısında bile söylediler!

Şimdi kitaba dönebiliriz...

Kitap 18 bölüm ve genelde hep aynı hikâye var:

Ziyaret ettikleri köylerin ihtiyarları, "Buralarda yaşlı bir Ermeni var," deyip bu ikiliyi gönderiyorlar; ikili o ihtiyarla konuşuyor. Tehcir yaşandığında henüz yeni doğmuş –kimlikleri saklı tutulan– tanıkların tümü toplumsal baskıdan çok korkuyor ama ilginçtir bu ikiliyi görünce dilleri çözülüveriyor ve Türklerin yapmış oldukları vahşeti en canlı şekliyle anlatıveriyor!

"Gazeteci ikili", kesik başların, karınları deşilen kadınların, nehirlerde boğulan bebeklerin tüyler ürpertici hikâyelerini kendileri yaşamışçasına yazıyor.

İkili, hayal gücünde de sınır tanımıyor... Dersim olaylarını, Atatürk Türkiyesi'nin, 1915'te soykırımcı Türklerden kaçan Ermenileri korumuş Kürt aşiretlerine ödettiği bedel olarak tanımlıyorlar! Türk askerlerinin Dersim bölgesinde sünnetsiz erkek çocukları aradıklarını, yine yaşı 90 civarında olan ve adı saklı birinden duyup yazıyorlar!

Bu ikiliye göre "soykırım" kesin; tartışılmaz! Bu nedenle, "Türkiye ve lobicilerinin" önerdikleri gibi şu ya da bu devletin bir komisyon toplamasına gerek yok.

Cehaletle; "Yazılı kaynaklar ve gittikçe daha rahat erişilen Osmanlı ya da özellikle Alman arşivleri, soykırım olduğunu kanıtlamaya bol bol yetiyor," diye yazıyorlar!

Kendileri zahmet edip bırakın Osmanlı'yı, Alman arşivlerine hatta Deutsche Bank arşivine bakmıyor. Rusya kaynaklarından filan bahsetmeye gerek yok, amaçları belli...

Fransa'da "Yahudilere Ölüm" anlamına gelen "Mort Aux Juifs" gibi köy ismi barındıran bir ülkenin "gazeteci ikilisi", Anadolu'da gittikleri köy ve kasabaları kitaplarında hep eski isimleriyle yazıyor ve –herhalde dilimizi "sular seller" gibi konuşuyorlar ki– değiştirilen köy isimlerinin gülünç hatta abuk sabuk olduğunu belirtiyorlar.

"Ne mutlu Türk'üm diyene" sözünü malum ikili, Türklerin diğer halklar ve Ermeniler karşısında üstünlüğünü kutsayan ırkçı bir slogan olarak nitelendiriyor. Peki, bu çokbilmiş ikili Fransız, kendi ülkelerinin Katalan kökenli Başbakanı'nın daha geçen nisan ayında "Fransız olmaktan gurur duymalıyız," demesini nasıl yorumluyorlar? Geçelim. Afrika'daki sömürgelerine hiç girmeyelim. Sarkozy'nin Cezayir için özür dilemeyeceğini söylemesini unuttular mı?

Sonuçta... Fransız tarihçi Maxime Gauin, ikilinin kitabındaki hataları tek tek ortaya çıkardı. Bu ikiliden hiçbir yanıt gelmedi. Çünkü amaç başkaydı:

Napoléon'un dediği gibi: Para... Para... Para...

Portekiz'de Ermeni asıllı Osmanlı vatandaşı Kalust Gülbenkyan tarafından kurulmuş bir vakıf var. Bu vakfın 2012 yılı Faaliyet Raporu'nda "Bilimsel Araştırmalar İçin Ödenek" başlığı altında bir isim yer alıyor: Guillaume Perrier. Ermeni soykırımıyla ilgili bir kitabın hazırlık araştırması için 3.000 €.

Demek ikilinin kitabı ısmarlanmıştı!

Peki, kitabın teşekkür listesinde Osman Kavala'dan Oral Çalışlar'a, Cengiz Aktar'dan birçok kişi ve derneğe yer veren bu ikili para aldıkları Gulbenkian Vakfı'ndan neden hiç bahsetmiyorlar?

Son zamanlarda "Türk Devleti tarafından kiralanan Fransız inkârcılar" olduğundan dem vuran bu ikiliye sormak gerek:

Kiralanan siz değil misiniz?

Gulbenkian Vakfı'yla pazarlık nasıl yapıldı?

3.000 €'nun sadece hazırlık aşaması için olduğu belirtilmiş, gerisi geldi mi? Kayıtlara girmesin diye bir kısmı elden mi verildi?

Bu düzmece söyleşilerin yapıldığı kimlikleri saklı tutulan "tanıklara" para verildi mi?

Sürekli mal varlıklarının iadesini vurgulamaktaki amacınız Gulbenkian Vakfı'nın isteği mi?

Sipariş üzerine yazılan ısmarlama bir kitap eğer gazeteci iseniz içinize sindi mi?

Le Monde kurucusu Hubert Beuve-Méry'in sözünü bilir misiniz:

"Aynı anda hem paranın hem hakikatin emrinde olunmaz."

Ama... Burası Şark! Yuttur yutturabildiğin kadar...

Ve biz bu "araştırıcıları" hep biliriz...

Her yerdeler...

İsviçre'deki Ermenistan Derneği 3.800 imza toplayarak parlamentoya başvurdu; "soykırımı" kabul edin. Derneği başındaki kişi İsviçre vatandaşıydı ve 1969-70 yıllarında İstanbul Avusturya Lisesi'nde öğretmenlik yapmıştı. "Boş vakitlerinde" Ermeni meselesini araştırınca ABD'nin ilgisini çekti. Ermeni meselesini incelemesi için Beyrut'a gönderilirdi. 10 yıl boyunca yaptığı çalışmalar karşılığında ABD'den para aldı. Örnek olayları uzun uzun anlatmaya gerek yok...

Sahiden 1915'te ne oldu?

Aslında Ne Oldu?

Türkiye'ye bu kadar kin duymalarının sebebi ne?

Sahiden "soykırım" oldu mu?.. Önce sürece bakalım:

Tarih: 30 Ekim 1914.

Osmanlı Devleti Birinci Dünya Savaşı'na katıldı. Dokuz cephede savaşmaya başladı.

– Kafkasya cephesinde Ruslara karşı...

– Sina ve Filistin cephesinde İngilizlere karşı...

– Irak cephesinde İngilizlere karşı...

– Hicaz ve Yemen cephesinde İngilizlere ve Araplara karşı...

– Çanakkale cephesinde İngilizlere ve Fransızlara karşı...

– İran cephesinde İngilizlere ve Ruslara karşı...

– Galiçya cephesinde Ruslara ve Avusturya-Macaristan'a karşı...

– Balkan cephesinde İngilizlere, Fransızlara ve Sırplara karşı savaşmaya başladı.

Konumuz Ermeni meselesi olduğu için Doğu cephelerinde olanları özetlersem:

Tarih: 6 Ocak 1915.

Osmanlı'nın Sarıkamış Harekâtı başarısızlıkla sonuçlandı. 130 bin askerinin yarısını kaybetti. Kışın ardından Rus ordusu Anadolu'ya yürümeye başladı. Ermeni gönüllü tümenleri Rus kuvvetlerinin başarısında önemli etken oldu.

Tarih: 3 Şubat 1915.

Osmanlı'nın Süveyş Kanalı ve Mısır'ı ele geçirmek için yaptığı Birinci Kanal Harekâtı 15 Şubat'ta başarısızlıkla sonuçlandı. Irak cephesinde Bağdat düşmek üzereydi.

Buralarda da cephe gerisindeki Ermeni komitecilerin saldırıları arttı. Kanal Seferi sırasında Osmanlı ordusu içinde bulunan Ermeni askerlerin silahlarıyla birlikte İskenderun'a çıkarma yapan İngiliz askerlerine sığınması tehcir kararının alınmasını etkileyen önemli olaylardan biri olacaktı.

Tarih: 19 Şubat 1915.

Müttefikler, Rusya ve Ermenilere yardım için Çanakkale Boğazı'nı geçmek amacıyla önce deniz, ardından kara harekâtına başladı. Babıâli, İstanbul'un boşaltılması için hazırlıklar yaptı. Ermenilerin İstanbul'da büyük bir eyleme kalkışacakları istihbaratları vardı.

Tarih: 27 Şubat 1915.

Osmanlı ordusu Başkomutanlığı askeri birliklere gönderdiği talimatla; Ermenilerde yakalanan silah, bomba ve birtakım şifre belgelerinin bir ayaklanma hazırlığını gösterdiğini, bu sebeple ordudaki Ermeni askerlerin silahlı hizmetlerde kullanılmaması, her yerde uyanık davranılarak gerekli tedbirlerin alınması, ancak Ermeniler içinde devlete sadakatle bağlı olanlara zarar verilmemesi emredildi.

Tarih: 12 Nisan 1915.

Irak cephesinde Yüzbaşı Süleyman Askeri Bey, Basra'yı geri almak amacıyla taarruza başladı ve alamayınca intihar etti.

Tarih: 18 Nisan 1915.

Ermeniler Bitlis'te ve bir gün sonra Van'da isyana başladı. Ardından Muş, Erzurum, Zeytun'da ayaklandı ve Ermeni çeteleri katliamlara başladı...

Gelelim... Kimi Ermenilerin her yıl dünyanın birçok ülkesinde "soykırım" olarak andığı tarihe...

Tarih: 24 Nisan 1915.

Osmanlı Dahiliye Nezareti 14 vilayet ile 10 mutasarrıflığa gönderdiği genelgede; Hınçak, Taşnak ve benzeri Ermeni komitelerinin kapatılması, belgelerine el konulması, liderleri ve zararlı faaliyetleri bilinen Ermenilerin gözaltına alınması ve bunlardan bulundukları yerlerde sakıncalı görülenlerin Ermeni olmayan yerlere gönderilmesi talimatını verdi.

Tarih: 25 Nisan 1915.

Sabah gün ışırken donanmanın yoğun ateş desteğiyle İngilizler, Çanakkale Seddülbahir'in 5 ayrı bölgesine asker çıkarmaya başladı. 9 ay sürecek tarihin gördüğü en kanlı cephe savaşı başlamış oldu. Mustafa Kemal, bu tarihten itibaren 10 Aralık 1915'e kadar aralıksız olarak, 7 ay 15 gün süreyle, bu amansız savaşa katıldı! Ermenilerin umudu İstanbul'un düşmesiydi ama Çanakkale direniyordu.

Tarih: 30 Nisan 1915.

Alman Büyükelçisi Hans Freiherr von Wangenheim, Almanya Başbakanı'na gönderdiği raporda şöyle dedi: "Birçok Ermeni ev ve kilisesinde patlayıcı maddeler, bombalar ve silah bulundu; (Padişah) V. Mehmet'in tahta çıkışının yıldönümü olan 27 Nisan günü Babıâli'ye ve bir kısım resmi binalara bombalı saldırılarda bulunacak olmaları nedeniyle, 24-25 Nisan gecesi ve ertesi günü akşamı İstanbul'daki Taşnak İhtilal Örgütü üyesi 500 kadar Ermeni tutuklandı; bu kişiler Anadolu'ya yollandı."

İngiliz Yüksek Komiseri Amiral Calthorpe savaş sonrasında 20 ve 21 Mayıs 1919 tarihlerinde İstanbul'dan gönderdiği şifreli telgrafta tutuklanan Ermenilerin "Müttefik ordularına hizmet eden Ermeni gönüllüler ve Müslüman katliamı sorumluları" olduğunu bildirdi.

Mısır'daki İngiliz Askeri Ofisi'ne göre sayı, 1.800'dü.

Fransa Dışişleri Bakanlığı'na göre sayı, 2.500'dü.

Osmanlı kayıtlarına göre 2.345 kişiydi.

Bunlara ne yapıldı? Yargılandılar. Örneğin...

O tarihte İstanbul'da ikamet eden 77 bin 735 Ermeni'den sadece 235 kişi tutuklandı ve bunların İstanbul'da bulunması tehlikeli bulunan 155'i Çankırı'ya, 70'i Ankara Ayaş'a tehcir edildi.[115]

Yapılan aramalarda şunlar bulundu:

19 adet mavzer, 74 adet martin, 111 adet vincester, 96 adet maniher, 78 adet gıra, 358 adet filovir tüfekleri ile 3.591 adet tabanca ve 45 bin 221 tabanca mermisi vb. Amaçları belliydi; Çanakkale geçilseydi isyana başlayacaklardı...

Tarih: 8 Mayıs 1915.

Çankırı'ya gönderilen; Vahram Torkomyan, Agop Nargileciyan, Karabet Keropoyan, Zare Bardizbanyan, Pozant Keçiyan, Pervant Tolayan, Rafael Karagözyan, Diran Kelekyan ve Vartabet Gomidas serbest bırakılarak İstanbul'a döndü.[116]

Daha sonraki günlerde; Hayık Hocasaryan, Agop Beğleryan, Vartanes Papasyan, Serkis Cevahiryan, Kirkor Celalyan, Bağban Bardizbanyan, Apik Canbaz, Vahan Altunyan, Ohannes Terlemezyan, Bedros Manukyan, Mıgırdiç İstepniyan, Leon Kigorkyan, Serkis Şahinyan, Ohannes Hanisyan, Artin Bogasyan, Akrik Keresticiyan, Zara Mumcuyan vd. 35 kişi serbest bırakıldı.

Hayik Tiryakiyan, *Azadamard* gazetesi sahibiyle aynı adı taşıdığı için; Doktor Allahverdiyan ise oğlu yerine yanlışlıkla tutuklandıkları anlaşılınca serbest bırakıldılar.

Tek kıstas vardı; suçlu mu suçsuz mu?

Yargılanmalar çeşitli mahkemelerde sürdü; suçsuz kalan bırakıldı. Örneğin, suçlu görülen Andon Panosyan'ın İstanbul'a dönmek için verdiği af dilekçesi kabul edilmedi.

---

115 Aslında sayı, 356'sı Taşnak, 173'ü Hınçak, 72'si Ramgavar ve 9'u farklı Ermeni örgüt mensubu 610 kişiydi; çoğu adreslerinde bulunamadı; 44'ünün yurtdışına çıktığı tespit edilebildi.

116 Besteci Vartabet Gomidas, tedavi amacıyla Viyana'ya gitmek için 30 Ağustos 1917'de Dahiliye Nezareti'nden izin aldı. Türkiye'ye dönmedi. Hayatının son 20 yılını Paris'teki bir sanatoryumda geçirdi. Çankırı'da 13 gün kalan Gomidas'ın Paris'e heykeli dikildi!

Arşak Diradoryan da dönemedi ama muhtaç olduğunu beyan etmesi üzerine yevmiye/para verildi.

İstanbul dışında da aramalar ve tutuklamalar yapıldı.

Örneğin İzmir'de 16 kişi tutuklanarak Divan-ı Harbe verildi. Avukat Parsih Gülbankyan tarafından satın alınıp Taşnak kulübü olarak kullanılan binada 10 gaz tenekesi içinde 180 kilo dinamit bulundu!

1915 yılında Kütahya sancağında 3.578 Ermeni yaşamaktaydı. (Kütahya çini sanatının erbabıydılar.) 235 kişi Çankırı'ya gönderildi.

Aydın vilayetinde toplamda 250, Samsun'da 32, Kayseri'de 30, Urfa'da 12, Diyarbakır'da 120, Antep'te 19, Elazığ'da 14 kişi tutuklandı.

Düşününüz ki... Sivas'ta; 15 bin Ermeni Rus ordusuna katılmıştı. Bir o kadar kişinin de silahlandırıldığı iddia ediliyordu. Aramalarda 472 adet tüfek, 752 tabanca, 44 dinamit, 38 bomba, 13 teneke barut, 6.359 adet cephane bulundu. Böylesine bir savaş atmosferinde 53 bin 675 Sivaslı Ermeni'den 20 kişi tutuklandı.

İşte buna "soykırım günü" diyorlar...

Acılar, karşılaştırılamaz; yarıştırılamaz...

Ama... Gelin görün ki...

Sürekli abartılı istatistik rakamları vererek büyük bir acı, "soykırım" yalanıyla kabul ettirilmeye çalışılıyor.

Madem öyle, biz de rakamlara bakalım!

Birinci Dünya Savaşı öncesi Osmanlı topraklarında yaşayan Ermeni nüfusu...

- Ermeni Patrikhanesi'ne göre, 2,5 milyondu.
- Lozan Konferansı'ndaki Ermeni heyetine göre, 2,2 milyondu.
- Fransız "Sarı Kitabı"na göre, 1,5 milyondu.
- İngiliz Yıllığı'na göre, 1 milyon 56 bindi.
- Osmanlı resmi belgelerine göre ise...

1893 nüfus sayımına göre, 1 milyon bin 465'ti.

1906 nüfus sayımına göre, 1 milyon 120 bin 748'di.

1914 nüfus sayımına göre, 1 milyon 122 bin 850'ydi.

Peki...

27 Mayıs 1915'te kabul edilen ve 1 Haziran 1915 tarihi itibariyle yürürlüğe giren "Tehcir Kanunu" ile sevk edilen Ermeni nüfusu ne kadardı?

İngiliz Savaş Propaganda Bürosu (Wellington House) çalışanı

Arnold Toynbee editörlüğündeki *Mavi Kitap*'a göre, 1 milyon ile 1 milyon 200 bin Ermeni arasındaydı! Bunlardan 600 bini hayatını kaybetmişti!

ABD resmi kaynaklarına göre rakam 486 bin kişiydi.

Osmanlı kayıtlarına göre ise tehcir edilenler, 428 bin 758 kişi...

Öyle abartıyorlar ki... Sanırsınız Anadolu vilayetlerindeki tüm Ermeniler tehcire tabi tutuldu! Oysa...

Adana'da 14 bin Ermeni tehcire gönderilirken 16 bin Ermeni yerinde kaldı.

Harput'ta 51 bin Ermeni tehcire gönderilirken 4 bin Ermeni yerinde kaldı.

Sivas'ta 136 bin 84 Ermeni tehcire gönderilirken 6 bin 55 Ermeni yerinde kaldı.

Afyon'da 5 bin 769 Ermeni tehcire gönderilirken 2 bin 222 Ermeni yerinde kaldı.

Maraş'ta hiç tehcir olmadı, 8 bin 845 Ermeni yerinde kaldı.

Memleketim Çorum'da ise bin 231 Ermeni nüfusun hepsi tehcir edildi.[117]

Katolik ve Protestan Ermeniler arasında tehcir edilen hemen hemen hiç yoktu; tehcir edilenler genelde Gregoryen Ortodokslardı.

Bu arada... Diaspora Ermenileri tehcir için "deportation" yani "yurtdışına çıkarma" diyor ki, Suriye o tarihte Osmanlı toprağıydı! Peki...

Tehcir sırasında ne kadar Ermeni can verdi?

Sorunun yanıtı için tehcire gönderilenler ile iskân bölgelerine ulaşan nüfus arasındaki farkı bilmeniz yeterlidir:

---

117 Hemşerim Vahram Dadrian, tehcirde 15 yaşındaydı; kapağına ailesinin fotoğrafını koyduğu, tehcir günlüğü *To the Desert* kitabı 1945'te ABD'de basıldı. Maddi hataların bulunduğu kitap Ermeni Diasporası'nın başucu eseri oldu! Çorum 1845 Temettuat Defteri'nde gayrimüslimlerden bahsedilmiyor; 1858 yılında kilise yapmak için Padişah'tan izin aldıkları göz önüne alınırsa, Ermenilerin bu iki tarih arasında Çorum'a yerleşmeye başladıkları söylenebilir. Çorum şeriyye sicillerinde, 1860'lı, 1870'li ve 1880'li yıllarda çok sayıda Ermeni'nin şehirde ev, dükkân, arsa, tarla ve bağ aldıkları görülüyor. (Dadrian ailesi Kayseri'den gelmişti.) 1874'te 60 olan Ermeni nüfusu 1915'te 1.231 olmuştu. 19. yüzyılın ikinci yarısından sonra Ermenilerin, Osmanlı'nın sürgün yeri Çorum'a ilgisinin sebebi neydi? Osmanlı'yı saran ayrılıkçı Ermeni olayları Çorum'da da yaşandı. 1893'te 30 Ermeni tutuklandı. Karşılıklı cinayetler işlenmeye başlandı. Merzifonlu Zelam oğlu Ohannes isimli bir Ermeni, memleketine dönerken öldürülürken; Ermeniler de, Osmancık postasına saldırıp Şişli Bel Karakol hanesi efradından İbrahim'i öldürdü. Osmancık Derbendçi Dağları'nda 26 Ermeni komitacının silah eğitimi aldığı ortaya çıkarıldı. Yani tehcir bir günde olmadı. Bu arada... Küçüklüğümde Serope adlı bir yaşlı Ermeni, iki kızıyla kentte yaşardı; süt satarlardı. Demek tehcirden sonra dönenler olmuştu.

Tehcir edilenlerden 56 bin 610 Ermeni iskân bölgesine ulaşamadı. Bunlardan...

– 500 Ermeni, Erzurum-Erzincan yolunda;

– 2 bin Ermeni, Mardin yolunda;

– 5 binden fazla Ermeni, Dersim bölgesinde öldürüldü.

– Katledilenlerin toplam sayısı 9-10 bindi.

– Tifo, dizanteri gibi hastalıklardan 25 bin ile 30 bin arasında Ermeni öldü.

Diğerleri kayıptı; yurtdışına kaçtıkları tahmin ediliyor.

Yok, "1 milyon Ermeni öldürüldü"; yok "1,5 milyon Ermeni öldürüldü," deniliyor!

Batı kaynakları sadece anılara dayanıyor; Osmanlı ise isim isim tuttuğu kayıtlara...

Hemşerim Vahram Dadrian'ın bulunduğu Ermeni kafilesi; Çorum, Yozgat, Boğazlıyan, Kayseri, Niğde, Ulukışla, Tarsus, Adana, Hamidiye ve Hasanbeyli yoluyla Halep'e ulaştı. Dadrian ailesi, Hama, Humus, Şam yoluyla Arapların da yaşadığı Ceraş adlı Çerkez köyüne giderek üç yıl kaldı. Savaşın bitmesiyle Kudüs, Hayfa, Beyrut, İskenderun, Mersin, Larnaka, Antalya, Rodos, İzmir'den deniz yoluyla İstanbul'a döndüler. Üç yıl kalıp ABD'ye gittiler.

Evet 18 Aralık 1918'deki kararnameyle Ermenilerin evlerine dönebileceği açıklandı. Kimi döndü, kimi Avrupa, Amerika, Asya ülkelerine gitti...

Ermeni İsimleri

Ermeniler ile Türklerin ilişkisi nasıl başladı?

İlk, 1071 Malazgirt Savaşı'yla ilişkiler kuruldu. Ermenileri Bizans zulmünden Türkler kurtardı. Melikşah, Ermeni kralı Kivrike'nin kızıyla evlendi.

Bu Ermeni isimlerine de yansıdı.

Tanzimat'tan sonra yapılan bir çalışmada Ermeniler arasında Melikşah, Gökçe, Kutluşah, Arslanşah, Emirşah, Eymür, Murat, Budak, Hüdaverdi, Tatar, Hızırşah, Orhan, Cihanşah, Atabek, Edip, Fethullah, Kiçibeğ, İsfendiyar gibi yaygın kullanılan isimler vardı.

Ancak...

19'uncu yüzyılın sonlarına doğru Ermeni bebeklerine, "Vrej" (Öç al); "Azad" (özgür); "Armenouhie" (Ermeni); "Vrej houie"

(Hınç al); "Berdjouhie" (Muhteşem) gibi etnik kökene vurgu yapan isimler verilmeye başlandı!

Her şey birkaç yılda değişiverdi...

Oysa...

1826 Yunan isyanından sonra Osmanlı, "millet-i sadıka" dediği Ermenileri Rumlardan boşalttığı devletin önemli koltuklarına oturttu. 19'uncu yüzyılda...

- 22 Ermeni nazır/bakan yapıldı...
- 29 Ermeni bürokraside en üst rütbe paşalığa yükseltildi...
- 33 Ermeni milletvekili oldu...
- 7 Ermeni büyükelçi, 11 Ermeni konsolos olarak Osmanlı'yı temsil etti. Dışişleri ve İçişleri Bakanlığı kadrolarında 100'ü aşkın üst düzey Ermeni memur vardı. Yüzyılın sonunda Sayıştay'dan Darphane'ye, Danıştay'dan PTT'ye kadar devletin önemli merkezleri Ermenilere emanet edildi.

Sonra ne oldu? Yunan, Sırp, Bulgar, Arnavut, Arap gibi Ermeni de Rus ve İngiliz kışkırtmaları sonucu Osmanlı'dan kopmak istedi. Ardından...

8 milyon 856 bin 315 kişinin öldüğü,

21 milyon 219 bin 452 kişinin yaralandığı,

7 milyon 750 bin 945 kişinin kayıp ve esir olduğu insanoğlunun o güne kadar hiç görmediği, Birinci Dünya Savaşı sürecinde sadece Ermeniler değil herkes acı çekti...

O yıllar tek taraflı yazılabilir mi?

Büyük devrimci A. Gramsci'nin kavramıyla söylersek, Türkiye'de "kültürel hegemonya" yaşanıyor. Siyaset sadece kimlik politikaları üzerinden yapılıyor. Vahşi kapitalizmin payandası "entel tahakküm", Cumhuriyet'i yıkmak ve itibarıyla birlikte yaşamı yok etmek için kimlik siyasetini rehber edinmiş görünüyor. Hakikatleri anlatmıyor...

İttihatçılardan nefret ediyorlar. Hep yalan konuşuyorlar.

Şunu yazmalıyım...

Savaşın başladığı 1914 Temmuzu'nda Erzurum'da toplanan Taşnak Partisi, milliyetçi dürtülerle Ermenilerin geleceği hakkında karar almak üzereydi. Kongre'nin konukları arasında Enver Paşa'nın bizzat görevlendirdiği İttihatçıların önde gelenlerinden oluşan bir heyet vardı. Heyet, Ermeni tebaasının desteğini sağlamak için buradaydı. Ermeni temsilcilerine, Rusya'ya karşı savaşta Osmanlı saflarında yer almaları teklif edildi; karşılığında

Kafkasya'da Ermenilerin yaşadıkları yerler ile Erzurum, Van ve Bitlis gibi vilayetlerin bazı bölgelerinde Ermenilere özerklik tanınacağı iletildi. Bu, Ermenilerin öteden beri arzu ettikleri, bu uğurda can verip can aldıkları bir gelişmeydi. Avrupalı büyük güçlerin desteğine karşın bugüne dek ulaşamadıkları o büyük özerklik hayali, şimdi onlara Osmanlı yönetimi tarafından altın tepsi içinde sunuluyordu. Aslında... Teklif ilk bakışta son derece tuhaf görünüyordu. Ermenilerin, olası bir savaşta, yurttaşı oldukları devletin yanında yer almalarından daha doğal ne olabilirdi? Ama Ermeni önderlerin öyle bir niyeti yoktu. Osmanlı heyetine, "Taşnak Partisi'nin savaşta tarafsız kalmayı seçtiğini" bildirdiler. Mesele anlaşılmıştı; Rusya, Ermeni önderlere yalnız Kafkas Ermenistanı'nı değil, Doğu Anadolu'daki Osmanlı topraklarını da kapsayan bağımsız bir devlet vaat etmişti! Bunları ben değil, Erzurumlu Karekin Pastırmacıyan yazıyor!

Ama ulus-devlet düşmanları bunları hatırlamak istemiyor!

Yaygın çarpıtmalara konu olan bu süreci aydınlatmak zorunludur..

Bunlar Konuşulmuyor

Tehcire giden yol bir günde döşenmedi.

1780 Zeytun olayları...

Ermenilerin Osmanlı İmparatorluğu yönetimine karşı ilk silahlı isyanı.

Sonra "Ermeni Devrimci Federasyonu", Avrupa'da eğitim almış radikal unsurlar tarafından ulusal bağımsızlık şiarıyla 1890'da kuruldu.

Dört yıl sonra bu federasyon, Diyarbakır'a bağlı Sason'da Osmanlı yönetimine karşı silahlı bir direniş örgütledi. Bastırıldı.

"Yurttaşlar Derneği" adlı illegal bir yapılanmanın önderi olan Mıgırdiç Portakalyan'ın kurduğu "Armenakan Partisi", 1885 yılında Van merkez olmak üzere çevre illeri içine alacak şekilde örgütlenir. Bu organizasyon "Kan dökmeden hürriyet elde edilemez" sloganını benimsemiştir ve ihtilal yoluyla bağımsız bir Ermeni devleti kurmayı amaçlar. Zaman içinde öne çıkan Taşnak ve Hınçak Komiteleri ise bu pratikten yetişen kadroları bünyelerine alarak gelişirler. 1895'te Van'da bir ayaklanma düzenlediler. Bastırıldı.

26 Ağustos 1896'da Papken Siyuni önderliğinde bir grup, İstanbul'da Osmanlı Bankası merkez binasını bastılar. 21 Tem-

muz 1905'teki Yıldız Sarayı, II. Abdülhamit suikastı, Ermeni hareketinin sesini dünyaya duyurma girişimiydi.

Osmanlı'nın savaşa girmesiyle birlikte Taşnak, Armenakan, Hınçak örgütleri bünyelerindeki Ermeni milisleri 'kamavor' olarak adlandırılan gerilla birliklerini oluşturup; Osmanlı'nın düzenli ordusuna cephede ve cephe gerisinden vurmaya başladı. Ayrıca bu dönemde Ermeni Gönüllü Tugayları, "Detachment" birimleri olarak Rus Kafkas ordusuna destek verdi; işgalcilerin safında Osmanlı devletine karşı savaşmaya başladılar.

Prof. Dr. Hikmet Özdemir, yılbaşı hediyesi olarak piyasada satılmayan harika bir kitap gönderdi: *Ermeni Asıllı Rus General Korganoff'a Göre Kafkasya Cephesinde Osmanlı Ordusuna Karşı Ermeni Faaliyetleri* (Harp Akademileri Basımevi).

Gavril Grigoryeviç Korganoff 198 sayfalık kitabında, Birinci Dünya Savaşı başlarken Kafkas cephesinde Ermeni lejyonların (çetelerin) nasıl örgütlendiklerini ve bu şekilde oluşturulan birliklerin Rus ordusu saflarında "düşman Türk ordusu"na karşı nasıl savaştıklarını yazdı. Yazdığına göre, savaşın hemen başında oluşturulan 4 lejyonda 2 bin 500 aktif 600 yedek savaşçı olmak üzere 3 bin 100 gönüllü silah altına alınmıştı. "Bu birliklerin komutası, hepsi de Türklere karşı verilen mücadelenin önde gelen şahsiyetlerinden olan Ermeni halk kahramanları Andranik, Dro, Amazaspe ve Keri'ye verilmiştir... Ermeni lejyonerleri zamanla Avcı taburlar seviyesine yükseltilmiştir."

Araya girip...

Ermeni çetelerin yaptığına bir örnek vermeliyim...

Rus Kafkas ordusunun Kurmay Başkanı olan Tümgeneral L. M. Bolhovitinov, 17 Mart 1916'da başkomutanlığına şu raporu gönderdi:

> Bitlis Muhaberesi Komutanı Tümgeneral Abatsiyev şunları bildirdi: "Birçoğu Türkiye Ermenisi olan Ermeni birliklerine gelince, Bitlis'in alınmasının üçüncü gününde gönüllülerin, Müslümanlara yönelik kesintisiz tecavüzlerinden dolayı bu birliği şehrin dışına çıkarmak zorunda kaldım. Ermeniler tarafından sivil halkın katledildiğini öğrendiğim zaman meseleyi araştırmak için Ermeni birliğinin komutanı Andranik'i çağırdım. Andranik bana, bunun gibi olayların gayet doğal olduğunu, Türklerin de yakın akrabalarını öldürdüğünü söyledi."

Komutan Abatsiyev, Tatvan'da 28 Türk çocuğunun Andranik komutasındaki Ermeni lejyonerler tarafından nasıl öldürüldüğünü ayrıntılarıyla açıkladı.

Rus General Bolhovitinov, Ermeni çetelerin ırkçı duygularla Müslüman halka karşı vahşi kırımlara giriştiğini, nüfusu cins, yaş ayırt etmeden ya imha ettiğini ya da sürdüğünü kayda geçirdi. Ve bu zalimlikler sistemli olarak tehcirden önce başlamıştı.

Ermeni çetelerin zalimlikleri o kadar arttı ki...

Rus Kafkas ordusunun askeri mahkemelerinde birçok Ermeni çeteci Müslüman nüfusa yönelik katliam ve yağma yapmak suçundan yargılandı; idama mahkûm edildi.

Örneğin... Azerbaycan-Van Birliği'ne bağlı Rus Kolordu Mahkemesi, 10 Eylül 1916 günü, 3. ve 4. Ermeni Gönüllü Birliklerine bağlı Ermeni çetecileri, 26 Kürt kadın ve çocuğu işkenceyle öldürdüklerinden suçlu buldu.

Başka bir askeri yargı dosyasına göre, 2. Ermeni Gönüllü Birliği'nden Nagobet Grigoryants, 31 Ocak 1916'da Karakilise'nin Kinar köyüne geldi; evlerden birine girdi; odada yatan 8 ve 11 yaşlarındaki bir kız ve bir erkek çocuğunu birkaç süngü darbesiyle kasten öldürdü.[118]

Rus subaylara inanmayanlar Alman subaylarının yazdıklarına baksın! General Bronsart von Schellendorf, savaşta Osmanlı Genelkurmay birinci başkanıydı.

Talat Paşa'nın Ermeni terörist Soğomon Tehliryan tarafından siyasi mülteci olarak bulunduğu Berlin'de 15 Mart 1921 günü öldürülmesi davasında tanıklık yapmak istedi. Mahkeme kabul etmedi. Schellendorf bunun üzerine –anlamlı bir günde– 24 Nisan 1921'de *Alman Allgemeine Zeitung* gazetesine, "Talat Paşa İçin Şahitlik" başlıklı bir makale yazdı. 1914 yılından itibaren Alman Komuta Heyeti'nin Ermeni komitacılarının cephe gerisindeki terör olaylarından rahatsız olduklarını belirtti.

Kafkasya'daki Üçüncü Ordu'nun Alman Kurmay Başkanı Albay Felix Guse'den Sarıkamış Harekâtı'na katılan Albay Otto von Feldman'a kadar bölgede görev yapan tüm Alman subayları Ermeni saldırılarını ayrıntılı olarak raporlarına yazıp önlem istemişlerdi.[119]

---

118 Mehmet Perinçek, *Rus Devlet Arşivlerinden 150 Belgede Ermeni Meselesi*, Kırmızı Kedi Yayınevi.

119 Ayrıntılı bilgi için; Kerem Çalışkan'ın *Alman Cihadı ve Ermeni Sürgünü* kitabına bakılabilir.

Özeleştiri Yapan Başbakan

En başa dönelim...

Bakalım Osmanlı "soykırımcı" mı?

Sovyet Ermenistanı'nın önemli devlet adamlarından B.A. Boryan, Osmanlı'da Ermenilerin yaşam koşullarıyla ilgili Batı'da yapılan propagandaları çürütmektedir:

> İstanbul'un 1453 yılında II. Mehmet tarafından fethi, Ermenilere yönelik hiçbir zulme yol açmamıştır ve genel olarak onlar açısından hiçbir olumsuz sonuç doğurmamıştır. Tam tersine tarihsel kaynaklar, Mehmet'in Ermenileri sevdiğini ve Ermeni milletini devlet için yararlı bir öğe olarak gördüğünü, tebaasına insancıl yaklaştığını, tecrübelerine ve mali işlerdeki bilgilerine saygı duyarak Ermeni zanaatkâr ve tüccarlarını İstanbul'a davet ettiğini yazmaktadır. Milli Ermeni tarihi, Türk sultanlarının XVI. yüzyıldan itibaren Ermenileri esas olarak sevdiklerini ve imkânları ölçüsünde koruduklarını ileri sürmektedir.
>
> Hıristiyan köylülerin ekonomik durumu, Müslümanlardan, Türklerden, Kürtlerden daha iyi.[120]

Osmanlı'nın "güvenilir tebaa" dediği Ermenilerle arası neden bozuldu?

Ermenistan'ın ilk başbakanı ve Taşnak Partisi'nin kurucusu olan Ovannes Kaçaznuni, 1923 yılında partisinin kongresine sunduğu raporda ciddi bir özeleştiri yaptı. Şu fikirleri savundu:

- Kayıtsız şartsız Rusya'ya bağlandık.
- Denizden denize Ermenistan projesi emperyalist bir talepti.
- İngiliz işgali umutlarımızı tekrar yeşertti.
- Tehcir amaca uygundu.
- Kendi dışımızda suçlu aramayalım.
- Müslüman nüfusu katlettik.
- Türkiye, savunma içgüdüsüyle hareket etti.
- Ermenistan'da Taşnak diktatörlüğü kurduk.
- Terör eylemlerimiz Batı kamuoyunu kazanmaya yönelikti.
- Partimize intiharı öneriyorum.[121]

Devam edelim...

---

120 Mehmet Perinçek, *Ermeni Devlet Adamı B.A. Boryan'ın Gözüyle Türk-Ermeni Çatışması*, Kaynak Yayınları.

121 Ovannes Kaçaznuni, *Taşnak Partisi'nin Yapacağı Bir Şey Yok*, Kaynak Yayınları.

– Gerçek adı P.P. Goleyşvili olan Gürcü devlet adamı Karibi de, tehcir kararını haklı görenlerden. Osmanlı Ermenilerinin düşmanla işbirliğine dikkat çekerek şunu söyledi:

> Türkiye'deki Ermeni nüfus, Ermeni partileri yüzünden açıktan kendi devletinin düşmanları tarafına geçti ve kendi memleketlileri olan Kürtlerin ve Türklerin öfkesini üstüne çekti. Ermeni şeflerinin en temel hatası, Ermeni gönüllü birliklerini oluşturmalarıdır ve bu politikanın sonucunda milli nefreti ateşlemeleridir. Türkiye'nin yerine Hıristiyan Rusya'yı veya yüksek kültüre sahip Almanya'yı koyun. Eğer Rus Lehleri Avrupa'da yaşayan bütün Lehleri bir devlet örgütünde birleştirmek adına Avusturya Lehlerine katılsaydı ve bağlı bulundukları Rusya'ya karşı savaşsaydı Rusya ne yapardı?
>
> Eğer Alsace-Lorraine'deki Fransızlar, Almanya'ya karşı savaş için gönüllü birlikler oluştursalardı Almanlar ne yapardı? Doğal olarak bu iki uygar Hıristiyan devlet de Türkiye Ermenilere ne yaptıysa onu yapardı. İngilizler, düşmana katılmayı düşünmeyen, sadece geçmişteki bağımsızlığını geri talep eden İrlanda'yı bile daha dün ateş ve kanla dize getirdi.[122]

Son bir alıntı yapayım:

Sovyet Ermenistanı'nın önemli devlet ve bilimadamlarından A.B. Karinyan, Ermeni çetelerinin Müslümanlara yönelik katliamlarının içyüzünü ortaya koydu:

> [Ermeni çeteleri] Ermeni olmayan nüfusun fiziksel olarak yok edilmesi metoduna başvuruyordu. Rus ordusunun raporlarından ve talimatlarından görülüyor ki, Ermeni gönüllü birlikleri, en geniş ölçüde, Hıristiyan olmayan halkın ortadan kaldırılmasıyla uğraştılar. Gönüllü birlikler, Kürt ve Türk nüfusu sistematik olarak imha ederek Taşnaksutyun Partisi'nin Ermeni bölgesinin Müslüman öğelerden temizlenmesini ve sınırların çevrilmesini öngören planını yerine getirdiler. Bu "program", Rus ordularındaki birliklerin komutanlarının rahatsızlıklarını birçok kez dile getirmelerine rağmen inatla uygulandı.[123]

Ermeni tarihçi Lalayan'ın, Ermeni arşivlerinde yaptığı çalışmalara dayanarak hazırladığı istatistiki tabloda (1918-1920) Taşnak

122 Karibi, *Gürcü Devleti'nin Kırmızı Kitap*, Kaynak Yayınları.
123 A.B. Karinyan, *Ermeni Milliyetçi Akımları*, Kaynak Yayınları.

iktidarı döneminde, Kürtlerin yüzde 98'inin, Türklerin yüzde 77'sinin, Yezidilerin de yüzde 40'ının imha edildiğini ortaya çıkardı.

"Soykırım" lafazanları bunları dile getirmiyor.

Atatürk Sinirlendi

Atatürk, Amerikalı gazeteci Clarence K. Streit'ın kendisini ziyareti esnasında, Ermenilerin zorunlu göçe tabi tutulmasının gerekçelerini sorması üzerine sinirlenerek şu cevabı verdi:

"Düşmanca ithamda bulunanların sürdürdükleri büyük mübalağalar dışında Ermenilerin tehciri meselesi aslında şuna dayanmaktadır: Rus ordusu 1915'te bize karşı büyük taarruzunu başlattığı sırada o zaman Çarlığın hizmetinde bulunan Taşnak Komitesi, askeri birliklerimizin gerisinde bulunan Ermeni ahalisini isyan ettirmişti. Düşmanın sayı ve malzeme üstünlüğü karşısında geri çekilmeye mecbur kaldığımız için kendimizi daima iki ateş arasında kalmış gibi görüyorduk. İkmal ve yaralı konvoylarımız acımasız bir şekilde katlediliyor, gerimizdeki köprüler ve yollar tahrip ediliyor ve Türk köylerinde terör hüküm sürdürülüyordu. Bu cinayetleri işleten saflarına eli silah tutabilen bütün Ermenileri katan çeteler, silah, cephane ve iaşe ikmallerini, bazı büyük devletlerin daha sulh zamanından itibaren kendilerine kapitülasyonların bahşettiği dokunulmazlıklardan istifade ve bu maksada matuf olarak büyük stoklar husule getirmeye muvaffak oldukları Ermeni köylerinde yapıyorlardı. İngilizlerin sulh zamanında ve harp sahasından uzak olarak İrlanda'ya reva gördüğü muameleye hemen hemen kayıtsız bir şekilde bakan dünya efkârı Ermeni ahalinin tehciri hususunda almaya mecbur kaldığımız karar için bize karşı haklı bir ithamda bulunamaz. Bize karşı yapılmış olan iftiraların aksine, tehcir edilmiş olanlar hayattadır ve bunlardan ekserisi şayet İtilaf Devletleri bizi tekrar harp etmeye zorlamasaydı evlerine dönmüş olurlardı..."

Atatürk sinirlenmekte haksız mı?

Osmanlı "soykırımcı" ise Rumlara, Yahudilere, Ermeni Katoliklere, Latinlere, Süryanilere, Keldanilere, Jakobilere, Maronilere, Samiriyelilere, Nasturilere, Yezidilere, Çingenelere, Dürzilere, Kazaklara, Bulgarlara, Sırplara, Araplara, Ulahlara vd. dokunmadı!..

Uzattık... Ama bir iki söz etmem lazım...

Osmanlı'nın "soykırım" yapmadığını biz Cumhuriyetçiler büyük bir mücadeleyle savunurken sözde Osmanlıcıların neden hiç sesi çıkmıyor?

Neden "soykırım" yalanı üzerinde solcular-sosyalistler mücadele verirken "diğerlerinin" pek sesi çıkmıyor?

Dün de böyleydi: 3. Komünist Enternasyonal'e bağlı Doğu Halkları Propaganda ve Harekât Konseyi'nin hazırladığı *Kızıl Kitap*, emperyalist İngilizlerin Birinci Dünya Savaşı'nda psikolojik savaş amaçlı yayımladıkları *Mavi Kitap*'ın tüm yalanlarını yerle bir etti. Taşnak çetelerinin, Kars, Ardahan ve Iğdır bölgelerinden Müslüman nüfusa karşı giriştikleri vahşi katliamları gözler önüne serdi.

Türkiye'de ise bakın ne oldu?..

Cezaevine Attılar

35 yaşındaydı...

İngilizce, Almanca, Rusça ve Osmanlıca biliyordu.

On yıldır Rusya devlet arşivlerinde "Ermeni Meselesi" üzerine araştırmalar yaptı.

Ermeni Meselesi üzerine yazdığı kitaplar ve konuyla ilgili yayımladığı belgeler şunlar:

– *Ermeni Devlet Adamı B. A. Boryan'ın Gözüyle Türk-Ermeni Çatışması,*

– *Rus Devlet Arşivlerinden 150 Belgede Ermeni Meselesi,*

– *Rus Kafkas Ordusu Kurmay Başkanı Tuğgeneral L.M. Bolhovitinov,*

– Ovanes Kaçaznuni, *Taşnak Partisi'nin Yapacağı Bir Şey Yok,*

– A. A. Lalayan, *Taşnak Partisi'nin Karşı Devrimci Rolü,*

– Karibi, *Ermeni İddialarına Yanıt,*

– S.G. Pirumyan, *Diasporadaki Taşnaklar,*

– *Çarlık Polis Raporlarında Taşnaklar...*

Adı; Mehmet Perinçek.

Ermeni soykırımı iddialarını çürüten en değerli akademisyenlerden.

Cemaat, Ergenekon kumpasıyla onu da Silivri zindanına attı. Ki meydan "soykırımcılara" kalsın!

Osmanlı Ermeni isyanlarını sürekli kışkırtan ülkelerin başında Çarlık Rusyası geliyordu. Mehmet Perinçek'e sordum; Ermeni meselesi hakkında Rus belgeleri ne diyor?..

– Soru: Rus belgeleri Ermeni-Osmanlı ilişkisini nasıl değerlendiriyor?

– Yanıt: 15 senedir birçok farklı Rus devlet arşivinde bu konu üzerine çalıştım. Bu arşivler, Ermeni meselesi açısından zengin kaynaklar sunuyor. Gerek Çarlık Rusya gerekse Sovyetler Birliği, 1915 olaylarına, öncesine ve sonrasına en yakından tanıklık eden devletlerdir.

Çarlık arşiv belgelerine göre; Ermeniler, emperyalist devletlerin müdahalesine kadar, Osmanlı'da iyi şartlarda yaşamışlar; özellikle Osmanlı Devleti tarafından desteklenmiş ve korunmuşlardır. Çarlık yetkililerinin yazışmaları göstermektedir ki, Osmanlı Ermenilerinin yaşam koşulları Rusya Ermenilerine oranla daha iyidir. Osmanlı hâkim sınıfları açısından sömürüde milli ayrım asla söz konusu olmamıştır. Dolayısıyla Ermenilerin yaşadıkları sorunlar, bir Türk'ün, yaşadığından farklı değildir.

– Soru: Rusya belgeleri 1915'e "kırım" mı yoksa "soykırım" mı diyor?

– Yanıt: Belgeler soykırım değil, karşılıklı kırımın yaşandığını; bu karşılıklı kırımın Batılı emperyalist devletler ve Çarlık Rusyası tarafından kışkırtıldığını; buna karşılık Osmanlı'nın bir vatan savunması verdiğini, hukuki tabirle meşru müdafaa eylemi için bulunduğunu ispatlıyor.

Biliyorsunuz, tehcir kararı ve uygulaması, savaş önlemidir. Bu önlem teamülü hukukun unsurudur; bugün Cenevre sözleşmelerine ek 2. protokolün 17. maddesinde tedvin edilmiştir.

Rus belgelerinde Osmanlı'yı işgal planları çerçevesinde Ermenilere iki görev yüklenildiği görülmektedir.

Birincisi, Ermeniler, cephe gerisinde ayaklanma çıkararak Osmanlı ordusunu zaafa uğratacaktır.

İkincisi ise, Ermeni gönüllü birlikleri yoluyla Osmanlı ordusunun savunma hattını yırtarak Rus işgalini kolaylaştırmaktır.

Bu temelde Rus ve Ermeni yetkililerin yazdığı sayısız rapor vardır.

Her iki görevin yerine getirilmesinde Osmanlı Ermenileri aktif rol oynamıştır. Mesele birkaç Taşnak'ın işinden ibaret değildir. Geniş Ermeni kitleleri gönüllü birliklerin oluşturulmasında ve ayaklanmaların çıkartılmasında yer almıştır. Arşivler, Çarlık ordularına hizmet etmek ve gönüllü birliklerde Türklere karşı savaşmak için Osmanlı Ermenilerinin Rus yetkililere başvurularıyla doludur.

Diğer taraftan Çarlık generallerinin ve subaylarının yazdığı yüzlerce rapor ve Çarlık askeri mahkemelerinin yüzlerce tutanağı ve kararları göstermektedir ki, Birinci Dünya Savaşı sırasında işgal edilen bölgelerde Ermeni gönüllü birlikleri Müslüman halka karşı vahşi katliamlara girişmiş ve mallarını yağmalamıştır.

Belgelere göre bunlar, sistematik bir biçimde yapılmıştır ve ırkçı nefrete dayanmıştır. Ermeni çetelerini kullanan Rus komutanları bile bu vahşet karşısında dehşete kapılmıştır. Birçok Ermeni subay ve askeri, bu nedenle Rus askeri mahkemelerinde yargılanmış ve idam cezasına çarptırılmıştır. Bu katliamların ve yağmaların tehcirden önce başlaması da ayrıca önem taşımaktadır.

– Soru: Bolşevikler konuya nasıl yaklaşıyor?

– Yanıt: Lenin ve Stalin'in elyazısı metinleri var. Gizli yazışmalar, politbüro raporları vs. Bir trajedi yaşanmış tabii; ama tek taraflı değil. Bu trajedinin sorumlularını ise Ermenileri kullanma politikası güden emperyalist devletler ve onların planlarına alet olan Taşnaklar olarak değerlendiriyorlar. Türk ordusu ile Kızıl Ordu arasında Taşnaklara karşı yapılan işbirliğine dair belgeler de önemli. Ortak operasyonlar düzenleniyor.

– Soru: Erdoğan Hükümeti'nin "Ermeni açılımı" bu tabloda nereye oturuyor?

– Yanıt: Türkiye-Ermenistan sınırının açılması planı ABD projesiydi. ABD, Ermenistan'ı Rusya'dan kopararak Türkiye üzerinden Washington'a bağlamak istiyor. Birkaç sene önce Türkiye'de ortaya konan "Ermeni açılımı" ve ardından imzalanan Türk-Ermeni protokolünün altında yatan gerçek buydu. Erdoğan bu açılımı ve protokolleri, Türk halkından ciddi tepki gelince hayata geçiremedi.

– Soru: Avrupa İnsan Hakları Mahkemesi'ne Doğu Perinçek'in başvurusunu "Soykırım yoktur" diye değerlendirebilir miyiz?

– Yanıt: AİHM, "1915 olaylarının" tarihsel ve hukuki olarak BM'nin 1948'de tanımladığı "soykırım" kavramından ve Nazilerin Yahudilere uyguladığı soykırımdan farklı olduğunu net bir şekilde izah etti. Böylece hukuki kavram olan "soykırım" üzerine tartışmalar da gerçek bir zemine oturmuş oluyor.

Bu karar, sözde soykırımla ilgili tartışmaların siyasete alet edilmesinin önüne geçebilecek imkânlar sunuyor. Avrupa parlamentolarında alınan soykırım kararlarının geçersizliği tescilleniyor. En önemlisi bu karar, bir emsal niteliğindendir ve ilgili uluslararası sözleşmenin altında imzası bulunan bütün devletleri bağlamaktadır.[124]

– Soru: Ergenekon davası çerçevesinde tutuklanmanızla bu çalışmalarınız arasında bağ kuruluyor?

– Yanıt: Şaka değil. Gerçekten iddianamede Ermeni meselesiyle ilgili çalışmalarım, bu konuda milli hassasiyetleri kullanarak sözde Ergenekon Terör Örgütü adına faaliyet yürütmek ve propagandasını yapmak olarak değerlendirilmişti. Sempozyumlara sunduğum tebliğler, Dışişleri Bakanlığı'yla yaptığım telefon görüşmeleri suç delili olarak yer aldı!..[125]

Sadece Mehmet Perinçek değil...

Dünyada "Ermeni soykırımı yoktur," diyenlerin başına neler getirilmedi ki...

İşte biri...

---

124 Doğu Perinçek, İsviçre'de 2005 yılında verdiği konferanslarda, "Ermeni soykırımı emperyalist bir yalandır" demesi üzerine bu ülke yargısınca "ırkçı ayrımcılık" gerekçesiyle cezaya çarptırıldı! Perinçek kararı Avrupa İnsan Hakları Mahkemesi'ne taşıdı. AİHM 2. Dairesi kararında, ifade özgürlüğü vurgusu yaparak İsviçre'yi haksız buldu. Ancak İsviçre bu karara itiraz ederek, davayı Büyük Daire'ye taşımıştı. AİHM'nin temyiz organı olarak görev yapan Büyük Daire'nin ilk duruşmasında bulunması için Perinçek'in Ergenekon davası kapsamında yurtdışına çıkış yasağı kaldırıldı. Büyük Daire, AİHM 2. Dairesi'nin verdiği hükme uydu ve "soykırımı" inkârın cezalandırılmasının ifade özgürlüğü ihlali olduğunu teyit etti. Eklemeliyim; Perinçek ve bir uçak dolusu yurtsever, Strasbourg'daki bu davaya ceplerinden para ödeyerek giderken; AKP, yandaş avukatlara ABD'de "lobi yapsın" diye milyon dolarlar ödedi!

125 Fethullah Gülen, ABD'de konuştu:"Ulusalcı dalgayı aşacağız." (16 Ekim 2005, *Yeni Aktüel*) Ardından AB kararı çıktı; "Talat Paşa Komitesi'ni dağıtın!" Sonunda Ergenekon süreci başlatıldı ve "Ermeni soykırımı" iddialarına karşı mücadele veren Talat Paşa Komitesi "terör" kapsamına sokuldu! Düşünüyorum da... Fethullah Gülen, –bugün kavgalı olduğu– Latif Erdoğan'a yazdırdığı *Küçük Dünyam* adlı kitapta, Ermeni Tehciri'nin yaşandığı 1915'te dedesi Şamil Ağa'nın tüm aileyi alarak Erzurum Pasinler Korucuk köyünden, Yozgat Yerköy'e kaçtıklarını anlattı. Erzurum'da tehcir, 14 Haziran 1915'te başladı. Kasım ayında Rusların Erzurum istikametine ilerlemeleriyle birlikte bilhassa Pasinler, Köprüköy ve Azap gibi yerlerden göçler başladı. Erzurum'daki 673 bin 297 Müslüman nüfustan, 448 bin 607 kişi Ruslardan ve Ermeni cinayetlerinden korkup iç bölgelere kaçtı. (Resmi belgelere göre Erzurum'da 9 bin 563 Müslüman, Taşnak Ermeni çeteleri tarafından şehit edildi.)
Demem o ki... Ailesinin zorunlu göçünde yaşadıklarını bilen Fethullah Gülen, Talat Paşa Komitesi üyesi olması gerekirken, o günlerde neden "Ulusalcı dalgayı aşacağız" diye demeç verip "Soykırım yoktur" diyenleri kumpasla zindana attırdı? Anadolu'da her evde bir sır var!

Adı, Bernard Lewis...

Bugün 99 yaşında...

Ortadoğu ve İslam tarihi konusunda yaşayan en önemli İngiliz tarihçilerden biri...

Yaşadığı yüzyılın tanığı bir tarihçi...

Otobiyografik çalışması olan *Tarih Notları/Bir Orta Doğu Tarihçisinin Notları* (Arkadaş Yayınevi) kitabında şunu yazdı.

Tarih: 18 Kasım 1993.

Bernard Lewis, Fransız *Le Monde* gazetesine "Türkler, Ermeni soykırımı yapmamıştır," dedi. "Ermenilere doğrudan yönelik bir kin duygusu oluşturma ya da Avrupa'daki Yahudi düşmanlığıyla mukayese edilebilecek 'iblisleştirme' kampanyası olmamıştır. Ermeni tehciri tüm ülkeyi içine almamıştır. Türkler, –kendilerine yapılana oranla nispetsiz de olsa– Ermenilere karşı durup dururken eylem yapmamıştır. Bununla birlikte Osmanlı hükümetinin Ermeni milletini toptan yok etmeyi amaçlayan bir kararının ya da planının varlığına ilişkin ciddi hiçbir delil veya belge mevcut değildir."

Bernard Lewis ve *Le Monde* hakkında, "özgürlüğün mabedi" Fransa'da ikisi ceza, ikisi de kamu davası olmak üzere dört dava açıldı! Mahkeme, üç suçlamayı düşürdü. Ancak Lewis hakkındaki kamu davasını kabul etti. Ve mahkeme bakın ne dedi: "Bilimadamının, ifade özgürlüğünü kullanırken tanıkları veya toplumda oluşmuş kanaatleri nazarı itibara alma zorunluluğu vardır!" Yuh artık!

Bu nedenle... Fransa'da yayımlanan Quid ansiklopedisi, "soykırım" konusunda Türk tarafının görüşünü de yazdığı için mahkûm ettirildi!

Tarihçi Lewis karar üzerine şöyle diyecekti:

"Bütün bir ulusu soykırım yapmakla suçlayarak ya da Ermeni gerillalar tarafından Türk, Kürt ve diğer Müslüman köylülerin katledilmesini inkâr ederek veya onaylayarak, Türklerin duygularını incitmeyle ilgili bir sınırlama yoktu."

Tarihçi Lewis iyi kurtulmuştu. Bakın kimlere neler yaptılar? Ve bu teröristleri nasıl "kutsadılar".

1972 yılı ekim ayı başı...

Türkiye'nin Los Angeles Konsolosluğu'na gelen ve İran asıllı olduğunu, adının "Gourg Yaniki" olduğunu söyleyen bir Amerikan vatandaşı, elinde Osmanlı sarayından kaçırılmış tarihi bir tablo ile imzalı bir hatıra banknot bulunduğunu belirterek, bunları Türkiye'ye bağışlamak istediğini söyledi.

Başkonsolos Mehmet Baydar Ankara'yla yazışmalar yaptı. Ankara bağışı kabul etti.

Tarih: 27 Ocak 1973.

Başkonsolos Mehmet Baydar, yardımcısı Bahadır Demir'i de yanına alarak Santa Barbara şehri Biltmore Oteli'ne gitti. 34 nolu odada "Gourg Yaniki" ile buluşup emanetleri alacaklardı. Baydar ve Demir odaya girdikleri anda kurşunlara hedef oldu.

"Gourg Yaniki"nin gerçek adı, Gourgen Mıgırdiç Yanıkyan'dı. Aslen Rus vatandaşıydı. "1915'in intikamı için cinayeti işledim," dedi.

Aslında suikast "geliyorum" demişti:

24 Nisan 1972'de bir grup Ermeni Türk Konsolosluğu'na saldırmış, kimi çalışanları tartaklamıştı.

29 Ekim 1972'de Mevlânâ ekibinin Los Angeles temsili Ermenilerin "bombalarız" tehdidiyle yapılamamıştı.

4 Kasım 1972'de Cumhuriyet Bayramı nedeniyle Belair Hotel'de düzenlenen balo Ermenilerin saldırısına uğramıştı.

Hava gergindi ve ardından suikast geldi; iki diplomatımız şehit edildi.

Katil Yanıkyan ömür boyu hapse mahkûm edildi. Bitmedi...

Adı, George Dökmeciyan...

Anadolu Ermenisi'ydi. Annesi Erzurumlu, babası Gazian-tepli'ydi. 1900'lü yılların başında ABD'ye göçmüşlerdi.

Dökmeciyan California valisi seçildiğinde ilk icraatlarından biri "soykırımı", okulların müfredatına sokmak oldu.

Los Angeles'taki Yahudi "Soykırım Müzesi"ne valilik bütçesinden 5 milyon dolar bağışlayarak "Ermeni soykırımının" da müzede yer almasını sağladı!

Ve... Vali Dökmeciyan, "Serbest bırakılırsam yine aynısını yaparım," diyen Türk konsoloslarının katili Yanıkyan'ı affedip cezaevinden çıkardı!..

Hukuk mu dediniz; adalet mi dediniz; geçiniz...

Mesele şu: "Hay Dat" nedir, hiç duydunuz mu?

"Megali İdea" gibi...

"Siyonizm" gibi...

Diaspora Ermenilerinin "büyük ülkü"sü...

"Hay Dat" idealini hayata geçirmek için Diaspora'nın "Dört T" planı vardır:

1) Tanıtma; Ermenilere "soykırım" yapıldığı propagandasının yürütülmesidir. Ermeni teröristler, Türk diplomatlarını, eşlerini, çocuklarını öldürerek "sorunu" dünya kamuoyu önüne getirdiler.

2) Tanınma; "soykırım" kampanyalarıyla dünya kamuoyu ve parlamentolarını ikna etmek ve özellikle de Türkiye'nin "soykırımı" resmen kabul etmesini sağlamaktır. Son dönemdeki Türkiye'deki faaliyetlerin amacı budur. TBMM'ye "soykırımı" kabul eden milletvekillerini sokma gayreti bu nedenledir. Selahattin Demirtaş'ın –tarihi gerçeklere aykırı olduğunu bilmesine rağmen sırf Türk düşmanlığı nedeniyle– "soykırımı" tanıması bu yüzdendir. Sonra, sıra üçüncü maddeye gelecektir:

3) Tazminat; "Soykırıma" uğramış Ermeni mirasçılarına para ödenmesidir. Tazminat olarak, 104 milyar 544 milyon 260 bin 400 dolar istiyorlar!

4) Toprak; "işgal altındaki topraklarının" iadesidir.

İşte bu nedenle...

Siz ne derseniz deyin...

Siz ne yazarsanız yazın...

Sadece kendi yalanlarına inanılmasını istiyorlar. Hiçbir bilimsel tartışma davetini kabul etmiyorlar. "Türkiye ile Ermenistan tarihçileri komisyon kursun; Türk, Rus, İngiliz, Alman, Fransız, Ermeni, Alman arşivlerinde çalışmalar yapsınlar," dersiniz, hemen reddederler.

Yetmez: ABD üniversitelerindeki 69 tarihçi bildiri yayınlayarak, "Türkler soykırım yapmamıştır," deyince bilimadamlarını tehdit ederler. Prof. Dr. Standford Shaw'u ailesiyle Türkiye'ye göç etmek zorunda bırakırlar.

Ermeni tarihçi L. Maraşlıyan'a, asistanıyla birlikte, Ankara'daki uluslararası "Türk Tarihi" konferansına katılması üzerine yapmadıklarını bırakmazlar. Soykırım kitabı yazarak kurtuldu adamcağız.

Evet... Amaçları sadece bu dört aşamalı planı hayata geçirmektir...

Türkiye devleti ise, tüm bu olup biteni sadece seyretmektedir.

Ama anlatacaklarım bitmedi...

Sarkis Amca

Sarkis Amca'nın anlatacakları var size...

Sarkis Amca kim mi?

Lenin'in nasıl marangoz Halturin'i varsa Türkiye komünistlerinin de marangoz Sarkis Amcası vardı. "Taşnak milliyetçisi olacağıma komünist oldum," dedi hep.

Kitabının adı nasıl bir umudu olduğunu gösteriyor: *Dünya Hepimize Yeter*.

Bugünlerde gözümüze bakarak "Soykırım yapıldı," diyen Türklere, tehcir çocuğu Ermeni Sarkis Amca'nın söyleyecekleri var... Üç tespitle başlayabilirim.

Tespit 1) Anadolu Ermenileri ile Kafkas Ermenilerini birbirine karıştırmayınız. Kafkas Ermenileri Türk düşmanıdır. Öyle ki Ermenistan kurulunca Anadolu'dan gelen Ermenilere bile karşı çıktılar. İsrail'de nasıl Sefarad-Aşkenaz çekememezliği varsa, Ermenistan'da da Kafkas-Anadolu ayrımı yapılır.

Tespit 2) Osmanlı'daki Katolik ve Protestan Ermenileri pek sürgün edilmedi. Tehcire gönderilenler genellikle Rusya'yla dinsel bağı olan Ortodoks Ermenilerdi.

Tespit 3) Yine etnik kimliklere dayalı nefret tohumları serpiştiriliyor güzelim Anadolu toprakları üzerine...

Yine hep kötüyü, olumsuzu, çirkini gösteriyor ve salt bunun üzerinden tarih tartışması yaptırıyorlar.

Türkiye "her şeyden az bilenler" ülkesi ve bunlar her gün tarihi yeniden kurguluyor! İtibarıyla tarih, siyasetin ve propagandanın nesnesi haline getiriliyor.

Madem öyle... Sözü Sarkis Amca'ya bırakalım...

Yıllarca TKP'nin illegal yayın organı *Atılım* dergisini, işletmekte olduğu marangoz atölyesinde bastı. Parti belgelerini mobilyalara yaptığı gizli çekmecelerde sakladı.

Adı, Sarkis Çerkezyan...

Annesi Tokatlı, babası Kayseri Talaslı bir Ermeni.

"Tehcir çocuğu" olarak 1915'te doğdu.[126]

Sarkis Amca, 2009'da öldü.

Dünya Hepimize Yeter adlı anı kitabında tehcir önemli bir yer tutuyor. Haklı olarak ailesinin çektiği acılardan bahsediyor.

126 Adapazarlı Dr. Vartan Gomikyan, İstanbullu Prof. Dr. Krikor Pambukciyan, Kayserili Bercuhi Semizoğlu gibi 1915'te doğan Ermenilerin hikâyelerini kitap yapmak ne güzel olur: Tehcir Çocukları...

Yazdıklarını aktarmak istiyorum. Çünkü bugün "Ermeni soykırımı"ndan bahsedenler İttihatçıları en ağır sözlerle lekeliyorlar. "Soykırım" yaptığı söylenen Cemal Paşa anı kitabında bakın nasıl geçiyor:

"Dayım –Aram Fermanyan– tehcir döneminde Cemal Paşa'nın yanında askeri doktormuş. Cemal Paşa da severmiş dayımı. Dayım, Cemal Paşa'dan 'Eniştemi, yeğenimi, ablamı götürdüler Arabistan'a. Bana bir izin kâğıdı verin de onları göreyim,' diyerek izin istemiş. Cemal Paşa da, Bağdat hattı üzerinde bulunan askeri hastanelerin teftişi diye bir görev vermiş dayıma. Dayım bu sayede hastaneleri geze geze Suriye'ye kadar gelmiş, Halep'e oradan da bizim bulunduğumuz Meskene'ye..."

Ne diyorlar bugün: "Tehcir yok soykırım var."

Bu nasıl "soykırım" ise, İttihatçıların en önemli üç isminden biri olan Cemal Paşa'nın yanında bir Ermeni var!

Sarkis Çerkezyan üç yaşındadır ve Halep yakınlarındaki Meskene tehcir kampında büyümektedir. Anılarında Mustafa Kemal de vardır...

"Yıl 1918. İngiliz uçakları geliyor, istasyonun yakınında bulunan cephaneliği bombalıyor. Araplar damlara çıkıp, 'ici İngiliz, ici İngiliz' diye bağırıyorlar. İci ne demekse, gel mi demek acaba? Arapça bilmiyorum. Arapça bazı kelimeler var, onlardan kalmış. Mesela Arap çocukları Ermeni muhacirlerinin arkasından 'vıca ermen ermen, vıca ermen ermen, gitti cehenneme gitti' filan diye bağırırmış, vıca ne demekse...

İngiliz süvarileri çölden gelip Halep'e giriyorlar, ele geçiriyorlar şehri. Mustafa Kemal geceleyin Halep'i terk ediyor. Yanındaki emir eri de Talaslı bir Ermeni'ymiş. O da gelip babamlara haber veriyor."

Ne diyorlar: "Osmanlı soykırım yaptı!"

Oysa "soykırım" yapıldı" denilen dönemde Osmanlı Paşası Mustafa Kemal'in emir eri Talaslı bir Ermeni!

Birinci Dünya Savaşı'ndan sonra Sarkis Çerkezyan ve ailesi Anadolu'ya döndü.

Döndüklerinden sonra neler yaptıklarını anlatırken bir ayrıntı dikkatimi çekti; sizle paylaşmalıyım:

"Babamın Kayseri'nin Talas nahiyesinde akrabaları vardı. Dayısının oğlu Artin Ağa da, o yıllarda Kayseri valisinin faytonunu sürüyormuş, ona haber yollamış. Artin Ağa gelip babamı alarak Talas'a evlerine götürmüş."

Bugün... Ne diyorlar: "Soykırım yapıldı!" Oysa o süreçte devletin valisinin "makam aracının şoförü" Ermeni!

Son bir anıyı daha aktarıp noktayı koyayım:

"Ereğlililer Ermenilere pek dokunmamışlar. Çotur Setraklar gibi istisnalar olmuş elbette tehcire giden, ama onların da mallarına el koymamışlar. Ereğli'deki Ermenilerin hepsinin malı mülkü evi barkı ellerindeydi; çok sonra mallarını satıp İstanbul'a geldiler."

Sarkis Amcalar çok çekti.

Acıları hâlâ yüreğimizi yakar.

Yıl 1973.

Sovyetler Birliği Sarkis Amca'ya Ermenistan'da yaşaması için vatandaşlık verdi. Yoldaşlarını, toprağını ve gelecek güzel günler umudunu bırakıp gidemedi...

Sarkis Amca buralıydı...

Kimin "Dili" Kesildi?

Geçmişe dair konuşmalarda, tarih söyleminde bilerek eksiklik yapılmasını kabul edemem. Öyle hava estiriliyor ki, sanki tüm Ermeniler tehcir edildi ya da öldürüldü! Yapmayınız.

Birkaç anekdot aktarmak istiyorum:

Örneğin... Soykırım halkların dilini yok etmek ister.

Tarih: 2 Eylül 1915.

"Tehcir Kanunu"ndan beş ay sonra... Maarif Nezareti "Mekâtib-i Hususiyye Talimatnamesi" yayınladı.

"Türkçülük" yaptığı iddiasıyla sürekli kötülenen ve yaşanılan birçok sorunun müsebbibi görülen İttihatçıların, eğitim mevzuatını nasıl düzenlemelerini beklersiniz? Örneğin, "Okullarda öğrenim dili Türkçedir, dersleri de Türkçe öğretmenleri verir," gibi mi? Hayır, hiç öyle değil.

Talimatnamenin 6'ncı maddesi diyor ki: Her Osmanlı cemaati kendi dilinde eğitim yapar. Ancak bu okullar Osmanlı'nın resmi dili Türkçeyi de öğretmek zorundadır. Ermeni okullarında Ermeni öğretmenler, Rum okullarında Rum öğretmenler, Yahudi okullarında Yahudi öğretmenler öğrenim verecekti! Talimatnamenin 26'ncı maddesine göre, bu öğretmenleri de Yahudi, Rum, Ermeni cemaatlerinin ruhani liderleri seçecekti.

Sonuç? Bu eğitim talimatnamesini çıkaran Dahiliye Nazırı Şükrü Bey'i, İngilizler "Ermeni kıyıcısı" diye Malta'ya sürgüne gönderdi!

Ne diyorlar "soykırım" yapıldı...

Hadi canım sizde! Osmanlı kimin "dilini" kesti?

Kevork Pamukciyan'ın *Biyografileriyle Ermeniler* kitabına baktığınızda 1915'ten sonra ülkede yaşayan Ermeni dilciler vardı. Örnekler vereyim...

Bedros Zeki Garabedyan *Osmanlıca-Ermenice Büyük Lügat* gibi eserler çıkardı. 1932'deki Türk Dil Kurultayı'na katıldı.

Hıraçya Acaryan, Ermenice ağız ve lehçeler konusunda uzman dilciydi. Kitaplar yazdı.

Armenak Bedevyan çiçeklere Ermenice adlar koyan botanikçi bir dilciydi. vs. vs...

Atatürk iki Ermeni dilciye soyadı verdi; Agop (Martayan) Dilaçar (1895-1979) ve Berç (Kéresteciyan)Türker (1870-1949). Agop Bey, 1934'te Mustafa Kemal'e "Atatürk" soyadını öneren kişidir. Berç Bey, İngilizlerin Karadeniz açıklarında batıracağı ihbarını Mustafa Kemal'e ulaştırarak Bandırma Vapuru'nun hep kıyıdan giderek Samsun'a ulaşmasını sağlamış kişidir. Sonra milletvekili oldu. Gerçekler ortadayken hâlâ "soykırım" diyorlar...

Ermeni Gazeteciler

Öyle bir anlatıyorlar ki...

Sanki İstanbul'daki tüm Ermeni gazeteci-yazarlar idam edildi! Oysa...

– Arşag Alboyacıyan, Osmanlı'nın önemli tarihçilerinden biriydi. Tehcir dönemi de dahil 1908-1918 yılları arasında Püzant Keçyan tarafından çıkarılan *Püzantion* adlı Ermenice gazetenin yazarlarındandı.

– Toros Azadyan Ermeni tarihçiydi. 1915'te öğretmendi. *Arevelk* (Şark) ve *Zartonk* (Uyanış) dergilerinde yazılar yayımladı. Kitaplar çıkardı.

– Arşag Babikyan, 1915'te *Le Soir* (Akşam) ve *Hilal* adlı gazetelerde makaleler yazdı.

– Hrant Asadur; tanınmış bir Ermeni tarihçiydi. 1915'te Bahriye Haciz Temyiz Komisyonu üyesiydi.

– Yetvart Alyanakyan antikacıydı ama aynı zamanda gazeteciydi. Ermeni dergi ve gazetelerine tarihe ilişkin yazılar kaleme alırdı.

– Zabel Hancıyan "Sibil" mahlasıyla tanınan Ermeni yazardı. Ermenice hikâyeler, şiirler yazdı; Fransızcadan çeviriler yaptı.

– Harutyun Mırmıryan tarihçiydi. Kitapları vardı. Ermeni dergi ve gazetelerinde makaleler yazdı.

– Hovhannes Apikyan'ın asıl mesleği matbaacılıktı. Bahriye Nezareti Matbaası'nda müdürlük yaptı. Ermeni basını hakkında yazılar kaleme aldı.

– Rapayel Aptullah Fransa'da ziraat üzerine okurken, 1915'te İstanbul'a dönerek Fransız mekteplerinde öğretmenlik yaptı. Ermeni yetimhanelerinde müdürlük yaptı. Kitaplar yazdı.

– Hovhannes Aznavor matbaacıydı. Ermeniceye çevirdiği Nasrettin Hoca hikâyelerini matbaasında bastırdı. *Khelok Tavit* (Uslu Tavit) adlı mizah gazetesi çıkardı.

– Mıgırdiç Acemyan Ermeni şairiydi. İstanbul'da Posta Telgraf Nezareti'nde çalışmaya devam etti.

– Süzan Adil İstanbullu ressamdı.

– Bedros Adruni; İstanbullu, Ermenice çıkarılan *Gırtaran* (Mektep) dergisinin yayın müdürüydü. Aynı isimli bir başka Bedros Adruni ise "soykırım" yapıldı denen dönemde ülkenin Ermeni okullarında öğretmenlik, müdürlük yaptı.

– Hovhannes Aleksanyan, 1868 Adapazarı doğumluydu. Üsküdar Amerikan Koleji'nin unutulmaz öğretmenlerinden biriydi.

– İstepan Akayan İstanbullu minyatüristti.

Liste uzun...

Hiçbiri tehcire gönderilmedi...

Hiçbiri idam edilmedi...

Ve...

1915'te cephede olan Ermeniler vardı:

Adı, Diran Çırakyan'dı; şairdi, ressamdı. 1917'de askere çağrıldı, fakat o silah kullanmayı dini inancına aykırı bulduğu için savaşmayı reddetti. İstanbul'da kâtiplik görevi verildi. 1921'de Diyarbakır'da öldü.

Mustafa Kemal'in emir eri gibi cephede olan, şehit düşen Ermenileri yazsam sayfalar yetmez ama fikir oluşturması için sadece askeri hekimlerden örnekler vereceğim...

– Nazaret Aksaraylıyan aslen Kayseriliydi. Doktordu. Tehcir döneminde İstanbul Gümüşsuyu Hastanesi'nde çalışıyordu. Sonra. Birinci Ordu sıhhiye müsteşarlığına getirildi.

– Civani Ananyan Beyoğlu'nda doğdu. Askeri Tıbbiye Mektebi'nin müdürlüğüne kadar yükseldi. Tehcir döneminde miralay rütbesiyle görevinin başındaydı.

– Boğos Dadyan da miralay tabipti. Balkanlarda, Çanakkale'de neredeyse tüm cephelerde bulundu. Yedi nişan aldı. Atatürk'ün şahsi dostuydu. Atatürk özel Arap atlarını ona seçtirirdi.

– Hagop Bekyan, 1869'dan vefat ettiği 1929 yılına kadar askeri doktor olarak görev yaptı.

– Sarkis Berberyan 1915'te İstanbul Davutpaşa'da askeri hekim olarak görev yaptı. Savaştan sonra Kınalı ve Burgaz'da belediye doktorluğu yaptı.

– Krikor Aslanyan doktordu. Birinci Dünya Savaşı'nda Basra Askeri Hastanesi'nde görev yaptı. Savaşta gösterdiği başarı nedeniyle Mecidi nişanlarıyla taltif edildi.

– Arto Mezburyan hekimdi. Tehcir döneminde görevi başındaydı. Aynı zamanda yazardı; Ermeni doktorlar konusunda çalışmalar yapıp yayımladı.

Liste uzun...

Diplomatlar, mebuslar bile var 1915'te görevinin başında olan...

– Manuk Azaryan, Osmanlı dönemi diplomatlarındandı. Birinci rütbeden Osmani nişanlarıyla taltif edildi.

– Hagop Boyacıyan, Osmanlı Mebusan Meclisi'nde bulundu. 1915'te Maarif Nezareti Yüksek Şûrası üyesiydi.

– Nişan Civanyan Hariciye Nezareti müşaviriydi.

– Kevork Aslanyan, 1914'te Ermeni Bankası idare heyetinde olmasına rağmen tehcire gönderilmedi. Hep devlet katında önemli görevlerde bulundu. Ermenice kitaplar yazdı.

– Armanak Sakızlı 2 Nisan 1919'da Divanı Muhasebat Reisliği (Sayıştay Başkanlığı) yaptı.

Uzatmayayım...

Hepsi bizim toprağımızın insanıydı.

Hepsi bu topraklarda doğdu ve bu topraklara ihanet etmedi.

Kim ne derse desin, kalbimizdeler.

Hrant Dink gibi...

Bu toprakların insanlarını köksüzleştirmek istiyorlar.

"Hrant Dink'i unutturmayacağız," diyenler ısrarla bir gerçeğin üstünü örtüyor.

Hrant Dink'in siyasi duruşu hiç dile getirilmiyor.

Oysa... Hrant Dink sosyalistti.

O büyük yürüyüşün; kardeşlik ülküsünün yoldaşlarından biriydi.

Ne yazık ki bugün; Hrant Dink –politik bilinci olmayan ailesi tarafından– liboş dönek çevrelerin eline esir düşürüldü.

Evet, Hrant Dink unutturulmayarak iyi yapılıyor ama diğer yandan onun politik yönü hatırlanmıyor bile. Sürekli etnik kimliği öne çıkarılıyor.

Hrant Dink sadece Ermeni kimliğiyle anılabilir mi; anlatılabilir mi? Bu aslında ona saygısızlık değil mi?

Bu anlatım aslında bu topraklardaki kardeşlik duygusunu yok etmek isteyenlerin elindeki en önemli silah değil mi?

Bakınız...

Size bir başka Hrant'tan bahsedeyim:

Hrant Yegavyan!

Hrant Dink gibi o da Malatyalıydı.

Arapgir doğumluydu. 19 yaşındaydı. Tıbbiye öğrencisiydi. Sosyalistti. "Ermeni komitacı" olduğu iddiasıyla İstanbul Beyazıt Meydanı'nda 1915'te idam edildi.

Bu "Ermeni komitacı"nın son sözü ne oldu bilir misiniz: "Yaşasın sosyalizm!"

Hiçbir sosyalist kimlik siyaseti yapmaz!

Bugün kimileri gibi, Türk'ü aşağılayıp Ermeni'yi, Kürt'ü yücelterek kardeşliği sağlayamazsınız.

Duygusal sözlerle; emperyalizmin gölgesine sığınarak kardeşlik inşa edemezsiniz.

Hrant Dink bunu biliyordu. Bu oyuna gelmedi.

1 Haziran 2004'te *Agos*'ta ne yazdı:

> Yüz yıl önce Ermeniler bekliyordu İngiliz-Fransız ittifakını. Şimdi Kürtler bekliyor Amerikan-İngiliz ittifakını. Osmanlı topraklarında yüzyıl önce oynanan oyun bu kez Irak topraklarında sahneleniyor. Hiçbir emperyalist ülke, bir milletin kara kaşı, kara gözü için onu kurtarmaya gitmez. O önce kendi çıkarını düşünür. İşine geldiğinde de anında satar, arkasına bile bakmadan çeker gider.
>
> Nitekim, yüz yıl önceki o beklentiler, o umutlar Ermeniler açısından tam bir hüsranla sonuçlandı işte. Beklentinin gerçekleşmemesi bir yana, varlığını o zamana dek belli bir millet sistematiği içerisinde sürdürebilen Ermeni halkının büyük bir bölümü yok edildi; bir milletin kökünün kazınmasına vesile oldu. Koca halkın Anadolu üzerindeki tüm izlerinin silinmesine kapı aralandı. İyisi mi sen gel ey Kürt kardeşim.
>
> Sen gel şu işi bir bilene sor. Şu Ermeni kardeşinin bilirkişiliğine güven. Böylesi savaş ortamlarına güvenme. Bil ki bu savaş ortamları zalimlerin nezdinde bitirilmemiş hesapların da

kökten çözüme kavuşturulduğu tuzak fırsatlardır. Bu tuzağa düşme...

Bunları yazan Hrant Dink emperyalizmin kimlik siyasetine yenik düşer mi?

Hrant Dink'in safı belliydi: Sosyalistlerin yoldaşıydı

– O, Osmanlı Meclis-i Mebusanı'nda sosyalizmi savunduğu için dayak yiyen Erzurum mebusu Varteks Efendi'nin yoldaşıydı.

– O, İstanbul'da idam edilen sosyalist Dr. Bene Torosyan'ın, yazar Keğam Topuzyan'ın, öğretmen Tovmas Tovmasyan'ın yoldaşıydı.

– O, Beyrut'ta Spartakist hareketin kurucusu İstanbul doğumlu Artin Madeyan'ın yoldaşıydı.

– O, Nazi infaz mangasının 1942'de Fransa'da kurşuna dizdiği Adıyaman doğumlu şair komünist Misak Manukyan'ın yoldaşıydı.

– O, 1944-47 tevkifatlarında yakalanıp ağır işkencelerden geçirilen TKP merkez komitesi üyesi Aram Pehlivanyan'ın yoldaşıydı.

– O, Büyükadalı komünist bakkal Barkef Şemikyan'ın yoldaşıydı.

– O, hayatları sürgünde geçmiş sosyalist Jak-Vartan İhmalyan kardeşlerin yoldaşıydı.

– O, TKP'nin gizli çekmecelerini yapan marangoz Sarkis Usta'nın yoldaşıydı.

– O, 1 Mayıs 1977'de Taksim'de ezilerek ölen Garabet Ahyan'ın yoldaşıydı.

– O, 1951 Komünist Tevkifatı'nda Ermeni olduğu için en ağır işkencelere uğrayan Hrant oğlu kalorifer tesisatçısı Vahe Damgaciyan'ın yoldaşıydı.

– O, yüz binlerce Türk, Kürt, Ermeni, Yahudi, Rum, Laz, Gürcü, Çerkez vd. sosyalistlerin yoldaşıydı...

Üç-beş dönek eskisi Hrant Dink'i bu yoldaşlarından koparamaz...

Lenin'in dediği gibi gerçekler devrimcidir.

Hakikatleri başka kalıplara sokarak tanınmaz hale getirenlerin amacı tarih yazmak değildir.

DİZİN

B

C

Ç

D

E

F

I

İ

J

K

N

Ş